101 MENTIRAS QUE LOS HOMBRES
DICEN A LAS MUJERES

DORY HOLLANDER,
PH. D.

101
MENTIRAS
QUE LOS
HOMBRES
DICEN
A LAS
MUJERES

Javier Vergara Editor s.a.
Buenos Aires / Madrid / Quito
México / Santiago de Chile
Bogotá / Caracas / Montevideo

Título original
101 LIES MEN TELL WOMEN

Edición original
Harper Collins Publishers

Traducción
Adelaida Ruiz

ISBN 950-15-1618-0

Impreso en la Argentina / Printed in Argentine
Depositado de acuerdo a la Ley 11.723

Esta edición se terminó de imprimir en
VERLAP S.A. Comandante Spurr 653
Avellaneda - Prov. de Buenos Aires, Argentina,
en el mes de junio de 1996

*Para el ser veraz que hay
en cada uno de nosotros*

Índice

AGRADECIMIENTOS

Me gusta considerarme independiente. Pero en lo que se refiere a escribir un libro, como en la vida, tenemos muchas oportunidades de aceptar orientación y de ver de qué modo las sugerencias y puntos de vista ajenos nos impulsan a llegar más lejos que cuando sólo empleamos nuestros propios recursos. A menudo, no se trata de que *podamos* hacerlo solos o no, sino de que tengamos la suficiente inteligencia para reconocer la sabiduría acumulada de los otros y aprender de ella. Por lo tanto, me complace haber contraído ciertas deudas al escribir *101 Mentiras*.

¿Con quiénes estoy en deuda?

En primer lugar, con todas las personas que entrevisté, tanto los mentirosos como las víctimas de las mentiras. Sus relatos y comprensión me provocaron una simpatía que no había imaginado antes de escuchar sus historias y registrar palabras, sentimientos y reflexiones. A medida que el libro se desarrollaba, las experiencias colectivas e individuales de estos hombres y mujeres me ayudaron a refinar y reformular mis ideas acerca de las mentiras que los hombres dicen a las mujeres, y sobre todo los motivos y las causas. Lo que me hizo persistir durante dos años de esfuerzos permanentes de consulta y escritura fue el deseo genuino de entender por qué mentían o por qué escuchaban mentiras. Y lo que aprendí de ellos me dio el valor de dejar que este libro hablara con su propia voz. Aunque no pude publicar completa ninguna de esas historias, las palabras y la comprensión desarrollada por estas personas y las mentiras que dijeron o sufrieron ejercieron gran influencia en el tono y la dirección de cada página de *101 Mentiras*.

En segundo lugar, estoy en deuda con muchísimos investigadores en psicología, sociología y sociobiología. Como respaldo de mi propia investigación con respecto a las mentiras que intercambian hombres y mujeres, me apoyé en el cuerpo de conocimientos que generaron estos profesionales. También me siento en deuda con muchos investigadores psicológicos que realizaron cientos de experimentos de laboratorio sobre el tema del engaño y otros vinculados a él. Me ayudaron, en especial, a comprender mejor qué saben y qué ignoran los psicólogos sobre la mentira, las contribuciones de Paul Ekman en cuanto a la detección de mentiras, y a Bella DePaulo en los aspectos no verbales del engaño. También quisiera agradecer el trabajo esforzado de tres décadas de teóricos e investigadores de los modelos de género. Aunque no guarda una relación específica, este cuerpo de conocimientos sobre el género constituye la base de buena parte de mis ideas acerca de cómo las diferencias de socialización entre hombres y mujeres desde el nacimiento llegan a ejercer una influencia en el modo en que se mienten entre ellos, como en todos los demás aspectos de la vida. Y entre los psicólogos evolucionistas cuyos trabajos me fascinan, quisiera destacar la obra de David Buss acerca de la evolución del deseo, que me provocó muchas exclamaciones de asentimiento cuando reflexioné sobre el papel evolucionista y adaptativo de la mentira en las relaciones entre personas.

Tercero, agradezco a mi amigo, compañero y colega, el doctor George Salamon, que me ayudó a entrevistar a los hombres y mujeres que cito en la obra. En todos los capítulos, más que con su tiempo contribuyó con numerosas ideas que me ayudaron a refinar mi pensamiento, y fue un apoyo en esos días caóticos de veinticuatro horas, como también en la vida y el trabajo fuera de la ciudad, en una serie de ciudades. Además de sobrevivir al incómodo examen de una psicóloga que escribe sobre las mentiras que los hombres dicen a las mujeres, George también admitió un par de puntos cuando se sintió acorralado. Desde la concepción del libro hasta su finalización, trabajó arduamente como director, editor informal y hasta como lector de pruebas, los últimos días.

Eso me recuerda al resto de mi "cuerpo editor". Fui seducida y abandonada por tres magníficas editoras de HarperCollins: Nancy Peske, Betsy Thorpe y Susan Moldow. Descubrí, tarde, que la mayor mentira que los editores infligen a los autores es:

"No, claro que no me iré a ningún sitio." Sin embargo, aun después de haberse ido de HarperCollins, Nancy Peske fue editora autónoma de *101 Mentiras* y, por cierto, su interés en la obra y su compromiso hacia ella marcaron una diferencia en el producto terminado. Betsy Thorpe, mi segunda editora, ganó el premio a la flexibilidad y la buena voluntad por su trato imparcial con cambios de fechas y urgencias, y por su calma y apoyo permanentes. Y Susan Moldow, que ya me abandonó dos veces, ganó alto puntaje por ser la primera en reconocer el valor del concepto de *101 Mentiras* y de llevar la obra a la editorial. Les deseo lo mejor en sus nuevos puestos.

También quisiera agradecer a mi antiguo amigo y agente, Bruce Wexler, que estuvo conmigo en momentos duros, y cuya perspicacia, astucia editorial y apoyo fueron invalorables para mí en la realización de *101 Mentiras* y antes, en mi primer libro de 1991, *The Doom Loop System, A Step-by-Step Guide to Career Management*. Bruce hizo de editor externo, y se esforzó por impulsarme a escribir el libro de cabecera favorito sobre mentiras.

Quiero agradecer, también, a mi amiga Betsy Walker por leer el manuscrito terminado y por sus sugerencias. Además, están mis clientes tanto de la corporación como individuales, con los que estoy en deuda por el interés sincero que demostraron hacia *101 Mentiras*, y el modo en que aceptaron el período de intensa concentración y energía que requirieron los momentos de urgencia de la obra. Max Millon, presidente del *Relationship Center*, de St. Louis, me ayudó generosamente a lograr acceso a voluntarios para la investigación, en mi muestreo de esa ciudad.

Por último, pero no menos importante, como ellos mismos me lo recordarían, estoy en deuda con mis dos sostenes más sólidos y mis más duros críticos: mis hijos, Sam Blumoff y Rebecca Hollander-Blumoff. Un agradecimiento especial a Rebecca por su perspicacia y ojo de lince en la lectura de pruebas, y a Sam por su fina perspectiva para dar el toque final. Son remansos de sensatez y estabilidad en este mundo cada vez más loco.

INTRODUCCION

¿Por qué un libro acerca de las mentiras de los hombres?

Cuando era niña, mi padre solía decirme: "Nunca confíes en un mentiroso". Como buena hija, conservé este principio durante toda mi infancia. Sin embargo, no podía evitar preguntarme por qué mi padre había querido compartirlo conmigo, su hija menor. No parecía tener mucho sentido. ¿Por qué alguien iba a confiar en un mentiroso?

Sin embargo, con el correr de los años comencé a comprender lo que mi padre quería decir.

Como psicóloga, me he encontrado innumerables veces con mujeres a quienes los hombres les habían mentido. Como consultora de empresas, he visto el daño que las mentiras causan a los incautos en el mundo de los negocios. Además, a lo largo de mi vida, yo también fui engañada varias veces.

Durante un tiempo, me limité a archivar en mi memoria esas historias, pero más tarde, cuando comencé a meditar acerca del peso acumulativo de las historias escuchadas y de mis propias experiencias, me di cuenta de que se trataba de un tema que se repetía. Aunque las mentiras hubiesen sido arteras y horribles, las mujeres acababan culpándose a sí mismas en lugar de culpar a los mentirosos, que con frecuencia desaparecían rápidamente.

Ellas habían confiado en un mentiroso.

Por supuesto, estaban furiosas con los hombres que las

habían engañado, pero de un modo u otro, muchas de ellas sentían que ellas habían facilitado el escenario para las mentiras.

Tampoco resulta asombroso que las cicatrices de las heridas y de la furia subsistiesen en las vidas de esas mujeres y ensombreciesen sus posibilidades de volver a confiar en relaciones futuras.

También trabajé con muchos hombres que hablaban de cómo mentían a las mujeres, y eran muy pocos los que sentían remordimientos al respecto. Algunos incluso se jactaban de su capacidad para engañar a la mujer que tenían a su lado o de su habilidad para ocultar sus secretas intenciones. Mientras las mujeres solían manifestar disgusto y enojo frente a las mentiras en sus relaciones personales y profesionales, eran muy pocos los hombres que demostraban estos sentimientos. Lo más frecuente era que sacaran a colación una mentira propia o ajena, como una acotación interesante, mientras trabajábamos para solucionar algún otro problema que consideraban importante.

Gabe es un buen ejemplo en este sentido. El estaba trabajando conmigo para lograr un importante cambio de trabajo y trasladarse a otra ciudad en el Noreste. Habíamos estado elaborando juntos la estrategia para este cambio durante seis meses y finalmente estaba todo listo: el ofrecimiento, el salario, el cargo, el aumento de poder que él tanto había deseado.

Cuando le pregunté acerca de la táctica de su cambio, me habló del tiempo que iba a tomarle arreglar el alquiler de su casa, empacar y ponerse en marcha. Probablemente podría hacer todo en menos de tres semanas.

Era un hombre muy activo.

Fue en ese momento cuando estalló la bomba. Dijo displicentemente: "A propósito..." En mi opinión, "a propósito" suele ser un indicio de que algo importante y oculto está por emerger, de modo que presté especial atención. Entonces Gabe comenzó a contarme que durante poco más de un año había estado viviendo con una mujer maravillosa y me preguntó si tenía algún consejo para darle respecto de cómo anunciarle la noticia, ya que iba a significar el fin de la relación. Además, en pocos días ella iba a tener que irse de su casa y mudarse a otro lugar, porque era él quien pagaba el alquiler de la casa y ella no podía hacerse cargo de esa suma. Y finalmente vino lo peor: como ella no estaba al tanto de su búsqueda de trabajo, toda esta información la tomaría por sorpresa.

Yo estaba azorada. Hasta ese momento, Gabe nunca había

mencionado que existiese una mujer en su vida y, menos aún, una que pudiese esperar un compromiso a largo plazo. Era imprescindible que se lo dijese de inmediato, pero, pese a mi consejo, Gabe se lo informó recién la semana anterior a la mudanza. ¿Por qué? Bien, porque era más fácil, porque se acomodaba mejor a su cronograma y a su falta de deseos de tolerar conflictos. Para Gabe así estaba bien. ¿Para qué arruinar las tres últimas semanas que pasarían juntos? Resultaba difícil saber si se sentía mal frente a esta situación ¿Veía esto como una mentira o creía que se trataba simplemente de "no decir"?

Al margen de cómo denominaremos la táctica de Gabe, estoy segura de que la mujer que estaba a su lado no debe de haber visto las cosas con tanta tranquilidad. Apuesto a que, mientras guardaba sus cosas a toda prisa, lo que pensó no fue precisamente: "¡Qué sorpresa! ¡Fue una suerte que no me lo haya dicho antes, así pasamos un par de semanas maravillosas!".

¿Por qué me decidí entonces a escribir este libro? Lo escribí para la compañera de Gabe y para todas las mujeres como ella, para que puedan comenzar a precaverse contra las próximas "faltas de información". Lo escribí para que no actúen a ciegas y puedan hablar más francamente acerca de las mentiras y las "faltas de información", de cómo estas cosas las afectan, y para que puedan sacar a la luz la verdad y la sinceridad. De esta manera, los hombres como Gabe también podrán comprender lo mucho que su egoísmo daña a las mujeres que confían en ellos y cómo sus actitudes hacen estragos en la vida de los demás.

Escribí este libro para ayudar a iniciar un diálogo más franco entre los hombres y las mujeres respecto de las razones por las cuales mentimos en la vida privada, en la cama, en el trabajo y en la vida pública. Esto no es fácil para ninguno de los dos sexos, ya que a menudo solemos temer las consecuencias de nuestra propia sinceridad tanto o más que lo que tememos a las mentiras de nuestras parejas. Sin embargo, mi experiencia indica que, por incómodo que resulte, si nos mantenemos abiertos y somos sinceros, podremos mejorar y cambiar.

Hay otro punto importante. La mayoría de nosotras aún estamos aprendiendo a lidiar con el contexto de los años noventa, signado por la necesidad de actuar de una manera política y cargado de tabúes. En lo que respecta a las relaciones entre hombres y mujeres, debemos enfrentar ahora muchas paradojas. Ya estamos muy lejos de los años sesenta, setenta y ochenta, con sus aires femenistas, durante los cuales las mujeres detestaban cualquier indicio de diferencias entre los sexos. Hoy en día, estamos mucho más dispuestas a aceptar que los hombres y las mujeres nos diferenciamos en algo más que en la fuerza muscular.

Sin embargo, todavía nos cuesta poner sobre la mesa cualquier diferencia entre los sexos que nos parezca negativa o que pueda traer consecuencias dolorosas. Queremos hacerlo todo bien para que nadie se sienta mal. ¿El resultado? El diálogo entre sexos que necesitamos desesperadamente se ve coartado por nuestra necesidad de comportarnos políticamente. Espero que este libro colabore a la liberación de ese diálogo y cuento para ello con su participación.

Cómo fue creciendo mi interés por las mentiras

Planté la semilla de esta idea hace ya muchos años, cuando una empresa me pidió que escribiese un manual de autodefensa para vendedoras. Había allí un grupo de mujeres jóvenes y muy ambiciosas, que salían solas por los caminos a recorrer largas distancias, principalmente en zonas rurales muy aisladas. En esa época yo sabía muy poco de autodefensa, pero estaba acostumbrada a viajar sola y pensé que la idea de un manual sobre el tema era razonable. Además, me entusiasmaba la idea de que las mujeres aprendiesen a defenderse.

Lo que no pude prever fue la cantidad de objeciones que recibí, tanto por parte de hombres como de mujeres. Para algunos, se trataba de proteccionismo. Pensaban que las mujeres no necesitaban ningún manual ni ningún trato especial. Otros argumentaban que este manual dirigía mucha atención negativa hacia las dificultades de las mujeres, y que eso podía perjudicarlas. Por lo tanto, era mejor no ocuparse de esas cuestiones.

Sin embargo, a las mujeres que andaban por los caminos les encantó la idea de un manual de autodefensa, de modo que lo escribí. La respuesta abrumadoramente positiva por parte de ellas me conmovió.

Con el correr de los años también llegó a conmoverme el hecho de que la mayor parte de las mujeres también andan "por los caminos" en su vida personal y así concebí la necesidad de un manual de autodefensa de otra clase. No cesaba de escuchar historias de mujeres que hablaban de su confianza y su decepción en el amor y en el trabajo. Contemplaba lo golpeadas y descreídas que se sentían porque los hombres a quienes amaban les habían mentido en cuanto a su pasado, su estado civil, sus intenciones, sus compromisos y las otras mujeres que formaban parte de sus vidas. Mientras escuchaba una y otra vez los mismos modelos, iba reconociendo que estos relatos tenían muchas cosas en común. Llegué así a descubrir un patrón conformado por un conjunto de *mentiras típicas de los hombres* y un patrón conformado por las *respuestas típicas de las mujeres*. Así comencé a convencerme de que si las mujeres podían reconocer estos patrones y darse cuenta del papel que desempeñaban en la invisible y desgastante dinámica del engaño, podrían ahorrarse bastante dolor y dejar de perder tiempo y esfuerzo. Sería un desafío, ya que no se iba a tratar de la defensa contra asaltantes desconocidos, violadores y ladrones que pululaban en parajes desconocidos, sino que se trataría de la defensa contra los hombres más cercanos, aquellos en quienes se confía: los amigos, los amantes y los esposos.

La mayoría de nosotras sentimos lo que anda bien y lo que no. Intuimos quién es confiable y quién nos está tendiendo una trampa. Sin embargo, a medida que pasa el tiempo, lo vamos olvidando. Aprendemos a dejar de lado las pistas iniciales, a ser siempre muy razonables y educadas. Finalmente sonreímos; no importa lo que sentimos, refrenamos nuestros mejores impulsos y nos convencemos de que estamos bien, gracias.

Sin embargo, lo más gracioso es que nuestros impulsos no están verdaderamente olvidados. Los recordamos *después* de las heridas y *después* de las traiciones. Las discrepancias entre lo que sabemos por nuestra intuición y lo que nos decimos a nosotras mismas nos llevan a repasar obsesivamente los detalles buscando la verdad. Finalmente, nuestra conciencia logra captar lo que teníamos oculto y reconocemos que supimos la verdad todo el tiempo.

En la búsqueda de unión solemos olvidar que ser amables y educadas es mucho menos importante que cuidarnos a nosotras mismas y evitar las situaciones riesgosas. Por supuesto, desconectar nuestro sexto sentido y nuestras alarmas tiene su lado útil: nos lleva a asumir riesgos. Eso a veces funciona bien, pero otras nos pone en peligro.

Cuando ignoramos nuestras señales de advertencia internas que nos indican *"No avances más"*, es como si estuviésemos ignorando los movimientos sospechosos de un potencial asaltante en las calles de la ciudad. Nos colocamos innecesariamente en una posición muy vulnerable. Tanto con los ladrones como con los mentirosos, los indicios son muy importantes ya que por lo general terminamos diciendo: "Debí haberlo visto venir".

Mientras pensaba en los temas que aparecen en las historias que cuentan las mujeres acerca de mentiras y mentirosos, vino a mi mente el manual de autodefensa. La guía resaltaba cuáles eran los peligros y alertaba a las mujeres para que se mantuvieran alerta y no se sintiesen demasiado cómodas inmediatamente. Enfatizaba la importancia de resguardarse en las situaciones difíciles, teniendo en cuenta que no podemos dejar nunca que sea otro quien cuide de nosotras. Describía los signos específicos que debían hacernos sospechar y ofrecía consejos generales para lidiar con situaciones que iban de lo desconcertante a lo potencialmente peligroso.

Me pregunté entonces: "¿Qué tal escribir un manual que alerte a las mujeres acerca de otro tipo de peligros, acerca del peligro de las mentiras de los hombres, ese que aún las mujeres inteligentes no suelen ver sino después que el daño ya está hecho?".

Hablé acerca de esta idea con algunas mujeres.

Les pregunté: "¿Leerían ustedes un libro que se titulase *Las 101 mentiras que los hombres dicen a las mujeres*?". La reacción fue unánime: una sonrisa, una carcajada y un rápido "¡Claro! ¡Dime dónde puedo comprarlo ahora mismo!". Unas pocas ironizaron: "¿Sólo 101?¿Estás bromeando? ¿Por qué no 1001...? Déjame contarte las que me han dicho a mí...".

Luego hablé con los hombres y escuché: "¡Oh, no! No quiero saber nada de otro libro en contra de los hombres". Algunos dijeron: "Deberías escuchar algunas de las que yo he dicho". Un hombre respondió: "¡Mentiras! El mayor error que cometí en mi vida fue decirle la verdad a mi esposa antes de casarnos. No deja de recordármelo". Finalmente, con gran honestidad, unos pocos dijeron: "¿101 mentiras? ¿Dónde vas a encontrar tantas?".

Cómo hablar a los hombres y a las mujeres acerca de las mentiras de los hombres

Fijamos el plan de investigación. Mi colega, el Dr. George Salamon y yo entrevistamos a sesenta mujeres y a treinta y cinco hombres en cuatro ciudades: Phoenix, St. Louis, Chicago y Washington D.C. acerca de sus experiencias relacionadas con los hechos de mentir y de que les mientan. La mayoría de los entrevistados provinieron de respuestas a un aviso publicado en el periódico que solicitaba voluntarios para conversar acerca de la verdad y el engaño en las relaciones personales. Algunos se ofrecieron a participar a raíz de escuchar algunas charlas mías y un par provinieron de organizaciones a las cuales consulté sobre el tema. Unos pocos me fueron enviados por abogados y hasta entrevisté a dos mujeres a las que escuché conversando acerca de mentiras en un café, para ver si sus historias diferían de las otras —y no diferían—. También fueron entrevistadas cuatro personas como prueba piloto, para poner a prueba las preguntas que conformaban las entrevistas, obtener información y ver cuál era el mejor orden para las preguntas. Todas estas personas venían de distintos ámbitos: profesores, amas de casa, productores de cine, abogados, actores, funcionarios, gente de negocios, científicos, maestras, secretarias, obreros y desempleados. Eran también distintos desde el punto de vista racial y religioso y venían de contextos socioeconómicos variados.

Lo que nos contaron estos hombres y mujeres en entrevistas formales —que duraron entre una hora o una hora y media y seis horas—, constituye la esencia de este libro. Las historias son reales. Los nombres y los lugares que aparecen en el libro, en cambio, no lo son. Los he cambiado, al igual que he modificado algunos detalles que pueden llevar a la identificación (la cantidad de hijos, la ocupación específica, la zona geográfica) para proteger tanto al culpable como al inocente de ser reconocidos.

Las noventa y cinco personas a quienes entrevistamos nos contaron historias atrapantes y a menudo asombrosas acerca de las mentiras que dijeron o que sufrieron. Algunas de esas historias son graciosas, otras son dolorosas. Algunas personas se mostraron reflexivas, otras jactanciosas. Algunos lloraron mientras hablaban de su ira y su dolor. Todos tenían una historia para contar; algunos tenían muchas. Del más joven (veintiún años) al más viejo (setenta y dos) todos estuvieron de acuerdo en que la mentira era parte del estilo de vida americano. Algunos disfrutaban adentrándose en lo más íntimo de sus relaciones. Hubo algunas excepciones en que se mostraron orgullosos de su especial habilidad para decir mentiras, pero hasta estos virtuosos del engaño lamentaron el daño que sus mentiras habían causado en sus relaciones, y unos pocos expresaron su deseo de comenzar de nuevo de otra manera. Algunas de las personas a quienes entrevisté hasta llegaron a escribirme luego para decirme que el hablar acerca de sus mentiras y las de los demás había cambiado la óptica que tenían acerca de la mentira y los había llevado a tomar la decisión de no mentir más.

Otros, que habían sido víctimas de mentiras, estaban seguros de que nunca habían mentido, y la entrevista puso en cuestión este punto de vista. Casi todas las preguntas acerca de las mentiras que el sexo opuesto les había dicho estaban también formuladas a la inversa. Así, por ejemplo, después de preguntarle a alguien acerca de las mentiras que un hombre o una mujer les había dicho en la cama, se le preguntaba acerca de las mentiras que él o ella habían dicho en ese mismo lugar a alguien del sexo opuesto.

Al cabo de dos o tres horas, muchos de los que se habían presentado como víctimas de las mentiras y creían que jamás mentían, se sintieron azorados al comprobar que ellos también habían sido deshonestos en sus relaciones personales. Pensar y hablar acerca de las propias mentiras lleva a tomar conciencia. Un hombre, un ingeniero de treinta y pico de años, dijo: "Cuando verbalizo las mentiras me parecen más concretas y se me hace más difícil negarlas". Al cabo de una entrevista muy larga, una mujer recientemente divorciada lo expresó de esta manera: "Pasé de pensar que las mentiras de los hombres eran muy diferentes a convencerme de que eran iguales a las mías. Usted me demostró que en muchas cosas yo miento de una manera similar a la de mi ex marido". Y agregó riendo: "La única diferencia es que mis mentiras siempre están justificadas".

Todo esto me ha llevado a dos conclusiones muy importantes. En primer término, este libro no es un compendio de moral. No intento definir aquí lo que está bien y lo que está mal, ni decirle a la gente qué es lo que debe hacer o lo que no debe hacer en situaciones particulares. Lo que intento hacer es abrir un diálogo entre hombres y mujeres respecto del hecho de mentir y de que le mientan. Personalmente, estoy convencida de que la sinceridad, acompañada por la empatía, el sentido de la oportunidad y el tacto, constituyen la mejor política. Sin embargo, nuestra relación con la verdad y con otras visiones de esa verdad es algo que debe resolver cada uno a su manera. En segundo término, no creo —ni tampoco mis datos así lo evidencian— que los hombres sean los únicos mentirosos.

Los hombres mienten. Las mujeres mienten. Ninguno de los dos sexos deja de ocultar la verdad en algún terreno. Sin embargo, mis resultados y los de otros investigadores sugieren que los hombres mienten más y con consecuencias más devastadoras para el sexo opuesto. Lo más importante es que las diferencias y las similitudes entre las mentiras de los hombres y las de las mujeres nos proveen información que podemos utilizar para desarrollar relaciones más satisfactorias y para evitar relaciones negativas.

En las páginas que siguen usted encontrará, ejemplo tras ejemplo, lo absurdo y lo patológico de la mentira en las relaciones personales y descubrirá lo locos que somos en nuestra búsqueda permanente de establecer vínculos

Usted escuchará las distintas historias que los hombres y las mujeres cuentan respecto de la confianza y las relaciones. Se enterará de las mentiras comunes y las fuera de serie, de las verdades a medias y de las verdades escondidas que los hombres han contado y las mujeres han creído. El noventa y cinco por ciento de los hombres y mujeres entrevistados nos han dejado como regalo sus aprendizajes, ricos y dolorosos. Algunas de estas experiencias le resultarán tan cercanas a su vida, que la harán sentirse incómoda.

En busca de las 101 mentiras

¿Y las 101 mentiras? ¿Dónde obtuve esa lista? ¿Las seleccioné acaso por ser las más atroces? ¿Por ser las más dañinas? ¿Las más frecuentes? En realidad fueron estos y también otros los parámetros que determinaron la selección. Quería una lista que evidenciara adecuadamente el engaño, la manipulación, la creatividad, el machismo y el sabor cotidiano que aparecieron en las entrevistas que llevé a cabo para este libro. Muchas de las mentiras que enumero tienen variantes, que usted encontrará en cada capítulo, a menudo directamente en las citas de los hombres que las dijeron o de las mujeres a quienes se las dijeron. (Además, puede encontrar la lista clasificada de las mentiras en el Apéndice). Mi intención fue hallar un equilibrio entre distintas clases de mentiras, de modo que usted no acabe frente a 101 versiones de la ubicua mentira: "Te llamaré".

Cada una de las treinta y cinco primeras mentiras de la lista representa una categoría de mentira distinta. Estas treinta cinco categorías fueron las más frecuentemente mencionadas por hombres y mujeres. A su vez, estas treinta cinco están clasificadas de la más a la menos frecuente. Las clases de mentiras mencionadas después de estas treinta y cinco, están mezcladas para dar la sensación de diversidad.

¿Cómo utilizar esta lista? Usted puede limitarse a leerlas y reconocerlas rápidamente, o bien puede utilizarla para preguntarse a sí misma y preguntarles a sus amigas cuáles son las mentiras que han dicho o que les han dicho.

Antes de llegar a las mentiras

Este libro tiene como primer objetivo promover la detección rápida y temprana de las muchas formas de mentiras masculinas y de las reacciones femeninas ante ellas. En segundo término espero haber dado lugar a la suficiente comprensión y empatía como para que los hombres y las mujeres puedan reconocer sus propias mentiras y las del otro, y puedan discutir con sinceridad acerca de este tema.

Las mentiras asumen muchas formas y no todas son disculpables. Algunas son particularmente crueles, otras son habituales. Al mostrar esto, deseo ayudar a las mujeres que se topan con mentirosos peligrosos y arteros a que reconozcan a esa especie, corten el daño tempranamente y se dediquen a otra cosa. Entre los entrevistados hay, al menos, cinco mentirosos confesos o "mentirosos habituales en recuperación", entre ellos una mujer, que compartieron los trucos de su oficio como para limpiar sus conciencias.

¿Y qué hay de usted? Sea usted hombre o mujer, sea el mentiroso o el receptor de las mentiras, me gustaría que usted sacara en limpio:

- Una mayor conciencia de que los hombres mienten a las mujeres mucho más de lo que reconocemos.
- Claridad en el hecho de que usted no es el único que miente o a quien le mienten.
- Habilidad para analizar sus propias mentiras y sus reacciones ante las mentiras que le dicen. Su análisis puede ayudarlo a comprender la razón por la cual los hombres y las mujeres se mienten, cuando sería mucho mejor decir la verdad.
- Mayor conciencia acerca de su comportamiento y del de los hombres o mujeres de su vida, a partir del conocimiento de cómo y por qué mentimos.

Comprender las mentiras y a los mentirosos es el primer paso. Comprendernos a nosotros mismos y a nuestras reacciones es el segundo. El tercero consiste en desarrollar un plan de autodefensa con el cual se pueda ir a todas partes. No es fácil, pero valdrá la pena.

Una vez escuché un antiguo dicho beduino, que parece encerrar el dilema que se plantea entre el deseo de confiar y la necesidad de protegerse.

Confía en Dios, pero ata a tu camello.

Se trata de un desafío. ¿Cómo mantener nuestra fe en la bondad de los otros, respetar nuestros impulsos y defendernos al mismo tiempo de las mentiras y los mentirosos, *antes* de resultar dañado? Además, ¿cómo hacerlo sin amargarnos ni descorazonarnos?

Ponernos de acuerdo con nosotros mismos, con las mentiras y con los mentirosos exige eso que George Orwell, uno de los escritores más sinceros de nuestro tiempo, llamó "el poder de enfrentar los hechos desagradables". Una vez que logre hacerlo, emergerá más fuerte y más sano.

Primera Parte

ANATOMIA
DE LA MENTIRA

1

LOS HOMBRES MIENTEN: ES ASI. ¿POR QUE ENTONCES LAS MUJERES LES CREEN?

"Me mintió en todo: su edad, su raza, su educación, su familia, su novia. Pensó que me agradaría más si era hispano. Entonces dijo que su padre era cubano, que vivía en Miami, que todos en su familia tenían un título universitario y que él había asistido a una universidad americana. Dijo que tenía veintidós años, cuando sólo tenía diecisiete, y que la chica que estaba en su casa dando portazos era su prima, cuando en realidad era su novia."
—Técnica en Informes Médicos, veintiséis años, soltera.

"Para excusar mi ausencia durante un fin de semana puedo inventar cualquier cosa y hacerla creíble. Que mi padre está en Austria y debo encontrarme con él porque mi madre está enferma... Otras veces, en cambio. dejo un halo de misterio y me limito a decir: 'Se trata de mi familia'."
—Empresario, veintiocho años, soltero.

"Le dije a una mujer que la necesitaba, sabiendo que el modo en que yo la necesitaba era diferente del que ella estaba

interpretando. Para mí ella era un sujeto de investigación, no una persona importante en mi vida."
—Diseñador aeronáutico, treinta y nueve años, divorciado.

"Yo creo en lo que digo. Si otra persona lo juzga como una mentira, no me importa. Tengo la libertad de desdecirme. Puedo decir que voy a la casa de un amigo e ir a una librería o decir que estaré en la cama en diez minutos y no aparecer en dos horas."
—Consultor Gerencial, cuarenta y siete años, casado.

"Los hombres mienten: Es así." Es lo que sostiene Madonna durante un interrogatorio policial en la película *Body of Evidence*. El crítico de cine del *New York Times* comentó que ese fue el parlamento que provocó en los espectadores más risa y más aceptación. A partir de este comentario fui a ver la película y observé cómo esa línea arrancaba la aprobación de un coro de mujeres por demás silenciosas.

¿Por qué? Porque los hombres mienten: Es así.

¿Es este un juicio demasiado duro? ¿Es una nueva manera de denostar a los hombres? Creo que no. El hecho de que los hombres mientan no los condena masivamente. La proclividad de distintos hombres hacia la mentira varía considerablemente. Algunos hombres son mentirosos raros y arteros, que mienten por deporte o para su beneficio. Otros, en cambio, son mentirosos ocasionales que faltan a la verdad como respuesta a situaciones específicas. Algunos incursionan principalmente en las mentiras de jardín: esas pequeñas, blanquitas e inocentes, y también están los que no mienten nunca. Esos son los sinceros patológicos, devotos de la verdad a ultranza. La mayoría de los hombres caben dentro de este espectro.

Aunque las mujeres desean reconocer las mentiras y a los mentirosos, cuando se trata de su vida personal suelen tener muchas dificultades en la detección. En general, muchas mujeres reconocen la mentira y al mentiroso sólo cuando han pasado a la historia. ¿Por qué existe un agujero negro para las mentiras, especialmente en una relación íntima? Los agujeros negros generalmente traen problemas. Sin embargo, cuando usted confía en alguien porque siente que el idilio y el escepticismo no hacen buena pareja, está sentando las bases de una profunda decepción. La confianza debe ser ganada. Cuando alguien da su confianza con demasiada facilidad, se transforma en un blanco perfecto para los que actúan inescrupulosamente.

Una epidemia de mentiras

No es necesario ser demasiado sagaz para detectar mentiras. Los periódicos nos dan a diario un panorama de la notable, casi épica proporción de deshonestidad que toleramos permanentemente. "LA CORTE CENSURA A UN JUEZ DE BROOKLYN POR MENTIR". proclama un titular del *New York Times*. La honestidad de nuestro Congreso y de nuestro Presidente son cuestionadas una y otra vez. Las bromas que se dicen por televisión acerca del presidente Clinton y otros funcionarios son indicios desconcertantes de que incluso en los cargos más altos se miente.

Bajamos nuestras expectativas, pero ni aun nuestros ídolos culturales escapan a la cuestión. Ahora es Lady Di quien miente, atrapada en un nuevo escándalo. Mañana, será un sacerdote o un líder comunitario. Tal vez se trate de nuestro vecino. Nos estamos cansando.

Mientras miramos televisión, en los grandes programas periodísticos, la mentira es la reina suprema. Un juez de la Corte Suprema es acusado por alguien muy creíble: Anita Hill. Uno u otro miente: no hay alternativa. El péndulo se inclina primero hacia uno y después hacia otro: ya no sabemos a quién creer.

Los límites entre los mentirosos y los héroes se van diluyendo. Oliver North, presentado por Ted Koppel en Nightline, ¿es un mentiroso consumado que se sale con la suya siempre o un héroe que defiende a su país? La nación se divide entre los que consideran a O. J. Simpson un mentiroso y un asesino brutal y los que lo ven como un héroe y una estrella de los comerciales de televisión, a quien hemos permitido entrar a nuestras casas y a nuestros corazones. ¿Debemos confiar hasta el fin o buscar evidencias de cuál es la verdad? Nos dividimos y discutimos entre nosotros.

Rodeados de dramas públicos, nos resulta difícil no tomar partido. Fascinados, observamos como despliegan y reinterpretan los hechos para nosotros. Tratamos de comprender por qué las personas en quienes confiamos pueden decepcionarnos de este modo.

Hay una epidemia de mentiras, y nos guste o no, estamos

atrapados en ella. La verdad es que las mentiras son tan comunes para los americanos como el pastel de manzana. Son comunes y volátiles. Al intentar separar la ficción de la verdad, la esperanza de la realidad, no somos demasiado diferentes de la mujer que ya no puede negar las mentiras privadas de su amante o de su esposo. Ella trata de tejer con las evidencias un tapiz aceptable de mentiras y verdades que le permita seguir viviendo con él, amándolo y confiando, aun a la vista de una abrumadora evidencia en contra. ¿Por qué? Porque quiere creer lo mejor de él. Teme comenzar todo de nuevo con otra persona.

Pero al menos las mentiras públicas son algo que podemos mantener a cierta distancia. Si Oliver North se puede salir con sus mentiras, es un problema del gobierno, no nuestro. Somos espectadores, no participantes.

La mentira privada es más desestabilizante. Donde bajamos la guardia, nos ataca en nuestro propio campo, viola la santidad de nuestro nido, del lugar donde vivimos.

Las mentiras privadas que los hombres dicen a las mujeres

Casi todas las mujeres que han participado alguna vez en el juego del amor o en el del matrimonio han escuchado alguna vez alguna de las versiones de estas mentiras típicas:

"Después de una encantadora cena en la que han compartido historias de sus vidas y esperanzas, él la besa tiernamente en la mejilla y le dice: 'Te llamaré'."
Verdad: Para él se trata de una fórmula de despedida amable que le permite volver a la seguridad de su propia vida. No se moleste en revisar su contestador en busca del mensaje. No volverá a saber de él.

"Está claro que él siente atracción hacia usted. No deja de decirle que es muy bella y que se siente muy bien. No puede apartar sus manos de usted. Se siente halagada, pero cuando él le confiesa: 'Te amo', usted no se siente preparada para compartir esos sentimientos tan rápido. El sexo es de corazón."

32

Verdad: Para él se trataba de una conquista, de una curiosidad. "Te amo" no es más que un pasaporte hacia sus sentimientos. Nunca volverá a salir con usted y hasta es posible, si es que la ve primero, que cruce la calle para evitarla.

"El parece preocupado y distraído. Ha estado haciendo viajes mensuales a Syracuse para visitar a un proveedor. Usted tiene sus sospechas, pero cuando lo enfrenta él le dice que está loca, suspira pesadamente y le dice: 'Créeme, no hay nadie más. Tú eres la única'."

Verdad: Hace un año que mantiene un romance a distancia con una mujer casada que trabaja para el proveedor. Todos en su oficina lo saben. La gente de Syracuse bromea en cuanto suena su teléfono. Cuando dice: "Tú eres la única", ¿estará tal vez queriendo decir "tú eres la única que no lo sabe"?

Tal vez todo esto parezca exagerado. ¿Son estas las experiencias más típicas de hombres y mujeres? Siga leyendo y decida usted misma. Recuerde sus propias relaciones y su historia personal. Probablemente usted se haya encontrado con la mentira en más de una de sus formas seductoras. Puede ser que en este mismo momento haya alguna que esté requiriendo su reticente atención.

¿Pero por qué va él a mentirme a *mí?*

Los académicos pueden discutir acerca de las diferencias de frecuencia, tipo e intención que existen entre las mentiras de los hombres y las mentiras de las mujeres. Sin embargo, el mero hecho de saber que una de cada cinco personas no puede pasar un día sin mentir, no nos ayuda a *comprender* las mentiras. Cuando estamos frente a ellas, las mentiras no resultan muy académicas. Se las ve personales, muy personales. La mentira nos golpea donde vivimos, amamos y confiamos. Aunque son pocas las mujeres a quienes les gusta hacer el papel de bobas, en general a todas les gusta confiar en el hombre al que aman. Además, ¿por qué no hacerlo? ¿Por qué alguien a quien tratamos bien querría mentirnos? ¿Por qué mentirle justamente a *usted*, que está convencida de que siempre estaría satisfecha con la pura verdad?

La mayor parte de las mujeres a quienes entrevisté estaban ansiosas por recibir respuestas. A todas, los hombres de su vida les habían mentido una o más veces. A una de ellas, un charlatán que la llamaba "el amor de su vida" la había estafado en más de 100.000 dólares. Otra fue embarazada por un hombre que le había asegurado ser estéril. Otra fue engañada por un encantador soltero con quien mantuvo un idilio a distancia y que resultó ser un estafador y además estar casado. Algunas mujeres se contagiaron de herpes de hombres que sostenían haber sido célibes. Otra mujer descubrió que los misteriosos gastos que aparecían en la tarjeta de crédito que tenían con su marido correspondían a un exclusivo servicio de prostitutas.

La mayoría de ellas tuvieron más suerte: sufrieron las mentiras ordinarias, no las extraordinarias. Las dejaron plantadas antes de un viaje a Santa Fe, no ante el altar. Les dijeron que eran las únicas, cuando en realidad había dos o tres más. Uno dijo a una de ellas que iba a dejar a su esposa, cuando en realidad estaba ampliando su casa y planeando unas vacaciones familiares en las islas Bermudas. Un marido le contó a su mujer que iba a una reunión de negocios, cuando en realidad estaba en el bar bebiendo un par de tragos.

Para mí, el más importante de los *porqués* tiene poco que ver con los hombres en cuestión. Tiene que ver, más bien, con el motivo por el que tantas mujeres se centran en comprender *por qué las engaña el mentiroso* en lugar de preocuparse en averiguar *porqué ellas dejaron de lado su sentido común y no dudaron en creerle.*

¿Por qué son tan pocas las mujeres brillantes y eficientes que buscan —o mejor aún piden— ayuda para protegerse de las humillaciones y las heridas que les han infligido con las mentiras?

La respuesta no es sencilla. Existen sí, algunos indicios y patrones que pueden inferirse de lo que cuentan hombres y mujeres respecto del mentir y las mentiras en una relación. Aparecen en este sentido tres posibilidades principales:

En primer término, las mujeres una tras otra me contaron que han confiado en los hombres porque *no les habían dado motivos para que les mintiesen.* "¿Por qué iba a mentirme?", se preguntaban. "Eramos buenos amigos. Yo lo aceptaba tal cual era."

En una palabra, ¿para qué mentir si con la verdad todo hubiese estado bien, si ella lo hubiese aceptado de todos modos?

En segundo término, muchas mujeres son ciegas ante aquellas mentiras que *ellas jamás hubiesen soñado en decirle a su pareja*, pero que evidentemente los hombres tienen muchas menos dificultades en concebir. "Yo jamás hubiese mentido en eso, ¿por qué iba a hacerlo él?", es una especie de síndrome. Es algo que está fuera de la experiencia de ellas. Una tras otra, las mujeres me han dicho que confiaron en las afirmaciones del otro porque no tenían ninguna razón *para no confiar*. Estas mujeres habitualmente usan su propio estándar de sinceridad como patrón para medir la sinceridad de un hombre. Una divorciada de cuarenta años me contó que ella jamás sospechó que un hombre pudiese mentirle respecto de su pasado, su trabajo o su vida sentimental, porque ella nunca había mentido respecto de estas cosas. Esta suposición constreñía su habilidad para evaluar la sinceridad de un hombre que acababa de conocer. Confundiendo autodefensa con escepticismo, fue engañada una y otra vez. Y cada experiencia la amargaba más, pero no la hacía más sabia.

En tercer término, las mujeres tienen una *visión de justicia del mundo* que las lleva a pensar que uno obtiene lo que da. ¿El miente? Entonces seguramente tiene una razón para hacerlo. Piensa que se trata de alguna mujer que en el pasado lo trató mal y no de un mal hábito de comportamiento. Tal vez su ex esposa era una bruja que no sabía apreciarlo. Tal vez ella le daba motivos. Estas mujeres no tienen dificultades para comprender que el hombre a quien aman mentirá si lo tratan mal. Como ellas no van a tratarlo mal, no necesitan ser precavidas. La relación que tienen es una excepción. O al menos así lo creen.

Es sencillo comprender que estos enfoques son problemáticos. Si una espera que no le mientan y lo hacen, resulta más difícil detectarlo. Cuando finalmente usted descubre que la han engañado, *en lugar de buscar el motivo en él, lo busca en usted misma.* ¿Resultado? Acaba dudando de sí misma. El se ha soltado del anzuelo y usted vuelve a tratar de atraparlo, a él, al próximo hombre o al siguiente. La razón de una mentira suele ser complicada, pero, nos la explicamos de este modo: no sólo es complicada sino también equivocada.

Pero no en *nuestra* relación

Bajar la guardia es fácil. Una suele convencerse de que hasta un consumado mentiroso dejaría ese vicio en la relación con una. Tal vez usted está enterada de que él miente en su trabajo o de que evita contestar llamados de otros. Tal vez él la engaña un poco respecto de las finanzas o de lo que hace en su tiempo libre. No importa, usted se dice: "Puedes mentir, mientras no lo hagas respecto de nuestra relación".

Este tipo de pensamiento revela una aceptación tácita de la existencia de mentiras de los hombres en las relaciones, pero no en *esta* relación. Usted cree que esta relación va a ser diferente porque usted participa de ella. Espera que si la hace suficientemente atractiva como para que él le diga la verdad, no va a resistirse. Por todo esto, usted evita establecer reglas y decir explícitamente lo que para usted es aceptable y lo que no lo es. Imagina que si lo hace, logrará que para él sea aún más difícil ser inocente. Teme que si pone límites a la libertad de él, aunque sean razonables, le estará ofreciendo una invitación para mentir.

Las mujeres se aferran a estas creencias porque así obtienen un beneficio. La ilusión compulsiva de que tienen el control de la relación, hace que muchas veces no vean el escaso control que en realidad tienen, sobre todo si están tratando con un mentiroso. ¿Es posible que él mienta simplemente por mentir? ¿Que sea porque es parte de su identidad en la relación con las mujeres? ¿Es posible que no sea porque su ex esposa lo trató muy mal, mucho peor de lo que usted lo trata?

La mayor parte de las mujeres con quienes conversé, no se consideran a sí mismas controladoras ni rígidas. Creen más bien que son parejas comprensivas, de buen carácter, tolerantes, flexibles, empáticas. Según sus propios estándares, no merecen que les mientan. Merecen estar totalmente inmunes al dolor de la traición. Para su sorpresa, no han obtenido lo que suponen que merecían o se habían ganado. El comportamiento de ellos no dependía del de ellas tanto como creían. El es quien es. Ni el poder del amor puede cambiar eso.

¿Cómo es que hasta las mujeres que han llegado a la desesperación por las mentiras que les dijeron en relaciones anteriores se las arreglan para convencerse de que el fenómeno de la mentira estuvo restringido a una o dos relaciones? Están seguras de que no sucederá de nuevo y atribuyen la última mala experiencia al comportamiento de ellas o a ese mentiroso específico. Dejan de lado determinados modelos que surgen de los distintos intereses de hombres y mujeres, de las maneras diferentes como fueron socializados unos y otras, y de cómo se consideran entre sí los miembros de los distintos sexos.

No me malinterpreten: no creo que sea una buena idea hacer un estereotipo de todos los hombres basándose en un par de malas experiencias. Sería injusto y escéptico. Es importante estar abiertas a la posibilidad de hombres sinceros, que no comienzan a mentir al primer atisbo de conflicto. También es importante recordar que aun entre los hombres que mienten, están los que dicen "pequeñas mentiras" y no crean con ello un cataclismo.

Recurrir a la generalización no nos ayuda a comenzar de cero en una nueva relación. Podemos dejar de lado el escepticismo que hemos cosechado en anteriores relaciones y no tocarlo hasta que lo necesitemos nuevamente. Esa es una estrategia adaptativa y razonable... hasta cierto punto. Existe un punto donde esta estrategia nos impide comprender los modelos que nos harían más sabias.

Atrapadas en su propio sexo: ¿por qué las mujeres preguntan por qué?

Todos operamos desde nuestro propio marco de referencia, basándose en lo que somos para comprender a los demás. Por esto es natural preguntarse: "Si yo no le haría esto a él, ¿por qué él va a hacérmelo a mí?". El problema es que si estamos encerrados en nuestro propio punto de vista, nos resultará difícil predecir el comportamiento de los demás. ¿Por qué? Porque hay personas que no ven las cosas del mismo modo que nosotros. Ven las cosas *como las ven ellos. No son como nosotras.* En especial, *ellos* son hombres y *nosotras* somos mujeres.

La mayor parte de las mujeres dicen que desean confiar en los hombres con quienes comparten sus vidas. Quieren creer que son especiales. A muchas mujeres no les gusta tomar conciencia de las mentiras, porque eso pone en cuestión sus esperanzas de vivir en un mundo seguro y confiable. Perder esta confianza las hace sentirse vulnerables. Además, aun cuando lleguen a tomar conciencia de las mentiras, muchas veces no llegan a dar el paso siguiente: hacer algo al respecto. ¿Se ha dado usted cuenta de que las mujeres muy pocas veces llevan adelante acciones definidas y agresivas para autoprotegerse? ¿Piensan acaso que actuar en salvaguarda de ellas mismas es algo innoble? Las mujeres a quienes entrevisté y muchas otras *se fuerzan ellas mismas y distorsionan sus relaciones para comprender los motivos de las mentiras de los hombres.* En lugar de descubrir el modelo que están utilizando y reconocer a la mentira como un síntoma, entran en el juego. Tratan de hacer cualquier cosa para reparar la situación.

Este es un esfuerzo loable pero inútil. Tal vez por eso en muchos círculos "entrar en el juego" se ha transformado en un sinónimo de "perder".

¿Alguna vez usted se ha convencido de que si lograba comprender el porqué de la mentira podría revertir la situación? ¿Pensó que podría mostrarle la mentira haciéndole ver que se trataba de una traición inmerecida para ambos? ¿Creyó que a partir de esto él no lo haría más? *"Escucha, Harry, creo que debemos conversar acerca de porqué me dijiste que ibas a una reunión de directorio, cuando en realidad ibas a encontrarte con Marge. No debías mentirme. Era fácil decir que deseabas beber un par de tragos con Marge. No me habría molestado. Lo que me molesta es la mentira ¿Por qué me dijiste eso?"*

Si Harry es como tantos otros hombres, no responderá de la manera que usted espera. Negará todo lo que usted le está diciendo o comenzará por minimizar el problema. Luego se enojará y atacará las evidencias que usted ha presentado, o la dejará anonadada respondiendo con otras razones o inventando otra mentira: *"¡Por Dios, Joan! ¿No puedes dejar a un hombre un poco de lugar para la espontaneidad? Cuando llegué, la reunión de directorio se había suspendido, y sé que si te hubiese llamado y te hubiese dicho que iba a tomar unos tragos con Marge te hubieses puesto furiosa. Te estaba protegiendo. ¡Dame un respiro!".*

Las razones de su mentira pueden ser muy simples: evitar consecuencias desagradables. También pueden ser muy complicadas y estar muy lejos de lo que usted piensa. Los motivos pueden estar ocultos en las presunciones y expectativas más profundas acerca de cómo los hombres y las mujeres deben tratarse unos a otros. Las mentiras pueden partir de intrincados laberintos de la personalidad, los valores, los temores y los intereses, que pueden estar muy, pero muy lejos de los suyos. Las mentiras de él pueden surgir de conflictos ocultos respecto de su necesidad de privacidad y libertad personal, que suele entrar en conflicto con la necesidad que usted tiene de una relación estrecha.

Sean cuales fueren las razones que él tiene, hay una conclusión clara: *El no es usted*. El tiene un historia diferente. Ha sido criado a partir de un conjunto de expectativas diferentes, propias de los hombres en nuestra cultura. Posiblemente, él tenga expectativas distintas a las suyas respecto de la comunicación, el sexo, el idilio, el matrimonio y el valor de las relaciones en general. Es muy posible que él vea las cosas, inclusive la sinceridad para con usted, desde una perspectiva diferente. Seguramente, el mundo de él y el de usted coinciden en muchas cosas, pero es un error pensar que se trata del mismo mundo.

Por supuesto, tratar de comprender el porqué y el objetivo de las mentiras no está mal. Si desea comprender por curiosidad o para conocerlo mejor a él: adelante. ¿Por qué no contribuir a saltar la brecha que separa a la gente, la distancia entre las personas de uno y otro sexo? En cambio, si comprender el porqué, es una estrategia con la que pretende cambiarlo a él, olvídelo. No hará más que perder el tiempo y perjudicarse. El no es un trozo de arcilla y usted no es Pigmalión.

Las verdaderas posibilidades aparecen cuando usted se centra en sí misma: no en cambiarlo a él. El verdadero cambio comienza cuando se desea y se puede centrar en cosas de uno mismo que desea cambiar.

Es usted quien debe decidir si desea jugar en base a sus propias reglas o a las del mentiroso. Obtendrá la verdadera recompensa cuando pueda abrir con su pareja un diálogo sincero respecto de las mentiras que los hombres dicen a las mujeres. Puede utilizar los ejemplos de las páginas que siguen para hablar inocentemente acerca de los efectos de las mentiras de los hombres sobre las mujeres y de las de las mujeres sobre los hombres. En resumen, puede comenzar a tener un diálogo sincero sobre el tema de las mentiras y cómo estas afectan a su pareja.

De las mentiras se habla muy poco si no es en la Corte. La mayor parte de las personas optan por actuar como si todo estuviese bien, aunque no lo esté. Vivir con el mito de que todo está bien es una de las mentiras más grandes. Cuando usted lea este libro y se enfrente con las muchas facetas de la mentira en las relaciones, seguramente se sentirá impactada por la cantidad de mentiras con que la gente se ha acostumbrado a convivir.

Vivir a la sombra de la mentira

Muchas mujeres viven a la sombra de la mentira. La vida así, acaba por estar gobernada por el miedo y la incertidumbre. Son como las personas que viven al pie de un volcán. Cuando uno vive a la sombra de un volcán, la aguda percepción de cada ruido y cada temblor se transforma en una necesidad de supervivencia. La vida misma depende de esa percepción.

Vivir a la sombra de la mentira es semejante. Lo que controlamos todo el tiempo es, en este caso, cualquier signo de la verdad. ¿Por qué la verdad? Porque cuando la mentira es lo habitual, ella es la que nos da seguridad en la vida diaria.

Según sea lo que oculte, la mentira puede resultar sorprendentemente civilizada y hasta encantadora. La verdad es lo que asusta. Para los que vivimos a la sombra de una verdad bien escondida, la mentira es el sustento y la seguridad de nuestro mundo. La mayor parte de nosotras hemos vivido o viviremos alguna vez de esta manera. Cuando la verdad resulta insoportable, negamos los peligros que implica, ya se trate de tener sexo sin protección con un amante promiscuo que sostiene ser fiel o de la endeble salud de un cónyuge que dice que todo está bien. Es sorprendente comprobar con cuánta facilidad bajamos el volumen de nuestros secretos pensamientos, de esos que están tratando de alertarnos respecto de lo que está mal.

La mentira y su compañera, la verdad no deseada, conforman una doble sombra perenne que cubre las relaciones personales. He aquí lo que explicaba una mujer después de haber cancelado su boda, al descubrir que su novio le había mentido respecto de la cantidad de veces que había estado casado antes: *"Aun cuando ya vivíamos juntos, seguían subsistiendo las dudas y las mentiras. Siempre estaba buscando pistas para descubrir sus engaños. Al cabo de tres años me di cuenta de que él estaba teniendo una aventura. Le pregunté si me estaba ocultando algo y respondió: 'No se me ocurre nada'. Yo me sentía desdichada. El estaba haciendo lo mismo que había estado haciendo siempre: mintiendo"*.

Ella descubrió que estar siempre buscando pistas era un trabajo permanente, desgastante e insatisfactorio. Esa tarea consumía sus energías, la tornaba ansiosa y hacía que ambas partes acabasen por sentirse frustradas e infelices.

Aun cuando las dos partes se adapten a la mentira, siempre existe el peligro latente de que la verdad aparezca. Cuando esto sucede, escuchamos a las mujeres decir:

- "¿Por qué no confié en mis instintos?"
- "Aun cuando me daba cuenta de que algo estaba mal, desvié mi mirada hacia otra parte."
- "Al creerle, me dejaba herir por sus mentiras."
- "Desperdicié años de mi vida."

Salir de la mentira exige primero conciencia y luego valentía. Cuando nos amoldamos a la situación, lo hacemos buscando tranquilidad y seguridad, pero no hacemos más que engañarnos. Eso sólo funciona a corto plazo. A largo plazo, siempre perdemos. Vivir en la mentira nos quita la energía y el respeto hacia nosotras mismas. Además, nos coloca en situación de riesgo emocional, mental y físico.

Claro que desviar la mirada y negar lo que no deseamos enfrentar resulta tentador. También solemos posponer para mañana o para la semana que viene lo que no deseamos enfrentar hoy. Por supuesto, existen maneras de escoger los tiempos, las tácticas y los modos de enfrentar los hechos. Sin embargo, a lo largo de los próximos capítulos, usted enfrentará la evidencia de que las relaciones sostenidas sobre mentiras consumen nuestra paz y nuestro bienestar y nos llevan, meses o décadas más tarde, a preguntarnos porqué pusimos nuestro tiempo y nuestra energía al servicio del mentiroso, en lugar de ponerlos al servicio de nuestros propios intereses.

2

Como juegan el juego de las mentiras los hombres y las mujeres

"Existen muchas clases de verdades peligrosas: verdades que hieren, verdades que clarifican, verdades que nos hacen ganar enemigos. ¿Por qué decir una verdad que puede lastimarnos?"
—Consultor empresario, cuarenta y un años, casado.

"Los hombres estamos en una posición de responsabilidad. Si no logran cumplirla, creen que las mujeres los menospreciarán. Por eso mienten."
—Funcionario de gobierno, treinta y siete años, casado.

"Mentir no me molesta. Es parte del asunto... no pregunto acerca de las mentiras porque no quiero que ellas piensen que se trata de un tema preocupante para mí."
—Comerciante, treinta años, soltero.

"Cuando un hombre me miente, siento que me está juzgando: No soy inteligente, no soy perceptiva, no sé escuchar."
—Gerente de Producción, veinticuatro años, casada.

"Los hombres mienten más porque quieren ser libres. Las mujeres desean restringirlos, ponerles límites."
—Banquera, veintiséis años, soltera.

"Los hombres reciben una educación que da menos importancia a las relaciones. Eso les da más permisos para mentir."
—Gerente de Personal, cuarenta y siete años, casada.

¿Cuántas veces ha mentido usted hoy? ¿Lo hizo en una entrevista de negocios? ¿Exageró alguna cosa? ¿Quiso parecer más segura de lo que realmente está? ¿Le dijo a alguien que la llamó que estaba saliendo, cuando en realidad estaba sentada delante de una taza de café humeante? ¿O mintió tal vez acerca de algo más serio? ¿Negó acaso su responsabilidad sobre algo que había hecho? ¿Escondió sus verdaderos sentimientos? ¿Sostuvo su desinterés sobre algo que en realidad le importaba mucho?

Se sostiene que el estudiante universitario americano miente como promedio dos veces al día. Algunos estudios indican que el americano promedio miente unas trece veces a la semana, mientras que otros dicen que la cifra se eleva a seis o siete veces al día.

Cuando de mentiras se trata, no crea que los hombres son los únicos. Todos mentimos en algunas cosas. A menudo nos parece tan natural hacerlo, que ni siquiera registramos que lo estamos haciendo, ni nos damos cuenta de que tal vez en ese caso la verdad funcionaría. ¿Cómo llega a ocurrir esto?

Para comenzar, piense en sus padres y en los mensajes que le dieron cuando era niña, o mejor aún, trate de comparar lo que le decían con lo que los veía hacer. Para la mayor parte de las personas, la infancia es una etapa confusa, de mensajes contradictorios, que entre otras cosas van forjando nuestros propios códigos de honestidad. Por ejemplo, mientras mi padre me decía que nunca confiase en un mentiroso, mi madre sostenía que si uno cruzaba los dedos mientras decía una mentira, esta no contaba. ¿Quién tenía la razón? ¿Cómo pueden saber los niños qué deben creer?

En todas las culturas, los padres suelen dar a los niños alguna versión de "No debes mentir", pero luego los niños los sorprenden en el acto de mentirse el uno al otro, mintiéndoles a ellos o a otras personas. Todo esto resulta muy confuso. Aun cuando uno sepa que no debe mentir, no deja de recibir mensajes como:

- "Si revelas tus verdaderos sentimientos o lo que en verdad sucedió, te castigarán."
- "No es bueno herir los sentimientos de otra persona."
- "Si no tienes nada bueno para decir, no digas nada."

- "No es bueno molestar a la gente innecesariamente."
- "Está bien mentir para proteger a un amigo."
- "Trata de ganar siempre."

Desde niños nos enseñan que ser sinceros nos puede traer graves problemas y que mentir puede sacarnos de aprietos. Este aprendizaje temprano puede convertirse en una guía poderosa respecto de cómo hacer frente a una situación difícil cuando seamos adultos.

El aprendizaje de cada sexo, es decir lo que aprendemos desde niños respecto de quién ostenta el poder y quién no, y acerca de cómo deben comportarse los hombres y las mujeres en las relaciones personales, agrega a la cuestión otra dimensión crítica. Nuestra condición sexual también sienta bases acerca de cómo tratarnos los unos a los otros y cómo comunicarnos. La mentira es en sí misma una poderosa herramienta de comunicación. Nos pone fronteras imposibles donde menos las esperamos y nos reconforta falsamente en aquellas cosas en las que no deberíamos sentirnos así.

Nos guste o no, nuestra condición de hombres o mujeres es una fuerza importante en la configuración de nuestras vidas y no hay ninguna razón para no pensar que también lo es en la configuración de nuestras mentiras. Si usted no se da cuenta de que las mentiras de los hombres y las de las mujeres toman rumbos distintos, es seguro que llegará a una incomunicación que desencadenará brechas insalvables en sus relaciones.

Comprender las diferencias en el modo en que juegan el juego de la mentira los hombres y las mujeres es más que un ejercicio interesante. Comprender los patrones de las diferencias entre sexos es una táctica de supervivencia que la ayudará a tener confianza y a evitar dolores de cabeza.

Hombres y mujeres: diferentes rostros de la mentira

En un mundo en el cual los hombres y las mujeres tienen puntos de vista diferentes respecto de qué cosa es importante, hasta las más pequeñas fricciones pueden llegar a transformar el amor en guerra. La probabilidad de que un miembro de la pareja le mienta al otro se intensifica cuando los objetivos y las actividades entran en contradicción. Esto se torna aún más probable cuando uno de los miembros de la pareja tiene actividades ocultas o desea obtener el control de la relación.

¿De dónde proviene esta tendencia a la incomprensión?

Los hombres, más que las mujeres, han sido criados para valorar lo racional por sobre lo emocional, el control activo por sobre la receptividad, las acciones que llevan al triunfo por sobre las conversaciones que llevan a la comprensión y la obtención de una justicia impersonal por sobre la tolerancia mutua. Los patrones de relación de las mujeres suelen forjarse a partir de lazos estrechos con sus madres u otras mujeres que las cuidan. Las mujeres suelen transferir en la adolescencia ese tipo de vínculo a sus pares y en la edad adulta los transfieren a sus parejas y a sus familias. Las mujeres, mucho más que los hombres, han sido criadas en la valoración de los vínculos afectivos y la comunicación.

Aunque hombres y mujeres comparten muchos valores, capacidades y características, sus diferencias también conforman la manera en que abordan hasta los más nimios desafíos y transacciones. Algunos investigadores sugieren que esto da como resultado la configuración de culturas sutilmente diferentes. Para establecer una comunicación sin fallas, se hace necesaria una traducción.

La mentira cumple determinadas funciones cuando se trata de engañar a enemigos o de sobrevivir intacto bajo condiciones peligrosas. En cambio, cuando se trata de relaciones personales íntimas, la mentira puede constituirse en una labilidad que separa a una persona de la otra. Sin embargo, muchos hombres y muchas mujeres se niegan a dejar de lado las mentiras. ¿Por qué? Por los buenos resultados que estas suelen dar a corto plazo. Gracias a la mentira se puede obtener más libertad para hacer lo que a uno le place, más éxito en evitar los conflictos y los castigos y más oportunidades para lograr lo que uno quiere.

Sin embargo, el lado oscuro de la mentira es terrible: aislamiento, falta de intimidad, falta de comprensión, autoengaño y, finalmente, vacío.

Para muchos hombres, la mentira no es más que una herramienta útil, es un modo conveniente para llegar de aquí hasta allí. En cambio, para las mujeres la mentira constituye una evidencia de graves traiciones a la confianza y de falta de amor.

Las diferencias suelen ser sorprendentes. Veamos, por ejemplo, esta benévola manera de explicar las razones para mentir a una mujer, que expresó un ingeniero divorciado, de cuarenta y cuatro años: *"Miento para preservar la interacción durante un tiempo, hasta ver qué puedo esperar de una relación. Los pecados de omisión ayudan a evitar comenzar una relación con una sinceridad que puede resultar brutal: 'Me alegra verte hoy. ¿No podrías probar con otra peinadora?' Las mentiras ayudan a ganar terreno".*

Este hombre considera que las mentiras son un modo práctico para establecer una relación temporaria. Para él la verdad, a la cual llama "sinceridad brutal", causa problemas. No resulta sorprendente, entonces, que el modo en que los hombres definen lo que es y lo que no es mentira en las relaciones entre hombres y mujeres sea totalmente contradictorio respecto del modo profundamente afectivo que asumen las mujeres cuando de este tema se trata. Los hombres llegan a definir las mentiras con el tono falto de afecto con el que alguien podría explicar el funcionamiento de un motor. Si uno dejase de lado las palabras y sólo atendiese al tono, sería difícil pensar que están hablando de algo relacionado con la intimidad y la confianza.

Esto no significa necesariamente que las mentiras ejerzan un impacto menor sobre los hombres. Veamos cuál es la reacción instintiva de este hombre de cuarenta y cuatro años cuando se da cuenta de que le han mentido: *"Las grandes mentiras me provocan sentimientos horribles: siento temor, falta de sueño, agitación. Me siento golpeado y herido. Pero si logro descifrar todo el asunto, tomar las evidencias circunstanciales y descubrir cómo fue todo, me siento mucho mejor".*

Este hombre describe el poderoso efecto que ejerce una mentira sobre su bienestar y sobre su funcionamiento, pero inmediatamente pasa a otra modalidad: la del que resuelve un problema. Esta modalidad le permite sentirse mejor resolviendo el acertijo. Su posición mejora cuando reúne la evidencia y descubre lo que le resultaba incomprensible en medio de su dolor. Resolver el problema restaura sus sentimientos de seguridad. Utilizar la lógica, reunir los datos, generar hipótesis y acercarse a la realidad tal como fue, lo ayudan a salir de la desesperación.

El, en cambio, no habla de la relación en sí misma, un tema al que las mujeres suelen dedicar un análisis extenso. Tampoco habla de su propia ingenuidad, de las cosas en las cuales se equivocó, ni de si debe perdonar y olvidar o debe llegar a una confrontación. Todas estas son cuestiones a las que las mujeres sí se refieren.

Estas diferencias tan marcadas respecto de los modos en que hombres y mujeres abordan las mentiras y las reacciones frente a ellas, constituyen el tema que encararemos de inmediato: las diferencias entre las mentiras que los hombres dicen a las mujeres y las mentiras que las mujeres dicen a los hombres y cómo cada uno de los sexos reacciona e interpreta estos engaños.

Primer tiempo del juego de la mentira: mentiras de hombres, mentiras de mujeres

Interrogué a todos los hombres y mujeres a quienes entrevisté acerca de la *última* mentira que habían dicho a una persona del sexo opuesto. "Cuénteme la última vez que..." algo sucedió, es el tipo de pregunta que gusta a los investigadores del comportamiento, porque suele provocar respuestas más coherentes y apropiadas que cuando se pregunta acerca de generalidades o estereotipos. Estas preguntas suelen sacar a la luz lo que alguien verdaderamente dijo o hizo.

Inténtelo usted misma. Piense en la última vez que le mintió a alguien del sexo opuesto. Una vez que lo traiga a la memoria, le resultará absolutamente claro. Recordará con precisión lo que dijo, lo que sintió y por qué se sintió impulsada a mentir en lugar de decir la verdad. Probablemente recuerde también la reacción de la otra persona, cómo se sintió usted por eso y si experimentó remordimiento. Como se trata de su propia mentira, no hará inferencias generales acerca de las mentiras.

Estas son exactamente las clases de ricas respuestas que obtuve de los hombres y mujeres a quienes entrevisté. En el cuadro que sigue aparece un listado de ejemplos de esas "últimas mentiras". Lo único que he hecho es ocultar si la mentira fue dicha por un hombre o por una mujer, colocando un nombre neutro, "Pat", en lugar de los nombres femeninos o masculinos correspondientes. Excepto por la omisión de los nombres y los pronombres personales, se trata de las respuestas textuales de los entrevistados. El protagonista habla genéricamente en masculino.

A medida que las vaya leyendo, averigüe si puede distinguir las mentiras masculinas de las femeninas.

Averigüe cuáles de las "ultimas mentiras" son de hombres y cuáles de mujeres

Hombres	Mujeres	"Ultima Mentira" textual
——	——	1. "Omití decirle a Pat que aún estaba saliendo con otra persona. Le dije: 'Te llamaré', pero no lo hice."
——	——	2. "Mentí a Pat acerca de sus bondades como amante."
——	——	3. "Estaba con Pat en el cine, cuando me encontré con la mejor amiga de la persona con la que salí en secreto durante el verano (mientras estaba saliendo con Pat). Pat me preguntó: '¿Cómo se conocieron?'. La amiga y yo mentimos acerca de cómo nos habíamos conocido."
——	——	4. "Conocí a Pat en una fiesta. Comencé a describir mi trabajo, lo que hacía. Luego empecé a exagerar y dije que había viajado a lugares en los que nunca estuve y que había hecho cosas que en realidad nunca hice."
——	——	5. "En los últimos tiempos de nuestra relación estaba muy deprimido y mentí a Pat, diciéndole que estaba recibiendo ayuda profesional para mi depresión."
——	——	6. "Fue en una situación de trabajo con mi jefe. Le dije que nunca había pensado en actuar en una obra de teatro —cuando en realidad sí lo había hecho— para que no me considerase disperso."
——	——	7. "Fue hace un mes. No quería hacerlo (dar fin a la relación). Había salido con Pat dos o tres veces. Le dije entonces: 'No eres tú, soy yo'. Pero, en realidad, se trataba de Pat."
——	——	8. "Había estado un tiempo saliendo con Pat, cuando alguien a quien yo había conocido antes y que en ese momento tenía pareja quedó libre. Tuvimos un breve encuentro sexual. Se lo oculté a Pat."
——	——	9. "Hace doce días, en una conversación telefónica con alguien que me interesa, pero

para quien no dispongo de energía, adopté
adrede un tono seductor."

—— —— 10. "En realidad, se trató de una mentira de cortesía. Dije a Pat que era una compañía muy
agradable, cuando en realidad se estaba
quedando dormido en el diván."

—— —— 11. "No le dije a Pat que me había fastidiado su
comportamiento en la cena de Año Nuevo."

—— —— 12. "Cuando estábamos haciendo el amor, dije
a Pat que quería quedarme a su lado toda la
vida."

Las mentiras

Observe sus respuestas frente a estas mentiras. ¿Qué la llevó a pensar que una mentira en particular correspondía a un hombre o a una mujer? ¿Qué indica eso respecto de sus expectativas
en relación al modo en que se comportan hombres y mujeres entre ellos? ¿Prometen algunas de ellas alguna clase de autosatis-
facción? A veces, nuestras suposiciones no conscientes actúan
como lentes que colorean y distorsionan nuestras interpretaciones de lo que está sucediendo verdaderamente.

Cuando usted recorrió la lista tratando de adivinar si una
determinada mentira correspondía a un hombre o a una mujer,
estaba poniendo en juego sus propias suposiciones, hipótesis e
intuiciones respecto de los comportamientos de hombres y mujeres. Algunos habrán sido adecuados, otros no. Seguramente se
basaron en sus experiencias personales con el otro sexo y en lo
que usted ha aprendido acerca de cómo interactúan los hombres y
las mujeres en nuestra cultura. De modo que, hayan sido sus
inferencias correctas o no, podrá aprender de ellas respecto de su
propio pensamiento sobre este tema.

¿Cuáles eran las mentiras de los hombres y cuáles las de
las mujeres? Compare lo que usted presumió con la realidad. He
aquí el sexo de los mentirosos:

Las últimas mentiras de los hombres fueron:
Mentiras 1, 3, 4, 5, 8, 9 y 12.

Las últimas mentiras de las mujeres fueron:
Mentiras 2, 6, 7, 10 y 11.

¿Reflejan las mentiras de los hombres y de las mujeres conjuntos diferentes de valores, prioridades y realidades para cada sexo? Miremos más de cerca esas mentiras, como así también las razones que alegaron las personas para haberlas dicho y veamos qué averiguamos.

Las mentiras de los hombres bajo el microscopio

Mentira 1: "Omití decirle a Pat que aún estaba saliendo con otra persona. Le dije: 'Te llamaré', pero no lo hice".

"Sólo te llamaré a ti."

Este bonito ejemplar es un híbrido que combina dos mentiras que los hombres suelen decir a las mujeres: "Tú eres la única" y "Te llamaré". La primera, es decir sugerir que *ella es la única* u *omitir mencionar que no lo es* —según las respuestas de las mujeres entrevistadas— es una de las tres mentiras más frecuentes de los hombres. La segunda, en la que el hombre se despide diciendo que va a llamar, cuando en realidad no tiene la más mínima intención de hacerlo, tiene un lugar aun más destacado en el catálogo de mentiras famosas.

La mentira de "Te llamaré" provocó una letanía de quejas en las mujeres entrevistadas. ¿Por qué? Porque interpretan el "Te llamaré" de ellos como una expresión literal de deseo de mantener la relación, en lugar de hacerlo como lo que en realidad es para ellos: una fórmula ritual de despedida. Para los hombres el "Te llamaré" es como para cualquier persona: "Después te veo". En general, no quiere decir que se tengan verdaderas intenciones de ver a esa persona más tarde. ¿El resultado? La decepción de la mujer y el asombro del hombre frente a la decepción de ella.

Cuando le pedí a Mark que me dijese cuáles fueron sus intenciones al mentir en lugar de decir la verdad, él respondió: *"La mentira me daba la oportunidad de mantener el interés de Sylvia. De ese modo, ella no comenzaría a buscar a otra persona mientras yo me decidía. Lo bueno era que ella podía llegar a volverse suficientemente importante para mí como para continuar con la relación".*

Podríamos decir que Mark adoptó aquí un paradigma comercial. Puso a su amiga en espera —como se puede hacer con una mercadería— para ver si hay a disposición otras más convenientes. No tuvo en cuenta cómo se podía sentir ella. Lo que le importaba era tener todas las opciones posibles y tener el control de la situación.

Mentira 3: "Estaba con Pat en el cine, cuando me encontré con la mejor amiga de la persona con la que salí en secreto durante el verano (mientras estaba saliendo con Pat). Pat me preguntó: '¿Cómo se conocieron?'. La amiga y yo mentimos acerca de cómo nos habíamos conocido".

"Tranquilízate, ella es sólo una amiga."

Aquí Joe está poniendo en práctica la famosa mentira de "No hay nadie más" —que es simplemente una versión más defensiva de "Tú eres la única"—, que trata de desalentar a alguien que está a punto de descubrir al otro "in fraganti".

Afortunadamente, Joe contó con la complicidad de la amiga de su amante secreta, que rápidamente se dio cuenta de la difícil situación de Joe con su novia permanente. Tomando el papel de facilitadora social, ofreció a Joe una salida elegante: que los dos eran amigos comunes de una tercera persona ficticia, llamada Bob.

Tal vez, lo más interesante en este caso no sea la participación de Joe en la mentira sino su respuesta frente a la misma y su razonamiento al respecto. En primer lugar, admitió haberse quedado mudo y preso del pánico frente al inesperado encuentro con la amiga de su amante. Luego se sintió muy aliviado al darse cuenta que su novia no se había percatado para nada de su relación con otra mujer. Joe, además, confesó que no había sentido culpa alguna.

Cuando le pregunté si había planeado mentir, Joe tomó mi pregunta más allá del incidente y me dijo: "Por supuesto. Decidí esconder todo lo referente a otra relación. Si lo hubiese sabido, se hubiese puesto histérica, tal vez eso hubiese implicado la ruptura o, al menos, la total pérdida de confianza por parte de ella".

Entonces sucedió algo asombroso. Joe comenzó a expresar un gran enojo para con él mismo, no por su infidelidad sino por no haber mentido mejor: como si la capacidad de mentir bien dulce y suavemente fuese una habilidad necesaria. Se sintió mal por no haber sido suficientemente rápido como para iniciar la mentira. Simplemente había aprovechado la oportunidad que le había dado la amiga de su amante para cubrir sus huellas. No se había salvado con una invención propia, sino por la lengua de oro de la amiga de su amante secreta. Eso lo colocaba en una situación de inferioridad respecto de ella, lo cual le molestaba mucho.

"Yo sé mentir muy bien. Siempre mentí a mis padres y en la escuela. En cambio, no miento a mis amigos." ¿Quiénes son los amigos a quienes Joe no miente? "Los muchachos." Para este hombre "los amigos" y "las mujeres" parecen ser dos categorías diferentes a las que hay que tratar de modo bien diferenciado. Nosotros y ellas. Su código de honor: "No hay que mentir a los amigos" se extiende a *nosotros* pero no a *ellas*. Dividir al mundo entre *nosotros* y *ellas* ayuda al mentiroso a justificar su actitud de mentir a quienes son diferentes. Mentir está bien, siempre y cuando se les mienta a *ellas*.

Mentira 4: "Conocí a Pat en una fiesta. Comencé a describir mi trabajo, lo que hacía. Luego empecé a exagerar y dije que había viajado a lugares en los que nunca estuve y que había hecho cosas que en realidad nunca hice".

"El hombre importante en el trabajo."

Esta mentira tiene que ver puramente con el manejo de la imagen, es como un autoservicio de relaciones públicas. En este caso, Mike dice mentiras para vender y desea cerrar la operación cueste lo que cueste. Aquí Mike se está tratando a sí mismo como la mercadería a colocar. Trata de parecer fascinante, lo que para Mike significa ser un hombre de éxito profesional, mundano, viajero: todo lo que él no es.

Mike estaba sorprendido por la facilidad con que "las mentiras salían de mi boca". Lo peor es que la mujer a quien él le estaba vendiendo la versión ficticia de su persona compró la historia completa. Como él contó: "Estaba muy interesada en mí. Me preguntaba todos los detalles. Pude contestarle algunas de las preguntas gracias a lo que mi jefe —de cuya vida estaba hablando en realidad— suele contarme".

El problema aquí fue el éxito que tuvo este hombre al disfrazarse de alguien que en realidad no era. Sus remordimientos al respecto fueron puramente prácticos. ¿Podría en lo sucesivo mantener esta relación sosteniendo todas las mentiras que había dicho? ¿Y si por casualidad se encontraba con su jefe o con alguna otra persona que lo conociese tal cual era? Al día siguiente llamó a Peggy, se disculpó y le reveló su verdadera identidad. Ella se sintió impactada y, sabiamente, dio un paso atrás y no aceptó salir con él. Más tarde comenzaron a salir juntos nuevamente, pero cada vez que él decía algo, Peggy se mostraba reticente y preguntaba: "¿Es verdad eso?". Mike, todavía hoy, tiene miedo de encontrarse con alguno de los personajes de quienes tomó prestados detalles de sus vidas. Se dio cuenta de que sus exageraciones habían dañado la relación y finalmente la dejó.

Mentira 5: "En los últimos tiempos de nuestra relación estaba muy deprimido y mentí a Pat, diciéndole que estaba recibiendo ayuda profesional para mi depresión".

"Protegerse de la verdad."

Tendemos a pensar que esta es una mentira de mujer porque tiene que ver con depresión y con evitar un conflicto, temas que habitualmente se atribuyen a las mujeres, pese a que todos sabemos que hay hombres que se deprimen y que evitan los conflictos. Sin embargo, se trata de una mentira de un hombre, y no es atípica. Se trata de apartarse de la relación sin previamente discutir los problemas, comunicar sus sentimientos o dejar a la vista sus aspectos vulnerables. Edward se da cuenta de que la relación está terminada. Más aún, cree que Marcia no puede soportar su depresión los últimos días. Sus sentimientos de valoración han sufrido un golpe.

Cuando le preguntamos si había planeado mentirle a Marcia, respondió: "No, mentí por lo que siempre se miente, para salir de un atolladero. Dada la situación, era el único escape posible". Entonces dije: "Buscaré ayuda". Edward se vio a sí mismo en una situación de inferioridad y desamparo que no podía revertir hablando con Marcia ("No importa lo que yo hiciera, ella ya había decidido terminar"). En su mundo, darle a ella más información no haría más que colocarlo en una situación de riesgo mayor, que lo llevaría a perder todavía más terreno frente a ella.

Marcia era la que había tomado la determinación. Edward no lo había hecho. El único poder que le quedaba era el de decidir cómo irse y el de protegerse de más rechazos. En lugar de ponerse en contacto con sus problemas y con Marcia, y conversar acerca de lo herido y enojado que estaba, se retrajo a una posición menos expuesta y menos personal. Filosofaba diciendo: "La verdad hiere. Esa es una paradoja de la vida. Las personas no están preparadas para la verdad". Aunque al parecer estaba hablando acerca de Marcia, más tarde comentó: "Marcia había decidido terminar con la relación y mintió al respecto", y agregó crípticamente: "Prefiero evitar el dolor de las mujeres". Lo más probable es que Edward, en realidad, estuviese hablando de que prefería evitar conectarse con su propio dolor y de que no podía enfrentar la verdad. Pero, a menos que uno pudiese leer su mente, ¿cómo saberlo?

¿Se arrepentía él de haber mentido? Respondió: "Sí, siempre lamento no decir la verdad, pero me alegro de haber manejado las cosas de modo de no causar dolor". Aunque aparentemente Edward se estaba protegiendo más a sí mismo que a Marcia, había transformado las cosas en su mente con el fin de verse a sí mismo como el que manejaba la situación. En parte, había ganado poder ocultando información. Además, sentía que había adoptado un papel protector, evitando a Marcia el dolor que la verdad hubiese podido causarle.

Mentira 8: "Había estado un tiempo saliendo con Pat, cuando alguien a quien yo había conocido antes y que en ese momento tenía pareja quedó libre. Tuvimos un breve encuentro sexual. Se lo oculté a Pat".

"Sí, fui un falso, pero todo fue culpa de ella."

He aquí una clásica mentira de justificación. Andy acababa de comenzar una prometedora relación con Lisa, cuando una mujer —que antes no estaba disponible porque tenía una relación con otro hombre— reapareció en algún punto de su visión periférica. Lamentablemente, Andy ya había hecho con Lisa un pacto de exclusividad sexual. En lugar de dejar pasar la oportunidad, Andy, el cazador, hizo creer que se iba en un viaje de negocios y tuvo una breve aventura con la otra mujer.

Lo notable en este caso fue el análisis que él hizo de la situación. Cuando se le preguntó cuál había sido su propósito al ocultar a Lisa su breve encuentro sexual, él respondió: "¡Fue por la relación! Ella se hubiese enfurecido, hubiese cortado la relación". Al no decirle nada, Andy pudo quedarse con lo mejor de ambas situaciones: una excitante aventura sexual y una novia fija y confiable.

¿Tenía remordimientos? Andy se hizo cargo de toda la responsabilidad: "No, una vez que uno hace algo malo, ya está hecho. Yo fui un falso". Pero, inmediatamente, Andy borró sus culpas poniendo las cosas de otro modo y endilgándole la responsabilidad a Lisa: "Esa expectativa de que una relación va a ser exclusiva es una mentira que las mujeres se cuentan a sí mismas". De esta manera, la mentira pasó a ser culpa de ella. ¿Acaso cuando midió las consecuencias de su mentira sintió que no había hecho bien? Tal vez así fue, y entonces se contó a sí mismo una nueva historia, pasándole a ella la culpa de sus acciones.

Mentira 9: "Hace doce días, en una conversación telefónica con alguien que me interesa, pero para quien no dispongo de energía, adopté adrede un tono seductor".

"No me malinterpretes, sólo estoy fingiendo."

Algunas mentiras son seductoras, agradables y no hacen más que seguir las reglas de las cortesías. Son mentiras para hacer sentir bien al otro, que requieren de mínimo esfuerzo y contienen poca malicia. Pero a veces llevan a malas interpretaciones.

La última mentira de Hal fue fingir estar más comprometido sentimentalmente con Wendy de lo que en realidad estaba. Este hombre soltero de casi treinta años dice que ocultó su falta de interés para "continuar la relación afectiva" y "evitar una conversación telefónica desagradable". Confiesa que en realidad tenía "poca energía emocional" para esa conversación nocturna. ¿Por qué entonces la llamó? No, no fue así. En este nuevo mundo de las relaciones entre hombres y mujeres, tanto las mujeres como los hombres reciben llamadas de personas interesadas en ellos. Según Hal: "Ella hizo la llamada. Ella comenzó, yo seguí". Pero, ¿para qué fingir? ¿Por qué no decirle a quien llama sencillamente que uno está cansado o que está viendo su programa de televisión favorito?

Hal razona que tal vez él tenía algún interés, por ejemplo "la expectativa de sexo o de un idilio en el futuro". ¿Por qué no permitir entonces un poco de intimidad a distancia, de bajo costo en lo inmediato y cuando no se corre el riesgo de ser rechazado? Por otra parte, Hal reconoce que tal vez hubiese tenido más interés si hubiese llamado él. ¿Pero por qué desdeñar las posibilidades de sumar puntos con alguien que le demuestra interés? Según Hal, se trata más de una estrategia que de una mentira y no siente culpa alguna.

Mentira 12: "Cuando estábamos haciendo el amor, dije a Pat que quería quedarme a su lado toda la vida".

"Quiero quedarme a tu lado toda la vida. Disculpa, sólo es una broma."

¿Qué puede hacer un hombre para conseguir la atención de una mujer? Decirle que quiere pasar con ella el resto de su vida. Con eso logrará su objetivo, sobre todo si puede susurrárselo en un momento de tierna intimidad sexual. Si ella está enamorada de él o si está buscando una relación permanente, sin duda se sentirá segura y feliz. Estas mentiras del tipo "Seremos felices por siempre" ("Quiero vivir a tu lado para siempre", "Te amo", "Siempre te amaré") están entre las que los hombres dicen más frecuentemente a las mujeres.

Brad, un abogado de cuarenta y cinco años, estaba en la cama con Helen —con quien salía desde hacía cinco meses— y le expresó gratuitamente estos sentimientos. Cuando le pregunté porqué había decidido decirle a Helen esta mentira en particular, se encogió de hombros y respondió: "Era lo que ella deseaba escuchar". No, él no lo había planificado, sólo "le salió así". Para Brad, prometer que sería para siempre fue una manera de crear un buen estado de ánimo, algo así como encender unas velas o poner música romántica durante una cena. Su objetivo era crear una mayor intimidad con Helen, excitarla. Era parte del rito sexual y Brad comprobó que daba los resultados deseados.

¿Sabía Helen que se trataba de una mentira? No, pero Brad predecía que iba a darse cuenta en algún momento, cuando él no hiciese nada para materializar una relación más permanente. Esto ya le había ocurrido antes. ¿Por qué son las mujeres tan vulnerables a esta mentira? El primer problema es que muchas mujeres no quieren creer que el hombre a quien aman es capaz de mentirles en este tipo de cosas. Por eso suelen reaccionar con ingenuidad frente a este tipo de mentiras. Se dicen: "Yo no sabía que podía mentirme en esto" o se preguntan: "¿Cómo pudo?". El decir todo lo que el otro desea escuchar, en el momento más vulnerable y antes de deslizarse silenciosamente por la puerta trasera, deja en una mujer un sentimiento de escepticismo. La promesa de amor eterno puede ser una mentira muy hiriente.

Las mentiras de las mujeres bajo el microscopio

¿Son muy diferentes las mentiras de las mujeres? Mientras lee las mentiras de las mujeres, tenga en mente que ellas suelen poner más énfasis que los hombres en las intenciones de una mentira y en el potencial daño que esta puede causar.

Mentira 2: "Mentí a Pat acerca de sus bondades como amante".

"Eres tan buen amante..."

¿Es una mentira o es una cortesía sexual necesaria? Eso depende de las expectativas y de las experiencias anteriores de ambas partes. La mayoría de las mujeres a quienes entrevisté ven esta mentira como un simple halago para el ego de los hombres. Aunque ningún hombre se quejó de haber recibido falsos halagos en la cama, las mujeres mencionaron esta como una de las tres mentiras más frecuentes que dicen a los hombres "para hacerlos sentirse bien". Un hombre relató haberse dado cuenta del engaño cuando supo por Lana (una antigua amante) que Sue (su actual pareja) le había dicho que él era muy flojo en la cama. Su reacción: "Me sentí despreciado. Afectó mi ego". Sin embargo, hizo una interpretación de los hechos en la que no admitía su condición de amante flojo. Según él, la crítica de Sue estaba dirigida a molestar a Lana y no a él. De este modo, y pese a las evidencias en contra, él se las ingenió para mantener intacto su ego.

Pese a todo, ¿se justifica el halago sexual cuando hay una mala relación? Hace sentir bien al otro, ¿pero qué logra usted? El cree que es magnífico, pero usted sabe que no lo es. Cuando usted inventa la fantasía del amante fabuloso, usted pierde a corto plazo y, a largo plazo, hace más difícil la satisfacción sexual de ambos. Parece mucho más sensato decirle a su amante qué es lo que usted desea en el terreno sexual o, al menos, evitar elogiar lo que no debe elogiar.

Mentira 6: "Fue en una situación de trabajo con mi jefe. Le dije que nunca había pensado en actuar en una obra de teatro —cuando en realidad sí lo había hecho— para que no me considerase disperso".

"¡Qué buena chica!"

¿Es bueno ser ambiciosa, hacer todo lo posible por progresar en la profesión o en lo personal? Joanne no estaba muy segura de esto. Cuando Matt, su jefe, le preguntó si alguna vez había pensado en actuar en el teatro en lugar de diseñar escenografías, Joanne negó sus propios deseos profesionales "para no mostrar ambiciones personales". Para Joanne, admitir ante su jefe sus deseos de progresar haría tambalear el concepto que de ella tenían. ¿Por qué mentirle en algo tan importante para ella a alguien que podía ayudarla? "Porque no quería que él supiese que deseo obtener del teatro todo lo que pueda. El no me ve como una persona ambiciosa. Me cree honesta e íntegra." Joanne miente para proteger una imagen idealizada de ella, como una chica nada competitiva ni interesada. Cree que "si él supiese quién es en verdad, ya no tendría tan buen concepto de ella".

Al adoptar esta estrategia, Joanne se pone en una posición de indefensión respecto de su jefe. Oculta quién es y qué desea, dejando de lado sus propias ambiciones. Esta mentira autodestructiva puede detener su avance profesional y mantenerla en un papel secundario, aun cuando su jefe parece dispuesto a reconocerle sus condiciones. Es posible que Joanne sienta temor o inseguridad, o que crea no estar suficientemente preparada. Sin embargo, de persistir en esta estrategia, nunca llegará a saber si tiene condiciones y es poco probable que obtenga lo que desea.

Mentira 7: "Fue hace un mes. No quería hacerlo (dar fin a la relación). Había salido con Pat dos o tres veces. Le dije entonces: 'No eres tú, soy yo'. Pero, en realidad, se trataba de Pat".

"El problema lo tengo yo, no tú."

A los treinta años Victoria estaba dispuesta a sentar cabeza, pero a su juicio Syd no tenía las características necesarias para una relación a largo plazo. Lamentablemente, Syd no tenía la menor idea de lo que sucedía. En tanto él la invitara a salir y ella no tuviese nada mejor que hacer, Victoria aceptaría.

Cuando Syd invitó a Victoria a salir por cuarta vez, ella lo rechazó. Fue un momento difícil, pero era mejor así. Entonces ella mintió. Luego de la negativa, pronunció el infaltable: "No eres tú, soy yo", de modo de tranquilizar a Syd y hacerse cargo de la culpa del fin de la relación. Sin embargo, tal como dijo Victoria en la entrevista: "En realidad, el problema era él".

¿Por qué mintió Victoria? A primera vista parecería que su mentira es pura "nobleza obliga", el polo opuesto de las típicas mentiras justificatorias de los hombres. A Victoria, en realidad, le resultaba difícil rechazar a un hombre simplemente porque no le interesaba su compañía. De algún modo, era él y no ella quien tenía derecho a hacer algo así. Ella dice que "no quería mentir", pero dado que Syd demandaba un mayor contacto, decidió ejercer su derecho a rechazarlo.

Al tomar la decisión de terminar con la relación, ella asumió la posición dominante, pero luego dio un paso atrás. Se sintió impulsada a esconder su asertividad, utilizando un lenguaje autodenigrante que la colocaba en situación de inferioridad. Para ella, esta era una manera de ayudar a Syd a salvar el honor y de evitar una conversación desagradable.

¿Se sintió Syd agradecido por esto? Para nada. Según Victoria, "estaba enojado y ofendido". Terminó la conversación con una versión invertida de la mentira masculina "Te llamaré". Dijo: "Cuando tu agenda te lo permita, llámame".

De esta manera, Syd retomó el control. La mentira de ella más que engañarlo lo enfureció. Pero si persistía en conocer los motivos, probablemente hubiese tenido que enfrentarse a una realidad desagradable: era por causa de él. Muchos hombres a quienes entrevisté dijeron que cuando una mujer ha perdido el interés en ellos, prefieren que les mientan, que les digan que están saliendo con otra persona. Competir y perder con otro hombre les permite retirarse con honor.

Los finales son desagradables para todo el mundo. Veremos las mentiras de los finales de una relación con mayor profundidad en el capítulo 11, donde mostraremos cómo los hombres suelen orquestar el final de una relación. El problema es que la mayor parte de nosotras no tiene un guión escrito para manejar un final. No sabemos cómo hacerlo sin lastimar al otro. En realidad, los dos sexos tienen problemas con los finales. Romper, aun después de tres salidas, es difícil.

Mentira 10: "En realidad, se trató de una mentira de cortesía. Dije a Pat que era una compañía muy agradable, cuando en realidad se estaba quedando dormido en el diván".

"¡Dios, qué plato delicioso!"

He aquí una versión de la mentira social de cortesía, finamente adaptada a las relaciones. La comida sabe sospechosamente a zapato viejo, guisado en tomates envasados y acompañado por una pasta de verduras irreconocibles. Pero uno sonríe amablemente y elogia a la anfitriona alabando la espléndida textura, la presentación y el sabor del plato. Estas mentiras amables son la base de las relaciones humanas superficiales, en las cuales lo importante es pasar por alto las diferencias menores y no adoptar comportamientos críticos ni ofensivos.

El problema comienza cuando estas convenciones de adaptación superficial, que nos permiten decir una cosa cuando en realidad estamos pensando otra, comienzan a aplicarse en las relaciones íntimas.

En este caso, Susan no estaba nada contenta de que Larry se hubiese quedado dormido en el diván después del concierto. Ella esperaba tener un momento a solas con Larry, pero él, con su comportamiento parecía transmitirle que ella no lo inspiraba para permanecer despierto. Avergonzado, él intentó disculparse. Pero ella, en lugar de aprovechar la ocasión para establecer algunas pautas acerca del tiempo que pasaban juntos, decidió actuar como la perfecta anfitriona. Ella pasó por alto la infracción de él y le aseguró que era una magnífica compañía. Lo que se puede obtener de esta manera, ocultando los deseos de uno y reforzando un comportamiento negativo del otro, es más de lo mismo ("Ya que tanto te gustó el plato de la última vez, te preparé uno igual."). Si ella hubiese mostrado su irritación —que de todos modos aparecerá en algún momento—, él a lo sumo hubiese pensado que no la tenía totalmente segura a su lado.

Mentira 11: "No le dije a Pat que me había fastidiado su comportamiento en la cena de Año Nuevo".

"Lee mi mente."

Esta clase de "ocultamiento de la verdad" consiste en no decir y tiene por objeto evitar hasta la menor confrontación. Es más típica en las mujeres que en los hombres entrevistados. Se guardan el enojo y van acumulando el natural resentimiento residual cada vez que el otro, como es predecible, no llega a darse cuenta de que algo estuvo mal.

60

El problema es que aquí Robin guarda demasiado bien su enojo contra Ron. De esta manera, el enojo no desaparece sino que los acecha y los va distanciando. Ella comentó detalladamente el comportamiento de Ron en la cena de Año Nuevo con todas las amigas que estaban allí y con un par que ni siquiera habían estado presentes. Todas coincidieron con ella en que sus gracias de ebrio habían estado muy fuera de lugar y de este modo ayudaron a Robin a justificar y a mantener su enojo.

¿Por qué ella no se lo dijo directamente? Porque para Robin, él debería haberse dado cuenta solo de que seducir mujeres y hablar tonterías era un comportamiento desagradable. Si le hubiese prestado más atención a ella y un poco menos al resto, la hubiese pasado mejor. Para Robin, el éxito de la velada tenía que ver con la relación entre ellos no con la fiesta en sí misma. Por eso se había sentido lastimada y enojada. Además temía que si se lo decía a Ron, él iba a restar importancia a sus sentimientos. Pero Ron no leyó —y tampoco leerá— su mente. Él suponía que si ella se sentía molesta se lo diría, de modo que para él se trató de algo normal, de una fiesta más. La distancia entre ellos va creciendo.

Lo que estas mentiras nos dicen

En primer lugar, las mentiras de los hombres y las de las mujeres tienen muchas semejanzas. A todos nos gusta tener ante nosotros mismos una imagen de buenas personas, de modo que solemos cargar positivamente nuestras acciones y nuestras palabras. Es por eso que tanto los hombres como las mujeres suelen conferir a sus mentiras la intención de proteger al otro.

Sin embargo, los hombres entrevistados enumeraron casi el doble de razones para mentir que las mujeres. Esto significa que para los hombres la mentira es un arma mucho más versátil que para las mujeres. Los hombres parecen usar la mentira de una manera más adaptativa para obtener victorias a corto plazo, para evitar enfrentamientos, para resolver problemas y para que no los atrapen en falta. Los hombres, aunque menos que las mujeres, sufrieron por el impacto que su falta de sinceridad ejerció sobre sus parejas. En realidad, la mayor parte de los hombres parecen separar la mentira del impacto que esta ejerce o minimizar su daño potencial.

Cuando examinamos las mentiras de las que hombres y mujeres dicen haber sido víctimas, las mentiras de las mujeres fueron, con más frecuencia, dichas para proteger los sentimientos de la otra persona o la relación, mientras que las mentiras de los hombres, en general, tendían a proteger la libertad y la autonomía de ellos mismos. En las doce "últimas mentiras" que analizamos, las mujeres tendían más a mentir para preservar una relación o como parte de un papel protector que estaban ejerciendo. Por ejemplo, una mujer asumía falsamente la responsabilidad de algo ("No eres tú, soy yo") para evitar ofender a alguien expresando directamente sus reservas o su enojo. La mujer tiende a reforzar con su mentira el ego endeble de otro o a utilizar la mentira para sostener un vínculo. El hombre, en cambio, si bien también puede mentir por estas razones, suele utilizar más la mentira como estrategia para ganar, para sacar una ventaja o para evitar una consecuencia desa-gradable, como por ejemplo, el enojo de una mujer.

Las mentiras a "Pat" que acabamos de examinar nos muestran asombrosas diferencias en el modo como hombres y mujeres juegan al juego de la mentira. Ahora bien, supongamos que pedimos a hombres y mujeres que definan la mentira. ¿Cree usted que hallaremos el mismo patrón de diferencias que encontramos en sus historias?

Segundo tiempo del juego de la mentira: definir la mentira

Se lo ve mal. Digamos que ha bebido demasiado y usted lo lleva hasta su casa después de la fiesta. El duerme durante el viaje. Al día siguiente, además de la resaca, él parece sufrir de una súbita pérdida de la memoria. Entonces, el hombre le pregunta acusadoramente: "¿Qué quieres decir con eso de que bebí demasiado? ¿Acaso no recuerdas que he estado enfermo con gripe durante días?". Usted se pregunta: "¿Qué está sucediendo?". ¿Se trata de una mentira, de una pérdida selectiva de la memoria o simplemente de una cuestión de su ego? Además, sea lo que sea, ¿podrán sentarse juntos algún día y descifrarlo?

La mayor parte de las mujeres no enfrentan la mentira de un hombre sino cuando ya es demasiado tarde. Al comienzo, hacemos todo lo posible para evitar reconocer la mentira y enfrentarnos a ella. Encontramos excusas para el mentiroso o encontramos eufemismos diversos para encubrir la mentira: es una fantasía, falta de información, mala interpretación, exageración, falso recuerdo, deformación de la verdad, secreto. ¿Por qué no dejamos de dar vueltas y llamamos a la mentira por su nombre?

Evitamos llamar mentira a la mentira por una serie de razones. Las mujeres son más reticentes que los hombres a acusar a sus parejas de mentirosas porque temen lastimar sus sentimientos o ser groseras. Irónicamente, las mujeres evitan llamar mentiras a las mentiras por muchas de las mismas razones por las cuales los hombres mienten: para evitar el enojo, para preservar la relación, para evitar una verdad desagradable.

En realidad, parte del problema es semántico. Creemos que sabemos lo que es una mentira hasta que nos desafían. Cuando nos enfrentamos al mentiroso, él actúa como si estuviésemos locas y nos dice algo que nos hace preguntarnos cómo pudimos dudar de su sinceridad. El es tan convincente, que nos lleva a cuestionarnos acerca de nuestros propios sentimientos. ¿Es posible que los hombres y las mujeres apliquen estándares diferentes para definir la mentira en las relaciones personales?

Trate de definir la mentira. ¿Qué es una mentira? Diga su definición en voz alta.

¿Dijo usted que la mentira es algo falso o inexacto? ¿Agregó que una afirmación falsa es una mentira no importa si quien la dice sepa o no que es falsa? Entre los entrevistados, esta definición fue más propia de los hombres que de las mujeres.

¿Apunta su definición a la intención de engañar a otra persona? Entonces, se acerca más a lo que dijeron las mujeres. Las mujeres, más que los hombres, consideran que la mentira se define más por la intención de engañar que por la deformación objetiva de los hechos.

Los hombres definen la mentira en forma impersonal

Los hombres entrevistados suelen separar la mentira de la intención de causar daño y de las consecuencias devastadoras que puede provocar. Usan más palabras neutras que palabras cargadas de contenido emocional; palabras que en general ignoran el impacto que la mentira causa en quien la recibe. Estas definiciones despreocupadas parecerían formar parte de un manual de instrucciones. He aquí algunos ejemplos de definiciones masculinas:

- "Es algo que no es verdad."
- "Es algo irreal."
- "Es evadirse de la verdad."

Aun entre el dieciséis por ciento de los hombres que dijeron que era importante la intención de engañar, las definiciones tuvieron la frialdad del lenguaje de un diplomático:

- "Es una deformación intencional de la verdad."
- "Es una deformación de los hechos que tiene el engaño como finalidad."

Al observar la falta de pasión con que los hombres definen la mentira, resulta fácil olvidar que del otro lado de la mentira existen seres de carne y hueso que sufren las consecuencias. Sólo dos de los hombres entrevistados definieron la mentira como una afirmación falsa que afecta a otra persona.

En realidad, un tercio de los hombres transformaron las mentiras en "verdades a medias" o en "omisión de información importante" antes de llegar a una definición. Un hombre dio un toque de heroísmo a la mentira definiéndola como "un modo de resolver problemas que saca de aprietos a todo el mundo". Irónicamente, este fue uno de los hombres que incluyó el sufrimiento humano en su respuesta, ¡pero lo hizo dándole un vuelco inesperado! Señaló que "la mentira causa dolor, pero sólo cuando aflora la verdad, dañando la solución esperada". ¡Para él, lo que causa problemas es la verdad, no la mentira!

Las mujeres definen la mentira en forma personal

Cuando observamos a las mujeres, observamos un léxico diferente. Aquello que los hombres pasan por alto es justamente lo que ellas consideran importante. La intención del mentiroso y el impacto que ejerce la mentira son lo primordial para la mitad de las mujeres entrevistadas. Las mujeres miden la gravedad de una mentira en función del daño que causa y no en función del grado de desviación respecto de los hechos reales. Veamos estas definiciones:

- "Es algo que hiere. Es algo que no es verdad y me hiere... Es una excusa para no contar la verdadera historia."

- "Es cualquier cosa falsa que tenga consecuencias que lastimen a otra persona."

Para algunas mujeres, como para los hombres, las mentiras son violaciones técnicas de una verdad impersonal. Pero la mayoría de ellas se refirieron al daño que la mentira causó en sus propias vidas y a cómo se sintieron.

¿Jura usted decir toda la verdad?

Cuando alguien testifica en una Corte, se le pregunta: "¿Jura usted por Dios decir la verdad, toda la verdad y nada más que la verdad?". Pero luego hay que enfrentar un dilema: además de decir toda la verdad, sólo hay que responder a lo que a uno le preguntan. ¿Cómo hacer ambas cosas al mismo tiempo? Ese dilema suele trasladarse a las relaciones personales. ¿Tenemos el implícito deber de decir toda la verdad o debemos responder solamente a lo que nuestra pareja tiene la habilidad de preguntar o la fortaleza para escuchar? Si lo decimos todo, corremos el riesgo de perder el afecto del otro y hasta de perder la relación; pero si respondemos sólo a lo que nos pregunta, ¿no estamos mintiendo al retener información importante?

Supongamos que nuestra pareja omite decirnos que después de salir de la oficina se fue a beber una copa con una nueva compañera, muy atractiva. Nos sentimos heridas, dando por sentado que quiso engañarnos, pero él, en lugar de disculparse o darnos una explicación, se muestra extrañado de que hayamos tomado la falta de información como un engaño. Jura que él nunca nos mentiría, pero nosotras *seguimos sintiendo que nos mintió.* Para él fue una inocente "omisión de información", para usted es una sospechosa e hiriente omisión que le provoca dudas. En resumen, una mentira.

¿Quién tiene razón? ¿Se justifica la posición de él o la suya?

Los hombres y las mujeres tienen criterios diferentes respecto de si ocultar la verdad es mentir o no. Aun cuando aparentemente coincidan, un análisis minucioso nos permite ver que en este aspecto los separan kilómetros de distancia. Al preguntar si aquel que oculta la verdad miente, puse en aprietos a muchas personas.

La mayor parte de los hombres no veían mal el hecho de ocultar a sus esposas y amantes información potencialmente hiriente, en tanto no se tratase de mentir abiertamente. En cambio, el setenta por ciento de las mujeres se mostraron convencidas de que ocultar información era mentir.

Si piensa que esta diferencia constituye un problema, está en lo cierto. Cuando un hombre oculta algo a una mujer, es poco probable que piense que le está mintiendo, y en cambio es muy probable que ella así lo crea. El, en tanto no haya tergiversado ningún hecho, cree que todo está bien. Un hombre lo expresó de este modo: "Si es algo que no se ha dicho, ¿cómo puede ser una mentira?". También es posible escuchar el clásico: "No me hagas preguntas y no te diré mentiras", de modo que cuando una mujer pregunta y el hombre miente, la responsabilidad pasa a ser de ella porque fue la que insistió en preguntarle. En su mente, él no tiene culpa alguna. Para ella, en cambio, él intentó engañarla y su omisión, seguida de mentira, la lastimó. Veamos lo convencidas que están las mujeres de que ocultar una verdad es mentir:

- "Ocultar es mentir... '¿La extrañas?' 'No.' Por supuesto que no la extrañaba, porque se seguía viendo con ella. Era una verdad técnica. El estaba ocultando que la seguía viendo."
- "Sí, actuar *como si* también es mentir. Hacernos creer que están más comprometidos de lo que en realidad están, es una mentira."
- "Ocultar... es engañar. No ser totalmente sincero es mentir."

Ahora echemos un vistazo a las respuestas de aquellos hombres que coinciden en que *ocultar una verdad es mentir*, pero que no obstante limitan la calificación de mentira a ciertas condiciones. Es mentira "sólo si..."

- "...Sé cuál es la verdad y la evito premeditadamente. '¿A qué revistas me suscribo?' '*Time, Newsweek, Playboy.*' Omito mencionar *Playboy*. ¿Es una mentira?... *No he dicho nada que no sea verdad, pero no he contestado la pregunta.*"
- "Es una mentira sólo si a uno le han pedido específicamente que diga la verdad."
- "Es una mentira solamente si se oculta un hecho material."
- "Si no preguntan, no es necesario decir."

Algunos hombres consideran que el principio de decir toda la verdad constituye una intromisión inaceptable. Como el joven que me preguntó: "¿No tiene uno el derecho de mantener en secreto sus 'delitos de fantasía' o es obligatorio admitirlos como hechos reales?''. La mayor parte de las mujeres no se fijan en tecnicismos. Si ocultar una verdad engaña y perjudica al otro, dicen que se trata de una mentira. Aun las mujeres que pensaban que ocultar una verdad *no es* mentir, de todas maneras tienen en cuenta las intenciones y los resultados. Ellas piensan en el daño que una verdad oculta, *aunque no sea una mentira*, puede causar en una relación.

- "Si lo que una dice es completamente cierto, pero no se hace mención a lo demás, técnicamente no se trata de una mentira, pero se puede utilizar para engañar."
- "...Si no hay malicia en la intención, entonces no es una mentira."

Algunas mujeres no pudieron dejar fuera de su definición sus propios miedos y su ambivalencia ante el descubrimiento de una verdad oculta desagradable: *"Muy dentro de mí yo sabía que él siempre me había mentido y yo no lo había querido ver. ¿Debemos aceptar verdades parciales? o acaso deberíamos preguntar: '¿Por qué no contestaste a mi llamada?', y cuando él responde: 'Porque me quedé dormido' deberíamos indagar: '¿Solo o acompañado?'".*

Cuando nos mienten, siempre sopesamos nuestro desagrado frente a la mentira con nuestro desagrado frente a la verdad.

Tercer tiempo del juego de la mentira: la respuesta frente a la mentira

"No me gusta aceptar que me han mentido. Me hace sentirme ingenua."
—Representante de ventas, 35 años, casada.

Supongamos que alguien que a usted le importa mucho le miente, pero no logra engañarla. Usted está razonablemente segura de que esa persona ha faltado a la verdad. ¿Cómo reacciona?

Cómo responde usted frente a la mentira

1. **Negando**: Mira hacia otro lado y finge que nunca sucedió.
2. **Culpándose a sí misma**: Busca dentro suyo para ver si usted fue la causante.

3. **Enfrentando**: Enojada, pide la verdad, nada más que la verdad.
4. **Rumiando**: Se enfrasca en una interminable reflexión acerca de la mentira.
5. **Bromeando**: Encuentra el asunto divertido y se ríe de la mentira.
6. **Conversando**: Solicita una inmediata conversación sincera para llegar al fondo de la cuestión.
7. **Terminando**: Saca de su vida al mentiroso.

Aunque tanto los hombres como las mujeres hacen todas las cosas arriba mencionadas, es más probable que una mujer a quien le han mentido reaccione negando (respuesta 1), culpándose a sí misma en lugar de culpar al mentiroso (respuesta 2), pensando interminablemente acerca de las circunstancias que rodearon la mentira (respuesta 4) y deseando conversar acerca de la situación (respuesta 6). En cambio, es más probable que un hombre a quien le han mentido reaccione enfrentando a quien le mintió (respuesta 3), encontrando divertida la situación (respuesta 4) o terminando con la relación (respuesta 7). Bienvenidas al tercer tiempo del juego de la mentira, en el cual los hombres y las mujeres abordan el mentir y el que les mientan desde su respectiva condición masculina y femenina.

¿Qué sucede? Tanto los hombres como las mujeres abordan la cuestión de la mentira desde una perspectiva coherente con el modo como han sido educados. Aunque no tengamos conciencia de ello, desempeñamos los papeles que creemos apropiados para un hombre o para una mujer en nuestra cultura. Cuando un hombre está seguro de que le han mentido, su sentido de la masculinidad le indica que puede perder su poder y su dominio. Por eso, para quedar satisfecho, o bien minimiza el hecho —por ejemplo tomándolo a broma— o bien asume el papel de la parte ofendida. Lo que no suele hacer un hombre en estos casos es culparse a sí mismo u obsesionarse con la mentira. Esas cosas solamente lo harían descender aún más en la jerarquía del poder. Lo más probable es que culpe al mentiroso y vuelva la situación a su favor. Como la parte ofendida en una Corte televisiva, restablece la justicia buscando al culpable, aunque lo que obtiene en este caso no es dinero sino poder. El mentiroso le ha dado la oportunidad de ejercer su derecho masculino a tener una defensa honrosa. En resumen, su condición masculina le indica transformarse en un custodio de la justicia, no de la relación. Por eso, cuando usted le mienta, no espere que él mire distraídamente hacia otro lado ni que se culpe interminablemente por su participación en la mentira. Lo más probable es que la relación pase a segundo plano, y lo primero sea restaurar el poder y la justicia.

Una mujer engañada responde de una manera diferente. Aun cuando la mentira le haya resultado dolorosa, lo más probable es que la coloque en el contexto de lo que verdaderamente le importa: preservar la relación. Dejará de lado la confrontación violenta y tratará de calmar las cosas soslayando la mentira o tratando de comprenderla, no importa cuán cruel o incomprensible resulte a primera vista. Si hay una razón oculta, ella comenzará a preguntarse: "¿Será mi culpa?". Más humillada y avergonzada que enojada, se preguntará qué hizo para que este hombre tan honesto le mintiera. No importa cuál sea el resultado o cuán enojada esté, lo más probable es que se culpe a sí misma y no al mentiroso. Hasta es probable que reprima sus iniciales ataques de furia y que opte por conversar y perdonar. Después de todo, ella conoce bien su papel femenino: ser la custodia de la relación. Restaurar la justicia pasará a un segundo plano.

Cuando les pregunté a las mujeres porqué habían creído una mentira, aun frente a claras evidencias en contrario, una tras otra dijeron que fue para preservar la relación. Esto concuerda con el audaz trabajo de la psicóloga de Harvard Carol Gilligan acerca de las diferencias en el razonamiento moral entre los sexos. En su libro "*In a Different Voice*" de 1982, Gilligan muestra detalladamente cómo las mujeres dan prioridad a la unión y a las relaciones, mientras que los hombres dan prioridad a la individualidad y a la prosecución de la justicia.

Obsesionadas con que les mienten

¿Cuál de los sexos se obsesiona más con que le mienten? De lejos, las mujeres ganan en este terreno. Casi todas las mujeres entrevistadas —¡un asombroso noventa y siete por ciento!— admitieron obsesionarse con todos los detalles de la mentira. Algunas estuvieron pensando en una mentira durante semanas y hasta durante meses, tratando de imaginar exactamente por qué había sucedido, como si el hecho de tener la cuestión en mente todo el tiempo pudiese develar alguna verdad oculta. Reconstruían la mentira para ver si hallaban en ella "algún rastro de verdad" o si encontraban alguna evidencia de culpa por parte de ellas. Como alquimistas modernas, intentaban convertir una mentira incomprensible e hiriente en una afirmación razonable y clara.

Tomemos como ejemplo a Gina, una gerente de veintiséis años, casada, dijo riendo: "¿Obsesionada? Si hasta puedo decir cómo estaba vestida y dónde estaba sentada en el momento de la mentira. No puedo olvidarlo. *Deseo recordar todos los detalles, para que no vuelva a sucederme*".

El treinta y cinco por ciento de los hombres sostuvieron que no elucubraban en torno a las mentiras. Una cantidad de ellos sostuvieron que les divertía que una mujer les mintiese. Curiosamente, ninguna mujer dijo que le resultaba gracioso que un hombre le mintiese. Larry, un gerente de ventas soltero, de veinticinco años, sostuvo que no le importaba que una mujer le mintiera, que hasta "es atractivo que una mujer no diga la verdad". En particular, en la población de menores de treinta años hay muchos que consideran las mentiras de las mujeres —y las propias— como algo creativo, sensual y atrayente.

Culpar al mentiroso o culparnos a nosotros mismos

Marla, una estudiante de leyes, dice que cuando alguien le miente "dudo de mí misma, pienso que hay algo malo en mí y me siento mal por ser tan tonta, tan ingenua". Ella se culpa a sí misma. Marla tiene sólo veinticinco años, pero parecería que diez o veinte años más de experiencia no logran que algunas mujeres dejen de pensar "¿qué hice mal?" cada vez que son víctimas de una mentira. Benita, una secretaria de treinta y siete años, se culpa por ser más vieja pero no más sabia cuando de mentiras se trata: "Cada vez que me mienten me golpeo la cabeza contra la pared. ¿Cómo pude haber sido tan ciega? ¿Cómo no me di cuenta antes?". Y luego agrega, esperanzada: "Tal vez la próxima vez sea más inteligente".

También tenemos a la contadora de treinta y tres años que encontró al que desde hacía seis meses era su amante en la cama con "una amiga platónica" y se culpó a sí misma en lugar de culpar al hombre que la había humillado: "*¿Es que no sé escoger a las personas? ¿Le creo a la gente porque quiero creerles? ¿Sucedió porque tenía que suceder?... ¿Qué debo hacer? El hecho de* que alguien me mienta en esas cosas no es una coincidencia? ¿Qué papel juego yo? Quisiera saberlo para poder controlar las situaciones y para que esto no me suceda un millón de veces más".

Incluso entre las mayores de cuarenta años, muchas mujeres se sienten como Sally, una vendedora divorciada de cuarenta y cinco años, que comenzó refiriéndose a la furia que le causan los hombres que mienten, para acabar enojada consigo misma por engañarse: "Cuando me mienten, me enojo. Quisiera pegarles y decirles: '¿Por qué tuviste que mentirme? ¿Por qué no fuiste sincero y me diste una oportunidad?'. Después de eso, ya no puedo creerles nada. Me siento una fracasada ¿Por qué este hombre me mintió? ¿Es que acaso llevo un letrero que dice 'Puedes mentirme'?".

Dawn, de cuarenta años, es otro buen ejemplo. Se embarazó de un hombre que le había dicho que hacía dieciséis meses se había divorciado de una mujer llamada Sara. Después que este hombre rompió la relación con Dawn, diciendo: "Estamos acercándonos demasiado y no estoy preparado para un compromiso", ella decidió ir al Registro Civil y constatar su acta de divorcio. Como no la encontró, hizo una copia de su acta de matrimonio. Cuando lo enfrentó, él le confesó que aún seguía casado con Sara. ¿Cómo reaccionó Dawn? "Comencé a dudar de mí misma, de mi capacidad para juzgar a las personas... y comencé a aislarme."

Son pocos los hombres que se culpan a sí mismos cuando son víctimas de las mentiras de las mujeres. Sólo un hombre, contra doce de las mujeres entrevistadas, asumió la culpa por haber sido víctima de la mentira de una mujer. En general, los hombres no tienen mayores problemas en culpar a las mujeres o en terminar sus relaciones con ellas. Un médico soltero relató la táctica que utilizaba cuando sorprendía a una mujer mintiéndole: "Le digo que me llame en dos semanas, que tengo demasiado trabajo".

Aun los hombres que tienen matrimonios confiables secretamente suelen tener el impulso de terminar con la relación. Jack, un gerente de cuarenta y seis años, dice estar casado con una mujer que jamás le miente, pero añade que si alguna vez la descubriese mintiendo, actuaría tranquila y decididamente: "la enfrentaría y daría por terminada la relación". Ninguna de las mujeres con las que hablé se mostró tan decidida a terminar con una relación por una sola mentira, al menos no antes de haber meditado al respecto durante meses tratando de comprender las cosas desde el punto de vista de él.

Cómo salvar la brecha del juego de la mentira

Los hombres suelen tomar distancia de la mentira dejándola pasar, o bien divirtiéndose, o bien terminando con la relación. Las mujeres, en cambio, absorben la mentira en su interior, se obsesionan con el porqué y el para qué del engaño, se culpan por haber caído en la trampa y tratan de buscar el lado positivo para llegar a comprenderla. Sea mintiendo o siendo víctimas de una mentira, los hombres tienden a tratar de recuperar su poder y su autonomía. En cambio las mujeres a menudo hacen todo lo posible para mantener viva la relación.

¿Cómo salvar esta brecha? El desafío consiste en superar la clásica diferencia entre las reacciones de los hombres y las de las mujeres frente a la mentira. Esta diferencia se genera porque cada uno se encuentra atrapado en los moldes de su propio sexo.

La solución comienza cuando cada uno comienza a salirse de su propia perspectiva y comienza a comprender la mentira desde el punto de vista de la otra persona y *del otro sexo*. Tanto los hombres como las mujeres pueden romper las reglas tácitas y salir del juego de la mentira aprendiendo del otro. Todos tenemos mucho que aprender. Si no se logra romper la brecha que los separa en este juego, la decepción y la confusión seguirán reinando en ambos lados de cada mentira.

Los hombres deben aprender de las mujeres a tomar en cuenta la relación, en lugar de centrarse sólo en el poder y el dominio. También deben valorar el vínculo lo suficiente como para recordar que deben prestar atención a los efectos de la mentira sobre la confianza en la pareja.

Las mujeres deben aprender de los hombres a hacer valer su poder, a proteger sus derechos y a restaurar la igualdad haciendo frente al mentiroso. Las mujeres deben también aprender a expresar cómo las afecta la mentira, confiriéndole la responsabilidad al mentiroso y no a ellas mismas.

El primer paso en este proceso es comprender cómo juegan los hombres el juego de la mentira y cuáles son sus reacciones frente a ese juego. En las páginas que siguen, abordaremos las diversas formas de mentiras masculinas. Comenzaremos por las mentiras a primera vista, aquellas que forman parte del juego de seducción para realzarlo a él ante nuestros ojos y hacernos entrar en su mundo.

Segunda Parte

LAS MENTIRAS
COMO ANZUELOS

3

MENTIRAS A PRIMERA VISTA

"Hace un par de semanas un hombre me dijo en la panadería que habíamos sido compañeros en la secundaria."
—Contadora, treinta y tres años, casada.

"Los hombres siempre me dicen lo joven y atractiva que me veo."
—Administradora, cuarenta años, soltera.

"Yo estaba en Las Vegas. Un hombre se me acercó y me dijo: 'Realmente le está yendo muy bien. ¿Aceptaría ser mi amuleto de la suerte para jugar al blackjack?'."
—Diseñadora de interiores, treinta y siete años, divorciada.

"Realmente no hace daño. Hace que la madeja se siga tejiendo... Si estoy seduciendo a alguien y ella me pregunta: '¿Cuántas enfermedades venéreas has tenido?' y yo respondo: 'Seis', seguramente la relación no progresará."
—Gerente, veinticinco años, soltero.

"No tienen para qué decirme mentiras. Basta con que me interesen."
—Técnica médica, treinta y dos años, casada.

Las mentiras a primera vista recorren toda una gama, que va desde las pequeñas seducciones hasta los flagrantes engaños.

Tal vez usted piense que ya las ha escuchado todas. Tal vez hasta haya creído algunas. Las mentiras a primera vista tienen por objetivo halagarla, impresionarla, *antes* de que usted conozca la verdad. Son difíciles de descubrir porque en el momento son muy agradables. Apelan a nuestras fantasías más azucaradas respecto de cómo deben actuar los hombres y las mujeres en esos contados momentos iniciales.

Resulta muy fácil olvidar que las mentiras a primera vista están pensadas para atraparnos en algo que tal vez no deseamos ni esperamos. De lo que podemos estar seguras es de que no son novedades. En realidad son resabios, despojos de los ritos de cortejo del reino animal. Las mentiras-anzuelos liman las aristas de nuestro natural escepticismo, haciéndonos más receptivas e interesándonos más en la persona que las utiliza.

En ese momento en que no sabemos demasiado del extraño que nos habla, estas mentiras son una ficción que colorea nuestras impresiones y nos atrae. ¿Cuál es el peligro? Que pueden parecer adulaciones inocentes cuando a veces son verdaderos engaños. Lo contrario también es posible: que uno malinterprete las adulaciones inofensivas y las tome como algo siniestro, perdiendo así a alguien que realmente podía agradarnos. Por supuesto, para que las mentiras a primera vista funcionen, hacen falta dos. Tenga en mente que el deseo que usted pueda tener de creer lo que le dice un extraño depende tanto de *quién es usted* como de lo que él dice.

A veces, las mentiras a primera vista, parecen estimuladores instantáneos del ego. ¿A quién no le gustan? En el supermercado, un hombre a quien usted nunca ha visto antes, puede transformarle el día, si le susurra junto a la caja: "Tienes el cabello más maravilloso que he visto" o "No puedo creer que alguien tan joven tenga dos hijos tan grandes".

Las mentiras a primera vista, a veces, logran desarmarnos y hacernos prendar de un hombre. Antes de acercarse verdaderamente a usted en la fiesta de Navidad de la oficina, él le confiesa: "Estoy quemado con las mujeres. Desde mi divorcio tú eres la primera mujer por la que me he sentido atraído".

A veces, las mentiras a primera vista consisten en información puramente fáctica acerca del mentiroso. Usted no sabe por qué este hombre que usted acaba de conocer en el tren le está revelando los detalles de sus hábitos de consumo o de su historia geográfica. El le dice: "Cada año compro un BMW nuevo" o "Me crié en un rancho de dos mil acres a ciento cincuenta millas de aquí". Como usted no imagina que él pueda tener alguna razón para mentirle ¿por qué va a dudar?

Las mentiras a primera vista, a veces, son simples pasatiempos. No hacen más que ayudar a ambos a matar el aburrimiento en el casamiento de un amigo o a pasar una tarde de lluvia en un veraneo.

A menudo, la hacen salir corriendo.

Si él le dice que no bebe, y ordena una botella de vino antes de la cena, o si sostiene que nunca ha estado casado, cuando usted ha escuchado que tiene la custodia de los niños, seguramente pensará que su ángel de la guarda la ha salvado y se encaminará rápidamente hacia la salida. Si desde el primer momento las bondades que él dice de sí mismo no coinciden con sus comportamientos, este hombre le habrá hecho el inmenso favor de mostrarle las cartas desde el comienzo, mucho antes de que usted se entusiasme demasiado. Como desde el comienzo ya había razones suficientes para finalizar una relación, piense que retirándose antes usted habrá ganado una batalla.

Es muy útil observar con cuidado y largamente estos anzuelos que le tienden, antes de picar.

También es importante recordar que no todas las mentiras a primera vista son nocivas. Aun cuando la intención sea engañarla, hay mentiras y mentiras. La seducción puede ser muy divertida si usted la toma como lo que es o, mejor aún, si no la toma como lo que no es.

A veces, hasta el coqueteo más benigno puede tener un costo. Sin embargo, en una época en la cual lo políticamente correcto y el acoso sexual en el trabajo están comenzando a exportarse a lo romántico y a la vida personal, los más expuestos son los hombres, menos acostumbrados a luchar contra estas cosas.

¿Hay otras mentiras a primera vista? Están las consabidas y viejas mentiras seductoras —entretenidas o aburridoras— y, ya más dañinas, están las mentiras de la rana que se transforma en príncipe, en las que él se presenta como demasiado maravilloso para ser verdad. Examinaremos esta clase de mentiras en el próximo capítulo.

Comencemos observando ahora las primeras mentiras que van con el cortejo, y veamos qué hacer con ellas.

¿Acaso los rituales de seducción llevan a mentir?

Es un comienzo romántico: una sonrisa, un gesto y sus ojos se encuentran. El ambiente se caldea y todos los demás desaparecen. A través de la seducción él le trasmite su genuino interés, y usted hace lo mismo. Cuando es recíproco, dos extraños pueden moverse en un ambiente agradable y sentirse bien. Todo parece posible.

Más allá de nuestros planes, como sucede con otros mamíferos, los dos sexos de nuestra especie usan ciertas miradas, gestos e implícitos para seducir a una pareja atractiva. Deseamos establecer contacto, demostrar interés, impresionar, sentirnos bien. Queremos acercarnos lo suficiente como para poder decidir por sí o por no y cerrar el trato, o irnos e intentarlo de nuevo con otro candidato.

En parte es divertido, en parte es animal, pero los rituales de seducción dan resultado.

Esto puede ser bueno, pero supongamos que ninguno de los dos esté tan interesado o tan disponible como le quiere hacer creer al otro. Piense en sus propias experiencias. Seguramente hubo una época en la que la seducción parecía demasiado buena para ser verdad ¿Y acaso era verdad? ¿Cuándo, entonces, la seducción se transforma en una mentira?

Juegos de seducción: Diferentes hábitos, percepciones y expectativas

Qué es para cada uno inocente y qué es engañoso depende de lo que esperemos que suceda. Veamos la definición que da el diccionario Webster's para flirtear:

Juegos de cortejo. Jugar al amante por deporte.

—*Webster's New International Dictionary,*
Unabridged Second Edition

Si los dos están de acuerdo en que la seducción es puro deporte, no hay problema. En cambio, si él lo hace por deporte y usted seriamente, la seducción pasa de ser un juego inofensivo a ser una mentira potencialmente dañina. Por ejemplo, cuando él le dice: "Esta es la conversación más linda que he tenido en años" sólo como un comentario adulador y, en cambio, usted cree que es verdad. Es posible entonces que, cuando él no la llame, usted se sienta herida y considere que le ha mentido.

¿Cómo conocer las intenciones de alguien cuando todo lo que tenemos es la escasa información de un primer encuentro? Descifrar las intenciones de otra persona toma tiempo. Sin destruir el momento, usted debe decidir si se trata de una situación placentera, si el único deseo de él es divertirse —y tal vez divertirla a usted— o si está tratando de interesarla para dar otro paso en la relación. Usted no lo sabrá hasta que intime un poco más, y precisamente allí radica el peligro.

Los hombres y las mujeres pueden tener perspectivas muy distintas respecto de cuáles son las intenciones para con una persona nueva y de cuál sería una buena salida. Mientras ella piensa que sería bueno encontrarse a almorzar el domingo siguiente para conocerse mejor, tal vez él crea que sería bueno tener una sesión de sexo salvaje esa misma noche. Muchas veces el juego consiste en anticipar y usted debe protegerse. De modo que la clave es ser precavida.

Según el color del cristal con que se mire

El actúa como si usted fuese la única persona que existe en la habitación. Sus ojos la siguen a todas partes, su conversación es seductora y toda la persona de él exhala atracción. ¿Pero no será todo esto una exageración, una mentira o un juego social? Todo depende de cómo se mire.

Que ese nuevo vínculo sea un flirteo de éxito o una mentira ofensiva, depende de lo sincronizados que estén los dos en los siguientes aspectos

- El placer;
- La ficción;
- La igualdad;
- La corrección política.

Sólo por placer

Supongamos que se trata de un encuentro destinado a disfrutar del momento. Es posible que un hombre y una mujer se diviertan y no lleguen a ninguna parte. También es posible que ambos estén casados con otras personas. No importa. Una vez que se despidan en la estación de tren, no se verán nunca más. Sin embargo, en el momento, ambos acuerdan no tocar el tema. Usted cierra los ojos. Durante quince minutos, la vida tal como es desaparece. Construyen un diálogo lleno de sensualidad y mutuo aprecio. Cuando se terminó, se terminó. Ambos sabían que se trataba de un juego. No hay problemas, no hay mentiras, nadie sale lastimado. Fue un buen momento.

La ficción

Aceptémoslo. A veces no hay nada genuino en un flirteo y en las cosas que cada uno le dice al otro para llevar adelante la conversación. Lo único verdadero es el interés que cada uno siente por el otro. Allí es donde aparece la ficción.

Aparece en la magia del momento en que los dos actúan como *si lo malicioso fuese genuino*. Ambos acuerdan dejar de lado la realidad. Actúan como si el otro fuese la persona más fascinante del mundo. Las vidas de ambos podrían aparecer en las páginas de *Vogue*. Usted es Bacall y él es Bogart. Su pareja merece que usted le brinde atención total y usted merece la de él. En parte, ambos *ocultan quiénes son* y realzan lo mejor de cada uno, lo más atractivo, lo más creativo. Cada uno pone el acento en sus puntos fuertes. Aunque a usted la hayan despedido de su trabajo y su matrimonio esté en ruinas, actúa como si tuviese todo bajo control. También es posible que escape de todo eso y se presente como una persona totalmente nueva. Hasta es posible que ambos *finjan que van a tener un futuro juntos* aunque sepan que sólo se trata de un único encuentro.

Olvide la autenticidad, se trata de un momento absolutamente ficticio; pero como el flirteo es efímero, resulta divertido.

Es posible que la ficción esté presente hasta en la *invención de las circunstancias* para iniciar el contacto. Usted puede fingir que se ha perdido, aunque en realidad se ha criado a pocos metros de ese lugar, o puede preguntar amablemente cuánto jabón debe poner en la lavadora, aunque las instrucciones estén claramente escritas. Pueden pedirle a alguien que les tome una fotografía, aun sabiendo perfectamente que la cámara no tiene película —una técnica recomendada por Jill Jillsen en su libro *Flirting*—. Todo es lícito, hasta las pequeñas mentiras inocentes... por el momento.

Nuevamente, mientras ninguno de los dos pierda de vista el hecho de que ambos están fingiendo, estos juegos de seducción no suelen transformarse en mentiras.

¿Cuándo comienza entonces el problema? El problema comienza cuando dos personas tienen diferencias en los dos parámetros que restan: *la igualdad y la corrección política*. En esos casos, un flirteo puede pasar de ser un juego divertido a ser una mentira dañina. Cuando la igualdad no llega y hay fallas en la corrección política, las lisonjas o cualquier otro anzuelo propio del comienzo de una relación pueden transformarse en un problema.

La igualdad

Nos referimos aquí a una similaridad en los puntos de vista. La igualdad en una relación se da cuando ambas partes, tácita o explícitamente, están de acuerdo en qué está sucediendo; y de este modo se va construyendo una reciprocidad. Por ejemplo, cuando se trata de una aventura, ambos saben internamente que se trata de un encuentro placentero, pero que no es un compromiso con un novio ni mucho menos una relación para siempre. Los dos saben que no son tan irresistibles ni fascinantes. ambos se dan cuenta de que muchas de las cosas que se dicen durante los encuentros son exageraciones, ficciones agradables. Ambos, además, están de acuerdo en que eso no representa un problema.

Pero supongamos que uno de los dos comprende la situación de una manera diferente. Adiós igualdad, hola confusión. Al fin de la velada uno de los dos se sentirá estafado. El pensará que la pasó muy bien. Usted sentirá que él fingió tener otras intenciones y otro interés en usted. Las acusaciones pueden ser de ambas partes, según cuál de las expectativas de los dos sexos haya sido violada. El también se puede sentir estafado, si era usted la que tomaba las iniciativas.

En los años noventa, también es frecuente que se mezcle la falta de igualdad con la corrección política.

Corrección política

Tome una pizca de flirteo (él la mira con admiración), algunos elogios ("Eres tan bella que merecerías ser modelo") y mézclelos con nuevos modelos de comportamiento de igualdad entre los sexos.

¿Qué conseguirá? Una fórmula instantánea para crear malos entendidos y problemas persistentes. Tal vez la intención de él sea establecer un contacto verbal seductor durante unos minutos y construir a través de sus palabras una ficción de enorme interés. Si él piensa que la igualdad de intenciones aparecerá por arte de magia, su plan puede fracasar estruendosamente. Sus intenciones seductoras pueden tener consecuencias desagradables. Si usted no se basa sobre las mismas reglas que él, puede llegar a pensar que sus acciones son insultantes o que violan la corrección política. Si piensa que no es legítimo o apropiado para ese contexto que él la corteje o que busque una relación casual, puede pensar que su actitud es irrespetuosa o intimidatoria.

Si estas cosas suceden en el lugar de trabajo, ¿es su actitud un agradable juego seductor o se trata de acoso sexual? Como los hombres y las mujeres tienen conceptos diferentes respecto de la mentira, no es sorprendente que opinen de manera diversa en lo que concierne a qué clase de abordajes o juegos de seducción constituyen acoso sexual.

Usted se queja de que sus miradas y sus insinuaciones crean "un clima de trabajo hostil". Esto le da lugar hasta para una denuncia. El, en cambio, se siente azorado: para él sólo se trataba de un juego, no era nada amenazante ni peligroso. Cada vez más escucho quejarse a los hombres de lo mucho que deben cuidarse y reprimir piropos e insinuaciones durante el almuerzo con una mujer, por temor a que los consideren incorrectos o hasta acosadores. También escucho que cada vez son más las mujeres que acusan a hombres por repetidas e intolerables insinuaciones sexuales. A veces estas acusaciones se basan sobre diálogos que hubiesen sido muy apreciados en las comedias románticas de los años cuarenta, pero que resultan inadecuados y fuera de lugar en el contexto de trabajo de los años noventa. Los tiempos han cambiado mucho. Además, quienes se excusan diciendo, "Sólo estaba flirteando", para encubrir la intención de molestar o denigrar a una mujer, no hacen más que acrecentar la confusión, haciendo enfurecer a las mujeres y convirtiendo el flirteo en un juego potencialmente peligroso.

La igualdad es la regla de oro

Una vez que una sabe cómo hacerlo, distinguir el flirteo de la mentira es pan comido. Cuando ambos ven el flirteo de la misma manera despreocupada, están de acuerdo en que es apropiado para esa situación y lo encaran en un plano de igualdad, el problema desaparece. Nadie acusará al otro de mentiroso ni nada por el estilo.

En cambio, cuando una de las dos personas considera que el flirteo es un juego y la otra piensa que se trata de la base de una relación sólida, están en problemas. El problema más serio es llegar a sentirse estafado, traicionado. La verdad depende del color del cristal con que se mire. Y aquí los cristales son distintos.

Examinemos más de cerca las entrevistas, para ver qué papel cumple la regla de la igualdad.

El impostor: una alegre ficción para cada ocasión

A Wes le encanta flirtear, aunque nadie lo diría. Cuarentón, casado con una mujer a la que adora e instalado en los suburbios con un par de niños, parece un poco tímido. La mayor parte de las personas no sospechan lo imaginativa que es su vida interior. De vez en cuando esta imaginación irrumpe en juegos seductores. Allí, Wes es maestro de invenciones. Construye increíbles historias acerca de su persona y se erige en un extraordinario impostor.

Flirteo 1

Veamos, por ejemplo, lo que sucedió en un viaje de negocios al exterior, cuando Wes aún era soltero. Pasó muchas horas flirteando con la atractiva mujer que estaba sentada a su lado en el avión. He aquí lo que me contó: *"Suelo inventar historias todo el tiempo. Le dije a esta mujer que era príncipe de un país europeo. Le hablaba todo el tiempo con mucha seriedad. El juego consistía en saber hasta dónde me seguiría. Salimos a cenar y seguimos jugando el mismo juego. Ella participaba".*

¿Qué fue lo que ella hizo? Rió y entró en el juego. Hasta hoy, Wes ignora si creyó algo de toda esa historia. Más bien está casi seguro de que no creyó nada, pero la incertidumbre hizo que el juego fuese interesante. El sabía que estaba jugando con la verdad, pero las preguntas que ella le hacía acerca de su vida palaciega sugerían que a ella realmente no le importaba cuál era la verdad.

Dos viajeros se encuentran. El le cuenta una flagrante mentira. Ella se da cuenta de que lo hace para divertirse y entra en el juego. La historia es completamente absurda. Ella le agrega unos toques de humor y lo desafía a ser aun más audaz, más creativos. Como dos bailarines, cada uno es consciente de los movimientos del otro. El baila, ella lo sigue. Se trata tan sólo de bailar. Cada uno imita lo que el otro hace y disfrutan el momento.

Las reglas son claras para los dos. Los dos saben que es una ficción y dejan de lado el escepticismo *por un momento*. Hay igualdad. Los dos saben que es una ficción, un juego.

Aunque no conocemos la versión de la mujer, sabemos que para Wes fue una velada muy agradable. Los dos operaban con las mismas reglas. El encuentro no llevó a ninguna parte. Era un fin en sí mismo.

Flirteo 2

Examinemos ahora otra historia de Wes. Una que salió mal y que recuerda aun después de quince años.

Cuando ingresó en la facultad de Derecho, concurrió solo a un baile de bienvenida de la Universidad. Como no conocía a nadie, vagó solo por ahí bebiendo cerveza, sintiéndose inepto para relacionarse. Una mujer que estaba de pie cerca de él, le preguntó de dónde venía y qué estaba haciendo en Chicago.

Wes cuenta: "Lo que estaba haciendo era frívolo, aburrido. Le conté cosas como experimento. Creé una situación suficientemente ridícula como para que se diese cuenta de que era falsa, pero que tuviese algunas facetas verdaderas. Quería hacerla reaccionar de algún modo. Especialmente hubo un dicho inicial que se fue de mis manos".

Al comienzo, Wes pensó que ella no era su tipo: "demasiado vulgar, no muy atractiva, con demasiadas joyas".

Sin embargo, a medida que ella le fue preguntando acerca de sus cosas, el impostor que había dentro de él fue emergiendo.

"Le dije que mi padre era Halston, el famoso diseñador de modas. Ella preguntó: '¿tus padres son el Sr. y la Sra. Halston?', y yo le respondí: 'No, son Halston y Sra. Mi padre nunca permite que lo llamen señor'. Seguí hablando y hablando hasta que me cansé. Pero ella estaba fascinada. Debería haber tomado otro tema. Ella no quería que el encuentro acabase. Fui al baño. *Ella me siguió.*"

En este punto, Wes se dio cuenta de que su compañera no estaba jugando. Ella estaba verdaderamente encantada, atrapada por su condición de hijo de una estrella. Ella deseaba saberlo todo sobre el padre célebre. El quería irse.

Ella tomó el juego de él por una sincera confesión. No había igualdad. Lo que sucedió a continuación es elocuente: *"Esperé unos pocos minutos, abrí la ventana del baño y me deslicé a través de ella para evitarla. Me sentí aliviado. Cuando iba al estacionamiento a buscar mi automóvil la vi. Allí estaba, esperándome. Me dijo: 'Te esperé a la salida del baño'. Yo le mentí: 'Es que me demoré mucho'"*.

El juego de Wes fracasó porque ella no se dio cuenta de que era un impostor y él no tuvo la habilidad para aclararlo o irse. El lo explica así: "No tuve suficiente habilidad como para ser educado". El quería acabar con el diálogo. Ella quería continuarlo. El quiso evitar las aclaraciones deslizándose por la ventana y, cuando tuvo que enfrentarse a ella, ¡mintió para ocultar que la estaba evitando!

Cuando hay igualdad de intenciones, los juegos y las ficciones pueden llevar a alguna parte... o no. En cambio, sin igualdad, los juegos y las ficciones se transforman en engaños.

¿Cuentos o mentiras?

Cuando los hombres recurren a "cuentos" para atrapar a las mujeres, buscan el tipo de anzuelo adecuado para su presa. De modo que el cuento estará constituido por cualquier cosa que *él piense* que sea atrayente para usted. Desdichadamente, el cuento en general es dicho en el momento en que él no sabe casi nada de usted. ¿El resultado? El hurga dentro de su equipaje y busca cualquier cosa brillante que le haya servido en el pasado, suponiendo que también funcionará con usted.

El cuento puede ser extraño, malintencionado, adulador, pretencioso, caballeresco o puede ser una falsa promesa. Cuando se trata de una adulación, podemos pensar que dice algo de nosotras; pero en realidad un cuento revela mucho más acerca de quien lo dice que acerca de quien lo recibe o de cómo lo ha impresionado a usted.

Si usted presta atención, los cuentos le indicarán muchas cosas. Revelan mucho más de lo que él desearía acerca de sus inseguridades, sus fantasías y sus expectativas. También pueden decir mucho acerca de cómo él ve a las mujeres.

Haga la prueba. Piense en alguna relación suya que haya comenzado con un cuento que le dijeron. No tiene que haber sido algo fabuloso. Generalmente, los cuentos que se dicen en la realidad no son nada excepcionales.

Una vez que lo recuerde, piense en qué cosas le revela:

—¿Está centrado en él o en usted?;
—¿Es halagador o insultante?;
—¿Lo hace parecer rico, talentoso o bien relacionado?;
—¿Le ofreció él algo que pensaba que usted deseaba, sin constatarlo antes?

Compare los cuentos que usted ha escuchado con los de esta selección tomada de los noventa y cinco entrevistados.

Guía de reconocimientos de cuentos

1. ¡Eres la mejor!
   "¿Cómo te las ingenias para ser tan bella y tan inteligente al mismo tiempo?"
   Apunta a lo bella, inteligente o talentosa que es usted.

2. El está *muy* impresionado.
   "¡Vas a la facultad de Derecho! Me apabullas."
   Le hace saber cuánto lo impresionan su belleza, su inteligencia o sus logros.

3. El tiene todo lo que usted desea.
   "Tengo una casa fantástica junto al lago y oportunidades de trabajo para ti."
   Podremos comprar todo lo que queramos: él lo tiene todo.

4. ¡Es el mejor!
   "Soy cinturón marrón de karate y por las noches voy a la Universidad."
   Promociona hasta el hartazgo todas sus cualidades.

5. Quédese con él para lograr estar satisfecha sexualmente.
   "Te puedo hacer sentir como una verdadera mujer."
   Habla audaz y sensualmente, como para que usted se haga una composición de lugar adecuada.

6. Está dispuesto al compromiso.
   "Eres la clase de mujer junto a la cual me gustaría envejecer."
   Sugiere que está dispuesto a una relación seria.

7. ¡El también! Los intereses de él son sus intereses.
   "Por supuesto, si no pasan música clásica apago la radio."
   Se metamorfosea para acomodarse a los intereses de usted, ya sean reales o imaginarios.

8. No es un tipo materialista.
   "El servicio a la comunidad es para mí mucho más importante que el dinero."
   Finge ser altruista, desinteresado.

9. Su juego es poner un cebo.
   "Si no te importa, voy al baño un minuto."
   Usa un pretexto para entrar a su casa y luego cambiar su juego.

10. Fue otro quien lo envió.
    "Le agradas mucho a mi amigo, por eso me sugirió conocerte."
    Elude rápidamente la responsabilidad respecto de sus acciones.

Los "cuentos"

¿Cuáles son los cuentos más frecuentes que utilizan los hombres? En realidad, todos se encuadran en temas bastante predecibles. Muchos se refieren a las condiciones y virtudes que usted tiene: su aspecto, su personalidad o su inteligencia ("Me encanta tu sonrisa", "Te ves tan joven, tan atractiva", "Me encanta tu acento" o "Deberías ser modelo"). Otras veces, en cambio, están centrados en lo que ellos piensan que será una historia atractiva acerca de ellos mismos, aunque exageren o falseen lo que él es, lo que él hace o lo que está dispuesto a ofrecer. El primer tipo de cuento se basa en la idea de que halagarla lo llevará a alguna parte. Lamentablemente, estos halagos en general son tan instantáneos que él no dispone casi de datos para construirlos. Por ejemplo, dice: "Deberías ser modelo" simplemente porque usted es alta y delgada. El segundo tipo, en cambio, falsea o exagera la verdad para impresionarla o para confundirla. Cuando dice: "Soy fotógrafo" o "Soy músico de rock", puede tratarse simplemente de que tiene una cámara fotográfica o de que canta bajo la ducha. Algunos cuentos son grandes promesas que no van a ser cumplidas nunca. "Viajaremos juntos por todo el mundo" puede transformarse en un sencillo viaje de un fin de semana: *si es que usted se lo gana.*

A veces los cuentos son simple diversión y juego, pero otras no son nada divertidos y reflejan apresuramiento y hacen que toda la relación se transforme en un sobresalto continuo.

Recuerde sus propias experiencias y prepárese para el análisis de los cuentos incluidos en la guía.

Eres la mejor

- "Te he estado observando toda la noche. Tus ojos son tan profundos, tan inmensamente tristes. Siento que nos hemos conocido antes en alguna parte."
- "Me encanta tu sonrisa. Ilumina la habitación."
- "Eres tan inteligente, tan interesante. Deberías ser escritora."
- "Eres encantadora."
- "Apuesto a que eres profesora de gimnasia."

¿A quién no le gusta que la adoren? Estos cuentos nos proveen de adulación instantánea. Nos atrapan por nuestro natural apetito de ser apreciadas. Aunque aparentemente los cuentos de "Eres la mejor" son asquerosamente superficiales, son prometedores en dos sentidos.

En primer lugar, si apuntan a una cualidad verdadera (sus ojos *son* profundos, su sonrisa *es* llamativa, se graduó en la Universidad con honores, usted *tiene* un físico privilegiado, etc.) estos elogios demuestran que él está atento a las pocas cosas que su observación le ha permitido descubrir. Es más, tiene el suficiente interés como para usarlos con el propósito de romper el hielo.

En segundo término, estos cuentos implican que él desea centrarse en usted y no en él para comenzar. ¡Eso es una señal excelente! Aun cuando exagere demasiado su belleza o su inteligencia, muestran que él la quiere colocar en el centro de la conversación. Eso es prometedor.

Sin embargo, usted debe prestar atención a lo que sigue. Si él no revela nada respecto de su persona, aun cuando usted le haga preguntas específicas, apártese. Puede estar ocultando algo que usted realmente debería saber, por ejemplo que está casado o que sólo está en la ciudad por esa noche. En ese caso, "Eres la mejor" sirve para atrapar pero también para engañar.

¿Son mentiras esta clase de cuentos? Como son tan elogiosos, nos resulta difícil discernirlo. ¡Deseamos que no lo sean! Aunque a veces nos hagan estremecer, pueden no ser mentiras. Pueden hacernos sentir incómodas ante un hombre que se muestra demasiado positivo o nos pueden dar la sensación de intromisión por tratarse de alguien que apenas nos conoce. Una contadora de cuarenta y dos años relata que le resultó muy difícil aceptar las atenciones que le prodigaba un hombre que acababa de conocer. "El primer día que lo conocí, él hablaba todo el tiempo de lo fascinante que yo era. Resultaba halagador, pero *tanta cosa positiva daba un resultado negativo*. Le dije: 'Gracias, pero no soy tan maravillosa'."

Otras mujeres llegan aún más lejos en su incredulidad. Cuando un hombre les dice "Eres tan inteligente...", se ofenden. Como dijo una mujer: "¿Quién diablos eres tú para decirme eso? Acabamos de conocernos".

Una mujer casada, de treinta y cinco años, resumió los sentimientos de muchas mujeres al decir: "Tal vez 'Eres bella' y 'Eres una persona maravillosa' no era una mentira. Tiendo a ser escéptica en estas cosas debido a mis experiencias. No quiero que me tomen por tonta. Prefiero observar si están muy apurados para intimar". Es triste pero es inteligente. Ella desea creer, pero es precavida. No es un mal comienzo.

El está *tan* impresionado

- "Me impresiona ver las cosas que deseas lograr."
- "Estoy muy interesado en tu investigación."
- "Me encantan las mujeres que usan sombreros extraños."

Los cuentos del tipo "Estoy tan impresionado" tienen una sutil pero importante diferencia respecto de los del tipo "Eres la mejor". Agregan *la reacción de él* frente a algo que usted acaba de decir, frente a algo de su aspecto o de su personalidad. Lo bueno es que logra reunirlos a ambos en una sola frase y así le demuestra una igualdad de oportunidades. Cuando hace coincidir sus intereses con algún aspecto particular de usted, está mostrando desde el comienzo un espacio común.

¿El lado negativo? Cuando estos cuentos suenan como falsas adulaciones o la hacen sentirse incómoda, puede ser que alguna otra cosa esté sucediendo. Es posible que él esté necesitando identificarse con los logros de una mujer porque no tiene un rumbo o logros propios. Puede ser que si él habla todo el tiempo de la investigación o del trabajo que usted está haciendo, lo que esté sucediendo es que él no quiera referirse a lo desdichado que se siente por su propia situación en la vida. Todavía es muy pronto para que usted lo sepa, pero si decide permanecer a su lado, es posible que usted desee saberlo. ¿Cuán satisfecho está él con sus propios logros?

Todo lo que usted desea, él lo tiene

- "¿Eres creativa? Tengo un trabajo ideal para ti."
- "¿Te gustaría venir conmigo un fin de semana a la fantástica casa que tengo junto al lago?"
- "Soy diseñador de modas y estoy buscando una modelo para mi nueva colección."
- "Tengo un amigo que tiene un avión. Podemos volar juntos hasta Yosemite."
- "¿Te gusta viajar? Haré que mi agente de viajes nos reserve un fin de semana en Londres, para ir al teatro."

Es posible que sea verdad y es posible que no. Tal vez esta sea la sucia y vertiginosa versión de los noventa del clásico "Llévala a cenar y dale de beber". Hay una cosa segura: este tipo de cuentos nos dan fuertes señales de que debemos cuidarnos. Este hombre siente que el camino más seguro para llegar a su corazón es maravillándola desde el materialismo. Le ofrecerá todas las cosas que se le ocurran: trabajos, ventajas, viajes, servicios y oportunidades. Como él se ubica en el lugar del que da y la ubica a usted en el lugar de la que recibe, él es el dueño de los juguetes, el que detenta el poder. Los cuentos del tipo "Todo lo que siempre has querido" son una indiscutible evidencia de cuáles son las cosas que él más valora: el poder y el dinero. Esté atenta. Aunque las promesas sean reales, puede considerarla a usted como otro bien para comprar y vender.

¿Y si las promesas son falsas? Entonces la historia es diferente. Evidencia a los extremos que piensa que tiene que llegar para llamar la atención de una mujer como usted o para llamar la atención de cualquier otra mujer. Muchos de los hombres entrevistados me dieron alguna variante de la respuesta que dio este hombre casado de cuarenta y cinco años: *"Alrededor del sesenta y cinco por ciento de las veces no siento que sea atractivo para las mujeres, de modo que me resulta importante ser el agresor. Tengo que usar tretas para atrapar a las mujeres. No me querrían por lo que soy".*

Lamentablemente, muchos de estos hombres nunca llegan a darse cuenta de que podrían ser aceptados por sus propios méritos, sin necesidad de acudir a promesas o invenciones. Veamos ese cuento consistente en que él tiene una prometedora posibilidad de trabajo para usted. Eso le sucedió a Molly, una chica soltera de veintiséis años, de Chicago. Molly me contó que un hombre se le acercó en un bar y le preguntó si era creativa, entonces le ofreció un trabajo por el cual ella hubiese dado cualquier cosa. Consiguió entonces su atención y *su número de teléfono.* Molly comentaba: "Me tuvo en vilo durante varias semanas y luego me invitó a cenar. Yo sólo quería el trabajo. Nunca volvió a llamarme". Su cuento fue muy eficaz para captar el interés de Molly: al menos hasta que ella se dio cuenta de que se trataba de una treta. Luego, ella se sintió engañada. El problema es qué él sentó desde el arranque las bases del fracaso de la relación. Su cuento atraía la atención hacia el trabajo, no hacia él. Si hubiese planteado las cosas de una manera diferente, tal vez aún estarían saliendo juntos.

Piensen en lo que el hombre que está usando esta clase de trucos no está haciendo. El *no* gasta energías en encontrar intereses comunes que puedan llevarlos a construir una relación.

¡El es el mejor!

- "Tengo grandes relaciones. Conozco a todo el mundo en las altas esferas de los negocios."
- "Acabo de terminar las entrevistas para un empleo y estoy negociando un salario de 250.000 dólares al año, más grandes beneficios."
- "Soy el mejor. No encontrarás a nadie que me supere."
- "Soy reportero de la revista *Rolling Stone* y mi amigo es abogado."
- "Hago trabajos de seguridad de alto nivel para el gobierno."
- "Suelo ir de cacería al Tibet."

¡C'est moi! Si la primera y la última palabra que usted escucha salir de su boca es "Yo", puede dar por hecho que él está tratando de impresionarla y que usted es sólo la última de una serie. "Yo soy el mejor" es, por lejos, el tipo de cuento del que más suelen hablar hombres y mujeres. La mayor parte de las veces se trata de exageraciones e invenciones, que nos muestran que él es la clase de hombre que cree que "el que regresa a casa con más juguetes es el que gana". A partir de esa idea, usa una estrategia de venta para lograr que usted le preste atención. Este tipo de cuento y las demostraciones que vienen con él forman parte de los rituales de seducción habituales, pero todo depende del grado en que se utilizan.

Para convencerla de que él es un buen candidato, trata de ubicarse lo más alto posible en un modelo de jerarquías en el cual el estatus y el poder definen el valor de alguien. Cree que todos los recursos con los que pueda contar, tales como dinero, trabajo, estatus de la familia y aventuras, lo elevarán a una posición mejor ante sus ojos y harán de él una presa más atractiva.

La treta más frecuente, probablemente, es la de mostrar su trabajo como algo muy atractivo. Si él se define a partir del trabajo, exagerar las cualidades de lo que hace aumentará su valor en el mercado. Un currículum exagerado se ha transformado en una de las principales cartas de presentación de los jóvenes. Un hombre soltero, de veintinueve años, apuntaba al respecto: "Siempre exagero respecto de mi trabajo. Digo por ejemplo que hago trabajos de alta seguridad para el Gobierno, cuando en realidad trabajo en un almacén". ¿Es esto muy frecuente? ¿Qué sucede cuando queda al descubierto?

Veamos las distintas variantes de este tema. Algunos hombres mienten respecto de su trabajo sólo para establecer contacto, pero en seguida confiesan la verdad. Por ejemplo, el hombre bien relacionado que logró captar la atención de ella durante cinco minutos mencionando nombres de senadores, ese que tenía excelentes conexiones en el Capitolio, confesó ser un oscuro investigador, aislado siempre en su laboratorio. Su objetivo, una muchacha de veinticinco años, tomó todo a broma: "Salgo con él... no me molestó. Me divirtió". Sin embargo, desde el punto de vista de ella y el de muchas otras mujeres con las cuales he conversado, no hubiese sido necesario que ellos exagerasen o mintiesen respecto de sus trabajos.

¿Por qué tantos hombres utilizan esa clase de cuento, cuando en realidad para muchas mujeres bastaría con que demostrasen un interés sincero en ellas?

Michael lo resumió en tres palabras: "Soy muy aburrido". Michael se siente rescatado del olvido a partir de sus exageraciones. En un contexto anónimo, como por ejemplo el de un bar, puede fingir que es todo lo que no es —desafiante, rico, prestigioso—, sin el temor de ser descubierto. En resumen: el cuento le permite crear una nueva identidad y no temer las consecuencias. ¿La mejor de Michael? "Le dije a una chica que conocí en Suiza, que había escalado el Matterhorn, ya que ella no tenía modo de corroborarlo."

Algunos alardes son simples juegos o ejercicios de machos que se dan dentro de relaciones entre hombres. Cuando Matt y Jeff salen juntos el sábado por la noche, suelen alardear ante todas las mujeres que se les cruzan en el camino, aunque no estén buscando ninguna relación. Mientras beben una cerveza inventan historias de las cuales se jactarán ante otros camaradas al día siguiente. Como me dijo uno de los del cuento de la revista *Rolling Stone*: "Fue una broma que hicimos para comprobar cuánta efectividad teníamos al mentir". No intentaban hacer daño. Era un juego entre varones. Ni siquiera pensaban en el efecto que esta mentira podía ejercer entre las mujeres que se les cruzaban.

Quédate con él para disfrutar del sexo

- "Te puedo hacer sentir como una verdadera mujer."
- "Yo te cuidaré."
- "Haré que siempre tengas orgasmos."
- "¿Te gusta el sexo oral? A mí me encanta."

- "No he tenido relaciones durante tres años."
- "Anoche tuve un sueño terriblemente erótico contigo."

Las insinuaciones sexuales están entre los cuentos más antiguos. Muy a menudo son estrategias *prêt à porter* (listas para usar) para conseguir un resultado. Esa frase seductora que él lanza en el primer encuentro puede haber sido practicada durante horas frente al espejo, mucho antes de que la hubiese divisado a usted entre la gente. En lo que se refiere a las mujeres, él se comporta como un vendedor. ¿Y por qué no? Según muchos de los hombres entrevistados, las propuestas sexuales hacen maravillas. Aun cuando sean muy audaces, esta clase de propuestas pueden atrapar sus fantasías. Es por eso que las propuestas sexuales constituyen la "sección 1A" de su plan de ventas dirigido al área demográfica uno: usted. Si tan sólo una de cada cincuenta mujeres va a caer a sus pies con estas propuestas, las próximas 49 respuestas negativas lo estarán acercando al éxito.

Un mundano soltero, de treinta y tres años, manifiesta que la ocasión contribuye a la efectividad del tradicional "Tú me importas". El lo usa dos semanas antes de llevar a una mujer a la cama y dice que de este modo le da muy buenos resultados.

¿Por qué estos cuentos tienen tanto éxito pese a ser trillados y fáciles de notar? ¿Somos tontas las mujeres? ¿O es acaso que nos gustan?

En primer lugar, esta clase de cuento nos dice en tres minutos qué es lo que este hombre tiene en mente: sexo, sexo y *más* sexo. Mientras conversan, es fácil imaginar que él está visualizando cómo hace el amor con usted. No la distrae con ninguna plática acerca de su trabajo o sus posesiones. Su evidente interés en el sexo, la lleva a usted también a pensar en el sexo... con él como posible compañero. Eso es mucho más de lo que se logra con cualquiera de los cuentos antes mencionados.

¿Cuánto éxito tienen estos cuentos? Hasta un hombre que dijo ser célibe tuvo éxito con su abordaje. Marie, una ejecutiva de treinta años estaba fascinada. Relataba: "El era como una caja que yo no podía abrir. Me dijo que era muy religioso". Nunca antes un hombre le había dicho algo así. Como sucede con muchos cuentos de éxito, ella no sabía si era verdad o mentira. Consideró que era un desafío y lo invitó a salir. Más tarde comenzó a preguntarse si era algún código secreto para expresar que era homosexual o que era HIV positivo. De todos modos, se acostó con él, o al menos lo intentó. Sucedió que él no logró tener una erección. El cuento había funcionado, pero él no.

¿Y la treta del sexo oral? Es un abordaje sorprendentemente frecuente, seguido habitualmente por la elegante pregunta acerca de si también nos gusta. Por lo menos un hombre usó este cuento lamentando al mismo tiempo su estado de privación en ese sentido: "A mi esposa no le gusta". Su invitación era a tener una sesión de sexo oral, ¡siempre y cuando una supiese apreciarlo! Como no son diálogos de alcoba sino insinuaciones lanzadas en un primer encuentro, la mayor parte de las mujeres no lo aceptan porque es algo tan íntimo que resulta molesto.

Una mujer que sostiene estar encantada con el sexo oral, relata que ha escuchado frecuentemente la pregunta: "¿A ti también te gusta el sexo oral?", pero aclara: "Ellos *dicen* que les gusta, cuando en verdad no les agrada para nada. Cuando llega el momento de ponerlo en práctica, si lo hacen, no se sienten complacidos".

De todos modos, para el no iniciado es difícil discriminar cuándo se trata de una verdadera preferencia y cuándo de una argucia. Una mujer de treinta y cinco años me contó que había creído como verdadera la afirmación de un hombre que le decía estar encantado con el sexo oral. Más tarde, se dio cuenta de que se trataba de una mentira. ¿Por qué? Porque luego de comenzar a tener relaciones sexuales, raras veces proponía tener sexo oral. Pese a su promesa implícita, lo rechazaba. Confundida, pensaba que si le había dicho la verdad, seguramente había algo malo en ella. No lo enfrentó directamente, pero se las ingenió para sacarlo como tema de conversación. La respuesta de él confirmó los temores de ella, ya que le dijo que su "vello púbico era muy áspero". Luego ella lo pensó mejor y se enojó: "Si realmente a él le hubiese gustado tanto el sexo oral y mi vello le hubiese resultado áspero, habría pensado en hacer algo al respecto". La relación terminó. ¿Le gustaba a él el sexo oral tanto como proclamaba o simplemente estaba otorgando un "servicio de labios" para lograr tener relaciones con ella?

El está dispuesto a comprometerse

- "Estoy buscando una relación seria y duradera."
- "Acabo de separarme y quiero que me ayudes a festejar mi divorcio."
- "Te he estado mirando y me gustaría salir contigo."

- "Estaba casado con una mujer maravillosa, pero fue arrollada por un auto conducido por un borracho y murió."
- "¿Estás casada? Yo también. No les contemos a ellos acerca de nosotros."
- "Me acabo de pelear con mi novia."

Estos cuentos proclaman que él está disponible. Es como una llamada primitiva. Usted se siente conmovida porque él se muestra muy abierto a tener una relación con usted.

Error. Nada suele estar más lejos de la verdad.

Veamos a este hombre casado, de cuarenta y cuatro años, al que esta historia le ha dado muchos resultados. "Estoy buscando una relación sería" es su frase favorita y nos cuenta al respecto: *"Desde el primer encuentro miento diciendo que busco una relación duradera. Lo he aprendido por ensayo y error. A las mujeres les gusta que uno comprometa su corazón en la relación. Con esto suelo salirme con la mía. No pienso en el dolor que puedo causar. Cuando me canse, me libraré de la mujer y el dolor se irá con ella".*

¡Palabras aterradoras para la mayor parte de las mujeres!

Hasta el más inocente de estos cuentos ("Te he estado mirando y me gustaría salir contigo") se tornó amargo, cuando Alice, de veintiocho años, que había salido un mes con el hombre que lo dijo, se topó con la fotografía de él junto a su esposa y sus dos hijos pequeños.

A veces, las mentiras son más arteras. Kristin, una mujer de treinta y cinco años, conoció a un viudo interesante que le contó una terrible historia: *"Me contó que había estado casado con una mujer maravillosa. Una vez ella salió al mercado y fue arrollada por un conductor ebrio".* Ella no tuvo dudas en salir con él o en ir a su departamento. Una vez en el departamento, sospechó que algo no andaba bien. Allí no había ni un recuerdo ni una fotografía de la esposa muerta. Más tarde, un primo que conocía al hombre fue quien le dijo la verdad. La pobre esposa muerta estaba viva y gozaba de perfecta salud. La única verdad era el deseo que él tenía de librarse de su mujer.

¿Qué decir del "Acabo de pelearme con mi novia"? Aun cuando este hombre esté disponible real o emocionalmente, el momento no es apropiado. Sin embargo, la experiencia de Marlene es típica. Pese a lo que Jack dijo, en realidad no había peleado con su novia Jody. Cuando su buena amiga Marlene lo dejó entrar en su departamento para conversar acerca de ese tema, la única pelea real fue la de ellos: cuando ella se lo quitó de encima y lo echó de su casa.

¡El también! Sus intereses son los intereses de él

- "Me interesa mucho la danza latina."
- "A mí también me encanta caminar en el bosque."
- "¿Tú corres? Yo me estoy entrenando para una maratón."

Se acaban de conocer y ya parecen un equipo perfecto. Tal vez demasiado perfecto. ¿Cómo puede ser que este hombre, a quien usted apenas conoce, tenga exactamente los mismos intereses que usted, lea los mismos libros y le guste caminar a las cinco de la mañana como a usted?

Fácil. Es porque acaba de inventar todo eso. Hizo que usted hablase de sus cosas, la escuchó atentamente y se inventó una imagen igual a la suya. Como decía un hombre divorciado de cuarenta y dos años: "Suelo agrandar lo que tenemos en común y también mis conocimientos intelectuales".

Dice, por ejemplo, que está interesado en la danza latina, pero cuando una lo examina más de cerca observa que no puede dar siquiera dos pasos. Es más, creyó que la danza latina es algo así como el Ballet Ruso: un espectáculo para observar. Una corredora de bolsa de cuarenta años, en medio de un matrimonio conflictivo nos cuenta: "Mi actual esposo decía todo el tiempo que teníamos muchas cosas en común, que él también era atlético y que le gustaba mucho caminar". Ella lo creyó sin dudar. ¡Se casó con él! Creyó que al menos había encontrado un compañero para sus actividades favoritas. Después de que se casaron, ella descubrió que él no había salido a caminar en los últimos diez años, que no era para nada atlético y que sólo había tomado unas clases de karate hacía ya más de diez años. Para colmo, ni siquiera disfrutaban de los mismos libros o de las mismas películas. Dolorosamente descubrió el único recurso posible contra este cuento: comprobar antes de invertir.

El no es un tipo materialista

- "No soy para nada materialista. Soy un trabajador social."
- "Sí, voy a la escuela de leyes, pero pienso trabajar para el interés público."
- "Soy voluntario en una sociedad de bien público."

Se lo ve tan generoso, tan dedicado. He aquí un hombre con la dedicación de la Madre Teresa y la conciencia social de Karl Marx. Harta de la voracidad de los yuppies, se siente conmovida por el dulce atractivo del altruismo de este hombre. Imagina que ambos podrían trabajar juntos en una reserva indígena o que podrían unirse a los cuerpos de paz. Es verdaderamente romántico.

Así se sintió Michelle, recientemente divorciada, cuando conoció a su Sr. Trabajador Social. Al fin había aparecido un hombre cuyos valores morales ella podía respetar. Pero la decepción sobrevino cuando ese hombre "cuya aura la había atrapado por completo" se alejó al atardecer conduciendo su flamante Mercedes Benz. Michelle se quedó preguntándose por qué este hombre ocultaba su verdadero modo de ser. ¿Por qué no presentarse tal cual era y esperar a ver el efecto?

¿Por qué algunos hombres hacen estas cosas? Tal vez lo hacen por usted y tal vez no. Quizá dan rienda suelta a su idealismo, tanto para conformarse ellos mismos como para deslumbrarla a usted. Tal vez ese fingido altruismo esté revelando una lucha interna entre su forma de ser ideal y la real. Quizá sea una manera de presentarse como una persona socialmente responsable y sensible, en lugar de hacerlo como el oportunista que en realidad es, sencillamente porque cree que a usted le gustará. El problema es que en ese momento en general es demasiado pronto como para establecer un juicio.

¿Qué dicen los hombres? La mayoría de los entrevistados sostuvo que esa ficción de que el dinero no es importante es una manera de autoprotegerse. Tal vez eso le resulte sorprendente, ya que usted acaba de conocerlo, pero en realidad él está protegiendo sus megadólares de usted. *Usted* es el enemigo, no el capitalismo. Usted o cualquier otra mujer que querrá apropiarse de sus juguetes en cuanto sepa que los tiene. Tal vez piense que algunas mujeres no lo amarán por lo que él es si antes descubren sus bienes.

Esta es la estrategia que utiliza un banquero de treinta y nueve años cuando conoce a una mujer: *"Yo me muestro como de menor posición. Digo que trabajo como cajero y voy en mi camioneta, no en mi automóvil. Siento que muchas mujeres se sienten atraídas hacia los hombres por razones materialistas".*

Su juego es poner un cebo

- "¿Te molestaría dejarme pasar un minuto al baño?"
- "Cuando tenga el día libre vendré a arreglar tu computadora."
- "Tengo un acuario con unos peces increíbles ¿Por qué no vienes a mi casa para que te los enseñe?"

Podríamos esperar ser víctimas de una treta en un comercio, pero ciertos trucos pueden aparecer también en medio de nuestras vidas privadas, de modo que debemos estar atentas.

Este tipo de cuentos suelen comenzar de un modo sutil, por lo tanto no armamos ninguna defensa al respecto. Como aparentemente se trata de algo valioso, aceptamos el pedido o la acción del otro. Entonces, cuando hemos aceptado, un pedido que nos parecía perfectamente razonable, todo cambia. Es como si él nos estuviese diciendo: "Ahora que te tengo, tú pagas".

Escuché por casualidad una treta de este tipo cuando estaba sentada en una cafetería, esperando un café expreso. Dos mujeres, profesionales jóvenes, estaban conversando animadamente, con un tono que parecía decir: "¿Puedes creerlo?..." acerca de las experiencias que habían tenido con los hombres que frecuentaban. Como yo acababa de terminar con ochenta y cinco entrevistas, lo que decían naturalmente, me llamó la atención. Les pedí entonces si podíamos fijar una entrevista. Esto es lo que me contó pocos días más tarde Gina, una agente inmobiliaria de veintiocho años, recién casada: *Mi jefe me llevó a casa al terminar la jornada de trabajo. Cuando llegamos, me dijo que tenía que entrar para ir al baño. Luego dijo que quería ver cómo estaba decorada mi habitación. A continuación dijo: 'Mi esposa es tan aburrida...'*.

Es clásico. Usa una treta para entrar, como lo haría un vendedor ambulante. Una vez que está adentro, va avanzando por etapas en la relación. Este hombre, una vez que llegó al templo sagrado, el cuarto de Gina, viendo que ella no hacía sonar ninguna alarma, pasó a la segunda fase del plan: "Mi esposa es tan aburrida". Aunque Gina se ríe en público de lo que sucedió, está claro que en privado le resultó muy molesto. En primer lugar, se trataba de su jefe. Por lo tanto, los límites profesionales no fueron respetados y el resultado siempre es perjudicial, haga ella lo que haga. Es decir que esta táctica la puso en peligro. En segundo lugar, ella estaba comprometida y a punto de casarse, por lo cual tampoco fueron respetados sus límites personales. En tercer lugar, aunque ella haya consentido ingenuamente frente a la rutina crecientemente sugestiva de su jefe, Gina se metió en un problema. El logró que tuviesen "un secreto de los dos".

Veamos otros cuentos del mismo tipo. Lo que tienen en común es un pretexto aparentemente legítimo para meter a una mujer en la intimidad de un hombre o para que un hombre se introduzca en la intimidad de una mujer. Allí, lejos de la gente, aparecerán las intenciones ocultas.

El dice que va a componerle la computadora. Eso suena como un acto de generosidad. ¿Qué tiene de malo? Mucho, según Susan, una muchacha de veintisiete años, casada, experta en comunicaciones. Susan estaba refiriéndose nada menos que al marido de su mejor amiga cuando nos relató: "Vino a mi casa con el pretexto de reparar mi computadora, pero en realidad quería estar conmigo". Aunque Susan parece espantada de lo que hizo Hal, confesó que en realidad ella también tenía fantasías con él. Esto completa el planteo del problema.

¿Cómo entra en este cuadro el clásico "Ven a mi departamento a ver mis peces tropicales" ("mis cuadros", "mi nueva guitarra eléctrica"; llene usted el espacio con lo que quiera). Craig, un analista de inversiones de cuarenta años, que contó la treta de los peces tropicales atribuyéndosela a un amigo porque él "no necesita tretas para conseguir mujeres", lo explica de esta manera: *"La conoces y sabes que está interesada en ti, pero no puede tener relaciones sexuales al instante. No se quiere sentir como una cualquiera. Entonces, uno tiene que darle a la cosa algún tinte de espontaneidad, como para que no parezca planeado y ella se pueda sentir bien".*

Estas estrategias suelen basarse en la suposición de que él y usted desean la misma cosa. El supone entonces que debe proveerle alguna excusa que le permita a usted hacer lo que, si fuera totalmente sincera, haría de todas maneras: tener relaciones sexuales con él. En los casos que hemos visto las mujeres sentían una ambivalencia para con los hombres que estaban desarrollando estas estrategias. Ahí está el secreto: para que un cebo tenga éxito, hace falta que exista ambivalencia. Si no hay lugar para lo que él tiene en mente, la treta pasa a ser una pequeña molestia.

Fue otro quien lo envió

- "Me da un poco de vergüenza, pero estoy jugando el juego de "Verdad o Consecuencia" y se supone que debo conseguir tu número telefónico. ¿Puedes dármelo?"
- "Estoy en una misión piadosa para con un amigo. El muere por conocerte, pero es demasiado tímido como para venir personalmente."

Usted es la mujer más atractiva que él ha conocido. Sin embargo, este hombre no es capaz de acercarse por su cuenta. Aunque esté desesperado por conocerla, no asumirá las consecuencias de sus impulsos. Este tipo de cuentos surgen por la ambivalencia de él y, generalmente, son bastante inofensivos. Sin embargo, usted debe tener en cuenta lo que evidencian acerca de la personalidad de este hombre. En el primer caso, un hombre de veintitantos años en un bar de la Universidad nos muestra lo incómodo que se siente por mostrar que desea conocer a una mujer.

Cuando se trata de comenzar relaciones, este tipo de cuento sirve para ocultar interés. Por lo tanto, sería bueno que, en las siguientes etapas de la relación, usted estuviera atenta a los distintos modos en que él puede estar encubriendo sus sentimientos o dejando de lado sus responsabilidades. Estar advertida es estar armada.

¿Ser o no ser "macho"?

Muchos hombres son contrarios a los "cuentos". Para ellos no son divertidos ni seductores sino que son la evidencia de que alguien no se siente lo suficientemente seguro como para mostrarse tal como es. Algunos de los hombres entrevistados reaccionaron violentamente ante la idea de que ellos pudiesen necesitar de un cuento para conquistar a una mujer. He aquí una variedad de las razones por las cuales algunos hombres están en contra de los cuentos:

- "Yo puedo iniciar una conversación cuando quiero y donde quiero. Soy suficientemente bueno y no necesito mentir."
  —Treinta y dos años, soltero.

- "No he tenido que recurrir a cuentos. No en mucho tiempo."
—Cuarenta y dos años, soltero.

- "Nunca me he valido de cuentos con las mujeres. Voy tras ellas."
—Treinta y cinco años, casado.

- "Nunca necesito recurrir a tretas. Soy muy agradable."
—Treinta y ocho años, soltero.

Estos hombres consideran que si un hombre necesita cuentos para conocer mujeres está demostrando una debilidad que no es propia de un macho. Los hombres que en cambio contaron los cuentos, son de otra clase. Contrariamente a lo que hubiese supuesto antes de las entrevistas, son los más románticos o creativos. Algunos memorizaron parlamentos de viejas películas, que sacaban a relucir en el momento adecuado. Algunos contaron cuentos muy originales, como un representante de ventas de veintiséis años que dijo que este era el de más éxito de su repertorio: *"Les digo que me gusta contemplar las nubes y las tormentas. Las mujeres se fascinan con eso. Les gustan los hombres soñadores, sensibles frente a las cosas pequeñas y que saben apreciar la estética".*

Otros hombres, como este técnico en computación de treinta y siete años, soltero, dijeron haberse liberado de los cuentos y sentirse bien al respecto: *"Antes decía que sabía bailar bien, pero no era cierto. Lo más liberador de ser sincero es que aquellas cosas que me parecen horribles de mí mismo, a los demás no les disgustan tanto".*

El debate sigue abierto. ¿Es el cuento una mentira, un engaño para con uno mismo o un acto creativo? Según cómo lo veamos, lo manejaremos de diferentes maneras.

Cómo manejar el flirteo y el cuento

El está interesado en usted. Seductoramente, lanza un cuento. Pregunta, por ejemplo: "¿No nos hemos visto antes?". Inmediatamente, usted lo cataloga como falto de originalidad. Usted sabe que se trata de un cuento clásico, tipo Cary Grant, porque lo escuchó anoche en una película vieja. Ahora es su turno.

¿Qué hacer? Usted puede ahuyentarlo o tratarlo con suspicacia. Sin embargo, si él le interesa, ¿por qué hacer eso? Es posible que, a pesar del cuento, se trate de un hombre sincero que se está divirtiendo, que está intentando conocer a alguien como usted y que utilice la seducción para lograr una relación personal en un mundo cada vez más dedicado a lo laboral y al progreso económico. Lo que siga depende de usted, de cómo se sienta, de lo que desee.

Si está de buen humor, ríase, como para demostrarle que se ha dado cuenta de que se trata de un juego. Muéstrele que tiene sentido del humor. Respóndale con algo sutilmente escéptico o contéstele con algo semejante a lo que él dijo. Si se presenta como un gemelo suyo, pero usted se da cuenta de que se trata de una semejanza inventada para una noche, contéstele con alguna réplica aguda que la muestre consciente del juego. Manéjese como corresponde a un intercambio verbal ingenioso de diez minutos, no como si se tratase de compartir lo más profundo de su alma. Si le dice que es el hijo de Halton, felicítelo por su originalidad en lugar de interesarse por los detalles. Trate de mostrarse divertida, pero mantenga sus reservas. Considere su creatividad como un entretenimiento para esa velada. Lo que no debe hacer es confundir el coqueteo con romanticismo, ni sus tretas con una conversación profunda.

Recuerde que, aunque se trate de un juego, en lo que él dice estará mostrando muchas facetas de su forma de ser. Involuntariamente le dirá muchas cosas acerca de su persona. Usted podrá más tarde revisar toda esa información. Considérese al mismo tiempo una participante y una observadora. Al menos le servirá para constatar su habilidad para observar y para detectar mentiras.

Mientras lo escucha, hágase estas preguntas:

Qué preguntarse respecto de los cuentos

- ¿Qué tipos de cuentos de los antes descriptos coinciden más con lo que él le está diciendo?
- ¿Qué es lo que está falseando o exagerando?
- ¿Su abordaje se basa únicamente sobre él, su trabajo, sus capacidades y su estatus?

- ¿Hay en sus exageraciones algún lugar para usted o está todo centrado en él?
- ¿Está tratando de parecerse a sí mismo o a lo que él piensa que es usted?
- ¿Le está ofreciendo algo que probablemente no podrá darle?
- El interés que él muestra respecto de sus aptitudes y atributos ¿es halagador o es molesto?
- ¿Hasta qué punto le está diciendo lo que piensa que usted quiere escuchar?
- ¿Es su historia coherente?
- ¿Qué es lo que verdaderamente le está diciendo acerca de él?

Después de considerar las cosas que él le ha dicho, póngalas en el contexto de lo que *usted* desea, ya sea para los próximos veinte minutos o para los próximos veinte años. Usted es el guardián de su vida. Lo que suceda dependerá, en gran parte, de lo que usted quiera permitir que pase. Aunque se trate sólo de un momento, usted es responsable de cómo pasarlo.

En la seducción y los cuentos, lo importante es el juego. Lo verdadero y lo falso son cuestiones de grado. Hasta los comienzos más intrascendentes nos dan pautas acerca de quién es el otro. Se trata de una primera aproximación a la cual podrá remitirse más tarde, en caso de que la relación continúe. Le permitirá saber cómo la trataba él cuando había muy pocas cosas en juego. Le dará puntos de referencia para su comportamiento general en la relación.

¿Cómo continúa todo esto? Sutilmente, más allá de la seducción y los cuentos está la mentira del sapo que se transforma en príncipe. Si él tiene la intención de desarrollar más la relación, probablemente querrá verse bien, *muy bien* ante sus ojos. En este caso, puede llegar a apelar a la mentira del sapo que se transforma en príncipe. Estas mentiras a veces son graciosas, pero a veces son realmente devastadoras y lo muestran "demasiado bueno para ser verdadero".

Las mentiras del sapo que se transforma en príncipe son el tema del siguiente capítulo.

4

DE SAPO A PRINCIPE

Cuando cayó al suelo, ya no era aún sapo, sino un prínci-
pe con ojos bellos y bondadosos, ...que se transformó en su ami-
go y esposo (de la princesa). Le contó que una malvada bruja lo
había encantado y que nadie sino ella había podido librarlo del
hechizo y al día siguiente partirían juntos hacia su reino.
                        —De "El Rey Sapo, o Iron Henry",
                        Cuentos de Hadas de los Hermanos Grimm.

Cuando de niñas escuchamos este cuento del sapo que se
transforma en príncipe, aprendimos una intensa lección acerca de
las transformaciones que el amor puede producir. Ese aprendizaje influyó en las expectativas que desarrollamos acerca de las cosas
que son posibles en la vida. La esperanza y la promesa de este
cuento de hadas arquetípico encontró un lugar entre nuestras más
secretas expectativas.

¿Recuerda este famoso cuento?

La bola de oro favorita de la princesa cae en un pozo. Ella
se siente muy desdichada. Angustiada por la pérdida de la bola de
oro, acepta la propuesta de un horrible y pequeño sapo que vivía
en el pozo. El le dice que le conseguirá la bola perdida, pero a
cambio de ciertos favores. Lo que le pide es extraño: la princesa
deberá establecer una profunda relación con él, amarlo, jugar con
él y permitirle ser su mejor amigo. También deberá permitirle
sentarse a su mesa, comer de su plato, beber de su taza y dormir

en su cama. Sin pensarlo, la princesa accede a todas estas condiciones. Además, ignorando que ella es un personaje de un cuento de hadas —en los cuales cualquier cosa puede suceder—, ella piensa que es muy improbable que un desagradable sapo pueda alguna vez ser amigo de alguien como ella. Por supuesto, ella no tiene en cuenta la tenacidad del sapo. Para su pesar, después de recuperar la bola de oro, el sapo le recuerda sus promesas. Su padre, el rey, hace lo mismo. A medida que el cuento se desarrolla, el horrible sapo va avanzando en sus pedidos de intimidad, reclamando lo prometido.

¿Cómo llegó a ser príncipe?

¿Cómo termina este cuento de hadas? Si usted es como la mayor parte de las personas, seguramente recordará este final: La princesa besa al sapo, que en ese momento se transforma en príncipe. Juntos cabalgan hasta su palacio dorado.

Es un bello final, pero no es el verdadero.

El verdadero final que escribieron los Grimm tiene que ver con el rechazo de la princesa, el conflicto y la furia: lo que temen precisamente la mayor parte de los hombres. La princesa, disgustada por la insistencia del sapo que le pedía el cumplimiento de sus promesas, se niega a llevarlo a su cama de seda. Cuando el sapo la amenaza con contárselo al rey, la princesa lo arroja furiosa contra la pared. En ese momento, cuando cae al piso, se produce el milagro: instantáneamente se transforma en príncipe.

Es decir, que aunque el sapo encontró rechazo y enojo en lugar de aceptación, llegamos al mismo final: son felices para siempre en el palacio del príncipe.

En ambos finales: el popular, del beso, y el más violento, del sapo arrojado por la princesa, se produce la transformación del animal a partir del contacto con los verdaderos sentimientos de la princesa. Aprendemos una importante lección. Aprendemos que la expresión de los verdaderos sentimientos, ya se trate de amor o de rechazo, pueden transformar a una criatura repulsiva en un príncipe.

Sin embargo, a medida que escuchemos las historias relatadas por los hombres y las mujeres entrevistados, veremos que los hombres serían capaces de huir hasta el fin del mundo para evitar el contacto con los verdaderos sentimientos de amor o furia de una mujer.

La mentira del sapo que se transforma en príncipe

Vayamos a un bar o a una convención donde se congreguen cantidades de hombres, médicos, abogados o ingenieros. Prestemos atención a los fragmentos de conversaciones que podamos escuchar entre ellos y las mujeres presentes. No importa que los hombres sean jóvenes o viejos, casados o solteros, apuesto a que la aturdirá el croar de un coro de sapos. Cada uno canta lo más fuerte que puede para tratar de atraer la atención de potenciales parejas.

Tal vez usted no crea que los hombres se comportan de esta manera, pero se asombraría al saber la cantidad de hombres que admiten que hablan y actúan así. De esto trata la mentira del sapo que se transforma en príncipe: la cuestión es superar la vulgaridad. Se trata de acallar el coro de los demás sapos mostrándose como el más dominante, el más inteligente, el más poderoso, el más rico, el más dispuesto o más de cualquier otra cosa que esté de moda en el mercado de los encuentros.

Probablemente usted esté segura de que por debajo del disfraz no hay ningún príncipe, pero eso es lo último que él desea que usted piense. Por eso, él apela a la mentira del sapo que se transforma en príncipe, para que usted le encuentre los atributos principescos.

Escuchemos lo que dice, al respecto de cómo triunfar en la competencia, un consultor casado de cuarenta y dos años: *"Mis colegas dicen que soy un mentiroso, pero es una cuestión de mercado. ¿Cuál es el mejor modo de venderse a una mujer? ¿Hay que exagerar lo positivo o mostrar abiertamente lo negativo? ¿Cómo comportarme en una situación para mantener el mayor nivel de integridad posible? ¿Cómo no causar daño a la otra persona y evitar, al mismo tiempo, que la competencia se coma mi almuerzo?".*

He aquí mi definición de la mentira del sapo que se transforma en príncipe.

Cualquier mentira directa o conjunto de datos falseados intencionadamente que tiendan a hacerlo más atractivo o que él crea lo tornarán más deseable ante sus ojos.

La elección de la mentira específica es reveladora. Qué es lo que distorsiona, y cómo lo distorsiona, depende directamente de qué le gustaría ser y —si tiene condiciones suficientes— de lo que él cree que usted quiere que sea.

Para mostrarse irresistible ante usted, él embellecerá todos los aspectos de su persona que pueda con el objeto de atraer su atención y de disminuir en todo lo posible las posibilidades de que usted lo rechace. Su historia pasada, su situación actual y su futuro potencial son pasibles de ser modificados sutil o no tan sutilmente.

¿Cómo lo hace? Durante la cena, el va lanzando hechos e ideas que lo habrán transformado de sapo en príncipe antes de que hayan bebido la primera copa. Si se trata de un hechicero extrovertido, agitará su nueva identidad mientras conversa, encantado de su propia inventiva. Una gerente inmobiliaria de cincuenta y tres años, divorciada, me contó acerca de un hombre que conoció en un baile de personas solas. El hombre le ofreció todo un menú de opciones principescas que incluía el acceso a la celebridad: *"El me dijo: '¿Por qué no vienes conmigo a Las Vegas? Soy amigo personal de Wayne Newton'. También me contó que vivía en una gran casa en la ladera de una montaña. Más tarde supe que vivía en un pequeño departamento"*.

¿Qué es lo que, según un hombre, se requiere para ser un príncipe? Para algunos, la respuesta es sencilla: todo lo que ellos no son. Veamos el ejemplo de este conservador empleado bancario de veintinueve años, soltero. Aparentemente se sentía obligado a ser un "supermacho" para conquistar a una mujer que acababa de conocer: *"Le dije que era guardaespaldas y que tenía un arma. Ella estaba intrigada, entusiasmada. Quería creerlo. A mí también me gustaría ser así"*.

Otros se sienten obligados a crear una mística de aventura sexual. ¿Y si no lo han experimentado? ¡Pues lo fingen de todos modos!: *"Mentí a Margo acerca de la época en que estudiaba en la Universidad. Le dije que había formado parte de la cultura de la droga e inventé historias acerca de orgías en las que había participado"*.

Un hombre muchas veces está dispuesto a hablar de libertades e indecencias y atribuírselas a sí mismo, se trate de sus ocupaciones, sus finanzas, su vida sexual o cualquier otra cosa que haga difícil para la mujer diferenciar la verdad de la ficción, al príncipe del sapo.

En efecto, si se desea conocer al hombre adecuado, hay un dicho popular entre las mujeres:

Deberás besar a muchos sapos.

¿Por qué? Porque es imposible distinguir a primera vista entre el sapo-príncipe y el sapo-sapo. Para distinguirlos debemos acercarnos. *Acercarnos mucho.* Eso requiere tiempo y esfuerzo, y le da ventajas al sapo. Además, enfrentémoslo: ¿Qué sapo no se aprovecharía de las ventajas?

Después de todo, la misión principal de él no es conocerse a sí mismo sino llamar la atención de usted y ganar la competencia de croar. A diferencia de lo que ocurre con otras mentiras y ocultamientos (que trataremos en los siguientes capítulos) frente a los cuales los hombres racionalizan con facilidad que lo han hecho para evitar el dolor a una mujer, para protegerla de una verdad no deseada o para amortiguar el golpe de una decisión difícil, la mentira del sapo que se transforma en príncipe está destinada claramente a hacerse propaganda. Su único propósito es llevarla a creer que él es algo que no es: que él no es un sapo sino su príncipe encantado.

Cuídese de la mentira que ofrece lo que usted desea

Antes de examinar los tipos más frecuentes de mentiras de sapos que se transforman en príncipes, he aquí un sencillo principio que usted debe conocer. Cada vez que una mentira de esta clase surte un efecto maravilloso, usted encontrará una asombrosa correspondencia entre la mentira que él dice y las cualidades que él está buscando. ¿Usted desea algo? El le hace creer que lo tiene. Esa es la esencia de la sincronización. Las condiciones están maduras como para que usted crea una mentira que llena sus expectativas.

El proceso no es muy diferente al de hacer compras. Usted decide lo que desea y sale a buscarlo. Da vueltas hasta que encuentra algo que sea aproximadamente lo que usted busca. Presta atención a todos los detalles que hacen de ese objeto algo semejante a lo que usted desea. En ese momento usted decide comprar. Una vez que tomó la decisión, se torna ciega a aquellos aspectos del objeto que no coinciden con sus expectativas. Recién cuando se ha apaciguado el entusiasmo de la compra se da cuenta de algo que no anda bien, por ejemplo, ha comprado una versión azul de la chaqueta negra que buscaba.

Esta capacidad de atender a los atributos que coinciden con lo que deseamos y de pasar por alto los aspectos que no coinciden se llama *atención selectiva*. Todos hacemos uso de ella. Es natural que las personas presten mucha atención a lo que coincide con sus concepciones y que ignoren lo que no coincide.

El problema es que la mayor parte de las mujeres tenemos algún punto débil en nuestro corazón para acoger a aquel hombre que tenga ciertos atributos bastante predecibles. El falso príncipe lo sabe y juega con esas cartas. Si usted no lo sabe, resultará engañada.

Comience su estrategia de autodefensa examinando las siguientes listas de factores que la mayoría de las mujeres encuentran deseables en los hombres. Los he tomado de distintas investigaciones y también de la mía.

Usted debe otorgar un puntaje de uno a diez a cada enunciado, según la siguiente escala:

1 =   Eso no me atrapa.
5 =   Puede interesarme o no.
10 =   ¡Eso me atrapa por completo!

Modos tradicionales y novedosos
como las mujeres definen al príncipe

Otorgue a cada factor un puntaje de uno a diez.

Recursos Materiales
__ Altos ingresos.
__ Ahorros importantes.
__ Tiene los bienes más codiciados y a la moda.
__ Tiene un automóvil nuevo totalmente pagado.
__ Tiene una gran casa.
__ Tiene otros recursos materiales que considero importantes.

Prestigio
__ Tiene un puesto de trabajo importante.
__ Vive en un vecindario elegante.

__ Proviene de una familia prestigiosa.
__ Tiene logros importantes.
__ Está en camino hacia la fama y la fortuna.
__ Tiene otras cosas que me parecen signos de prestigio.

Aspiraciones profesionales
__ Lo consideran una persona inquieta que está triunfando.
__ Está en camino hacia algún éxito profesional importante.
__ Tiene grandes planes para un futuro de éxito en su trabajo.

Inteligencia
__ Tiene brillo intelectual.
__ Tiene conocimientos mundanos, está informado.
__ Parece bien educado.
__ Tiene un buen título (médico, abogado, etc.).
__ Parece capaz en todas las cosas que considero importantes.

Masculinidad
__ Es evidente que está autoafirmado.
__ Maneja sus músculos físicos o intelectuales.
__ Actúa como si pudiese triunfar en cualquier competencia.
__ Tiene un comportamiento general de macho.
__ Parece capaz de atender y proteger.

Disposición al compromiso
__ Da fuertes señales de que no tiene ataduras.
__ Dice que está deseoso y dispuesto a comprometerse en
   una nueva relación.

Confiabilidad sexual
__ No tuvo ninguna o tuvo muy pocas compañeras sexuales
   en el pasado inmediato.
__ Es totalmente confiable en su adhesión permanente al
   sexo seguro.
__ Quiere una relación sexual monogámica.
__ Tiene una orientación heterosexual.

Salud
__ No tiene enfermedades contagiosas de transmisión
   sexual.
__ En lo que tenga, está nivelado conmigo.

Sensibilidad
___ Está en contacto con sus sentimientos y con su postura en distintos temas.
___ Puede comunicarme sus sentimientos.
___ Está abierto a mis sentimientos y a mis posiciones en distintos temas.

Sinceridad / Carácter
___ Es tal como parece.
___ Tiene palabra.
___ Lo que oculta no lleva a engaños.

Aquellos factores a los que ha dado los puntajes más altos reflejan lo que usted más valora. Esos puntajes la guiarán a conocer cuáles son sus puntos débiles. De esta manera usted podrá saber cuáles de las mentiras del sapo que se convierte en príncipe la afectarán con más facilidad, ya que esas mentiras se refieren precisamente a aquellas cosas que usted está buscando. Por ejemplo, si usted considera muy importante la disposición de un hombre a comprometerse, es más probable que él la atrape diciendo que está buscando una relación seria. Si una mente inquieta está en las posiciones más altas de su lista, alguien que alardea acerca de sus títulos universitarios probablemente tocará su lado flaco. Si usted es consciente de las preferencias que la hacen vulnerable a ciertos tipos de mentiras habrá dado un paso adelante. Si no lo es, es probable que el principio de la sincronicidad funcione en favor de él, cada vez que él le diga aquellas cosas que usted desea escuchar.

Busque lo que busque, lo más importante es que conozca sus propios aspectos vulnerables. Estos puntos débiles podrían transformarse en sus puntos ciegos, es decir aquellas áreas en las cuales lo que *él finge ser* encaja perfectamente con *lo que usted quiere que él sea.* Lo que usted desea y busca la predispone a creer en el supuesto príncipe y a dejar de lado el escepticismo.

Trate de ponerse en el lugar de él

Póngase en el lugar de él. Tomemos como ejemplo a Rob. El no es rico, tiene un nivel intelectual promedio y prefiere quedarse mirando televisión antes que mejorar sus condiciones intelectuales asistiendo a la Universidad. En lo que se refiere al sexo, es un poco promiscuo. El quiere atraerla para que tengan un romance breve, o hasta una relación más larga en tanto no le impida seguir con sus aventuras.

Aunque él suele comportarse como un saco de patatas, cuando se trata de adaptarse a lo que una mujer busca en un hombre, tanto él como sus amigos sufren una especie de ósmosis en la cual adoptan todos los deseos, aspiraciones y gustos de la mujer en cuestión. Los conocen mejor aún que usted misma. Y tiene todo dispuesto para atraparla.

Entonces él debe enfrentar la realidad. Se mira al espejo y ve un sapo feo y común cuyo desafío consiste en croar más fuerte y mejor que el resto.

"Mejor" puede significar dar un par de pasos atrás y detenerse a escuchar un momento. Entonces, tal como hace este programador de computación soltero, de treinta y cinco años, él encuentra la respuesta adecuada: *"Aprendí que a las mujeres les gusta escuchar ciertas cosas, por ejemplo: 'No, no estoy saliendo con nadie más', aunque por ejemplo esté teniendo relaciones sexuales con otra persona. La interpretación de la mujer tiene que ver con la exclusividad. Técnicamente no está haciendo la pregunta que corresponde. O, por ejemplo, a las mujeres les gusta saber que uno está en buenos términos con sus ex parejas. Entonces, hablo bien de mi ex novia. A veces les gusta que uno no haya tenido relaciones sexuales durante un tiempo, entonces uno miente sobre sus encuentros sexuales. Mantiene ocultos los ocasionales".*

Usted no tiene que creer estas mentiras de sapos que se transforman en príncipes. Si bien la empatía es algo deseable, la confianza sin fundamento no lo es. Comience a discriminar esas mentiras, a darse cuenta de que son formas de relacionarse con usted y no realidades acerca de sus condiciones.

Como explicaba una mujer, triste pero sabia a quien entrevisté: *"Cuando parece demasiado bueno para ser verdad, generalmente lo es. Aparece lo que yo llamo paralelismo: 'Lo que a usted le gusta', a él también le gusta. Eso lo hace para congraciarse. Nos hace creer que algo especial está comenzando, pero lo que está haciendo es crear las condiciones para tener sexo de inmediato".*

Lo que él llama "decirles lo que ellas quieren escuchar" es lo mismo que ella llama paralelismo. Se trata de sincronicidad intencional. Aunque su objetivo inmediato sea el sexo ocasional, quiere que usted lo vea como un príncipe y que lo respete, por lo menos hasta el amanecer.

Las más populares mentiras de sapos que se transforman en príncipes

Es interesante conocer las mentiras más populares de sapos convertidos en príncipes. Aunque esta lista no las comprenderá a todas, le dará una idea de las más frecuentes. Compare esta lista con los factores que usted consideró los más importantes en un hombre deseable. ¿Cuáles son las que le van mejor a usted? Recuerde que siempre que haya una correspondencia muy cercana entre su ideal y lo que él finge ser, es más probable que usted sea vulnerable a estos engaños. ¿Cuáles son las que darían en el blanco?

Los diez tipos más frecuentes de mentiras de sapos que se transforman en príncipes

1. *Mentiras acerca del dinero*
   "Gano un salario muy alto. Ya he pagado mi Mercedes."
   "Gané mucho dinero en la Bolsa. Vivo de rentas."
   "Iremos a los restaurantes más exclusivos."

2. *Mentiras acerca del prestigio*
   "Mi tatarabuelo fue el primer alcalde de esta ciudad."
   "Todos los hombres de la familia de mi madre estudiaron en West Point."
   "Algún día me voy a postular para el Congreso."

3. *Mentiras acerca de la carrera.*
   "El próximo mes me darán un muy buen ascenso."
   "El próximo año asistiré a la escuela de leyes."
   "Mi nueva obra se estrenará en Nueva York el año próximo."
   "Soy médico."
   "Tengo mi propia empresa."
   "Trabajo para la CIA."

4. *Mentiras acerca de la inteligencia*
   "Fui el mejor de mi clase."
   "Estoy trabajando en mi doctorado."
   "Nunca estudio para los exámenes."

5. *Mentiras acerca de la disposición para una relación*
   "Quiero tener una relación."
   "Estoy cansado de encuentros que duran una sola noche."
   "Quiero casarme y tener una familia."

6. *Mentiras acerca de la historia sexual*
   "Nunca he tenido una enfermedad de transmisión sexual".
   "Soy HIV negativo."
   "Sólo he tenido relaciones sexuales con dos mujeres el
   año pasado."
   "Siempre practico el sexo seguro."

7. *Mentiras acerca de la sensibilidad*
   "Pertenezco a un grupo de hombres."
   "Escribo poesía."
   "Estoy en contacto con mi niño interior."
   "Me considero un feminista."

8. *Mentiras respecto de la disponibilidad*
   "Soy soltero."
   "No estoy saliendo con nadie."
   "Me estoy divorciando."
   "Acabo de romper con mi novia."

9. *Mentiras acerca del interés en el sexo ocasional*
   "Quiero tener contigo una relación muy duradera."
   "Soy hombre de una sola mujer."
   "Nunca te librarás de mí."

10. *Mentiras acerca de la sinceridad y otros valores*
    "Nunca te mentiría."
    "No soy mentiroso."
    "Es espiritualmente importante para mí."
    "Vivo conforme a la Regla de Oro."
    "¡Soy lo que está a la vista!"

¿Cuáles son las más frecuentes de todas? Dos se destacan por sobre todas las demás: las que se refieren a la ocupación y las que se refieren al estado civil.

Si la ocupación define a un hombre, hay una gran cantidad de hombres que se están redefiniendo. Aproximadamente un tercio de las mujeres entrevistadas relataron casos de hombres que distorsionaban o directamente mentían respecto de sus ocupaciones. Alguna vez él estuvo suscripto a la revista *Psychology Today*, por eso se define como un psicólogo especializado en medios de comunicación. Hizo dos contribuciones el año pasado a una entidad de bien público y por eso se considera un filántropo. Créase o no, hay toda una legión de impostores que requieren su atención. ¿Quiénes son? Puede ser cualquiera y obviamente, ese es el problema. El más chato de los empleados o burócratas puede, con un solo comentario, convertirse en un atractivo piloto, diseñador, actor, deportista, ejecutivo, o lo que sea.

El segundo engaño más frecuente, el estado civil, es más problemático. A usted puede no importarle que se trate de un panadero o un cirujano, pero lo pensaría mucho antes de involucrarse con un hombre casado, padre de cuatro hijos. Habitualmente los engaños respecto del estado civil son instantáneos y van en una sola dirección. Mientras habla, él se transforma de casado en soltero. Racionaliza su transformación con una letanía de ¿por qué no? Dado que ha estado casado sólo un año, *¿por qué no* decir que es soltero? Si acaba de separarse, *¿por qué no* decir que es divorciado? Es verdad que tal vez él desearía ser soltero o haberse divorciado, pero cuando coloca un apósito sobre su sortija de matrimonio, *¿por qué no* decir que ha ido demasiado lejos?

Una razón menos evidente para las mentiras de sapos que se transforman en príncipes

Una vez que usted ha reconocido el tipo de mentira, estará en condiciones de comprender las razones que hay detrás de ella.

Ya hemos conversado acerca de cómo los hombres utilizan las mentiras del sapo que se transforma en príncipe para atraparla en una relación. Entre los noventa y cinco hombres y mujeres entrevistados aproximadamente el cincuenta por ciento de los hombres y el sesenta por ciento de las mujeres manifestaron independientemente que los hombres mienten con más frecuencia al comienzo de las relaciones, cuando están tratando de impresionar a la mujer.

Pero las mentiras del sapo que se transforma en príncipe cumplen una función que va mucho más allá de atraparla. Esa función tiene que ver con la identidad de él. Es más personal que interpersonal. Algunos hombres utilizan este tipo de mentiras para salvar la distancia que existe entre lo real y lo ideal: quiénes son *en realidad* versus quiénes piensan *que deberían ser.*

El problema está dentro de él

La guerra está desatada en el interior de él. Esto sorprende a muchas mujeres, ya que muchas veces un hombre que siente que la realidad no se compadece con su ideal se ve más como un príncipe que como un sapo, al menos superficialmente. Hasta es posible que tenga la mayor parte de los atributos que figuran en la lista. Se ve y se comporta como las revistas femeninas sostienen que un hombre deseable debería hacerlo: brillantes, ambiciosos, razonablemente educados, económicamente seguros, trabajadores, sensibles, apuestos. ¿Qué es lo que está mal entonces?

El problema es interno. A menudo, ningún logro objetivo lo ayudará a superarlo. Por razones que probablemente tengan su origen en la infancia, en la situación de su familia de origen, en el efecto de expectativas poco realistas respecto de tener éxito. Cuando la brecha entre el yo ideal y el real es muy grande, el problema es serio. El no logra alcanzar sus propios estándares. Los de usted no importan.

En lo más íntimo, él siente que es un sapo todo el tiempo.

Obviamente, desde este punto de vista, él piensa que usted lo ve como alguien carente de las condiciones necesarias: *si tan sólo usted supiera quién era él.*

La verdad objetiva de sus logros o atractivos es irrelevante para él. En algunos futuros príncipes se produce un efecto paradójico: cuanto más logra, menos piensa que lo aman por lo que es. Al mismo tiempo se compara sin cesar con otros mejores, más brillantes y de más éxito. Bajo estas condiciones, hasta un pretendiente bien educado y prestigioso puede sentirse inapropiado cuando debe diferenciarse de todos los otros que pueden aspirar al amor de una mujer.

A veces estas cosas lo llevan a mentir.

Así lo expresaba un práctico y aún soltero ingeniero de treinta y cuatro años: "Miento en todos los casos en los cuales la sinceridad me tornaría poco deseable".

Haría lo que fuese con tal de que no lo arrojasen al estanque con todos los demás sapos. ¿Por qué? Este mismo hombre sostuvo más tarde: *"Miento para evitar el rechazo por mi falta de seguridad que me hace pensar que no me aceptarán y me amarán por lo que soy".*

Su trabajo consiste en convencer a ambos de que él no es un sapo. Lo extraño es que suele resultar mucho más fácil convencerla a usted que convencerse a sí mismo.

El modo más sano en que usted puede encarar el problema es pensando que cualquier mentira de sapo que se transforma en príncipe es un problema *de él*. Se está defendiendo contra la chatura de su propia realidad. La triste paradoja es la siguiente: cuando él la engaña y lo consigue, se convence cada vez más de que nadie lo ama por lo que él es en realidad.

Estas mentiras transmiten un mensaje poderoso. Le dicen que:

**Sea quien sea, él no se sentirá nunca del todo cómodo.
Y, además, no importa cuánto le guste a usted, probablemente usted tampoco se sentirá cómoda.**

Cómo detectar estas mentiras

Muchas mujeres son ingenuas respecto de cuánto pueden distorsionar o exagerar la realidad algunos hombres, aun cuando la verdad hubiese bastado. La solución consiste en estar alerta a la posibilidad de que nos digan una mentira del sapo que se transforma en príncipe u otra clase de mentiras, sin por eso tornarnos escépticas.

La próxima vez que escuche algo que pueda parecerle una mentira de sapo que se transforma en príncipe, no la deje pasar. Haga lo siguiente:

- *Profundice.* Hágase preguntas al respecto.
- *Póngala en un marco de referencia.* Pregúntese a cuál de las categorías corresponde.
- *Relacione la mentira con las cosas que usted valora.* Pien-

se si él esta mintiendo acerca de algo que usted ve como un atributo importante.

- *Constate si está haciendo uso de la atención selectiva.* Pregúntese si sólo está atendiendo a las cosas que coinciden con lo que usted está buscando.
- *Descubra su patrón de mentiras.* Utilice la lista que sigue para pensar acerca de las cosas específicas acerca de las cuales él puede estarle mintiendo, ya sea sobre su pasado, su presente o su futuro.

Estas técnicas la ayudarán a mantenerse en su lugar. También la ayudarán a evaluar sus propias reacciones, de modo tal que usted podrá comenzar a desarrollar una estrategia de autodefensa. Las mentiras de sapos que se transforman en príncipes pueden ir desde lo trivial (algunas mujeres me han contado que los hombres les mintieron acerca de su color de ojos usando lentes de contacto, acerca de su peso, de su altura y hasta sobre la talla de las camisas que usaban) hasta lo más terrible (historia criminal, historia sexual, salud, estado civil).

A veces, estas mentiras tempranas parecen tan desesperadas que usted se siente inclinada a perdonarlas, cuando en realidad no son más que el comienzo de una serie donde las mentiras se van construyendo unas sobre otras. Eso fue lo que le sucedió a Marisa en su relación con Saúl, quien finalmente acabó demostrando que era un artista del engaño, que la estafó en los sentimientos y en el dinero. No obstante, es notable, que pese al tiempo, a las esperanzas y al dinero perdido, ella todavía le concede el beneficio de la duda y sigue simpatizando con él: *"Saúl me mintió respecto de su edad. Dijo que tenía cuarenta y nueve años, cuando en realidad tenía cincuenta y tres. Me di cuenta de la mentira cuando vi su licencia de conducir y ya llevábamos seis meses de relación. Soy sensible a las inseguridades de las personas. El mintió para proteger su autoestima, porque yo era más joven".*

Es fácil pasar por alto una cuestión sin importancia, sobre todo si se trata de alguien en quien deseamos confiar. Use la lista siguiente para neutralizar los factores que pueden cegarla, tales como la sincronicidad y la atención selectiva. También puede servirle para refrescar su memoria respecto de los acontecimientos, lugares, hechos e intenciones que alguien puede falsear. Tómese la libertad de agregar cosas que provengan de su propia experiencia y que no figuren en la lista.

Lista para detectar las mentiras de sapos que se transforman en príncipes

su pasado	su presente	su futuro
___ dónde nació	___ dónde vive	___ dónde planea vivir
___ su historia familiar	___ con quién vive	___ sus compromisos familiares
___ escuelas a las que asistió	___ nivel de educación	___ planes de estudios para el futuro
___ lo que ganó en el pasado	___ lo que gana actualmente	___ lo que ganará en el futuro
___ riquezas pasadas	___ finanzas actuales	___ambiciones económicas
___ dónde trabajó	___ dónde trabaja	___ planes laborales
___ hijos que tiene	___ responsabilidades de hijos	___ deseo de tener hijos
___ historia matrimonial	___ estado civil actual	___ intenciones de casarse
___ historia sexual	___ compañeros sexuales actuales	___exclusividad sexual
___ historia médica	___ salud / estado físico	___ el estado físico al que aspira
___ lo que ha logrado	___ lo que tiene	___ sus ambiciones
___ dónde ha viajado	___ sus aventuras	___ sus planes de aventuras

Luces rojas a las que debe atender

En lo que se refiere a las relaciones que recién comienzan, atienda a las siguientes luces rojas:

- El falsea su estado civil o el tipo de relaciones que tiene.
- Distorsiona su situación actual: trabajo, lugar de residencia, amistades, etc.
- Crea una serie de mentiras acerca de sus datos personales básicos: edad, altura, peso, raza, nacionalidad, etc.
- Le dice una serie de mentiras gratuitas que no parecen servir a ningún propósito.
- Usted lo descubre en una serie de contradicciones acerca

de su pasado o de sus circunstancias actuales, personales o profesionales.

- Afirma cosas exageradas o prematuras respecto de su futuro con usted ("Quiero que vivamos juntos" o "Te compraré un collar de diamantes").

Acto seguido, lleve adelante su propia investigación. No deje que las palabras de él la engañen. Examine los hechos o datos que confirman o contradicen lo que él dice. No importa cuál sea la verdadera situación, siempre será un acercamiento mucho mejor que cualquier mentira. Lo que más puede herirla es *lo que usted no ve*. Piense que usted es el único ojo que le sirve. Hay registros públicos, tales como licencias matrimoniales, certificados de nacimiento y sentencias de divorcio que usted puede consultar en el Registro Civil. Si usted está muy entusiasmada con él, pero tiene sospechas, constátelas.

Lo bueno es que, a menos que él sea muy astuto y tenga mucha práctica, probablemente usted pueda descubrir sus engaños. Aunque le lleve un mes, un año o más, atrapará al sapo que se hacía pasar por príncipe *porque él no puede evitar ser quien es*.

Las pregunta no es *si* lo descubrirá. La pregunta es *cuándo*.

Es preferible invertir tiempo y esfuerzo al comienzo de una relación y no cuando usted ya ha invertido mucho en algo que nunca va a materializarse.

El sexo y el engaño

Las mentiras de sapos que se transforman en príncipes no son difíciles de descubrir una vez que usted sabe qué es lo que debe buscar. En un estudio reciente, un grupo de psicólogos preguntó a 110 estudiantes varones y mujeres con cuánta frecuencia habían utilizado 88 diferentes tácticas de engaño, que iban desde alardear "haciéndome ver mejor de lo que soy" hasta "contraer el estómago cuando estoy frente a personas del sexo opuesto".

Los resultados fueron muy interesantes. En lo que respecta a las relaciones entre hombres y mujeres, los hombres utilizaban más que las mujeres estrategias de engaño consistentes en actuar como si tuviesen más recursos de los que realmente tenían y como si fueran más buenos, más sinceros y más confiables de lo que realmente eran. ¿Pero cuánta efectividad tenían estos engaños?

Mentiras efectivas de sapos
que se transforman en príncipes

Estos mismos psicólogos preguntaron a un nuevo grupo de 116 hombres y mujeres universitarios cuán efectivas eran esas mismas 88 técnicas de engaño para lograr hacerlos más deseables ante una eventual pareja. Los hombres catalogaron como las más efectivas, a las técnicas de engaño que más utilizaban. Esto sugiere que los hombres estaban convencidos de que sus engaños surtían efecto con las mujeres cuando ellos fingían que:

• Eran sinceros o bondadosos.
• Eran muy machos.
• Eran de éxito.
• Eran muy inteligentes.
• Eran muy sensibles y vulnerables.
• Estaban muy interesados en una mujer que en realidad no les importaba.

¿Y qué hay con las mujeres? ¿Acaso ellas no usan algún tipo distinto de mentiras del tipo de las del sapo que se transforma en príncipe? ¡Sí, pero con notables diferencias!

Mentiras femeninas de ranas que se tornan princesas

El principal engaño en que incurrían las mujeres era *adoptar un aspecto más atractivo ante los hombres* —mostrarse más atractivas físicamente, más altas, más delgadas, más bronceadas, más jóvenes—. Es decir que la mentira más frecuente consistía en crear una fachada a partir del maquillaje, las uñas postizas y las trusas para verse más delgadas, en tanto que los hombres adoptaban variadas técnicas de engaño relacionadas con recursos materiales, disposición para comprometerse y toda clase de actitudes.

Todo esto parece constituir una advertencia respecto de lo que son y lo que no son las mentiras de sapos que se transforman en príncipes. A diferencia de los engaños femeninos en las primeras citas, que suelen consistir en maquillarse y vestirse para lucir más bellas, atractivas y delgadas, las mentiras de los hombres no son pequeños realces cosméticos. A menudo son cirugías mayores. Tampoco son lisonjas para llamar la atención. Las mentiras de los sapos que se transforman en príncipes pueden comenzar con un par de cuentos, pero no acaban ahí. Cuando la mentira se muestra efectiva para alcanzar los objetivos deseados, se transforma en una táctica que se usa cada vez que se necesita.

¿Qué ocurre con las mentiras femeninas de ranas que se transforman en princesas? Nada sorprendente. Las mujeres consideran que sus pequeños engaños no verbales —usar maquillaje, ropa ceñida, mostrarse femeninas— son sus tácticas más efectivas para con los hombres.

Parecería que, para manejar la imagen, los hombres prefieren las palabras y las acciones, mientras que las mujeres se quedan en lo visual: el maquillaje, la ropa, la femineidad.

¿Viva la diferencia? Tal vez. ¿Pero cuáles son los resultados? Por supuesto, todos sabemos que hay mujeres que pueden igualar y hasta superar a los hombres en su habilidad para distorsionar y falsear la verdad. Sin embargo, en lo que se refiere a los engaños que se infligen al comienzo de una relación, ¿cuales son las serias repercusiones de aparecer como rubia si una es morena u ocultar algún rollito de grasa con la ropa? Supongamos que usted aumenta el tamaño de su busto con un corpiño armado. ¿Que le parece esto, comparado con que él le diga que está interesado en usted, cuando no lo está, o que está apasionado por sus temas predilectos, cuando sólo lo estará hacia el final de esa conversación?

Por qué las mujeres creen que ese sapo puede ser un príncipe

Es un sapo. Lo descubrió. No era soltero. Es casado y tiene tres hijos, uno en camino y una bonita casa en los suburbios. ¿Qué más? No es vicepresidente de la empresa. Trabaja en la cafetería de ejecutivos. Además, no está estudiando su doctorado en psicología, pero ha concurrido a un grupo de terapia durante seis años. ¡Dijo todas las mentiras que me contaron las mujeres!

Todo era obvio y fácil de descubrir. ¿Por qué entonces las mujeres caen en las mentiras del sapo que se transforma en príncipe y también en otras?

La atracción del falso príncipe

Resulta extraño que, aun después de que una mujer descubre lo que hace el sapo, sea capaz de perdonarlo. ¿Por qué? Porque aunque su identidad sea puro cuento, una cucharada de dulce sin sustancia, él la hizo sentirse muy especial. Le permitió formar parte de su sofisticada vida, aun cuando fuera ficticia. A cambio, ella lo dispensa de castigo.

¿Por qué? Porque muchas veces el falso príncipe es encantador. Dado que tiene como objetivo convencerla de que no es un sapo, se las arregla para hacer todas las cosas que se supone hacen los príncipes. Para muchas mujeres, esta conducta es muy seductora. Es un romántico que se da cuenta en seguida de su nuevo vestido o su nuevo peinado. Le escribe cartas y postales. Recuerda el aniversario de la fecha en que se conocieron, le envía flores, chocolates y regalos. Antes de hacerla llorar, la hizo reír.

Cuando usted lo descubre, recuerda el mensaje del rey-sapo del cuento de hadas: dentro de cada sapo puede haber un príncipe oculto, esperando que su princesa lo libere. Usted se refrena y no lo arroja contra la pared. No deja recaer su furia sobre él. Aunque este príncipe no sea lo que le mostró, usted se convence de que sólo usted podrá ayudarlo a volver a su palacio.

Es lamentable, ya que después de tres meses junto a este hombre, la alquimia se transformará en una letanía de reproches: "¿Por qué no me dijo la verdad", "Desperdicié nueve años de mi vida junto a un hombre que vivía una mentira" y "Ojalá no lo hubiese conocido".

Reforcemos pues nuestra comprensión de lo que es el mentiroso repitiendo esta mantra tantas veces como sea necesario: *Es sapo, es sapo, es sapo.*

¿Qué hacer con un falso príncipe? La historia de Rochelle

¿Cuán tentador es un encantador príncipe-sapo? Hasta mujeres muy inteligentes han caído en sus garras.

Rochelle, una encantadora gerente de veintinueve años, se acercó a pedirme consejo. Después de tres años de no encontrar a nadie con quien quisiese salir, se entusiasmó con un compañero. Aunque Larry pertenecía a otro sector, trabajaron juntos en un proyecto durante la primavera. El la invitó a beber una copa y pasaron la velada riendo y conversando. El estaba interesado en las mismas cosas que ella: la danza, la música, la gimnasia. Mientras ella describía a este hombre, yo estaba encantada, pensando que al fin había encontrado a alguien interesado en ella. Sonriendo, le pregunté: "¿Pero cuál es el consejo que quieres?".

Me dijo: "Bien, antes de salir con Larry, pregunté acerca de él a varias personas. Todos me respondieron con el clásico 'Es un gran tipo'. También me contaron que se estaba divorciando y que su esposa tenía la custodia de sus dos pequeñas hijas. Supe además que vivía en una casita en los suburbios.

"Cuando salimos, le pregunté la edad de sus hijas, y él me respondió que no tenía hijos. Dijo que una vez había estado comprometido, pero que nunca se había casado. Por supuesto, yo no podía decirle que había estado averiguando. No le dije nada, pero tuve toda la semana un nudo en el estómago. Cuando terminemos esta conversación, iremos a cenar a un espléndido lugar. Yo todavía estoy entusiasmada con él, pero hay algo que anda mal.

"Probablemente usted pensará que siempre encuentro el modo para romper las relaciones. ¿Debo dejar pasar la cuestión de su esposa y sus dos hijas? Ellos *se están* divorciando.

Le pregunté si había constatado la información con sus fuentes, para asegurarse de que todo era así y de que estaban hablando del mismo Larry.

"Por supuesto. ¡Lo hice a la mañana siguiente! Dije: 'Cometieron un grave error respecto de Larry. El nunca estuvo casado, no tiene hijos y no vive en los suburbios sino en un departamento en la ciudad'. Mi amiga me dijo que había conocido a su esposa e hijos en el centro de compras, que antes del divorcio tenía una fotografía de ellos sobre su escritorio y que había contado a todo el mundo que había renovado el contrato de alquiler de su casa. ¿Qué debo hacer, Dra. Hollander? ¿Debo olvidar todo esto y seguir adelante, para ver qué pasa?

¿Qué piensan ustedes que aconsejé a Rochelle?

La verdad es que Larry había traicionado su confianza, *cuando no debía hacerlo.* Al actuar así demostró que, fuesen cuales fuesen sus batallas internas, no estaba dispuesto a compartirlas. Ocultar su estado civil y sus hijos era grave. Lo que Larry olvidó es que ese tipo de acciones suelen volverse contra nosotros como un bumerang.

Aunque Rochelle sabe que Larry le está mintiendo, no está enojada. *Lo tolera y duda de su propio criterio.* La idea de que un compañero mienta respecto de su condición de padre, le es totalmente ajena. Ella no se imagina por qué motivo podría él mentir respecto de su esposa e hijos. De todos modos ella no lo hubiese rechazado por un fracaso matrimonial. Cuando percibe las mentiras de él, en lugar de cuestionarlo, se cuestiona a sí misma. Se pregunta si no es exagerado pedir a su futuro príncipe que le diga la verdad. Quiere continuar con la relación, pero la mentira la atormenta.

¿Y cómo termina esto? ¿Qué le aconsejarían a Rochelle?

He aquí lo que le dije: "Rochelle, ninguna de las dos sabemos por qué Larry te mintió, pero él no está mintiendo respecto de la talla de su camisa. Está mintiendo respecto de quién es. Que sea atractivo no cambiará eso. De ser así, no estaría pidiendo consejo. La atracción sólo sirve para ponerlos en contacto y ver qué más tienen en común. Luego es necesario que usted averigüe si Larry es un hombre en quien puede confiar. Desde el comienzo, Larry encendió la luz roja. ¿Qué obtendrá si sigue adelante? ¿Un par de noches en la cama con un mentiroso? ¿Enamorarse de un mentiroso? Pregúntese si es eso lo que desea para una relación duradera. Si no es así, aléjese. Pregúntese cuáles son las cosas importantes para usted. *Olvide la idea de transformarlo.* Aun cuando lograse hacerlo, la desconfianza empañaría la relación. En medio de una batalla, la verdad siempre estaría ensombrecida. Si de todos modos esto llegara a suceder, usted siempre recordaría cómo este hombre le mintió gratuitamente en los primeros encuentros.

"Si va a ver a Larry, disfrute de la comida, la música y la conversación. Luego háblele directamente. Dígale la razón por la cual no le cree usted. Si él sigue insistiendo con su historia, corrobore los datos por última vez con sus compañeros. Se dará cuenta de que hizo lo correcto. Búsquelo en el directorio telefónico del año pasado y constate dónde vivía entonces y cuál era su número telefónico. Si era un número diferente, llame y vea quién contesta.

"Si él le dice: 'No quería que supieses de mi esposa e hijos porque no quería decepcionarte', conversen acerca de *cómo se sintieron ambos.* Si se siente satisfecha, siga adelante, *pero con cuidado.* Tal vez le esté diciendo la verdad; tal vez le esté diciendo lo que usted quiere escuchar. Sólo el tiempo y la observación cuidadosa podrán asegurarlo.

"Si él le sigue mintiendo, apártese. No vuelva atrás. Considere que tuvo la suerte de que él mostrase su juego en seguida. Suponga que usted se enamora de él, ¿qué conseguiría? Amar a alguien que miente gratuitamente ocasiona grandes dolores. Usted no tiene el poder para transformar a este sapo en príncipe. Un sapo es un sapo.

Defiéndase usted misma:
alguien tiene que hacerlo

¿Qué puede hacer usted para defenderse de un hombre que se presenta como algo diferente de lo que es? ¡Muchas cosas! Desarrolle una serie de estrategias de autodefensa que la protejan *a usted,* no a él. Siga las sugerencias que aparecen a continuación. No actúe en base a una confianza ciega. La confianza debe ser ganada. Aunque las estrategias de autodefensa son necesarias e importantes, es posible que usted se resista a aplicarlas. ¿Por qué? Porque cuando una relación comienza, lo último que usted tiene deseos de hacer es jugar a Sherlock Holmes. Lo que usted desea es tener un romance y disfrutar de él. ¿Pero por qué ser víctima de una mentira? ¿Por qué averiguar demasiado tarde que se ha enamorado de alguien que no es un príncipe ni lo será?

Es preferible ser más racional y curiosa. Pruebe hacer preguntas sobre todo lo que él le dice en los primeros tiempos.

Si siente que investigar los hechos o desenmascarar mentiras es algo falto de romanticismo, tome de su banco de datos el caso de este encantador joven de veintiséis años, que no tiene ningún empacho en adornar su historia sexual pasada: *"A partir de una relación pasada, tuve una enfermedad sexual menor. Al comienzo de una relación nunca le contaría eso a una mujer. No es que sea paranoico, pero quiero proteger mis intereses. Deseo que la relación continúe y no quiero perjudicarme por algo que padecen una de cada cinco personas sexualmente activas".*

El y otros como él no tienen ningún problema en proteger sus intereses, aun a expensas de los intereses de quien tienen al lado. ¿Entonces por qué no protegerse usted en lo que a las relaciones se refiere? ¿Quién cuidará de usted y de sus intereses?

Una mujer de treinta y siete años, casada, a quien entrevisté, decía: "Al comienzo es difícil darse cuenta de que mienten, porque una confía en ellos. Una comienza a hacerse preguntas más tarde". Pero a veces es demasiado tarde. Ya está atrapada. Para evitar esto, ¿por qué no adoptar las estrategias de autodefensa que siguen?

Estrategias de autodefensa contra las mentiras de sapos que se transforman en príncipes

Qué hacer
- Tome como regla no creer nada a pies juntillas.
- Haga preguntas como un reportero que recaba datos.
- Pida conocer a su familia y a sus amigos. Conozca su perro.
- Encuéntrese con él en la oficina y llegue temprano.
- Constate su número de teléfono, su dirección y la empresa dónde trabaja.
- Llámelo a la mañana o al mediodía a su casa.
- Preste atención a cualquier sincronicidad entre lo que usted desea y lo que él le muestra.
- Dígale que para usted él vale por lo que es.
- Saque a la luz y enfrente cualquier incoherencia.
- Dése cuenta cuando él se está haciendo propaganda y tómelo como lo que es.
- Cuéntele cuáles son sus criterios de sinceridad y confianza, y vea si él se adapta a ellos.
- Si él sigue mintiendo, busquen juntos consejo profesional o acabe con la relación.

Qué no hacer
- Confiar ciegamente en todo el mundo.
- Escuchar educadamente y callarse.
- Permitir que él la mantenga al margen de las personas que él conoce.
- Encontrarse con él sólo en terrenos neutrales, un museo, un café.
- No tomar su número y permitir que sea él quien la llame siempre.
- Tomar una actitud de *laissez-faire*.
- Pasar por alto las incoherencias y justificarlo.
- Llegar a la conclusión de que él es maravilloso y ver las cosas al modo de él.
- Seguir silenciosamente el programa que él traza y esperar a ver cómo salen las cosas.
- Si las mentiras continúan, consuélese con sus amigas.

De los cuentos de hadas a la vida real

¿Qué lecciones podemos aprender de las mentiras de sapos que se transforman en príncipes? El cuento de hadas nos provee de una poderosa arma para el cambio. *Comunicar los verdaderos sentimientos nos da la oportunidad de cambiar.* También sabemos que muchas mentiras de este tipo son alimentadas por el temor al rechazo que sienten los hombres. La posibilidad de que una mujer poderosa los envíe de regreso al estanque los asusta. Sin embargo, la intimidad y la unión también los asusta. Sus mentiras pueden ser, por lo tanto, una manera de zanjar esta paradoja. *Las mentiras de sapo que se transforma en príncipe les permiten distinguirse, evitar el rechazo de la mujer y ganar temporariamente la atención y la admiración de ella.*

Las mujeres, en cambio, se enfrentan a un dilema diferente. ¿Se trata acaso de buscar un príncipe que tenga todos los atributos incluidos en su lista de deseos y de mantenerse en guardia para evitar las mentiras de sapos que se transforman en príncipes? ¿O acaso es mejor aceptar a un hombre común que se presenta más sinceramente con todos sus defectos? Decidir sanamente es difícil cuando aparece un hombre que ofrece a la mujer todas las cosas que a ella le resultan más atractivas. *Después de todo, ella está mucho más preparada para el idilio que para el trabajo detectivesco de averiguar la condición genuina de los atributos de un hombre.*

Dadas estas circunstancias, es fácil comprender por qué verdades y mentiras disfrazadas son las primeras contingencias de una larga lista.

Cómo se desarrolla el cuento de hadas

Veamos cómo puede desarrollarse el cuento. El esconde quién es en realidad para que usted lo ame. De esta manera puede esconder la vergüenza que le da ser un sapo y no un príncipe. Usted se entusiasma inocentemente con el amor hacia este falso príncipe, con su *imagen* de éxito y sus virtudes de macho, no con la verdad. El gana su amor incondicional presentándose como un falso príncipe. Desgraciadamente, mantener ese amor requiere de una cascada enorme de falsedades. Estas mentiras protegen a ambos de la verdad y de la intimidad. Ambos pierden.

A medida que la relación se desarrolla, es inevitable que se produzca algún descubrimiento que traiga aparejadas una cantidad de excusas, decepciones y descontentos. El cuento de hadas nos da una importante lección: tanto el amor como la furia son poderosos y llevan consigo emociones que crean un potencial para una intimidad duradera. Fingir que somos quienes no somos, en cambio, crea barreras y distancias. Los hombres que se cubren con un manto de falsa grandeza o adoptan una identidad alternativa, se apartan de la verdad y de la intimidad. Es posible que los amen, pero no por lo que son.

La alternativa consiste en reconocer desde el comienzo las mentiras de sapos que se transforman en príncipes. Hay que dejar de lado cualquier esperanza de transformarlos o rescatarlos. Lo más probable es que uno acabe junto a un sapo y un mentiroso. Su comportamiento pasado predice bastante bien lo que le depara el futuro. Por más que usted lo desee mucho, es muy poco probable que se transforme en príncipe. Tiene que aceptarlo tal como es o ponerlo de regreso en su estanque y seguir viaje.

De los anzuelos a las máscaras

Las mentiras utilizadas como anzuelos nos atraen y nos atrapan. La seducción, los cuentos y las mentiras de sapos que se transforman en príncipes acercan a un hombre y a una mujer lo suficiente como para decidir si quieren dar el siguiente paso en la relación. Pero una vez que ambos están lo suficientemente cerca como para establecer la intimidad que al parecer quisieron, algo más puede aparecer en escena. Mientras que las mentiras usadas como anzuelos sirven para atraer y atrapar, las mentiras usadas como máscaras esconden y distorsionan la identidad. Las mentiras usadas como máscaras crean distancias y evitan la unión, aunque aparentemente estén haciendo lo contrario. Son más difíciles de distinguir y pueden ser más perjudiciales para la relación.

La siguiente sección trata acerca de las mentiras usadas como máscaras y acerca de qué hacer con ellas.

Tercera Parte

Las mentiras usadas como mascaras

5

Mascarada

"La mayor parte de los hombres consiguen establecer relaciones duraderas con las mujeres mostrándose diferentes de lo que son. Luego ellas descubren que uno no es así: no es tan rico, ni tan gracioso, o se dedica a otra cosa. Yo presento una pintura real de quién soy. Voy donde quiero ir. No finjo."
—Analista político, treinta y un años, divorciado.

"Puedo mentir en cualquier momento o en cualquier etapa de una relación. Eso depende de mi necesidad de evitar una revelación, mantener el control o de no transitar por un camino por donde no quiero. Mis mentiras me ayudan a mantener la fachada que presento."
—Consultor gerencial, cuarenta y tres años, casado.

Una máscara, oculta. Da al mundo una fachada que confunde a uno mismo y a los demás. El engaño a través de una máscara puede o no ser intencional. Puede ser pernicioso o inocente. Sin embargo, dado que la intimidad requiere que ambos conozcan y sean conocidos por otra persona, el hombre —o la mujer— enmascarado sólo obtiene una burda imitación.

A menudo, las mentiras no comienzan como una máscara sino que llegan a serlo con el tiempo. Tempranamente sabemos que tal como somos, somos inaceptables para nuestra familia o nuestros amigos. Otras veces, pensamos que no nos acomodamos a algún ideal cultural que prescribe cómo debe ser o cómo debe actuar un chico o una chica, A partir de eso nos escondemos en las sombras y cerramos las puertas a quien somos en realidad, para ir por el mundo mintiendo para ocultar nuestros secretos. A veces, nos limitamos a mentir a los demás. Otras, guardamos tan bien nuestros secretos que comenzamos a mentirnos a nosotros mismos respecto de quiénes somos.

En las relaciones, algunas máscaras que usan los hombres son continuaciones de los anzuelos que utilizaron para atrapar a una mujer o son evoluciones de una mentira de sapo que se transforma en príncipe. Cuando él le dice a ella que es un banquero y en realidad está empleado en un banco, puede pensar que esa mentira es inofensiva y temporaria. Racionaliza su mentira convenciéndose de que se trata de una verdad técnica. Después de todo, trabaja en un banco, ¿verdad? Entonces, se dice: "Le contaré toda la verdad cuando me conozca mejor y sepa quién soy en realidad". Pero cuanto más tiempo pasa, más difícil resulta revelar la verdad. Lo que comienza siendo un alarde efímero o una exageración transitoria, comienza a enquistarse y transformarse en algo inesperadamente permanente, en una reconfortante máscara que él no puede o no quiere quitarse.

¿El resultado? Lo que usted ve y oye acaba no teniendo nada que ver con la realidad. La máscara oculta sus sentimientos y sus pensamientos. A veces, llega a sentirla como algo tan natural que tiene grandes dificultades para quitársela.

Tanto los hombres como las mujeres usan máscaras. Aun cuando nuestro tema son las mentiras de los hombres, en este capítulo vamos a hablar de las máscaras que usan ambos sexos.

Tres primos: los anzuelos, las máscaras y las evasiones

Hay muchas clases de mentiras y muchas formas de clasificarlas. Una de ellas consiste en agruparlas según tres funciones que pueden cumplir en las relaciones: la de anzuelos, la de máscaras y la de evasiones.

Las tres clases tienen en común un objetivo: hacer que él y no usted sea quien controla la verdad.

Usted podrá distinguir los anzuelos, las máscaras y las evasiones, cuando se percate de que cada uno de los tipos de mentira oculta un aspecto distinto de la identidad de él en la relación.

- El anzuelo la atrae, ofreciéndole una variedad de objetos deseados que él considera están entre sus preferencias.
- La máscara oculta quién es él, qué siente, qué piensa.
- La evasión hace que las acciones de él le resulten inaccesibles y que por lo tanto él pueda hacer lo que quiera sin que usted lo controle.

Todas la mantienen en la oscuridad, y todas pueden dañarla.

A veces los anzuelos, las máscaras y las evasiones se presentan de un modo tan semejante que resulta difícil discriminar a unas de otras. ¿Cómo hacerlo?

Entretengámonos distinguiendo algunas, comenzando por dos palabras que según las mujeres encabezan la lista de engaños.

Cómo descifrar la mentira más grande

Yo te amo. Es así.
Te amo.
Decir mentiras es un pecado.
Hay millones de corazones rotos,
simplemente a partir de estas palabras.
—De la cancion Es pecado mentir

El le dice: "Te amo". La confianza y las esperanzas de la mayor parte de las mujeres dictan que cuando él dice: "Te amo", quiere decir exactamente eso. Sin embargo, como desdichadamente han aprendido muchas de ellas, "Te amo" puede ser una de las más grandes mentiras.

Veamos estas mentiras tan semejantes entre sí que son variantes de la más común e hiriente mentira: "Te amo".

¿Cuál de ellas le parece un anzuelo? ¿Cuál una máscara? ¿Cuál una evasión?

- Mentira 1: "En el momento en que traspusiste esa puerta supe que te amaba".
- Mentira 2: "Te amo".
- Mentira 3: "Sabes que aún te amo".

135

¿Cuál es la diferencia? Entre estas tres la única diferencia es el propósito. ¿Cómo saberlo? La única forma es conociendo el contexto y las circunstancias de la mentira, y efectuando una seria investigación. Veamos como discernir entre estas mentiras tan semejantes.

Diferenciando los parecidos

Mentira 1: "En el momento en que traspusiste la puerta, supe que te amaba".

La mentira 1 es un anzuelo

Intención: acercarla a él y hacer que permanezca allí.

Cuando una mentira se expresa así: "En el momento en que traspusiste la puerta, supe que te amaba", se trata de un anzuelo. Extrae su inmerecida credibilidad del mito del amor a primera vista que da un halo romántico al momento en que se conocieron. Esta mentira la seduce por su semejanza con un cuento de hadas. El romanticismo y sus expectativas le permiten usar este anzuelo para atraparla y hacerla sentirse bien. Cuando esta mentira aparece muy tempranamente, mucho antes de que usted pueda saber quién es el otro, puede estar segura de que cuando usted traspuso la puerta el no se enteró de una cosa así. Es posible que usted le haya gustado. Puede ser que la haya visto abierta y amistosa, o lo que resulta menos halagador, puede ser que la haya elegido como su presa en esa ocasión.

Su mejor estrategia a corto plazo es considerar este anzuelo como algo inofensivo. Véalo como un poco de revisionismo histórico al servicio de la relación. Entienda que este anzuelo adquiere poder en función de las necesidades que usted está experimentando respecto de él. El está seguro de que usted desea que la consideren atractiva, especial, sensual. Además, él espera que usted lo crea romántico y encantador. Eso es lo bello. La mentira utilizada como anzuelo hace que dos perfectos extraños se junten. Su intención es atraerla. El problema radica en que usted puede estar tan ansiosa de tener una relación, que puede llegar a olvidar la verdadera composición del anzuelo: sesenta por ciento de exageración y cuarenta por ciento de testosterona. Si él le declara su amor tan rápido, aún antes de llegar a conocerla, es porque antes esa estrategia le ha dado buenos resultados o porque no le importa quién resulte ser usted después de la primera noche de amor.

Cuando una relación está mucho más avanzada, él puede usar la misma mentira ("Desde el momento en que traspusiste la puerta, supe que te amaba.") para construir un pasado compartido y crear una mitología romántica. Aunque sigue siendo falso, esta mitología de autoservicio ("Recuerdo el día en que te conocí. Desde el momento en que...") se transforma en un poderoso anzuelo que refuerza la sensación de que usted es especial para él. Esto los mantiene juntos. Para complicar aún más las cosas, existen pululando por el mundo unas pocas almas románticas que creen de verdad en el amor a primera vista. Para ellos, esta afirmación no es una mentira.

Mentira 2: "Te amo".

La mentira 2 es una máscara

Intención: encubrir lo que verdaderamente piensa o siente.

Como sucede con muchas mentiras seductoras que se dicen hombres y mujeres, si bien el "Te amo" puede provocar muchas decepciones, suele garantizar durante un tiempo algo que usted desea sincera o hasta desesperadamente. Tal vez por eso es más difícil enfrentar la máscara de "Te amo".

Lamentablemente a veces el "Te amo" encubre el hecho de que él siente sólo deseo o de que sus sentimientos son muy débiles. Cuando el "Te amo" funciona como una máscara, le permite a él acercarse a lo que cree que una mujer desea sexualmente: una declaración sincera de sus sentimientos. De esa manera él hace lo correcto: obtiene su aceptación diciéndole lo que *él cree* que usted quiere escuchar.

El hecho de que "Te amo" muchas veces es una verdad hace más complicadas las cosas. ¿Cómo distinguir al verdadero del falso?

Tal vez él le diga "Te amo" mientras hacen el amor. Usted se relaja y se siente gratificada por ser amada. No se da cuenta de que lo que él tiene en mente no es en absoluto el amor duradero.

Según los hombres y las mujeres entrevistados, "Te amo" es una de las mentiras más frecuentes que los hombres dicen a las mujeres. En otro estudio, expuesto por David Buss en su libro *La evolución del deseo*, de 1994, más del setenta por ciento de los hombres en edad universitaria sostienen que exageraron la profundidad de los sentimientos que los unían a una mujer, con el propósito de tener relaciones sexuales con ella. Sorprendentemente, el noventa y siete por ciento de las mujeres en edad universitaria dicen que han sufrido personalmente esta experiencia en sus relaciones con los hombres.

Sherman, un consultor de sistemas de cuarenta y dos años, que nunca se casó, dice que sus mentiras de "Te amo" son anzuelos "para llevar a una mujer a la cama". Recuerda que la primera mentira que dijo a una mujer fue "Te amo" y que se la dijo a su primera novia. ¿Por qué fingió estar enamorado de una chica de quince años? Porque "quería pasar la primera base y hacer un tanto". Como se crió en una familia protestante y aprendió que sólo se pueden tener relaciones sexuales por amor, entonces dijo "Te amo" para abrir las puertas.

Una vez que ha llegado a la cama, Sherman dice que deja de mentir. ¿Por qué? Porque ya no necesita de las mentiras. "Para ese momento, uno ya sabe que va a conseguir su objetivo." Mientras hablábamos, sin embargo, ocurrió algo gracioso. Sherman contradijo por completo lo que acababa de decirme. Me contó que *a menudo les mentía en la cama a las mujeres* "para entusiasmarlas más, diciéndoles cosas como 'Te amo' durante la relación".

Pese a sus declaraciones de amor, confiesa: "No sentía remordimientos por acostarme con otras mujeres. Después de un tiempo, ambos sabíamos que 'Te amo' era una mentira. Era una frase hecha. Me había acostumbrado a usarla y *tenía tanto éxito, que la seguía usando*".

El anzuelo de Sherman se había transformado en una máscara. Tenía éxito y le servía para conseguir lo que quería. Era tan cómoda que no podía prescindir de ella.

La conducta de Sherman no es infrecuente. Su intención, como la de muchos hombres es excitar sexualmente a una mujer, y lograr de esa manera más placer. Por el camino aprendió que "Te amo" es la llave mágica que abre la pasión de ellas. De esta manera, "Te amo" para Sherman es en parte, un anzuelo que le sirve para llevar a una mujer a la cama. También es una máscara que le sirve para ocultar su desapego respecto de las emociones de ella y de las propias, y para no revelar sus verdaderas intenciones (el placer sexual) que están muy lejos de lo que sus palabras prometen.

A muchas mujeres les parece natural llegar a la conclusión de que si un hombre elige libremente decir "Te amo" debe ser porque eso siente sinceramente ("Habíamos estado saliendo. No tenía ninguna razón para no creerle"). Es posible que esas dos palabras "Te amo" le suenen tan sagradas que no desee dudar de ellas ni constatar sus límites. Sin embargo, para él, es posible que "Te amo" sea cualquier cosa menos algo sagrado. Es posible que hasta utilice esas palabras para ocultar su culpa porque le gusta otra mujer o porque tiene fantasías sexuales en las que no hay lugar para usted.

Por supuesto, "Te amo" puede significar exactamente eso. Cuando es así, es maravilloso, pero cuando no lo es, se trata de una máscara engañosa que oculta lo que él en verdad siente y piensa.

Mentira 3: "Sabes que aún te amo".

La mentira 3 es una evasión

Intención: Encubrir sus acciones para poder hacer lo que quiera sin que usted lo controle.

Usted se da cuenta de que la trata con mucha frialdad. Lo que antes le encantaba, ahora lo irrita. La tensión entre ustedes dos se puede cortar con un cuchillo. Usted pregunta entonces: "¿Qué sucede?" y él la tranquiliza con una andanada de afirmaciones: "Vamos, querida, *tú sabes que aún te amo*". Tal vez sea verdad y tal vez no, pero cuando una afirmación así se usa como evasión, el problema radica en *lo que él no dice*. Falta alguna pieza importante en la información, por ejemplo adónde va o con quién se ve. El le dice lo que cree que usted desea escuchar, y con eso espera cubrir lo que hace con su tiempo y con su vida, o cualquier otra cosa que piense puede disgustarle a usted. Con la mentira evasiva compra la libertad para hacer lo que quiere.

Cómo reconocer anzuelos, máscaras y evasiones

Es confuso. Las mentiras confunden. Trate de pensarlo de este modo: la mayor diferencia entre estos tipos de mentira es la intención. Cuando uno escucha la mentira por primera vez, en general no puede discriminar cuál es la intención, por lo menos no de inmediato. Eso toma tiempo y requiere observación. ¿Qué se supone que debe usted hacer mientras tanto?

Familiarícese con los anzuelos, las máscaras y las evasiones más frecuentes. Trate de identificarlos en novelas y películas. Adquiera un poco de práctica. Use este conocimiento para pensar más críticamente en lo que está sucediendo en su propia relación. Dé un paso atrás y escuche el diálogo. Sintonice los anzuelos, las máscaras y las evasiones. Pregúntese qué están ocultando. Permítase ser más curiosa. Obtenga más información. Compruebe lo que está sucediendo mientras el escenario se despliega frente a usted. Las circunstancias que rodean la mentira la ayudarán a decidir. Escuche también las experiencias de otras mujeres y sin transformarse en una cínica, trate de aprender cosas que pueden ahorrarle sufrimientos.

Aunque usted puede no conocer las intenciones de él, las mentiras tienen sus consecuencias, que pueden ir desde lo trivial hasta otras más importantes, que afecten su confianza, su relación y su salud.

Cuando las máscaras se transforman en un hábito

Generalmente, en una relación, las mentiras, no se dicen una sola vez. Además, las mentiras que nos dicen no suelen desaparecer de un día para el otro. Suelen estar enraizadas en la identidad de quien las dice. Por supuesto, las mentiras también reflejan situaciones y lo que tiene para perder o ganar en una relación el que las dice. Sin embargo, las mentiras suelen estar más relacionadas con quién es él que con quién es usted. Es fácil que la mentira se transforme en una forma de vida.

Nuestro amigo Sherman sostiene que, en lo que se refiere a las mentiras, él se parece mucho a un bebedor social. El explica: "Sólo digo 'mentiras sociales' a las mujeres para que me vean positivamente, hasta que aparece algo mejor en el camino". Sherman utiliza la mentira para mantener su posición junto a una mujer y, mientras tanto, sale a buscar una "mercadería" mejor. Sin embargo, él súbitamente muestra la naturaleza seductora de las mentiras utilizadas como máscaras cuando dice, con la voz quebrada de emoción: *"No estoy seguro de que deje de mentir cuando encuentre a la persona adecuada"*.

El problema con el que Sherman se ha topado es que, las mentiras, una vez que se lanzan al aire, adquieren vida propia. El se siente como un espectador. Es como si la que tuviese el control fuese la mentira, y él estuviese allí, mirando.

Aunque Sherman parece atrapado en las mentiras, estas comenzaron de una manera bastante inocente. Eran anzuelos para realzar su imagen y así lograr iniciar una relación con una mujer deseable. Sin embargo, cuando él encuentre la mejor mercancía —la mujer ideal—, ¿cómo hará para detener las mentiras y mostrarse tal cual es, logrando así conectarse con ella de verdad?

La pregunta es: ¿Cómo hace el que miente o aquel a quien le mienten, para detener la música? ¿Cómo parar de mentir?

Jeremías, un administrador de treinta y cinco años, casado, es un maestro en el arte de mentir, "para atraer a la persona y crear intimidad". Sin embargo, una vez que está cerca, él se encuentra frente a un nuevo problema. El anzuelo que utilizó con tanto éxito para atraparla se transforma en una máscara, "un escudo protector" que se rehúsa a salir a medida que él va profundizando en la relación. Jeremías nos cuenta los secretos que él suele mantener para con las mujeres de su vida, por ejemplo: *"No me gusta que me hagan preguntas acerca de mi pasado, de mis antecedentes. Las mujeres suelen hacer preguntas sobre esas cosas. Me gusta usar un escudo protector para que no me hieran. Finalmente, acabo hiriendo a otras personas"*.

Su máscara, como muchas que veremos en este capítulo, es en parte de omisión y en parte de comisión. El se esconde, evitando que se inmiscuyan en sus cuestiones internas. Encubre y distorsiona quién es realmente. De este modo, usando la mentira como máscara, Jeremías evita que lo conozcan y lo juzguen. En última instancia, se está protegiendo *de que lo amen*.

¿Está engañando a la mujer de quien se oculta?

Jeremías piensa que no: "Lo saben inmediatamente". Ellas suelen decirle: "Hay muchas cosas que tú no me cuentas" o "Sólo *tú* conoces toda la historia". Pero lo que Jeremías deja de lado, tal vez intencionalmente, es que en ese momento de la relación la mujer lo está invitando a contarle toda la historia. Jeremías podría escoger decir la verdad y arriesgarse a estar más cerca. También puede negar sus omisiones y preservar la comodidad del statu quo.

¿Qué hace? Cambia la omisión por la directa comisión, eligiendo la negación: "Por supuesto, yo insisto en que les he contado todo". Es decir, agrega más dolor a la herida al sostener que la verdad, que ella sabe que está allí, no existe. La mentira de Jeremías lo aparta de la mujer que quiere acercarse, pero además logra darle privacidad y seguridad. Lo sepa o no, ha intercambiado la posibilidad de intimidad por la solitaria certidumbre de mantener el control. Se ha unido a la mascarada.

La mascarada

A veces escondemos el rostro para que nadie nos vea. Los hombres no son los únicos que hacen esto. ¿Pero cuáles son las máscaras que más frecuentemente usan hombres y mujeres en una relación? He aquí ocho máscaras frecuentes que dicen usar los hombres en sus relaciones con las mujeres.

BAILE DE MASCARAS 1

Las máscaras que más frecuentemente usan los hombres

1. La máscara del estoicismo

   "Yo no estaba en contacto con mis sentimientos. Negaba la verdad. Cubría más y más mis sentimientos y me hundía en mi propia mierda."

   "Me presento como un tipo callado, reticente. En realidad, prefiero no hablar y que me consideren tonto, antes que hablar y que confirmen que soy un tonto."

   "No estoy abierto a expresar mis verdaderos sentimientos respecto de un tema. Si me muestro abierto y expreso mis verdaderos sentimientos, puedo llegar a tener que invertir en esa situación más tiempo del que en realidad quiero darle."

   "Escondo mis sentimientos. Cómo me siento respecto de ellas, mis reacciones frente a sus actitudes... Escondo verdades que hieren, que clarifican y que nos hacen ganar enemigos. ¿Por qué decir la verdad, cuando puede ser hiriente?"

2. La máscara de un pasado impermeable

   "No les cuento detalles acerca de mí y de mi pasado."

   "Evito decir cualquier cosa que la otra persona pueda ver mal. El pasado no tiene nada que ver con el pfesente. No debería importarle."

"No les cuento secretos políticos, lo que hacía en la escuela para graduados, ni la cantidad de trabajos que tuve. A las mujeres no les gusta, no aceptan historias de ese tipo."

3. La máscara de la falsa armonía ("Todo está bien")

"Les digo que todo está bien cuando no lo está."
"Les escondo como me siento respecto de las cosas. Les digo que todo está bien, que no hay problema. Lo hago para evitar enfrentamientos."
"Cuando ella me toca puede ser un poco brusca. No le digo nada. No le digo hazlo de esta manera o de esta otra. Más bien le digo: 'Me haces sentir muy bien'."

4. La máscara de la privacidad financiera

"Cada vez que alguien entra, escondo el extracto bancario en una gaveta. Marge me pregunta acerca de mis finanzas, pero yo mantengo la boca cerrada. Creo que es información peligrosa."
"Al comienzo de la relación, oculto lo que gano porque no deseo que las mujeres me juzguen en base a eso."
"Oculto completamente la información financiera y temo al rechazo, porque no soy lo bastante rico."
"No creo ser socialmente tan deseable como otros, por eso trato de superar esa deficiencia no hablando de finanzas o riquezas."

5. La máscara de la experiencia sexual y la historia sexual revisionista (Su pericia y experiencia)

"Siento que debo fingir acerca de mi capacidad sexual. Sé que todo eso es basura, pero debo impactar."
"Miento diciendo que tengo más experiencia de la que en realidad tengo. Es una cosa machista. Se supone que a mi edad un hombre debería tener más experiencia."
"Miento acerca de la cantidad de mujeres con las que he estado. Bajo el número a dos cifras."

6. La máscara del falso compromiso

"Mi mentira fue que deseaba pasar el resto de mi vida con ella."

"Me casaría contigo ahora mismo."

"Me preguntó si había conocido a alguna otra persona. Le dije que no, aunque en realidad sí lo había hecho, porque me encontraba en una posición difícil. Ella pensaba que aún era posible volver conmigo."

7. La máscara de la sobriedad o de la abstinencia

"Omití decirle a alguien que había tenido problemas con la ley, que había sido arrestado por consumo de drogas. Decirlo me hubiese perjudicado. Soy bueno encubriendo esas cosas."

"Yo seguía fumando marihuana, pero le dije a la mujer con quien salía que ya había dejado ese hábito. Estuve fumando a sus espaldas durante cuatro años."

"La primera vez que salí con ella le dije: 'Yo solía beber mucho, pero ya no lo hago'."

8. La máscara de la sinceridad

"Yo no le miento, pero tampoco le digo la verdad."

"Soy sincero en mis relaciones. Claro que suelo decirles a las mujeres 'Te amo' o 'Son las mejores relaciones sexuales que he tenido', pero esos son halagos, exageraciones. No las considero mentiras."

"Cuando comenzamos a salir juntos establecimos que era imprescindible ser abiertos y sinceros. Lo que yo hago ahora no es mentir, es 'no decir'. No es una violación importante de la verdad, es más bien una violación técnica."

¿Cómo se siente usted al leer estas ocho máscaras y las citas que las ilustran? Tal vez, ya haya enfrentado estas máscaras y los rostros que ellas ocultan. ¿Qué siente usted respecto de los hombres que están detrás de estas máscaras?

Hace años, cuando aún era estudiante, escuché una discusión respecto de un estudio que trataba de lo que sienten los hombres y las mujeres cuando se visten y salen al mundo de los negocios. Los hombres consideraban sus trajes como armaduras. A través de la franela gris nadie podía notar sus imperfecciones y debilidades, ni juzgarlas.

Las mujeres se comportaban de una manera diferente. Ellas sentían que sus ropas eran casi transparentes. En lugar de ocultarlas, las ponían en evidencia con todas sus imperfecciones. Aun con la ropa más elegante, ellas se sentían vulnerables.

Las máscaras de los hombres son algo semejante a sus trajes de negocios: son como una armadura psicológica. Esas máscaras permiten a los hombres presentar al mundo y a quiénes desean amarlos un rostro impenetrable. Ellos impiden que usted tenga una verdadera percepción de sus intenciones, sus sentimientos y las situaciones pasadas y actuales. Ellos suelen sentirse más libres y más seguros detrás de sus máscaras de lo que usted se sentiría. ¿Qué sugiere esto? Pues que el hombre promedio se siente más confiado que la mujer cuando presenta al mundo sus máscaras.

¿Y por qué no? El obtiene buenos resultados. Le evitan el tiempo y el esfuerzo de dar explicaciones. No tiene que enfrentar el enojo ni la necesidad de ella de comprender su comportamiento o la relación. Parafraseando lo que dice el lobo feroz en la historia de Caperucita Roja, sus máscaras le sirven "Para evitarte mejor, querida". La máscara impenetrable confiere poder a un hombre y advierte a los demás que está protegido. Como decía un ingeniero aeronáutico de treinta y dos años, soltero: *"¿Es acaso necesario que yo me coloque en una posición de vulnerabilidad y que logre enojar a la otra persona? ¿Me siento tan seguro como para hacer algo así?... El rechazo es algo demasiado fuerte"*.

Callarse es sencillo. Detrás de las máscaras del estoicismo y del pasado impenetrable de un macho puede estar su temor a la furia y al rechazo.

Esas máscaras con las que se siente tan cómodo le traen, además, otros problemas. Muchas veces, ellas evitan que el hombre se ponga en contacto con su propia furia y con sus puntos débiles. No sólo no se expone ante el mundo sino que tampoco se expone ante sí mismo. Por supuesto, las máscaras lo tornan inaccesible para usted, pero además muchas veces lo hacen inaccesible para él mismo. Sus máscaras le quitan conciencia de sí mismo e intimidad.

Las máscaras que usan las mujeres

Las mujeres también usan máscaras. Si fuesen idénticas a las de los hombres, nos daríamos cuenta de inmediato de las mentiras que ellos usan como máscaras. Ocurre que las máscaras de las mujeres no son iguales. En base a lo que me contaron las mujeres entrevistadas respecto de las mentiras que ellas contaban a los hombres, pude descifrar muchas diferencias y algunas semejanzas entre las máscaras que usan unos y otras. Comparemos las máscaras de los hombres con estas seis que las mujeres entrevistadas dijeron usar para protegerse, engañar y disfrazarse.

BAILE DE MASCARAS 2

Las máscaras que usan las mujeres con más frecuencia

1. La máscara del pensamiento positivo

"Hablo y me muevo como si fuese fuerte, pero en el interior soy muy frágil. Oculto que temo a los hombres, que no salgo con nadie."
"Oculto mis problemas de personalidad para no parecer vulnerable."

2. La máscara de la inexperiencia sexual

"No les cuento con cuántos hombres he intimado para que no piensen mal de mí. Hoy en día no se acepta que las mujeres sean sexualmente activas."
"Miento respecto de mi actividad sexual previa porque temo que me juzguen mal."

3. La máscara de una familia normal

"Oculto que mi madre era una alcohólica. Me hace sentir mal."
"Nunca digo que mi madre era maníaco-depresiva, que es-

146

tuvimos sin casa durante dos años porque ella no podía trabajar."

"Nunca expreso las cosas malas, como el hecho de haber crecido en una familia de alcohólicos. No es que invente una historia perfecta: cuento parte de la verdad, pero no todos los detalles. No quiero contar historias horribles desde el comienzo."

4. La máscara de la excitación sexual

"Finjo tener orgasmos para continuar con la relación."

"Miento sobre las cosas que me hacen sentir bien. Mi esposo tiene un gran ego. Cree que es un dotado por Dios. Lo engaño, pero no me gusta decirle la verdad mientras tenemos relaciones. No creo que las mentiras de alcoba para hacer sentir bien al otro sean dañinas."

5. La máscara de no ser víctima

"Oculto que me violó un hombre con quien salía y que a causa de eso tuve un aborto."

"Hace cinco años me violaron. No se lo dije a nadie más que a mi hermana... Cuando una dice algo así, la discriminan, la hacen sentir promiscua, la juzgan."

6. La máscara de ahorrativa

"Nunca hablo acerca del dinero que gasto en ropa y en regalos. Actúo como si gastara casi nada en mi guardarropas. Le escondo mis compras y lo que gasté en ellas. Me siento incómoda por sentirme incómoda."

"Oculto que mi familia me pide dinero, o si me piden cincuenta dólares digo que me pidieron veinticinco."

"Oculto cuáles son mis ingresos. Lo hago porque vivo en un lugar caro que no puedo costear."

Las diferencias entre las máscaras que hombres y mujeres usan en las relaciones son llamativas. Mientras que las máscaras de los hombres suelen tener por objeto ocultar las emociones, las de las mujeres suelen sustituir las ansiedades internas por una fachada de felicidad. Las mujeres a quienes entrevisté solían dar un toque positivo a pensamientos, relaciones e historias personales que distaban de ser ideales. Muchas mujeres presentaban a sus familias disfuncionales como si fuesen felices, mientras que los hombres sepultaban el pasado y seguían adelante. Mientras los hombres parecían buscar que no los conocieran, las mujeres buscaban que no las catalogasen como diferentes, fracasadas o débiles.

Así como las mujeres se visten para disimular sus imperfecciones físicas, también suelen actuar como si se sintiesen más fuertes y más optimistas de lo que en verdad se sienten. Evitan mostrar las desdichas de su pasado o de su presente, aun a las personas más cercanas.

Como las heroínas de las películas de los años cuarenta y cincuenta, muchas mujeres se comportan como si fuesen sexualmente inexpertas, pero abiertas y dispuestas a aprender del hombre adecuado. Muchas mujeres también se muestran ahorrativas, para que no las consideren inútiles, extravagantes o derrochonas. Hasta las contadoras y empresarias a quienes entrevisté relataron que criticaban a sus esposos por los errores financieros, pero que ellas ocultaban sus chequeras y sus gastos. En particular, las mujeres casadas se resistían a admitir que gastaban dinero en ellas mismas: en el aspecto personal, el guardarropas u otras cosas que hacían a su bienestar.

Las mujeres demostraron estar más preocupadas que los hombres por no acomodarse a un estándar ideal. Muchas de nosotras nos adaptamos y transformamos para acomodarnos a lo que creemos son las expectativas de los hombres. No obstante, seguimos sintiendo que nuestras máscaras son transparentes y que permiten al mundo vislumbrar nuestras imperfecciones.

El hombre detrás de la máscara

"Vivía con él y no sabía que bebía a escondidas, hasta que un día abrí un cajón de su cómoda en el dormitorio y cayó una botella de vodka."
—Asistente médica, cuarenta y dos años, soltera.

A veces, la mascara de él tiene éxito. ¿Qué quiere decir esto? ¿Que nos enamoramos de la máscara y no del hombre que está detrás de ella? Entonces, cuando la relación acaba, nos preguntamos a quién amábamos en realidad. Nos preguntamos también por qué él escogió usar una máscara en lugar de permitirnos que lo conociéramos.

Detrás de nuestras máscaras están los secretos que escondemos a los demás y a nosotros mismos. Como los hombres y las mujeres somos educados con criterios distintos respecto de qué es lo que hace falta para ser aceptados, tener éxito y ser amados, tenemos secretos diferentes y secretos comunes. El se queda con sus secretos, usted con los suyos.

No es una novedad que gran cantidad de hombres tienen conflictos para tomar conciencia y para comunicar sus sentimientos más íntimos. A los hombres se les ha enseñado tanto a no mostrar sus sentimientos de dolor, ternura y cariño, que muchas veces cuando no los expresan no sienten que están guardando un secreto. Más aún, entre los hombres y las mujeres de los noventa hay muchos que logran mostrar que *no tienen ninguna clase de sentimientos*. Estos hombres y mujeres se sirven muy bien de la máscara del estoicismo. Ocultan su alegría tanto como sus inseguridades. Desgraciadamente, la única emoción que algunos hombres están acostumbrados a socializar es la agresividad.

¡Eso no significa que no *tengan* muchos sentimientos! ¡Por el contrario! Muchos han confesado que los aspectos más vulnerables de sus vidas son un terreno prohibido para ellos mismos, y no sólo para usted. Como están cerrados a sus sentimientos más íntimos, suelen medir su valor según su éxito y su desempeño en el mundo exterior. De este modo, dejan de lado un mundo interior de emociones, potencialmente muy rico.

No es sorprendente entonces que la máscara predilecta de los hombres no sea una máscara de alegría sino más bien una máscara dura de estoicismo. Como decía un diseñador gráfico soltero, de treinta y siete años: *"Mi secreto era 'que tenía sentimientos', que no era refractario. Ese es un gran secreto masculino: el papel estoico de los hombres"*.

La máscara del estoicismo alienta a ocultar la verdad y desalienta la apertura y la intimidad en todas las etapas de una relación. De esta manera se crea una distancia entre los dos. La sinceridad es poco probable.

¿Cuáles son los secretos que ocultan las mujeres detrás de sus máscaras?

Detrás de un rostro feliz: los secretos de ella

Sólo usted sabe cuáles son exactamente sus secretos, pero a veces comprendiendo los secretos que guardamos ante los hombres y por qué lo hacemos, podemos comprender mejor cuáles son los secretos que ellos guardan ante nosotras. ¿Qué podemos aprender de nuestros propios secretos? Los que siguen pueden o no ser sus secretos, pero posiblemente ayuden a detectar cuáles son las cosas que usted suele encubrir en sus relaciones personales.

Cuando les pedí a hombres y mujeres que me hablasen de los secretos que tenían para con el sexo opuesto, un cuarenta y cinco por ciento de las mujeres expresó espontáneamente que la mayor parte de sus secretos tenían que ver con sentimientos negativos, pensamientos desagradables y temores personales. Algunas de las cosas que ellas esconden son:

- Sentimientos negativos en relación con el cuerpo. ("Me siento incómoda porque detesto algunas partes de mi cuerpo, así es que no hablo de ellas".)

- Ideas de depresión o de enojo. ("Esos pequeños pensamientos de ira que me llevan a desear chocar al auto que lleva un letrero con una frase sucia.... si lo supieran, pensarían mal de mí. *Tengo el oficio de ser alegre*".)

- Pensamientos e ideas interesantes. ("Oculto planes y teorías que estoy elaborando en la mente, porque pueden creer que soy estúpida".)

El secreto de un rostro que no sonríe

"Trato de ser tan positiva como puedo. Temo que la gente no me considere agradable."
—Directora creativa, veinticuatro años, casada.

¿Ha notado usted cuántas mujeres llevan una permanente sonrisa en sus rostros? ¿Qué es lo bueno de una cara alegre? Por una parte, los rostros sonrientes no resultan amenazantes. Por otra parte, varios estudios demuestran que una mujer con un aspecto amistoso y abierto, resulta más atractiva. ¡Cuidado con dejar caer un instante la expresión alegre de su rostro! Alguien le pedirá que la vuelva a colocar en su sitio, aunque cualquier cosa esté sucediendo en su vida. Piense cuántas veces un hombre que apenas conocía le ha pedido: "¡Sonríe!". Diversos estudios siguen demostrando que las mujeres y las niñas sonríen más que los varones. Ese rostro sonriente puede ser parte del papel de chica complaciente que tiene la mujer en el mundo. Constátelo en su persona. Una sonrisa rígida que sólo está en los labios pero no en los ojos puede servir para enmascarar la ira de una mujer. ¿Por qué enmascararla? Porque mostrar abiertamente la ira, si bien en algunas ocasiones puede ser un modo efectivo de aclarar un problema, puede también ser censurado y catalogado como una conducta poco femenina, inadecuada o como un signo de inestabilidad emocional.

El secreto de una familia imperfecta

Mientras los hombres suelen enmascarar sus sentimientos y presentar un pasado libre de cualquier detalle negativo, las mujeres van en esto un paso más allá. Ellas suelen representar la comedia de la familia perfecta. Esta máscara suele ocultar historias personales difíciles, a menudo llenas de secretos, que pueden incluir a un padre alcohólico, un pariente que abusó sexualmente de ellas o una familia que la exprime económicamente. Ninguno de los hombres entrevistados dijo mantener en secreto este tipo de cosas. ¿Por qué? Seguramente no es porque estas cosas no le hayan sucedido a ningún hombre, sino más bien porque las mujeres suelen mantener una relación más cercana con sus familias de origen, aunque estas sean problemáticas. El resultado es que las mujeres se identifican más con los problemas de sus familias y temen que, por asociación, las culpen. Además, porque a las mujeres no se las valora tanto por ellas mismas y eso hace que se considere a sus familias como un grupo de referencia.

El secreto de la víctima

Las mujeres entrevistadas también hicieron referencia a otro conjunto de secretos diferentes de los de los hombres: los dolorosos —y a veces vergonzosos— episodios de violaciones, relaciones coercitivas y abortos, que muchas veces se esconden detrás de la máscara de haber llevado una vida tranquila y normal. Aunque también muchos hombres han tenido historias de abusos, esta clase de episodios son más frecuentes en las mujeres. De las sesenta mujeres entrevistadas, siete hablaron, muchas veces con dificultades, acerca del secreto de haber sido violadas y de lo complicado que les seguía resultando contar esta parte de su pasado a un hombre. Otras dijeron que habían abusado de ellas cuando niñas y que ese era un secreto oscuro del cuál aún no podían hablar. ¿Esto es muy frecuente? Según algunos estudios, una de cada dos mujeres tiene una historia personal de violación o abuso sexual. ¡Son muchas mujeres! Si estas experiencias traumáticas afectan a tantas mujeres, ¿por qué las mantenemos en secreto? Es posible que muchas mujeres estén familiarizadas con una mentalidad que tiende a culpar a la víctima y a rechazar a quienes hablan de estas cosas, y que por eso prefieran no dar a conocer esta carga del pasado.

Las máscaras que compartimos

¿En qué terrenos comparten hombres y mujeres secretos semejantes? Tanto hombres y mujeres suelen alterar sus historias sexuales, aunque generalmente en direcciones diferentes y ambos suelen esconder a sus parejas una parte de su situación financiera.

Secretos de una historia sexual revisada

Los hombres y las mujeres comparten secretos en el terreno de la historia sexual pasada. Parecería que tanto hombres como mujeres las modifican del modo que les resulta más conveniente, mostrando los hechos del modo en que creen que mejorará más su apariencia ante el otro. Cuando se trata de una relación a largo plazo, sea cuál sea la verdad, ambos sexos suelen adoptar una máscara conservadora, mostrando un pasado sexual moderado. Sin embargo, existen claras diferencias entre los sexos. Una y otra vez las mujeres tienden a fingir que tuvieron menos hombres en su vida, se trate de una relación ocasional o permanente. Modifican su historia sexual recortándola, para acercarse a un ideal de mujer ingenua e inexperta. En los hombres, en cambio, el patrón es menos claro. Cuanto más cercano al cero es el número de sus experiencias sexuales, más tienden a elevarlo. Eso lleva a algunos hombres a exagerar enormemente el número de compañeras sexuales que han tenido, esperando que así los vean más atractivos. Sin embargo, hoy en día un Don Juan confeso tiene mucho más éxito en despertar la admiración de sus compañeros de bar que de una potencial compañera sexual. Desde la aparición del SIDA, alardear de las conquistas sexuales se ha tornado una táctica riesgosa. Jactarse de haber tenido demasiados compañeros sexuales, sea usted hombre o mujer, se ha transformado en un signo negativo para establecer relaciones.

Por supuesto, aún hay muchas excepciones. Pongamos por caso a una mujer recientemente divorciada. Puede tener miedo de asustar a su primer amante después del divorcio, si le dice que es el número uno después de su marido, y por eso puede fingir que este no es el primero. También hay un número sorprendentemente alto de mujeres que no tienen ningún pasado sexual o que no han tenido ninguna relación duradera, que se resisten a mostrar estos hechos. Trish, una libretista de treinta años, divorciada, oculta que no ha tenido relaciones serias, que han sido todas superficiales. Veamos también el caso de Gwen, una analista política de treinta y dos años, divorciada, que cuenta: *"Mantengo en secreto ante los hombres que nunca he mantenido una relación durante más de siete meses. Eso parece aterrorizar a los hombres. Cuando ellos dicen: 'Cuéntame acerca de tus relaciones pasadas' yo no quiero hacerlo, me hacen sentir mal"*.

El propósito de estos ocultamientos es evitar asustar a una posible pareja mostrándose fracasada, dependiente o inestable. Si estas mujeres no cuentan, no tiene que dar explicaciones. Otra excepción puede ser el hombre que tiene en su haber un número enorme de experiencias sexuales y que puede disminuirlo para llegar a un número menos atemorizante. En una era de SIDA y enfermedades de transmisión sexual, tanto los hombres como las mujeres son conscientes de que una historia sexual que incluye demasiados compañeros suele resultar negativamente promiscua a una potencial pareja. Entre los entrevistados, cinco hombres y sólo una mujer admitieron usar la máscara de la abstinencia sexual para encubrir serias enfermedades sexuales.

Secretos acerca de las finanzas

"Salía con una chica rica y fingía que todo estaba bien desde el punto de vista financiero, cuando en realidad estaba pasando por el peor año de mi vida. Me mataba de hambre para tener doscientos dólares en el bolsillo cuando iba a almorzar con ella. ¡Era todo el efectivo que tenía! ¡Estaba dispuesto a gastarme la vida en un almuerzo!"
—Gerente de ventas, treinta años, soltero.

La sabiduría popular indica que, cualquiera sea la realidad, los hombres siempre fingen ganar más, mientras que las mujeres siempre fingen gastar menos. ¿Realidad o ficción? He aquí uno de los casos en los cuales la sabiduría popular es muy acertada. Según las entrevistas realizadas, la mayor parte de los hombres ocultaban lo que ganaban, mientras que la mayor parte de las mujeres ocultaban lo que gastaban. Fingir un mayor éxito financiero que el que en realidad se tiene es, según las mujeres, la mentira masculina respecto de las finanzas que ocupa el primer puesto. Sea que le vaya muy mal o muy bien, un hombre suele protegerse o bien del desprecio o bien de las cazafortunas.

Pero la cosa es aún más complicada. Diez de las mujeres entrevistadas contaron que "sus hombres de éxito" resultaron ser aprovechadores que buscaban ayuda financiera, haciendo que las mujeres los ayudasen a pagar su nueva camioneta o que pusiese en funcionamiento su tarjeta de crédito. Literalmente, muchas mujeres aprendieron que hay hombres que se comportan como empresas: agrandan sus ganancias y ocultan sus deudas. Como explicaba un hombre: "Yo no les revelo en la primera cita que debo 300.000 dólares".

¿Y qué sucede con las mujeres? Ellas, en lugar de adoptar la máscara del éxito financiero, suelen ocultar su ingenuidad en este terreno. Entre sus secretos respecto del dinero figuran las deudas no cobradas a antiguos maridos, novios o familiares. Una mujer escondía que había llegado a robar dinero por pedido de su marido, un consumidor de drogas. Otras mujeres ocultaban que llevaban un nivel de vida superior a sus posibilidades. En lo que se refiere a los gastos, los modelos de hombres y mujeres son muy diferentes. Muchas mujeres casadas manifestaron seguir el viejo modelo de la mujer que reduce frente al hombre los precios de gastos personales, mostrándolos como verdaderas gangas. Estas mujeres ni en sueños dicen a sus maridos el verdadero costo de una compra. Los hombres también ocultan algunos gastos, pero raras veces para agregar una prenda a sus guardarropas. Más bien ocultan los gastos que tienen que ver con aventuras amorosas, sostenimiento de otras relaciones permanentes y vicios tales como el alcohol, la droga, el juego o la prostitución. Eso sucedía con Gordon, un hombre de cincuenta y cuatro años, ahora divorciado, que "ocultaba unos cuantos miles de dólares" y luego negaba haberlo hecho. ¿Por qué? "Porque era mi dinero. Tenía derecho. Además, con ese dinero llevaba adelante una aventura." Lief, de treinta y cinco años, usaba un eufemismo muy creativo para nombrar sus pérdidas de doscientos dólares por noche en el juego. Eran "malos negocios". También, algunos hombres admitieron guardar dinero en cuentas bancarias ocultas, previendo un futuro divorcio.

En las relaciones en las cuales se revierte la dinámica poder-dinero, donde la mujer es la principal aportante de ingresos, los resultados son a menudo predecibles. En esos casos, como el de este hombre de veintinueve años, ahora divorciado, a veces son ellos los que mienten respecto de los gastos y ellas las que mienten respecto de las ganancias: *"Yo le escondía a mi ex esposa algunos gastos y compras. A ella le gusta controlar todo el dinero, cada centavo. Yo tenía dos empleos y mi esposa controlaba todo el dinero que ingresaba. Yo tenía que justificar cualquier cosa que quisiera comprar. Comencé quedándome con el dinero extra que ganaba para comprar cosas. Si le digo esto a otra mujer, ella se preguntará: '¿También va a hacérmelo a mí?'. Por eso no lo cuento"*.

Esto es lo que decía Hannah respecto de las compras de armas de su marido: "Yo manejo la chequera y le oculto el dinero que hay disponible, porque si no lo hago, él sigue comprando armas".

Parecería que tener poder y mentir respecto del dinero van de la mano y que las diferencias entre sexos se borran camino al banco. El miembro de la pareja que gana más es el que suele tener más secretos respecto de sus ganancias personales. Por lo tanto, en un mundo en el cual las mujeres pueden esperar ganar entre un treinta y cinco, y cuarenta por ciento de lo que ganan los hombres, tener menos ascensos y encontrar un techo en sus carreras que les impida llegar a los mejores puestos, es fácil predecir cuál de los sexos miente más en este terreno.

Por qué usamos máscaras
que esconden nuestros secretos

Los secretos que escondemos determinan las máscaras que usamos. Pero..., ¿por qué las seguimos usando? Aunque las máscaras que usan los hombres no se parezcan a las nuestras, ellos en general las usan por las mismas razones que nosotras. La máscara, después de todo, nos provee de una defensa multipropósito que funciona bien para ambos sexos. Los dos escondemos secretos y usamos máscaras:

- Para proveernos de una cobertura, de una imagen que oculte o suavice nuestros puntos difíciles. (Nuestro peor temor: Si el otro supiera quiénes somos en realidad, saldría corriendo en medio de la noche.)
- Para ayudarnos a sentir que controlamos la situación y que podemos obtener lo que deseamos. (Nuestro peor temor: Si nos mostramos tal como somos nos transformaremos en eternos perdedores en el amor y en la vida.)
- Para tener privacidad y poder esconder nuestros más oscuros secretos. (Nuestro peor temor: Nos rechazarán por raros o indeseables.)
- Para ocultar nuestros verdaderos sentimientos y debilidades. (Nuestro peor temor: Si conocieran nuestros sentimientos, nadie amaría a esa masa temblorosa, llena de incertidumbres y miedos.)
- Para encubrir la falta de sentimientos o lazos genuinos. (Nuestro peor temor: Sabrán que en el fondo somos más huecos y vacíos de lo que parecemos.)

La realidad es que todos tenemos partes de nosotros que nos hacen sentirnos incómodos o avergonzados. ¿Pero acaso por esto debemos llenar nuestras relaciones de secretos, máscaras y mentiras?

¿Lo que realmente deseamos es una mascarada?

"Al comienzo se trata de mentiras de venta: uno se crea un buen envase y se hace propaganda. Uno trata de adornarse y

venderse lo mejor que puede durante los contactos iniciales. Es-
tas mentiras giran en torno a quién es uno y qué hace. También
uno miente para ocultar sus vicios, pero estas mentiras suelen
aparecer cuando la relación se hace más cercana. En esto sólo
se puede mentir un poco. De lo contrario, sólo nos queda salir
corriendo y desaparecer. Más tarde, mentimos por conveniencia,
para poder hacer lo que queremos. No es que yo sea un gran
farrista, pero si ella me pregunta adónde estaba, le digo que es-
taba haciendo otra cosa cuando en realidad había salido con mis
amigos."
—Empresario soltero, veinticinco años.

Si los hombres y las mujeres están metidos en una mascarada donde los trajes de hombres y mujeres son diferentes, debemos hacernos algunas preguntas: ¿Cuál es el precio que pagamos individual y colectivamente por continuar con este ritual? ¿Las cosas deben ser necesariamente así, o acaso podemos dejar de lado los disfraces y alcanzar una mayor sinceridad e integridad en nuestras relaciones?

Cuando conocemos a una persona nueva, le mostramos lo mejor de nosotros. Tememos que nos vean como somos en profundidad. Eso es normal. Tanto los hombres como las mujeres temen al rechazo y a salir lastimados. Ese es el miedo que sienta las bases para las mentiras de sapos que se transforman en príncipes. Pero en estas conductas hay algo más que el miedo al rechazo.

Deseamos que las personas que ingresan a nuestras vidas nos vean como nosotros mismos desearíamos vernos. Un primer encuentro se parece al martes de Carnaval, en al cual casi todos están disfrazados con la máscara y el traje de su "yo ideal" y esperan que los demás los admiren.

¿Por qué lo hacemos? Por que en un primer encuentro *nos sentimos más cerca de las personas que nos ven como preferimos que nos vean,* no como realmente somos. Al calor de ese momento, queremos engañarnos y vernos mejores. Cuando un hombre y una mujer se ven el uno al otro a través de lentes de color rosa que coinciden con el "yo ideal" del otro, rápidamente se producen el encuentro y la intimidad. El problema es que se trata de una ficción peligrosa que tiene corta vida.

El miedo y el alivio del descubrimiento

¿Qué hacer? Si nuestras mascaradas nos proveen de una intimidad rápida y fácil, ¿cómo dejar de lado nuestros lentes de color rosa? Si una vez funcionaron, ¿por qué no ahora? El problema es que a medida que el tiempo pasa las máscaras nos privan de intimidad y crean todo un nivel de tensión.

Cuanto más incómodos estemos en nuestra propia piel, mayor será la distancia entre quienes somos en realidad y cómo nos muestran nuestras máscaras. A medida que una relación va avanzando, y las capas de las máscaras que usamos comienzan a caer, comenzamos a temer el descubrimiento. La tensión aumenta a medida que nos esforzamos cada vez más por mantener intacto el disfraz. A veces, mantener una falsa imagen nos demanda tanto esfuerzo que acabamos por empacar e irnos a donde nos podamos relajar y volver a ser nosotros mismos.

Sin embargo, un mentiroso a veces de éxito se enfrenta a otro problema. No sabe cómo dejar de mentir. Recordemos a Sherman, que decía: "No estoy seguro de que, cuando encuentre a la persona indicada, deje de mentir".

Hé' aquí la respuesta para Sherman y para otros como él. Las investigaciones sobre este tema demuestran que, una vez que tenemos una relación estable, preferimos que nuestra pareja nos vea y nos acepte tal como somos, tal como nos vemos *sin nuestras máscaras*. No podemos seguir soportando ser amados por lo que no somos y por lo que no podemos dar. Aunque nos sintamos incómodos en nuestra propia piel, deseamos que nuestras parejas nos acepten y nos amen a pesar de todo. Hasta los virtuosos de la mentira, aquellos que no están en contacto con ellos mismos, desean en el fondo la afirmación de lo que está debajo de la máscara.

Si nosotros mismos nos evaluamos negativamente bajo nuestras máscaras, una pareja que nos evalúa demasiado positivamente no hace más que agregar tensión a nuestras vidas. Nos sentimos impulsados a mantener la máscara, aun en la intimidad de nuestros hogares. Cuanto mayor es la discrepancia entre quienes somos y quienes representamos ser, más debemos actuar en contra de nuestra naturaleza. Mantener la mentira como una máscara nos demanda cada vez más energía y esfuerzo, y comienza a hacernos sentir mal. Esos sentimientos van invadiendo todo en nuestras vidas y, a medida que el tiempo pasa, cada vez nos cuesta más quitarnos la máscara y dejar al descubierto nuestros secretos. Nos volvemos extraños ante nosotros mismos y ante nuestras parejas. Hemos dejado atrás la sinceridad y la intimidad, y nuestra vida es arte escénico.

A medida que las relaciones se consolidan, debemos recordar que:

**Logramos mayor intimidad con aquella pareja
cuya visión de nosotros coincide y afirma
la que nosotros mismos tenemos.**

¿Enmascararse o no enmascararse?

¿Qué podemos aprender de todo esto? Usted puede intentar mirarlo de este modo. Lo mejor que puede ocurrir es que *en sus formas más benignas,* cuando tempranamente aparecen en una relación mentiras usadas como anzuelos y como máscaras, ellas nos den oportunidades. Pueden hacernos dejar de lado las preocupaciones y acallar el espíritu crítico con el que solemos juzgarnos a nosotros mismos y a los demás. Cuando mostramos nuestro mejor juego, nos damos más margen para que nos acepten. Cuando otros nos muestran su mejor juego, tenemos más posibilidades de que llegar a aceptar a un compañero imperfecto, pero tal vez adecuado. Si somos hipercríticos desde el comienzo, inhibimos este proceso.

El problema es que un mentiroso consumado cuenta con esta etapa. Eso le permite que su oficio de engañar pase desapercibido. Eso hace que usted tenga que precaverse. Usted desea estar abierta a las posibilidades, pero tiene que estar alerta, porque sabe que tal vez las cosas no son tal como se ven. Es decir, que como dice una canción infantil: "la crema oculta a la leche".

Ya avanzada la relación, los anzuelos y las máscaras comienzan a interferir. Es inevitable, deseable y hasta imprescindible que su máscara y la de él comiencen a deslizarse. Cada uno se torna más transparente para el otro, más fácil de leer. Esto les da una oportunidad de aceptar y comprender a la otra persona tal cual es. Además, si sucede lo mejor, él también la aceptará a usted tal como es. Este proceso los pondrá en el camino hacia la intimidad.

En cambio, cuando las máscaras permanecen en una relación ya avanzada, son como sustitutos de la verdadera persona que está oculta detrás de ellas. A medida que una relación se profundiza, nuestras mentiras detienen la aceptación del otro y la intimidad.

En los siguientes tres capítulos veremos cómo las máscaras van haciendo su complicado trabajo. En nuestras relaciones, todos tenemos muchas máscaras y podemos usar varias de ellas simultáneamente. No hablaremos de todas las máscaras que usan los hombres en las relaciones. Nos centraremos en tres de ellas: las que afectan la intimidad sexual, el compromiso o la armonía. Nos ubicaremos en dos lugares familiares. Primero, en el dormitorio, para ver cómo funcionan las máscaras de ellos en el terreno sexual. Y después, en la sala, para ver cómo sus máscaras crean la ilusión de un falso compromiso y la fingida impresión de que todo está bien.

6

En la cama

"Es el viejo cliché: los hombres usan el amor para conseguir sexo y las mujeres usan el sexo para conseguir amor. Los hombres obtienen mejores resultados."
—Redactora, veintitrés años, soltera.

"Mi mentira fue ocultar que tenía una cita con el médico por una enfermedad de transmisión sexual. Le dije que tenía que ir a otro lugar, tartamudeando y ruborizado. Me sentí culpable."
—Representante de ventas, veintiséis años, soltero.

En el dormitorio perdemos nuestras ropas y muchas de nuestras defensas. Como es un lugar donde nos sentimos muy vulnerables, cualquier falta contra nuestra confianza es vivida como una traición. Además, algunas mentiras de dormitorio pueden tener graves consecuencias, por ejemplo: "Desde hace más de un año no tengo relaciones con nadie", "Mi prueba de HIV fue negativa" o "Nunca tuve herpes".

Por supuesto, no todos mienten en la cama. Casi un cuarto de los hombres entrevistados sostuvo que el dormitorio era el lugar donde menos mentían. Esos mismos hombres que habían mentido a sus parejas respecto de dónde habían pasado la tarde, respecto de su interés por la vecina o del monto del premio que habían recibido el mes anterior, *se sentían más libres para ser sinceros en el dormitorio.* Era como si sintiesen que *no era nece-*

161

sario mentir en la cama. Entre estos que se decían amantes sinceros, unos pocos dijeron que dado que habitualmente mentían para llevar a una mujer a la cama, ¿para qué mentir una vez que ella ya estaba allí? Uno de ellos decía: "El sexo es el momento de la sinceridad". Un par de hombres llegaron a decir que *durante los momentos de intimidad sexual nunca mentían a una mujer.*

Sin embargo, para muchos hombres es más fácil quitarse la ropa que quitarse las máscaras. Muchas mujeres corroboraron esto con sus experiencias.

¿Cuáles son estas máscaras omnipresentes? Son las que él usa para llevarla a la cama, para retenerla allí y para evitar que se vaya.

Las mentiras que lo llevan hasta su cama

"Te amo."
"Tienes un cuerpo espléndido."
"Siempre quise acostarme con una modelo."
"Sería un gran honor acostarme contigo."
"Con mi esposa el sexo es muy aburrido."

"Ellos decían las cosas que pensaban que podían llevar a alguien a la cama. Decían lo que creían que yo deseaba escuchar. Sin embargo, yo lo escuchaba como una mentira."
—Gerente inmobiliaria, veintiocho años, recién casada.

Los hombres, al igual que las mujeres, mienten respecto de sus experiencias sexuales para hacerse una mejor imagen, para mostrarse atractivos como compañeros sexuales y para equipararse al estándar que tienen en mente. Para algunos hombres esto significa recortar drásticamente el número de compañeras sexuales que han tenido. Para otros significa aumentarlo, jactándose de proezas sexuales reales o imaginarias, del placer sexual que le darán a usted o de sus habilidades particulares. Para algunos significa fingir que están dispuestos a un compromiso, así como algunas mujeres niegan su interés en una relación duradera para hacerse más deseables. Tal vez lo más temible sea que algunos hombres de los años noventa niegan las enfermedades sexuales que pueden transmitirle a usted y, tal vez, a las siguientes parejas que usted tenga.

Las máscaras que los hombres usan para llevarla a la cama,

no solo ocultan sino que también muestran. Una vez que usted aprende a reconocerlas, son una verdadera guía para reconocer los estereotipos que usa un hombre para juzgarse a sí mismo y para juzgarla a usted. La máscara le muestra las cosas que el hombre piensa que pondrán las cosas a su servicio, ya sea para un encuentro ocasional o para una relación duradera. También le dan una idea acerca de dónde cree él que estriban *la masculinidad y la femineidad.*

Sin embargo, aun sabiendo estas cosas, es probable que usted se encuentre con algunas sorpresas en la cama. Puede preguntárselo a Donna.

La máscara de la inocencia sexual: Donna y Garth

Esta es la historia que nos contó Donna acerca de su primer amor y de las máscaras que él introdujo en su vida hace nueve años. Hoy Donna tiene veinticinco años, está casada y tiene éxito en su trabajo. Cuando le pregunté a Donna si recordaba la primera mentira que un hombre le había dicho, ella suspiró y dijo: "Todavía era virgen". En la escuela secundaria había salido con Garth durante cuatro meses. El tenía un año más que ella y estaban enamorados. Donna decidió acostarse con él. La experiencia fue muy romántica: "*Fue muy especial. Yo lo amaba y él me amaba. Decidimos que ambos tendríamos juntos nuestra primera experiencia sexual. Fuimos a un hotel. El encendió velas y nos bañamos juntos. Fue muy sensual. El me dijo que yo era la primera persona con quien tenía relaciones. Fue muy dulce*".

Hizo una pausa y continuó: "Y completamente falso".

Donna no tenía idea de que algo estuviese mal hasta la semana siguiente, cuando ella jugó a "verdad o consecuencia" con sus amigas y ellas le dijeron: "Donna, lamentamos decírtelo pero...". Y se lo dijeron. Su experiencia exquisitamente romántica no había sido más que una mentira cuidadosamente planeada por un Casanova de reconocida y amplia experiencia.

Cuando le pregunté por qué le había creído a Garth, su respuesta reprodujo la misma respuesta que escuché en la mayor parte de las sesenta mujeres entrevistadas y en cientos de pacientes: "*Le creí con todo mi corazón.* No había hecho nada que despertara mis dudas. *Había salido con él durante cuatro meses.* Soy una persona muy confiada. El me dijo que me amaba y le creí. *Quería que él fuese el primero y nunca pensé que me estuviese engañando*".

Donna no tenía nada de escepticismo. Por lo menos, no hasta entonces. Además, la de la virginidad no era una mentira típicamente masculina que una mujer joven pudiese esperar. De modo que ella cometió uno de los errores más predecibles en una mujer: creer las palabras que él le decía, las palabras que ella más deseaba escuchar.

¿Como se sintió con la mentira? Nueve años después de la mentira, al recordar el engaño, Donna dijo: *"Me sentí traicionada, ultrajada, golpeada. Primero lo negué y luego me enfurecí cada vez más. Podría haberlo matado. Fui a casa. Lo pensé. Deseaba esconderme en una cueva. Mi mundo se vino abajo cuando me di cuenta que había planeado todo ese engaño. Nunca volví a hablarle".*

Este muchacho de diecisiete años dio a Donna una primera experiencia sexual llena de falsedad, que ella llevará consigo durante toda la vida. Aunque la experiencia en sí haya sido maravillosa, toda la ternura, la dulzura, el romance y el sexo quedaron destruidos cuando ella supo que había sido engañada y seducida. Inocentemente, había participado en el juego de un artista del engaño. Cuando volvió a la escuela se sintió humillada: todos parecían saberlo menos ella.

Su avidez por tener una primera experiencia sexual romántica y su deseo de creerle a un mentiroso, le procuraron un legado: una historia sexual que aún le duele y una lección acerca de la falsedad que aún no puede olvidar.

Donna quería que él fuese el primero y que la experiencia también fuese especial para él. Ella no se dio cuenta de qué él había creado una sincronicidad con esa mentira de "yo también" y que la había predispuesto a creerle. Donna cometió además otro error, frecuente en las mujeres de todas las edades y condiciones: *confundió el agrado con la confianza.* Por supuesto, le agradaba este joven. El agrado es algo obvio e inmediato: en pocos minutos uno se da cuenta de que alguien le gusta. Donna todavía no había aprendido que:

La confianza es difícil: toma tiempo y hay que ganarla.

Por confiar en alguien simplemente porque le gustaba, Donna acabó confiando en un mentiroso y se quemó.

¿Pero por qué iba un hombre a ocultar su experiencia sexual y a disfrazarse de virgen? ¿Por qué armar un escenario y un ritual tan complicados? Dado que ella creía que ambos se amaban, probablemente él no hubiese necesitado de ese escenario para alcanzar su objetivo.

Las máscaras cumplen muchas finalidades distintas, tales como dar una imagen, obtener lo que queremos, evitar el enojo de otros. Sin embargo, hay un propósito principal: ocultar quiénes somos. En este caso, la máscara funcionó. Donna no tenía idea de con quién estaba compartiendo la cama.

Inicialmente, la mentira respecto de la virginidad fue para Garth un anzuelo. Los acercó más. Tal vez se trató de un juego, de una apuesta que hizo con sus amigos. Pero una vez que el plan comenzó a desarrollarse, no supo cómo dar un paso atrás y aclarar las cosas. El anzuelo de éxito se había transformado en una máscara que se había endurecido y era difícil de quitar sin afectar el plan. Con su máscara virginal se fue a la cama con Donna y allí se dio cuenta de lo mucho que significaba esa experiencia para ella. *Entonces no supo cómo decirle la verdad sin herirla.* Por eso la máscara permaneció en su sitio. Más tarde, temió la ira y el rechazo de ella, si descubría la verdad.

Garth no le dijo la verdad a una mujer que confiaba en él. Lo hicieron sus amigas. El resultado fue dolor, furia y rechazo. Garth ganó una noche en la cama con una bella joven que lo amaba, pero perdió la relación. Dejó a Donna, cuyo principal error fue confiar en él, con un legado de humillación y desconfianza en el terreno más íntimo. Ella se fue con un nuevo peso que todavía lleva con ella: el escepticismo y la desconfianza.

Aunque la máscara de la virginidad es típicamente femenina, muchos de los hombres entrevistados admitieron que también habían mentido al respecto. ¿Qué podemos aprender conociendo el otro lado de la historia?

La máscara de la inocencia sexual: Ted y Lisa

Esta es la experiencia de Ted. Cuando se acostó con Lisa era estudiante y era su cuarta experiencia sexual. Para ella, él era el primero. Sin embargo, le dio la impresión de que Lisa creyó ser la primera para él. ¿Qué se suponía entonces que él debía hacer? Fácil, le mintió y le dijo: "Eres la primera". A diferencia de lo que ocurrió con Donna, a Ted la mentira no le pareció importante. Es más, la cuenta como algo trivial y piensa que fue una mentira inocente.

Sin embargo, mintió.

¿Por qué era tan importante para Ted parecer inexperto? ¿Estaba tratando de estafar a Lisa? Según Ted, no fue así. Estaba tratando de comportarse como un caballero. El usó la máscara de la virginidad frente a Lisa porque quería estar cerca de ella, porque "tenía fuertes sentimientos y buscaba una mayor intimidad".

Cuando se le preguntó qué había sentido por haber engañado a Lisa, respondió: "No sentí culpa en absoluto. Fue algo que dije *por mí*".

Aparentemente, después de todo no mintió por Lisa sino por él. Cuando le pregunté qué cosa haría ahora de una manera diferente, la respuesta fue reveladora: "Creo que le diría que no era mi primera mujer. *No le daría tanto poder sobre mí*".

Ted acaba de hacer un rápido pasaje de la intimidad al poder. ¿Por qué?

Para Ted, usar un manto de virginidad le permitía crear una atmósfera de cercanía, porque eso era lo que *él* quería. Ella no se lo había pedido. La virginidad de Lisa fijó un escenario para los hechos. Más tarde, al fin de la relación, Ted no tenía dificultades para preocuparse por el poder más que por la ternura. Ahora estaba convencido de que hacerse pasar por virgen había disminuido su poder en la relación. Había puesto a ambos en pie de igualdad, cuando en realidad no lo estaban. El tenía más experiencia. Al negarla le había dado poder a ella y después, como macho, se había arrepentido. Cuando la inocencia sexual y el alarde sexual son las dos caras de una misma moneda, ¿es posible que el hombre que finge ser inocente acabe sintiéndose perdedor? La inocencia de Ted se parece a la actitud de un comerciante que hace rebajas al comienzo, pero luego añora lo que no ganó.

El sexo de alto voltaje

Esta es la máscara opuesta a la de la inocencia sexual. El alardea acerca de sus proezas sexuales, pensando que todas las mujeres buscan amantes experimentados. A menudo es más ficción que realidad, pero tiene su atractivo. El le confiesa desde el primer día que es dueño de un poderoso apetito sexual. Cuando la ayuda a ponerse la chaqueta, le toca el cuello con erotismo. No importa su aspecto, este hombre resulta convincente porque le hace saber que está pensando todo el tiempo en tener sexo con usted.

Le cuenta sus sueños y sus fantasías y le da un lugar en todas ellas. Luego le pide que usted le cuente las suyas. Resulta excitante.

La mentira aquí no tiene que ver con el interés o con una promesa. Es la realidad. Una vez que la relación se establezca, es posible que él muestre ser sólo alarde, con muy poca sustancia. No importa lo que suceda, su identidad depende de que le diga que es el mejor. Cuenta con usted para despejar sus dudas e inseguridades, y ese puede llegar a ser un trabajo de tiempo completo, con la dedicación exclusiva de varias mujeres. Preste atención.

Las mentiras sobre la experiencia sexual

¿Se trata de una cuestión social o de la testosterona? Nadie puede estar seguro, pero sabemos que los hombres buscan, más que las mujeres, parejas para relacionarse sexualmente.

Sea donde sea que busque los datos, el resultado es el mismo. Según una encuesta de la Radio Pública Nacional, publicada en el *Washington Post*, la mujer americana promedio ha tenido tres compañeros sexuales, mientras que el hombre promedio americano dice haber tenido once. Otros estudios comportamentales sostienen que los hombres dicen que les gustaría tener dieciocho compañeras sexuales en el transcurso de sus vidas, mientras que las mujeres desearían cuatro o cinco. En el mismo sentido, una encuesta de grandes proporciones —publicada en 1993, *The Janus Report of Sexual Behavior*—, que tomó 1347 mujeres y 1418 hombres, sostiene que existe más del doble de hombres (treinta y nueve por ciento) que de mujeres (dieciséis por ciento) que admiten haber tenido treinta o más compañeros sexuales. En un grupo más extremo, el dieciocho por ciento de los hombres, contra sólo el siete por ciento de las mujeres, sostienen haber tenido sesenta y uno o más compañeros sexuales. El grupo más extremo de todos, que sostiene haber tenido mil o más compañeros sexuales, si bien es muy pequeño, está constituido principalmente por hombres.

¿Quiénes son los compañeros? Según los hombres, puede ser cualquiera. Según algunos estudios, los hombres universitarios son mucho más propensos que las mujeres a desear tener como compañeras sexuales a personas que han conocido durante menos de una semana. Para muchos hombres, una mujer que han conocido durante menos de una hora también es aceptable. ¿Y las mujeres? Para ellas la precaución está a la orden del día. Dicen que es más probable que consientan en tener relaciones sexuales con alguien a quien conocen desde hace cinco años y menos con alguien que conocen desde hace seis meses. Si se les pregunta respecto de alguien que han conocido desde hace menos de una semana, suelen decir que no. Dejemos de lado por completo al que conocen desde hace una hora. Por supuesto hay excepciones y ¡sorpresa!: todos los hombres dicen ser esa excepción.

¿Qué tiene que ver esto con las máscaras? Pensemos. ¿Como podría un hombre tener once compañeras sexuales como promedio, si las mujeres tienen sólo tres? La única forma sería que unas pocas mujeres tuviesen enormes cantidades de compañeros, es decir el "fenómeno de la prostituta" sugerido por el columnista del *Washington Post*, Henry Dunbar. También puede suceder que, como desliza el mismo columnista, *hombres y mujeres estén mintiendo en direcciones opuestas y la verdad esté en algún punto medio.* Los hombres agrandan los números y las mujeres los bajan.

Tal vez se trate de otra particularidad de nuestro nuevo mundo preocupado por el SIDA y las enfermedades de transmisión sexual, pero la mayor parte de mis entrevistados experimentados manifestaron que cuando hablan con un posible "candidato" suelen bajar las cifras de sus experiencias. La excepción fueron un grupo particularmente inexperto de personas de ambos sexos, de treinta y pico de años. Estos se sentían incómodos por tener un grado de experiencia sexual cercana a cero. Las mujeres tendían a evitar el tema por completo. Tomemos como ejemplo a Marcy, una ejecutiva de treinta y dos años, soltera, con casi nada de experiencia sexual, quien decía: "No digo cuántas experiencias sexuales he tenido. En otros temas soy muy abierta". También hablamos con la bella y conversadora Gina, a quien los hombres repetida y equivocadamente toman como un fácil blanco sexual: *"Mantengo en secreto con cuántos hombres he tenido relaciones. Han sido sólo seis. Todos creen que fueron muchos más. Creen que estoy mintiendo. Como esto da lugar a conversaciones que no me agradan, ya no lo digo".*

Los hombres inexpertos con quienes he hablado, en cambio, directamente falsean los hechos. Como Craig, que les dice a las mujeres que ha estado con alguien, cuando no es verdad. El todavía espera el gran acontecimiento. Ellos consideran la falta de experiencia sexual como un secreto que deben mantener frente a las mujeres. Muchas veces los hombres directamente mienten

respecto de la cantidad de compañeras que han tenido, disminu-
yendo el número. Eso fue lo que me contó Earl: *"Miento a las
mujeres respecto de la cantidad de compañeras sexuales que he
tenido. Suelo disminuir el número hasta en un noventa por ciento. Trato de encontrar una cifra creíble, como para que piensen
que no soy virgen pero sí una persona cuidadosa y confiable.
Pueden no creerme,* pero es preferible que no compren mi mentira antes que molestarlas con la verdad. *Mi mentira está indicando
que no deben temer a las enfermedades. También les dice que
ellas son especiales. Cuando se refiere a la cantidad de experiencias que he tenido nunca digo la verdad, excepto a mis amigos
hombres".*

Por si usted se lo está preguntando, Earl no es un Romeo
cuarentón sino un joven que acaba de cumplir veintitrés años.

La moraleja de la historia es que usted no puede confiar en
los números de él, ni él en los de usted. Es preferible creerles a
las estadísticas, que aunque también se basan en lo que cada uno
dice, son claras. La mayor parte de los hombres ha admitido tener
más compañeras sexuales antes, durante y después del matrimonio, que los compañeros que usted admitirá. Usted puede encontrarse frente a una excepción, pero es más probable que la estén
engañando, como a nuestra amiga Donna.

Las mortíferas mentiras del sexo seguro y de la salud

No. El no es estéril y no se ha hecho una vasectomía. No es
virgen y la crema contra el herpes que lleva en su portafolios no
es para su amigo. Aunque usted no lo crea, muchas de las mujeres entrevistadas fueron víctimas de estas mentiras, que las llevaron a tener relaciones sexuales sin preservativo ni otras protec-
ciones. En mis entrevistas, escuché cosas como estas:

- "No se me ocurrió que él pudiese estar mintiendo." Ella
se está refiriendo a su embarazo. Su novio le había dicho
que era estéril y no tenía de qué preocuparse.

- "El me mintió. Me dijo que practicaba el sexo seguro, cuando en realidad él no podía mantener una erección durante un minuto con un preservativo puesto. El tendría que
haber dicho: 'No, no practico el sexo seguro, aunque

debería hacerlo'. No me hubiese acostado con él en ese momento y le hubiese pedido que se hiciese la prueba de HIV. Seis meses más tarde, me hice yo la prueba. Las personas toman el sexo irresponsablemente."

"Mi ex novio había tenido herpes, pero no me lo dijo durante todo el tiempo que tuvimos relaciones. El mundo se me vino abajo. Estaba furiosa y frustrada. Le dije: 'Esto es traición, es engaño'. *¿Por qué no fue sincero y habló conmigo?*"

Es comprensible que el tema del HIV o del herpes aparezca como una preocupación en las mujeres, que temen que los hombres les mientan al respecto. Las mujeres suelen quejarse de que los hombres dan respuestas muy despreocupadas frente a cosas que ellas consideran de vida o muerte, el sexo seguro y la historia sexual de ellos. Una mujer me contó que ella estaba preocupada porque pensaba que el hombre con quien tenía relaciones desde hacía dos años se estaba viendo con otras mujeres. Su principal preocupación no eran los celos sino la seguridad de su salud. El se rehusaba a usar preservativos y desdeñaba los pedidos de ella con esta increíble excusa: "¿Crees que eres la única cuya vida es importante?". Esta respuesta, no sólo transformaba la legítima preocupación de ella por su salud en una especie de reclamo egocéntrico, sino que además reconocía implícitamente la existencia de otras mujeres. Además, la colocaba a merced de él, que era quien debía juzgar quién era suficientemente "segura" para poner en práctica el sexo sin protección, que él prefería.

Muchas de mis entrevistadas solteras o recientemente divorciadas me dicen que practican la abstinencia sexual. ¿Por qué? No porque no puedan encontrar un hombre sino porque no desean ponerse en la tarea de investigar el pasado sexual y la salud de él, o de lograr que use preservativos. Se han rendido y han preferido la salud a la incertidumbre.

El sexo seguro no parecía preocupar mucho a los hombres entrevistados. A veces, eso sí, reconocían que evitaban usar preservativos, aun cuando fuese una conducta irracional.

Un dibujante soltero, de treinta y siete años, describía sus charlas de alcoba como "una manera de llegar a un fin, de obtener lo que uno quiere". Contaba: *Mi principal mentira consiste en tratar de convencer a una mujer de que no ser consciente de lo* que se hace es una buena experiencia. *Cuando ella dice: 'Esto va muy rápido', yo le respondo: 'No te preocupes. Confía en tus sentimientos. Vive el momento'. Pero ese mensaje es una mentira".*

¿Qué es lo que él busca? "No romper el clima y evitar el uso de preservativos." ¿Y el sexo seguro? Para él, no parece ser un problema.

¿Por qué? Todos tenemos secretos. Cada uno sabe con quién ha tenido relaciones, qué ha hecho y cuántos riesgos ha corrido. Nuestras parejas, especialmente si son nuevas, no tienen acceso a esa información. Sólo cuentan con lo que les decimos y con su intuición.

Sin embargo, muchos hombres continúan suscribiendo a la vieja escuela que sostiene que la mayor parte de las mujeres son seguras, porque son más castas que los hombres y también más cuidadosas. Piensan, también, que una mujer no va a mentirles. ¿Es que la testosterona les está cantando una persuasiva pero mortífera canción de amor? ¿O acaso se trata simplemente de una falta de cuidado masculina mezclada con falta de empatía para con sus parejas?

La historia de Marty es un buen ejemplo de un hombre cuyos objetivos dejaban de lado la seguridad de su pareja. El era un escribano de treinta y dos años, y Jill realmente le gustaba. Había salido con ella durante seis semanas. "La relación comenzó a hacerse densa. La pasión crecía, pero ella era virgen, así es que no teníamos relaciones." Sin embargo, pasaban cinco noches a la semana juntos.

Tal vez, con más tiempo y más ternura, la relación se hubiese consumado. Pero Marty había estado planeando un viaje de tres meses al sudeste asiático. Partió hacia allí. *"Todo el tiempo le escribía cartas, diciéndole lo mucho que la extrañaba y lo mucho que deseaba llegar a consumar la relación. Mientras estaba de viaje, tenía relaciones sexuales. ¿Por qué no? Era una persona joven y había planeado el viaje antes de conocerla."*

Marty disfrutó de su aventura y regresó junto a Jill, que estaba esperándolo ansiosamente. Sin embargo, inmediatamente surgió un inconveniente. *"Ella me preguntó: '¿Te has portado bien?' y yo le respondí: 'Sí, no he tenido relaciones con nadie.' ¡Mentira!... Entonces ella comenzó a contarme que tenía miedo del SIDA porque un primo suyo acababa de morir de esa enfermedad."*

Jill, como más tarde se supo, había tenido una conversación con la madre de Marty, quien estaba enterada de las relaciones de él con un par de personas.

¿Por qué Marty no dijo la verdad a Jill? La urgencia sexual fue el disparador: *"Yo quería ser sincero, pero si lo era iba a tener que esperar seis meses, hasta que completaran las pruebas de SIDA. Por eso mentí. Parece increíble pero es verdad. Además, si le hubiese dicho que me había acostado con una prostituta, seguramente ella hubiese roto la relación".*

Desde el punto de vista de Marty, él se perjudicaba si mentía y si no mentía.

En este punto, Jill se sintió preparada. Le manifestó su total aceptación y amor, con tal que él fuese sincero: *"Jill me dijo: 'Para mí la sinceridad lo es todo. Me tienes que decir quién eres, para que yo pueda amarte por lo que eres'. Fue entonces que le dije que me había acostado con otra persona".*

Entonces Jill súbitamente dejó de lado su promesa de aceptarlo. *"Ella me dijo: 'El hecho de que hayas podido mentirme significa que yo no soy nadie. Esto se terminó....'. Ella me captó de tal manera que yo no tuve más remedio que hacer un examen y aceptar que le había ocultado mis verdaderas intenciones... Me di cuenta de que había sido una basura con todas estas mujeres. Seguimos siendo amigos todo el año siguiente. Dormíamos juntos, pero no teníamos relaciones."*

Marty no consiguió lo que quería, pero aprendió al menos una lección. Decidió estar más alerta respecto de sus intenciones y ser más abierto. Probablemente, ahora diría: "Me voy y tal vez tenga relaciones con otra mujer".

Sin embargo, lo que él sentía ya era otra cuestión: *"Estoy amargado. Ella me obligó a apartarme. Además, me di cuenta de que Jill era una caja de sorpresas. No sé por qué aún somos amigos".*

¿Está justificada la conducta de Marty? Después de todo, él quería hacer lo suyo cuando estaba de viaje, y eso fue lo que hizo. Sin embargo, cuando regresó, *sintió que no tenía dudas de la fidelidad y la abstinencia de Jill mientras el estuvo en Manila y Bangkok. El era Ulises, el viajero, y ella la fiel Penélope. El dio por sentado que ella lo estaba esperando.*

Una vez de regreso, sus intenciones eran acostarse esa misma noche con Jill y no esperar seis meses hasta tener los resultados de las pruebas de SIDA. *Las necesidades sexuales de Marty*

eran las que llevaban la voz cantante. Para llevarla a la cama,
Marty estaba dispuesto a colocarla en una situación de riesgo,
aun cuando ella le había advertido que estaba preocupada por la
amenaza del SIDA. Finalmente, ella lo engañó para que le dijese
la verdad, sosteniendo que su amor sería incondicional si él le
decía la verdad. Aunque Marty había mentido, no pensó que *Jill*
podía mentir también.

Probablemente ella había llegado a la conclusión de que si
Marty se preocupaba por ella tenía una manera muy curiosa de
demostrarlo, ya que era totalmente indiferente respecto de su salud y su seguridad. Si lo que Jill deseaba era una relación duradera con Marty, ganó la batalla de la igualdad, pero perdió la guerra. Si lo que ella deseaba era una relación con alguien en quien
pudiese confiar, ganó, ya que quedó en condiciones de iniciar otra
relación y con su salud intacta. Parecería que aquí el perdedor es
Marty.

Mentiras que nos mantienen en la cama, al menos por un tiempo

"Te amo", "Nunca antes hice esto con otra persona" y "Eres
la mejor" son todas mentiras de dormitorio que entran en la categoría de: "Dile lo que ella desea escuchar". Estas son máscaras
muy efectivas, que cumplen un doble propósito. El puede haber
usado una o más de ellas para llevarla a la cama y, como fueron
muy efectivas, las seguirá usando para mantenerla allí: por lo
menos hasta que esté dispuesto a irse.

El dilema es que, aunque parezcan tan evidentes, estas afirmaciones no son siempre máscaras: a veces son genuinas. ¿Cómo
separar el oro verdadero del falso? Darse cuenta de la diferencia
es bastante complejo. Aun un experto puede confundirse alguna
vez y tomar el oro verdadero por el falso. A usted también puede
ocurrirle.

Una de las posibilidades es ejercitar la paciencia y esperar.
Si usted espera lo suficiente, podrá discriminar lo que es real de
lo que no lo es. Generalmente, las máscaras que él usa para llevarla a la cama no sobrevivirán a la prueba del tiempo o a una
relación comprometida. Estas máscaras demandan tanta energía y
dan lugar a tantos problemas, que en algún momento él preferirá
acabar la relación y poder dejar de lado la máscara mortificante,

al menos hasta la próxima vez. Una vez que usted pase del sexo ocasional a una relación más estable, la máscara y la ausencia de sentimientos verdaderos le lanzarán señales que dispararán en usted una sensación de incomodidad. En ese momento, puede optar entre trabajar en la relación o apartarse.

¿Por qué las máscaras pensadas para mantenerla en la cama operan maravillas? Veamos la mentira más poderosa y a menudo más hiriente, que es la que consiste en decir: "Te amo". Esa máscara puede llevarla a la cama, mantenerla allí durante un tiempo y luego apartarla.

Cuando "Te amo" es una mentira

La máscara de "Te amo" es tan trillada que muchas mujeres sustituyen inmediatamente esos sonidos por "bla, bla, bla". Ya hemos tratado tres mentiras semejantes en el capítulo anterior y hemos visto como estas palabritas pueden ser seductoramente usadas como anzuelos, máscaras y evasiones. Pueden representar una verdad del momento o una verdad permanente, pero cuando una mujer las toma como verdades y no lo son, suele salir muy lastimada.

¿Quién de nosotras no ha deseado alguna vez construir una vida junto a alguien a quien pueda amar y que pueda amarla? Sin embargo, los peores temores de las mujeres respecto de las relaciones personales suelen centrarse en el uso y abuso del "Te amo". Eso parece estar justificado. ¿Por qué? Porque la mayor parte de nosotras conocemos a mujeres que han dado años de sus vidas a hombres que creían que las amaban, para finalmente llegar a la conclusión de que habían estado tristemente equivocadas. Sumaron así una gran amargura a sus vidas.

¿Cómo sucede esto? La mayor parte de las mujeres saben que un hombre puede decirles "Te amo" para llevarlas a la cama. Pero una vez que ya están allí, ¿por qué seguir diciendo lo mismo si no es verdad? La mayor parte de las mujeres con quienes hablé piensan que seguir afirmando falsamente "Te amo" en una relación sexual o afectiva permanente es una grave falta contra la confianza del otro.

Gina, una gerente casada, de treinta y ocho años, fue particularmente vehemente al respecto. Cuando le pregunté cuál era la última mentira de alcoba que le habían dicho, Gina parecía estar lista para expresarlo. Instantáneamente, sacó a relucir la larga letanía de mentiras que enumeré cuando me referí a las "Mentiras que lo llevan hasta su cama". Luego, agregó más sagazmente: *"A los dos meses de relación, y todavía en un nivel de conocimiento muy superficial, él exclama 'Te amo' en la cama, tal como uno puede leerlo en una revista... Yo le pregunto: '¿Por qué me amas?' y él responde: 'Fue una cuestión del momento. Pensé que era lo correcto'. Pero él no me ama, ni siquiera me conoce. Dicen lo que piensan que una mujer desea escuchar. Había un hombre que me decía todo el tiempo que me amaba. Luego me cambió por una estudiante de medicina".*

¿Qué desea hacer Gina? La respuesta es rápida: "Nada. Sólo quiero que no me digan 'Te amo' en la cama".

Margaret, una jefa de oficina de treinta y cinco años, casada, se mostró aún más malhumorada. Me contó acerca de un hombre con quien había sostenido una relación durante cuatro meses. El le había dicho que la amaba y ella le había creído. Cuando él conoció a otra persona, apareció con la mala noticia: "Margaret, no te amo. Se trataba sólo de pasarla bien". Según Margaret, él agregó una herida más, al manifestar que "su amor nunca había sido cierto". La relación se terminó, pero no se terminó el dolor. Margaret se sintió amargada durante un tiempo, mientras lo veía ir y venir feliz entusiasmado con otra mujer.

Luego comenzó a darse cuenta: "El estaba repitiendo el mismo patrón con muchas mujeres. Su ciclo duraba cuatro meses. Era totalmente predecible. Tal vez me hizo un favor al acabar con la relación". Este hombre tenía un claro modelo, fácil de descubrir para cualquiera. Todo lo que había que hacer era observarlo. Lamentablemente, las mujeres no podían aprender de la experiencia de sus antecesoras. Aun dándose cuenta de que se trataba de un problema de él y de un modelo que él seguía, Margaret se quedó pensando si era posible tomar en serio un "Te amo" lanzado con tanta ligereza. Como tantas otras mujeres que pasaron por la misma experiencia, Margaret desearía que los hombres reservasen esas palabras "para cuando lo sientan verdaderamente".

Algunos hombres están de acuerdo. Un hombre de casi treinta años que reconoció que le costaba mucho permanecer fiel a su propio credo, que sostenía que la sinceridad es la mejor política, decía, no obstante, que las palabras "Te amo" eran sagradas para él. Según él, eso es lo único respecto de lo cual no miente.

Muchos de los hombres entrevistados estuvieron de acuerdo, al menos en principio. ¿Recuerdan a Sherman, quien sostenía que solamente mentía a las mujeres para llevarlas a la cama, pero que una vez que estaban allí ya no les mentía? Sin embargo, él acabó contradiciéndose al admitir que decía a las mujeres "Te amo" para obtener una mayor excitación sexual de ellas.

Algunos hombres se mostraron arrepentidos de haber engañado a las mujeres respecto de sus sentimientos e intenciones. Dijeron cosas como: "Ojalá hubiese sido más maduro y no le hubiese dicho 'Te amo'". Otros se desligaron completamente de su responsabilidad, diciendo cosas como: "Si yo proviniese de una familia diferente, seguramente sería más sincero".

Otros hombres, en cambio, no ofrecieron ninguna excusa. ¿Por qué habrían de hacerlo? Ellos racionalizan la cuestión y sostienen que dicen "Te amo" porque es eso lo que las mujeres desean escuchar —un tema que los hombres repiten hasta el hartazgo— y porque es una manera de sostener la relación, aunque sea a corto plazo.

Para muchas mujeres "Te amo" son palabras sagradas. Es un código clave, reservado para las relaciones comprometidas y llenas de devoción. Significa que alguien es capaz de renunciar a sus propios deseos para dar lugar a los de su pareja. Cuando una mujer cree en las palabras "Te amo" y ella también lo siente, una serie de conclusiones se desprenden en cascada de estas pequeñas palabritas.

Sean cuales fueran las asociaciones que cada uno hace a partir de la palabra "amor", la mayor parte de las mujeres pensamos en el amor comprometido. Hasta llegamos a considerarlo una panacea. Sin embargo, a veces ni siquiera el amor sincero es un amortiguador suficientemente fuerte contra la tentación. Aunque lo deseemos mucho, también necesitamos de nuestra autonomía. Esta ambivalencia natural muchas veces nos hace especialmente vulnerables frente a cualquier falta contra la confianza. Mientras tratamos de satisfacer las necesidades de nuestra pareja respecto de tiempo de calidad, apoyo económico, sexo satisfactorio, participación familiar y comunión emocional, cada vez nos sentimos más desgastadas. Deseamos ser libres, tal vez hasta estar solas. Las fantasías o deseos sexuales que estaban ocultos, salen a la luz. En un punto u otro de una relación, ambos miembros de la pareja pueden desear secretamente liberarse de las restricciones que les plantean sus compromisos.

El hombre o la mujer que buscan la libertad sexual, la autonomía y el tiempo libre, pueden comenzar a mentir, tanto en la cama como fuera de ella. Es fácil entonces que las mentiras de "Te amo" dejen de ser máscaras para pasar a ser evasiones, como veremos en los capítulos 9 y 10. Por ahora, regresemos a las mentiras usadas como máscaras que suelen aparecer en la cama.

La mentira de: "Antes de ti, nada"

Suele causar asombro. El tiene treinta y cinco, o hasta cincuenta y cinco años, y parecería que es la primera vez que está emocionalmente comprometido con una mujer: "Es claro que he tenido relaciones sexuales, pero nunca como ahora". ¿Es eso posible? Además, ¿por qué se molesta en mentir respecto de sus experiencias anteriores?

Eli es un analista de sistemas de cincuenta y cinco años, apuesto y comprometido. Cuando le preguntamos: "¿Qué secretos mantiene con las mujeres?", nos sorprendió diciendo: "Oculto la intimidad sexual que tuve con otras mujeres en el pasado". ¿Por qué? Porque anticipa las reacciones que tendrían las mujeres y quiere evitarlas. Esta es la explicación que da para justificar sus mentiras respecto de la intimidad sexual del pasado: "*Crearía una nube negra en la actual relación. Ella me preguntaría: '¿Tienes aún deseos de tener relaciones sexuales con esa mujer?'. Uno, por supuesto, las tranquilizaría, pero se trata de un tema en el que prefiero no entrar*".

Finalmente logramos develar que el problema no es que Eli se sienta incómodo al hablar de sus pasadas intimidades. Simplemente, *no desea revelar ninguna verdad que pueda traerle problemas*. ¿Por qué? Tal vez una mujer que esté a su lado podría suponerlo, pero yo, habiéndolo entrevistado, lo sé a ciencia cierta. Eli es un hombre que va dejando atrás muchas relaciones inconclusas. No es frecuente que cierre la puerta a una vieja relación. Sus compañeras del pasado aún le telefonean y le escriben, aun habiendo pasado varios años. Eli es de los hombres que usan los finales inconclusos como para tener una reserva para los tiempos de escasez. Su presente está llenos de mujeres que aún lo llaman y le escriben con la expectativa de poder reeditar una relación.

Entonces, por supuesto, Eli no quiere hablar con usted acerca de su intimidad sexual pasada. Eso permitiría que pudiese prever su futuro, como la mujer número veintidós o treinta y seis en su listado de llamadas programadas.

Eli no es el único. Muchos hombres guardan secretos respecto de otras mujeres que forman parte de sus vidas, en el pasado y en el presente. El veinte por ciento de los hombres entrevistados seguían manteniendo amistades y contactos con mujeres del pasado. Escondían estas relaciones porque, como Ralph, un abogado de treinta y siete años de la Costa Este, sentían que "las actuales relaciones se sienten amenazadas por esas cosas". A continuación, Ralph agrega un detalle interesante: revelar intimidades del pasado "crearía más conflictos de los necesarios". Debemos notar que Ralph hace sus observaciones en un lenguaje impersonal, casi empresario. Sus palabras podrían referirse tranquilamente a sus relaciones con un cliente o con su equipo de trabajo. ¿Dónde están las mujeres reales? El vocabulario que usa Ralph puede estar develando una mentalidad: que las mujeres son bienes intercambiables en lugar de ser personas de carne y hueso con sentimientos y personalidad propia. Eso plantea una barrera a la intimidad y hace que resulte más fácil mentir a las mujeres.

Algunos hombres mienten respecto de sus intimidades pasadas por otras razones, tales como la vergüenza, los prejuicios o la incomodidad. Hank, un hombre de relaciones públicas de treinta y un años, sostiene que no le gusta hablar acerca de su pasado sexual, porque entonces "ella querría saber todo lo que hizo". Tim, un comerciante de veintiocho años, cuenta que no le dijo a nadie que se había acostado con una mujer veinte años mayor que él, a quien ni siquiera conocía, que lo había llamado a su oficina probablemente confundiéndolo con otra persona. Fueron a almorzar juntos y allí acordaron pasar una tarde de "sexo desinhibido" en la casa de un amigo. Sí, usó preservativo. Aunque se entusiasmó con esta intriga, nunca se lo contó a nadie: *Nunca lo comenté. Siento que no es normal. Me da un poco de vergüenza. Creo que una chica podría pensar que es algo extraño que yo haya tenido relaciones con una mujer veinte años mayor".*

Para Tim, borrar de su currículum este encuentro le permite mantener un aura de respetabilidad que piensa que necesita para encarar una relación.

Estos hombres tienen en común una incomodidad con su propia sexualidad y con sus elecciones pasadas que ellos piensan que los perjudica respecto de sus relaciones actuales o futuras. Tal vez, si una mujer se enterase, plantearía preguntas embarazosas, expresaría sentimientos ocultos, lo consideraría raro o se sentiría menos especial.

Muchos hombres aplican automáticamente los moldes que ellos tienen respecto de lo que "debería ser" a sus relaciones sexuales. Algunos de esos criterios se evidencian en las máscaras rituales de la cortesía sexual.

Las "inofensivas" mentiras rituales de la cortesía sexual

"¿Las mentiras de alcoba de los hombres? Ah... Usted se refiere a los halagos. Ellos suelen alabar y elogiar mi cuerpo, pero como me gusta creerlo nunca sé si se trata de una mentira o no."
—Vendedora, cuarenta años, soltera.

La señorita Buenos Modales seguramente lo aprobaría. Estas mentiras socialmente correctas abarcan toda una gama que va desde "No eres gorda" o "Eres hermosa", a "No me gustan los senos grandes" cuando una acaba de decir que tiene senos pequeños. ¿Puede usted creer que este hombre se sienta extasiado ante sus estrías o que lo conmuevan las pequeñas várices que recorren sus muslos llenos de celulitis? Mirándola a los ojos, este hombre sostiene que usted, que no ha hecho ejercicios más de diez minutos a la semana, posee piernas de bailarina.

Seguramente usted sabe que él le está mintiendo, pero él quiere hacerla sentir bien. Desea que usted no esté tan pendiente de sus defectos, para que puedan pasar juntos un buen momento en la cama. Lo gracioso es que a veces con estas estrategias ellos consiguen grandes éxitos.

¿Cuál es el problema entonces? Para algunas mujeres el momento de quitarse la ropa frente a un amante, en particular frente a uno nuevo, es un enorme acto de valentía. La excitación sexual disminuye y la crítica interna toma el poder. El murmullo interior no cesa: demasiado gorda, demasiado fláccida, demasiado vientre, pechos pequeños. Si sus gentiles mentiras nos devuelven la confianza ¿dónde está el daño?

Para algunas mujeres, esto no es un problema. Veamos el caso de Cindy, una secretaria de veintiocho años. Ella dice que le encanta cuando los hombres le dicen "lo contentos que están con mi cuerpo, tal como es". Admite que los hombres, probablemente, "le están diciendo lo que yo quiero escuchar". Supone que se dan cuenta de que ella es "autocrítica e insegura". Cuando le pregunté lo que ella preferiría que le dijesen, ella respondió que no cambiaría nada: "Me gusta escucharlo. Que sigan mintiendo".

Tomemos el caso de Lill, la vendedora de cuarenta años que califica a sus amantes excesivamente corteses como "delirantes". Jamás se queja cuando un hombre le dice que tiene pechos perfectos ("No es así", contesta). En general, Lill piensa que la cortesía sexual es muy agradable". Sin embargo, le cuesta comprenderlo y piensa que lo que ellos dicen tal vez no tenga nada que ver con ella. "Tal vez a él lo excite decir cosas respecto de mi cuerpo." A veces, se permite creer lo que oye. "Tal vez esté realmente loco por mí y piense que soy hermosa." Pero hasta la generosidad de Lill tiene un límite. Cuando se le pregunta qué preferiría que ellos le dijesen, ella ofrece un nuevo discurso improvisado: *"No me excita que comparen las partes de mi cuerpo con las de otras mujeres, que me digan, por ejemplo, 'mereces un siete'. No quiero que me digan que soy mejor que el término medio. Preferiría que él me dijese: 'Me pones loco en la cama'"*.

Tal vez los halagos sexuales no hagan daño, pero tampoco fortalecen la confianza, especialmente cuando los halagos no logran superar la prueba del tiempo. Cuando Shelly, de cuarenta y cuatro años se acostó por primera vez con Frank, le encantó que él le mintiera diciéndole que era flaca.

"Me encantó. Yo estaba allí, de pie y desnuda, y él me dijo que era flaca. Yo nunca había estado más gorda en mi vida, pero quería creer que era flaca."

Siguieron saliendo juntos y acabaron haciendo un tratamiento para el sobrepeso. El le confesó que le había dicho que era flaca porque pensó que eso era lo que ella deseaba escuchar. Aunque Shelly trató de ser positiva, su confianza estaba herida. Hubiese preferido que no le dijese nada.

Frank no había cometido ningún delito. Simplemente había hecho lo que hacen la mayoría de los hombres en la sala, en la cocina y en el dormitorio: le había dicho a su mujer *lo que pensaba que ella deseaba escuchar*.

"Diles lo que ellas desean escuchar."

Como hemos visto, decirle a una mujer lo que ella desea escuchar es una de las excusas que los hombres usan más frecuentemente para mentirles a las mujeres en diversas situaciones.

Sin embargo, que algo sea muy frecuente no quiere decir que sea correcto. "Decirles lo que quieren escuchar" implica un problema en la actitud hacia las mujeres: ellas son objetos a los que hay que aplacar, conquistar y disfrutar. También puede reflejar una falla en la empatía. Tal vez estén remitiéndose a distintos presupuestos o estén atados a diferentes rituales.

Un banquero de treinta y dos años, casado, me confió que le encantaba "decirle a una mujer no muy atractiva que era hermosa". Sin embargo, los propósitos de este engaño no son en este caso totalmente altruistas. El piensa que de este modo alcanzará una mejor retribución o, como él mismo lo dice, "más entusiasmo en el acto sexual". ¿Es este engaño gracioso o acaso ella sentirá que la han usado y que han abusado de ella? El no lo sabe, porque no piensa en la reacción de ella. Se compara con un fotógrafo que le dice a la modelo "eres hermosa" para que las fotografías salgan más bellas. Para este joven profesional, esta clase de mentira responde a una fórmula compuesta de dos partes, una cuota de poder y una de intimidad.

¿Qué sucede cuando una mujer toma al pie de la letra una mentira en la cual le dicen lo que desea escuchar? Marianne es un buen ejemplo. Ella es una brillante representante de ventas, divorciada, de treinta y cuatro años. Había estado meditando sobre la posibilidad de mudarse de la Costa Oeste para radicarse en Nueva York. Jack, el hombre con quien salía, no quería que ella se fuese y trató de hacerla cambiar de opinión. "Me llamaba veinte veces al día." Cuando ella le habló sinceramente y le dijo que estaba preocupada por los problemas con la bebida y los problemas sexuales que él tenía, él la tranquilizó diciéndole: "Nuestra vida sexual mejorará cuando te sientas más cómoda conmigo". La noche anterior a un viaje de negocios, él pronunció las palabras mágicas: "Te amo". Y ella le creyó. ¿Por qué una mujer inteligente como Marianne confió su futuro a un hombre alcohólico y con problemas de impotencia, que trabajaba día y noche para convencerla de que no se mudase lejos de él? He aquí la explicación de ella: "El me dijo que me amaba y lo mucho que significaba para él que yo no me mudase a Nueva York. *Yo no le creí, pero me gustó que me lo dijese*". Ella no se mudó, pero la relación tampoco mejoró. El poder de las palabras de él, en perfecta sincronía con lo que ella deseaba escuchar, superaron el sentido común de Marianne. Ella desperdició otro año de su vida en un hombre que cada vez estaba más lejos.

¿Cómo defenderse de este tipo de mentira? Para comenzar, *si algo suena como demasiado bueno para ser verdad, es probable que no lo sea*. Pregúntese qué es lo que usted desea escuchar y compárelo con lo que él le está diciendo. Si va como anillo al dedo, permítase ser escéptica. Pregúntese qué gana él con decirle lo que le está diciendo. Si tiene una ganancia sexual o monetaria, tenga cuidado. Prepárese para reír o para discutir los elogios exagerados que él le endilgue. Así como usted dudaría si él le dijese que es la mujer más fea o menos atractiva del mundo, dude también si le dice que es la más bella o la más atractiva.

"Eres la mejor."

Según los hombres y las mujeres entrevistados, en lo que se refiere a la cortesía sexual, "Eres la mejor" es la mentira más popular que los hombres dicen a las mujeres en la cama. El veinte por ciento de las mujeres la mencionaron como la última mentira de alcoba que habían escuchado, y también lo hicieron el quince por ciento de los hombres entrevistados. Varios hombres incluso llegaron a confesar que habían planeado cuidadosamente cuándo usarían esta frase espúrea. Para muchos hombres "Eres la mejor" forma parte del ritual. La usan lo más hábilmente que pueden para retenerla, complacerla y prepararla para el siguiente paso. Las mujeres más experimentadas sexualmente no dan crédito a esta clase de mentira. Como decía una mujer: "Y tú eres la mejor vaca de esta pradera". Algunas desdeñan esta fórmula, porque sostienen que es parte de un discurso prefabricado. Dicen que es tan creíble como esta conversación entre dos compañeros de trabajo: "¿Como van las cosas?" "Fantástico". Se trata de pura fórmula. Es un rito social.

En efecto, estas mentiras pueden volverse en contra de quien las dice. Algunas mujeres no pueden evitar tener una reacción negativa. Una mujer de treinta y cinco años, actualmente separada, atribuía las mentiras de su ex esposo, que solía decir: "Eres la mejor" y "El sexo es grandioso entre nosotros", a un comportamiento determinado por su sexo y a una vieja manera de "engañarse a sí mismo". Además, consideraba que decirle "Eres la mejor" era una manera de quitársela de encima y ocuparse sólo de él mismo y sus necesidades. *"El sexo entre nosotros era totalmente predecible. Sabía dónde y cuándo iba a estar su mano en cada momento. '¡Vamos, adentro, afuera, gol!', cuando yo en realidad deseaba más caricias."*

Si les parece demasiado duro, volvamos a la vieja y sabia Donna, la que había sido engañada por la fingida virginidad de Garth. Recién casada, Donna sostiene que "Eres la mejor" es una mentira estúpida: *"Todas la hemos escuchado ya antes. Es mierda. Todos dicen 'Eres la mejor' y piensan que así lograrán una buena respuesta de la mujer que tienen en la cama. Es parte del ritual".* En realidad, este halago contiene una comparación implícita.

Donna no se siente halagada. Le molesta que la estén comparando con otras mujeres. Sospecha que esta mentira es más manipulativa e interesada que agradable. Joan, una mujer soltera de veinticinco años, lleva aún más lejos este razonamiento. Considera que "Eres la mejor" es despectivo e impersonal. Le suena como un cliché, como algo que se dice para conformar al otro. A ella no le gusta que la traten como a un objeto. Le gustaría más escuchar a un hombre decir algo sobre la intimidad de los dos, aunque fuese algo tan prosaico como: "Estoy disfrutando este momento contigo".

¿Por qué tantos hombres confían en un cumplido tan trillado y pedestre? Los hombres con los que hablé ven esta mentira bajo una óptica totalmente diferente: es menos rutinaria que "gracias", más personal que abrir gentilmente una puerta y mucho menos dañina que una mentira. Carl, un divorciado de cuarenta y cuatro años, resume la actitud masculina al respecto. Me dijo sinceramente que "Eres formidable", "Te amo" y "Eres lo mejor que me ha sucedido" son tan sólo exageraciones. *"No las considero mentiras."* Carl cree que a las mujeres *"les gusta escuchar estas cosas"* y que estas exageraciones *"contribuyen a crear un clima".* ¿Planifica él el uso de estas "exageraciones"? Carl no duda: "Sí, lo hago. Realmente me gusta decir estas cosas".

¿Qué sucede si una mujer ingenua y sin experiencia toma estas afirmaciones al pie de la letra? Cuando ella se da cuenta de que los "sinceros" cumplidos de él no eran más que una rutina tomada de un manual de instrucciones sexuales, es muy probable que se sienta decepcionada y engañada. Si le han dicho que es la mejor, es probable que piense que la relación es especial... hasta encontrarlo con otra al día siguiente o un par de semanas después. ¿Es esto muy frecuente? Hasta las mujeres de cuarenta o cincuenta años cometen el error de creer que "Eres la mejor", "Te amo" o "Nunca en mi vida he tenido relaciones sexuales como estas" eran signos de exclusividad y de permanencia en la relación. Bajemos la velocidad. No es así.

¿El mejor consejo? Recuerde que la gentil máscara de la cortesía sexual implica mentiras que lo benefician más a él que a usted. Desde su perspectiva, si usted no tiene conciencia de lo que sucede, mejor para él. El piensa que sus elogios le van a procurar más placer. Si usted se siente bien con eso, adelante. Todo está bien. Es posible que él sea un alma generosa y gentil. Lo importante es que usted no confunda sus gentiles mentiras con una realidad y que no crea que esta es la base para una relación sólida y duradera. Tener algo así requiere de tiempo y hay que pasar por muchas pruebas. Todo los que usted tiene por el momento es protocolo, estilo. No es sustancia.

La máscara oculta de Houdini

Hay hombres que son verdaderos Houdini de alcoba. Una vez que corren las cortinas y se encierran, ponen toda su energía para liberarse. Están allí, y al minuto ya no están más. Los actos de desaparición llegan a ser legendarios. Puede preguntárselo cualquier sábado a la tarde a los muchachos reunidos en un bar.

Para estos Houdinis es difícil olvidar, ni siquiera por un instante, adónde podrían llevarlos el sexo y la profesión de su amor. Estos hombres son Romeos de un minuto y tienen una fobia turbulenta contra el compromiso. El se muestra interesado, pero mientras la está acariciando y diciéndole cuán suave es su piel, sus ojos entrecerrados están mirando en dirección a la puerta. Lo que él le oculta es que, después del sexo, su principal obsesión es huir de entre las sábanas. Esto lo lleva a toda clase de mentiras. Para él, como para cualquier fóbico al compromiso, la mentira es su pasaje hacia la libertad.

Algunos Houdini usan la máscara de la afabilidad para entrar y salir de su cama con el menor compromiso afectivo y el menor sufrimiento posibles. Esta máscara es más que nada utilitaria, ya que la usa sólo desde que entra hasta que sale de su dormitorio, para pasar la experiencia con la mayor eficiencia posible. Es probable que usted no llegue siquiera a darse cuenta, ya que estos artistas tienen mucha práctica y están muy bien entrenados en la habilidad de irse sin mirar atrás.

Philip, un estudiante de doctorado de veintiséis años, sabe utilizar muy bien la máscara del Houdini oculto. Muchas de las mujeres a quienes seduce quedarían totalmente desarmadas si conocieran de antemano sus tácticas de huida. Philip cuenta con sinceridad: *"Desde el comienzo trato de tener en mente el final: siempre se trata de escapar. La segunda vez que me acuesto con una chica, ella me pregunta si iré a misa con ella y yo le digo que sí. Sin embargo, no tengo la más mínima intención de ir, y menos si hay un partido de fútbol o un programa de televisión".*

¿Cómo se explica Philip a sí mismo su resistencia a tener una relación seria?

"Busco el camino más fácil. En el momento digo lo que más me conviene y luego me torno maquiavélico para encontrar una salida. Me pregunto cómo salir de la relación con el menor grado de dolor, complicaciones y lágrimas que sea posible... Estoy condicionado para acceder a los pedidos y deseos de las mujeres. Trato de evitar conocer a sus familiares."

Sin embargo, acto seguido, Philip habla de su necesidad de sentar cabeza, de encontrar a la mujer adecuada, fundar una familia y mudarse a una casa en los suburbios con una bonita cerca blanca. Todo esto no es más que una caricatura. En ese cuadro no aparece ninguna mujer real, de carne y hueso, que le exija algo o con la cual esté unido afectivamente. ¿Qué es lo que anda mal? ¿Acaso es que Philip vio demasiadas películas de Doris Day por televisión o se está mintiendo a sí mismo, a las mujeres que encuentra y a nosotros? Lo más probable es que él no sea consciente de sus propias contradicciones.

Hay algo seguro: la visión oportunista que Philip tiene de la intimidad está llena de estereotipos que lo aprisionan, aún en el momento de hacer el amor. No hay duda de que, ante la primera mención de la iglesia, la familia o la permanencia, él se encierra bajo llave como Houdini. Ha creado su propio cofre hermético.

No uses máscaras, no mientas... y las matarás

Un hombre que dice la verdad debe tener su caballo ensillado.

—Proverbio ruso.

He aquí la pregunta del millón. ¿Cuán sincero y abierto desea en realidad usted que sea el hombre que está a su lado?

185

¿Quiere en verdad conocer sus fantasías secretas, saber en qué está pensando cuando hacen el amor, qué opina de sus muslos fláccidos, de los sonidos que usted emite y de los que no emite? ¿Quiere de verdad saber por qué estaba tan cansado cuando anoche comenzaron a hacer el amor? ¿O acaso está bien que siga usando esa máscara?

Una táctica que usan hombres y mujeres para sostener una relación es hacer un pacto de sinceridad. Antes de casarse o después de la primera infidelidad, las parejas suelen acordar decirse las cosas tal cual son. Los novios también hacen este trato, porque están cansados de mentiras y engaños. Hasta un hombre que está engañando a su mujer puede insistir en ser sincero con su amante, como un modo de crear una intimidad mejor que la que tiene en su matrimonio. Así, mientras su esposa piensa que él está jugando al golf o al squash, él está en un motel con otra mujer que sí sabe quién es y adónde está.

Sin embargo, para algunos hombres y mujeres, la sinceridad tiene sus inconvenientes. En las conversaciones con docenas de hombres apareció un tema recurrente: lo llamé "el inconveniente de la sinceridad". La sinceridad, sostienen muchos hombres, crea más problemas que las mentiras.

Veamos lo que dicen Nick y Chuck. Sus historias ilustran lo pesada que puede resultar a algunos hombres la sinceridad, y el esfuerzo y la dedicación que ella requiere.

Nick se sentó en mi oficina. Estaba ruborizado. Yo acababa de pedirle que me contara su última mentira de alcoba. El me había dicho que no le mentía a su esposa. Cuando comenzó a salir con Lynn, hace ya diez años, habían acordado que "era imprescindible ser sinceros". Nick fue uno de los doce hombres entrevistados que comenzaron diciendo que nunca o casi nunca mentían.

Yo lo presioné un poco, diciéndole: "Está usted demasiado enrojecido para ser un hombre que nunca miente". El me sonrió y me dijo lo que estaba pensando, justificándose con que no era una mentira, en realidad se trataba de algo no dicho. *"Era una mentira por omisión. Se trata de mis fantasías sexuales de dominación y sumisión en las cuales no incluyo a mi esposa. De este modo tuerzo pero no quiebro nuestro vínculo de sinceridad."*

Lo presioné aún un poco más, preguntándole: "¿Decirse cada pensamiento formaba parte del trato entre ustedes?". Nick ignoró la pregunta. *"El problema es que he estado utilizando el boletín para adultos de mi computadora. Desde que reparé en él tengo una vida secreta. Lynne no sabe las conversaciones sobre estos temas que yo sostengo. Yo no lo planifiqué. Encontré el boletín por accidente y me entusiasmé. Ella no conoce mis conversaciones acerca de fantasías sexuales. Yo nunca se lo confesé. Violé algún punto de nuestro acuerdo, pero se trata de una violación técnica."*

Nick se sentía tironeado entre su compromiso de sinceridad y su satisfactoria vida secreta con el boletín de la computadora. Sin embargo, seguía racionalizando con que era algo involuntario, no planeado y una transgresión "técnica" para nada fundamental. Creía haber violado la letra, pero no el espíritu de la ley.

Le pregunté por qué no aclaraba las cosas y se lo contaba todo a Lynne. Su respuesta fue interesante: *"Creo que yo tengo más fantasías que Lynne. En el sexo, yo soy quien va adelante y ella quien me sigue. Creo que por eso es posible que me juzgue mal. Sería algo como lo que propone Catherine Mackinnon, que sostiene que si alguien fantasea con una violación, es un violador.* Yo me protejo de esa clase de juicios manteniendo en secreto mis fantasías. Así me aseguro de no estar creando un problema en la relación. Temo que estas cosas puedan arruinar nuestro vínculo y que ella me deje. *Se trata de una zona gris. Tengo que descifrarla internamente.* Tengo miedo de que ella piense que yo estoy en algo sucio y que me rechace. Temo que Lynne piense: '¡Dios mío, en qué cosas estás!', *que me vea distinto y que nuestra relación cambie"*.

A Nick le importan los compromisos que asumió para con Lynne. Sin embargo, la sinceridad se ha transformado en una máscara que oculta su vida secreta: una vida que le da placer sexual sin que su esposa la comparta o la conozca. Su actividad con la computadora no parece causar daño a nadie. Es más, la Dra. Ruth tal vez hasta diría que mejora su vida sexual. Sin embargo, su temor a ser descubierto y ser rechazado está transformándose en un obstáculo, está entorpeciendo la comunicación entre él y Lynne. Se ha producido una distancia en un lugar donde no la había. A Nick le preocupa qué pensaría Lyne si lo supiese. El problema es que, al mantener en secreto una parte de sus pensamientos, está generando temores y creando una barrera. Lo que es aún peor, está confundiendo sus fantasías sexuales con la traición que significa ocultar información. ¿Por qué se enojará ella más? ¿Por las fantasías sexuales de él o porque le ocultó información y quebró el pacto de confianza?

La vergüenza y el temor de Nick transformaron el pacto de sinceridad en una máscara restrictiva. Mientras él se oculta, él y Lyne se transforman en víctimas de lo que parecería ser una actividad inofensiva.

Veamos ahora lo que le sucedió a Chuck, un gerente de treinta y dos años, en una situación completamente distinta, pero también relacionada con la sinceridad. Al igual que Nick, Chuck había hecho con su novia Jeniffer un pacto de sinceridad. Habían acordado decirse "toda la verdad" sin importar las consecuencias. Chuck pensó que esto le daba la licencia para ser *verdaderamente* sincero. Una noche, después de haber estado bebiendo juntos, estaban haciendo el amor y Chuck detectó "un olor que no hubiese debido estar allí". Sin dudar, tal como había acordado, le dijo toda la verdad: "Le hablé de algo muy personal: su olor vaginal y le sugerí una ducha".

El resultado no fue el deseado: Jeniffer se ofendió enormemente. Chuck nunca más podría referirse a cuestiones de su higiene personal, ya que ella dio por terminada la relación. Por supuesto, este incidente seguramente fue sólo una parte de lo que desencadenó el final, pero Chuck se quedó pensando: *"Me sentí avergonzado por lo que había dicho, pero era demasiado orgulloso como para disculparme. Yo fui sincero, pero me equivoqué. Debí haber evitado el sexo oral y no haber dicho nada".*

Era una situación delicada, pero más frecuente de lo que podría creerse. ¿Cómo manejarla? ¿Hay alguna forma o algún momento más adecuado para tocar temas como el olor vaginal u otros igualmente delicados? Chuck respetó su acuerdo a pies juntillas, hasta un punto que Jennifer ni hubiese soñado. Gratuitamente, en medio de una relación sexual, se transformó en un consejero médico, recomendándole una ducha.

Lo que sucedió enseñó a Chuck la importancia del factor oportunidad. La verdad se puede decir en muchos momentos y de muchas maneras. Contrariamente a lo que dice la opinión popular, no tiene por qué ser brutal. Hay que saber combinar la verdad con la genuina empatía y el respeto por el otro, y no tratar a los demás como si fuesen sacos de patatas. Seguramente Jennifer se ofendió, pero es muy probable que hubiese llegado a perdonar a Chuck si él hubiese persistido en continuar la relación. Desgraciadamente, la vergüenza de Chuck se interpuso. El se distanció y la relación acabó.

Volviendo entonces a la pregunta original, ¿cuán sincera y

abierta desea usted que sea su pareja? La sinceridad, al igual que el engaño, tiene sus lados flacos. Las dos historias expuestas muestran que un pacto de sinceridad no es suficiente para garantizar el triunfo en todos los desafíos que debe enfrentar una pareja. Sin embargo, es seguro que la sinceridad y el cuidado por el otro tendrán, a largo plazo, mejores resultados que las mentiras. No obstante, debemos tener en cuenta que es necesario desarrollar bien las habilidades comunicativas, el buen juicio y la valentía de ambas partes. Es necesario que usted escuche y respete los intentos que el otro hace para hablar con sinceridad respecto de temas difíciles, aunque no le guste lo que está diciendo. Además, ambos deben reconocer que estas dificultades son preferibles a la mentira, *siempre y cuando* ambos así lo crean.

La sinceridad, para ser productiva, requiere dedicación, esfuerzo y valentía. Para muchos hombres y mujeres, la mentira es un sustituto más fácil. Esto nos lleva a otro tema: Las máscaras que las mujeres usan en la cama.

Las máscaras que las mujeres usan en la cama

¿Son diferentes las mentiras que usan hombres y mujeres en materia sexual? Los hombres y las mujeres parecen estar de acuerdo en que *la mujer miente menos* en la cama. Entre los noventa y cinco entrevistados de ambos sexos, la mayoría pensaban que las mujeres dicen menos mentiras de alcoba. *Cerca de la mitad de los hombres entrevistados estaban convencidos de que nunca una mujer les había mentido en la cama.* Eso parece ser un sólido voto de confianza hacia las mujeres. Sin embargo, entre las mujeres entrevistadas, que sabían a ciencia cierta si habían mentido o no, sólo el veinticinco por ciento sostuvo que nunca había mentido en la cama.

¿Y el setenta y cinco por ciento de las mujeres que mintieron? ¿Qué máscaras usaron ellas? He aquí el modelo resultante a partir de las cuarenta y cinco mujeres que admitieron haber mentido en la cama.

1. La máscara de la satisfacción sexual

Esta resultó ser la mentira número uno. Entre las mujeres entrevistadas, un tercio mentía respecto de su goce sexual diciendo sentirse satisfecha con su compañero, falseando qué cosas la hacían sentirse bien o fingiendo tener orgasmos. Los orgasmos fingidos fueron los reyes de este grupo de mentiras.

Las mentiras de alcoba que confiesan las mujeres

"Finjo orgasmos todo el tiempo. Había un hombre que siempre preguntaba. El era bueno en la cama, pero pensaba que era importante que yo siempre tuviese un orgasmo. Yo no tengo que tener un orgasmo cada vez, pero no quería herir sus sentimientos."

"Yo fingía tener orgasmos. Le dije que me gustaba tener relaciones con él, pero no estaba verdaderamente entusiasmada."

"Mentí respecto de los orgasmos. Le dije que había tenido uno, pero no era verdad. Lo hice para que se sintiera especial. Yo no tengo intimidad sexual con muchos hombres."

"Mentí respecto de los orgasmos porque Ed se empeña tanto. El dice que no es importante, pero yo miento para hacerlo sentirse bien. Además, le encanta el sexo oral. A mí no. Abusaron de mí así cuando era niña. Miento diciendo que me gusta el sexo oral."

2. La máscara de la cortesía sexual

El quince por ciento de las mujeres entrevistadas dijeron haber mentido elogiando el tamaño del pene de él ("Es tan grande"), su cuerpo ("Tienes un cuerpo maravilloso") o sus proezas ("Eres el mejor"). También mintieron minimizando su impotencia ("No hay problema"). Sin embargo, a veces, detrás de esa máscara acomodaticia, hay bastante veneno.

Las mentiras de alcoba que las mujeres reconocen

"Que él es el mejor. Su última pareja lo había hecho sentirse mal y estaba inseguro. Para poder tener sexo regularmente debí darle confianza."

"En un momento de impotencia suelo decir que no me molesta, que no hay problema, cuando en realidad sí me molesta."

"Lo que digo en la cama debe contener algún elemento de verdad. Digo por ejemplo que me encantan sus hombros o sus ojos, pero estoy mintiendo por omisión al no decir que su pene es demasiado pequeño, que no sabe besar, que es un mal amante."

"Digo cosas que lo hagan sentirse bien: que todo fue sensacional, cuando no lo fue. La sinceridad absoluta en la cama no es buena para una relación. Sin embargo, la mentira puede volverse en contra de una: Cuando una quiere que se detenga él puede decir 'Creí que te gustaba'".

"Mi mentira fue esa de 'Es tan grande'. La relación no fue buena. Después me di cuenta de que la persona no me gustaba y no quería decirle que no era bueno en la cama, que no tenía personalidad y no era atractivo. Entonces preferí hacer un comentario acerca del tamaño."

3. La máscara para evitarlo

Excusas, excusas. Más del diez por ciento de las mujeres entrevistadas usaban la máscara de "Estoy cansada", "Tengo una jaqueca" o "Es una mala fecha". (Dado que el treinta y tres por ciento fingía orgasmos, satisfacción o interés en el sexo, nos preguntamos por qué el porcentaje de excusas fue tan bajo.)

"Miento para no tener relaciones. 'Es una fecha mala' o cualquier cosa que me permita ganar tiempo."

"Nunca le dije a un hombre que no era bueno en la cama, aunque muchos no lo eran. Un hombre a quien le mentí no era capaz de mantener una buena erección. Para evitarlo le dije que tenía comezón y había ido a hacer una consulta en una clínica donde me habían diagnosticado una infección."

4. La máscara de la inocencia

Muy pocas mujeres mentían respecto de sus relaciones previas, lo que habían hecho en ellas o la última vez que habían tenido relaciones. Unas pocas encubrieron un pasado tempestuoso.

Las mentiras de alcoba que las mujeres reconocen

"Me gusta sugerir cosas que me gustaron en relaciones anteriores, pero digo que es algo acerca de lo cual leí o escuché hablar, como por ejemplo estar atada o el sexo violento. Veo si están abiertos a esas cosas. Nunca admito haberlo hecho y obtengo buenos resultados. Cuando ellos me preguntan si lo había hecho antes, a veces digo que sí y a veces que no."

"Scott me preguntó si me había acostado con alguien después de nuestra ruptura. Le dije que no, aunque me había acostado con otro ex novio. ¿Por qué? Porque sabía que no íbamos a volver a estar juntos y no quería que me odiara."

"Mantengo en secreto que durante tres semanas trabajé en una línea telefónica de sexo. Ese trabajo es una mentira total: 'Estoy sola en casa, mido un metro ochenta, soy pelirroja'."

¿Qué es lo más asombroso? Lo llamativo es que un tercio de las mujeres entrevistadas admitió mentir acerca de su nivel de interés sexual (alto), su goce (buenísimo) y sus orgasmos (sí, sí, sí). El hecho de que un tercio de las mentiras tuviesen que ver con fingir satisfacicón resulta revelador, sobre todo si pensamos que no se les preguntó si mentían respecto de su satisfacción sexual. Además, pese a la falta de interés, eran pocas las mujeres que ponían excusas para evitar las relaciones sexuales.

Cuando luego analicé el grupo de mujeres que admitieron dar excusas para evitar las relaciones, casi todas correspondían a las que fingían orgasmos. Escuchemos a esta secretaria de treinta y cinco años, actualmente separada de su esposo: *"Yo ocultaba mi descontento y fingía orgasmos para que él se retirase. De otro modo iba a continuar. Era lastimoso: mentía para quitármelo de encima. También ponía todas las excusas corrientes: 'Estoy con el período, tengo dolor de cabeza, estoy cansada'"*.

Aparentemente, algunas mujeres evitan el sexo para no tener que fingir entusiasmo y porque no tienen una buena satisfacción. Una esposa descontenta, con un matrimonio problemático contó que su mentira era: "Tengamos relaciones todas las noches", para que "él se quedara". Ella hacía lo que fuera para sostener el matrimonio. Como pueden imaginar, sus esfuerzos fracasaron y acabó en un divorcio.

Parecería que las mujeres hacen lo que piensan que las conducirá a ser compañeras sexuales aceptables, aun cuando ellas no obtengan mucho placer. Aun en los años noventa, mucho después de la revolución sexual, a muchas mujeres les sigue resultando difícil decirles a los hombres lo que realmente les gusta en lugar de limitarse a cumplir con el programa sexual de ellos.

Es interesante que ninguno de los hombres entrevistados mencionó como típicas las mentiras de las mujeres para evitar el sexo. Muchos, en cambio, dijeron que ellas se presentaban como demasiado inocentes. En este terreno, la reacción de los hombres al conocer un pasado sexual rico en sus parejas puede resultar sorprendente para aquellas mujeres que usan la máscara de la inocencia.

Veamos el caso de Tim, un comerciante soltero, de veintiocho años, que descubrió los secretos sexuales de su novia y reaccionó así: *"Salimos durante dos años. Catherine actuaba como si todo lo que hacíamos fuese nuevo para ella. Ella había pasado seis meses en Barcelona y allí había salido con un tipo. Un día*

me prestó su auto y encontré una grabación en su guantera. La
escuché. En la grabación ellos tenían una sesión de sexo salvaje.
Catherine usaba eso como guía práctica. No le dije nada. Utilicé
la información".

¿Se enojó acaso Tim porque ella lo había engañado? Si así
fue, en la entrevista lo ocultó muy bien. Más bien, Tim aprovechó
la grabación y la consideró una oportunidad para tener nuevos
placeres sexuales. ¿Piensa usted que muchas mujeres actuarían
de este modo? ¿Usted acaso lo haría?

¿Qué podemos aprender de estas historias?

El sexo puede ser ocasional o puede ser la expresión de
amor y compromiso duradero, pero las máscaras que se usan en la
cama pueden sorprendernos y herirnos en cualquier etapa de la
relación. Cuando las mentiras se usan como máscaras, es difícil
distinguir lo verdadero de lo falso, saber lo que desean nuestras
parejas y lo que deseamos nosotros mismos. Por ejemplo, a veces
no estamos seguros de si estamos buscando una relación ocasional o permanente, o de si deseamos que un vínculo termine o continúe. Resulta todavía más difícil saber qué quiere el otro, especialmente teniendo en cuenta que puede estar aún más confundido
que usted. Sin embargo, él a veces sabe qué desea exactamente, y
eso está a ciento ochenta grados de distancia de lo que usted desea y de lo que aceptaría si lo supiese.

Por eso es muy importante que usted acepte una estrategia
de autodefensa y que no piense que eso le quitará la posibilidad
de disfrutar de una relación. La autodefensa será una invitación
que la hará recordar lo importante que es usted y no la transformará en una cínica. Usted se protegerá porque de eso dependen
su vida y su bienestar.

Tómese algún tiempo para definir sus propias estrategias
de autodefensa en lo sexual. Use la "Lista de estrategias de
autodefensa contra las máscaras sexuales" para recordar los principios que debe tener en cuenta antes de involucrarse con él.

Lista de estrategias de autodefensa
contra las máscaras sexuales

1. *Conozca las máscaras que más frecuentemente se usan en la alcoba* (la inocencia sexual, la experiencia, el sexo de alto voltaje, la salud, "Te amo", "Diles lo que desean escuchar", el Houdini oculto, etc.).

   ¿Cuáles ha utilizado él? Identifique algunas. Descubra a través de la información que él le da inconscientemente quién es él, su nivel de experiencia, su disposición al compromiso, su cortesía sexual.

   Recuerde que el propósito de una máscara es ocultar, de modo que usted tome la decisión que más le conviene a él pero no necesariamente a usted. Evite esto. Pregúntese qué es lo que usted desea.

2. *Evite que él la seduzca con sus halagos.* Es tentador, pero recuerde que sólo se trata de palabras. Cuánto más atractivo sea lo qué el le dice, más probable es que usted lo tome al pie de la letra. Será mejor que se centre en el comportamiento de él.

   ¿Le está demostrando él que está enamorado de usted o está solamente pronunciando las frases adecuadas?

   Corrobore sus palabras. Pídale que haga algo que no es bueno para usted. Constate si lo hace o si cuida de usted.

3. *Hágale preguntas agudas.* Desafíe las palabras de él. Observe si se contradice. Tome nota de las discrepancias que aparezcan en sus respuestas.

   Sea imprudente. Pregúntele: "¿Quieres decir que siempre has practicado el sexo seguro? ¿Todas las veces? Cuéntame de alguna vez que lo hayas olvidado".

   Si lo atrapa, no es el fin del mundo. ¿Por qué no tener ahora la conversación que de todos modos tendría dentro de tres o seis meses y que entonces sería mucho más dolorosa? Es posible que hasta siente las bases para una relación de mucha confianza.

Detecte indicios. ¿Dijo Nueva Jersey y después cambió a Nueva York? ¿Dijo que no había tenido relaciones durante un año y luego cambió a seis meses?

Háblele de las contradicciones. No le haga las cosas fáciles buscando excusas que lo justifiquen. Observe lo que él hace. Considérelo un experimento interesante. Es como poner un detector de humo en su cocina.

4. *Controle lo que él le dice, con otras mujeres y con los amigos de él.* ¿Qué sucedió en realidad cuando él dejó a su esposa?

¿Cómo perdió la custodia de sus hijos? ¿Durante cuánto tiempo trabajó en ese lugar?

¿Por qué andar a ciegas? Aunque no le guste lo que escuche, los hechos son los hechos y usted aún tiene la oportunidad de correr hacia la salida más cercana.

5. *Separe el agrado de la confianza.* Por supuesto, a usted le gusta. Está haciendo todo lo posible para encandilarla. Sin embargo, debe recordar que el agrado es química. No está mal para comenzar, pero no es suficiente. El debe ganar su confianza a través del tiempo.

No tome decisiones abruptas que le puedan traer serias consecuencias basándose sólo en la química. Déle más tiempo a la relación.

Si él le gustó antes, también le gustará después.

6. *Observe si él declara su sinceridad demasiado pronto, demasiado exageradamente o demasiado frecuentemente.* Considere esto como un mal signo respecto de la verdadera sinceridad y como un signo certero de máscara de sinceridad o de un problema con las mentiras en el pasado.

Preste atención a cuántas veces dice él que no está mintiendo, aunque usted no lo haya acusado. ¿Comienza él sus afirmaciones con frases como "Te juro que es verdad", "Tienes que creerme" o "Nunca te mentiría"?

7. *Memorice el principio: "Diles lo que desean escuchar".* Péguelo en la puerta de su refrigerador. La única manera de derrotarlo es sabiendo exactamente qué es lo que más desea usted escuchar. Recuerde que el principio de la sincronicidad puede dar por tierra con su buen juicio y transformarla en una presa fácil.

Compare su lista de deseos con la lista de bondades que él le presenta. Si la coincidencia es demasiado buena como para ser verdad, suponga que no es verdad y contrólela.

Las máscaras que él usa en la cama pueden encerrar muchas posturas machistas, estereotipos y temores al compromiso. Estas máscaras tienen su raíz más profunda en quién es él, no en la situación o en usted.

Resulta útil recordar que los comportamientos de las personas suelen ser coherentes y que el patrón de mentiras de él no es una excepción a esta regla. Una vez que usted comprenda esto, se dará cuenta de que las palabras y los anzuelos que él usa para llevarla a la cama son coherentes con lo que sigue. Lo que él hizo ayer o la semana pasada será el mejor predictor de lo que hará mañana, la semana que viene y el año que viene. Pueden producirse cambios, pero considérelos excepciones, no reglas. Pese a lo que dicen algunos hombres ("Nunca miento en la cama") , en lo que se refiere a la personalidad básica o los valores, hay muy pocos hombres o mujeres que se transformen por completo en la cama o en cualquier otra parte. Cómo seamos en el momento de la intimidad sexual será un reflejo de cómo somos en el resto de las situaciones y momentos. Este principio es vigente tanto para los hombres como para las mujeres.

Esto significa que las máscaras que él utilice en el comienzo de una relación serán modelos de otras más durables que oscurecerán su verdadera identidad más adelante. Cuando usted pase del dormitorio a la sala encontrará otros encubrimientos, como el del falso compromiso y la máscara de "Todo está bien". Los analizaremos a continuación.

7

FALSO COMPROMISO

"Ella quería un compromiso para toda la vida. En un momento de pasión yo le dije que la amaba."
—Cuarenta y dos años, divorciado.

"Yo estaba estrechando la relación, cuando en realidad no quería hacerlo. Me mentía a mí mismo. Siempre pensaba primero en mí."
—Treinta y siete años, soltero.

"El prometió permanecer casado, porque ese era nuestro compromiso. Después de muchas mentiras, rompió el matrimonio. En realidad, el vínculo estaba acabado diez años antes de que terminase el matrimonio."
—Maestra, cuarenta y siete años, divorciada.

"Mostrarme tal cual soy no conviene a mis prioridades."
—Veintinueve años, soltero.

Para bien o para mal, el compromiso ha dado lugar a muchas mentiras y hasta ha hecho nacer un término: "la fobia al compromiso", objeto de muchas sesiones de terapia y de muchos chistes. Compromiso es una palabra poderosa, que tiene significados ambiguos e irónicos. Es, además, un término que evoca sentimientos igualmente fuertes pero opuestos en hombres y mujeres. Estar comprometido en una relación significa sentirse emocional y/o financieramente unido con el otro y obligado hacia el otro. Sin embargo, estar comprometi-do tiene también un significado más ominoso: el de estar involuntariamente atado, como encerrado en una prisión. He aquí una ironía. A muchos hombres y a algunas mujeres el proceso de comprometerse afectiva y finan-cieramente a otra persona los lleva a la claustrofobia y les provoca la *inmediata* sensación de encierro involuntario. No es sorprendente entonces que el compromiso y la necesidad de evitarlo den lugar a muchas máscaras, malos entendi-dos y a todo tipo de mentiras.

¿Cómo juega esta paradoja del compromiso en contra del desarrollo de nuestras propias vidas? Recuerde los distintos com-promisos que asumieron para con usted los hombres en el trans-curso de su vida. ¿Cuál es el primer compromiso que usted re-cuerda asumió un hombre para con usted? Puede haber sido su padre, un hermano mayor, un pariente, un maestro, su primer novio o alguna otra persona. En mi caso, fue mi padre al prometerme que "si Dios quería" íbamos a pasar esas vacaciones lejanas de 1950 en un lago en Michigan.

Cuando usted comienza a pensar en estas cosas, encontrará compromisos en todos los niveles, desde lo cotidiano hasta lo que se da una sola vez en la vida, desde lo trivial hasta lo sublime. La si-guiente lista, que incluye toda clase de compromisos, la ayudará a refrescar su memoria en relación con los compromisos que han he-cho para con usted, sea que los hayan cumplido o que los hayan roto.

Una lista de compromisos de lo trivial a lo sublime

Cumplido	Roto	Compromiso
___	___	1. Ir a recogerla a alguna parte: la escuela, al aeropuerto, al hospital.
___	___	2. Regresarle un libro o un video que prestó.
___	___	3. Asistir a una fiesta que usted daba.
___	___	4. Llegar a alguna parte puntualmente.
___	___	5. Llegar a alguna parte.
___	___	6. Llamarla al día siguiente, o a la semana si-guiente.

___ ___ 7. Hacerse responsable del control de la natalidad.

___ ___ 8. Hacer el amor de una manera determinada.

___ ___ 9. Amarla y preocuparse por usted.

___ ___ 10. Tener una relación exclusiva.

___ ___ 11. Ser sincero.

___ ___ 12. Hablar acerca de los sentimientos.

___ ___ 13. Decirle si la relación ha terminado o si hay alguna otra persona.

___ ___ 14. Comprometerse, casarse.

___ ___ 15. Tener una relación monogámica.

___ ___ 16. Formar una familia.

___ ___ 17. Acompañarla en la sala de partos.

___ ___ 18. Cuidar a los hijos en igualdad de condiciones.

___ ___ 19. Educar a los hijos en una cierta religión.

___ ___ 20. Mantener a la familia o contribuir al sostenimiento familiar.

___ ___ 21. Manejar sus finanzas.

___ ___ 22. Vivir en un determinado lugar geográfico.

___ ___ 23. Financiar sus estudios.

___ ___ 24. Dedicar tiempo a la familia.

___ ___ 25. Equilibrar el tiempo de trabajo y el tiempo para la familia.

___ ___ 26. Dejar de beber, consumir drogas o comer en exceso.

___ ___ 27. Concurrir a un terapeuta de pareja, a un psicólogo, buscar ayuda.

___ ___ 28. Ser su pareja y compañero hasta que la muerte los separe.

Tome algunos compromisos que le parezcan importantes de los que han asumido para con usted. Vuelva atrás en el tiempo y trate de recordar cómo se sintió en el momento que él le manifestó este compromiso por primera vez. ¿Lo creyó de corazón, sin poner en duda la sinceridad de sus palabras? ¿Estaba usted extasiada, encantada, dudosa, atemorizada? ¿Cuáles eran sus mejores esperanzas y sus peores miedos? Por ejemplo, yo recuerdo cómo la promesa de mi padre me hizo sentir la niña más feliz del mundo. No podía esperar la llegada del verano. Anote cómo se sintió, como quiera que haya sido.

Ahora vayamos a los desenlaces. Recuerde lo que sucedió en el caso de cada compromiso. Supongamos que esos compromisos hayan sido falsas promesas. ¿Se enojó consigo misma por haberlas creído y con él por haberle mentido a usted que le creyó tan inocentemente?

¿Cuáles cree que fueron las intenciones de él y cómo llegó a eso que ha afectado para siempre su historia personal? ¿Hubo alguna explicación que le permitiese consolarse? En el caso de mi padre, él sufrió una seria enfermedad que hizo que no pudiese ir a ninguna parte. Sin embargo, yo me sentí decepcionada. ¿Qué sucedió con usted? ¿Se sintió humillada, abandonada, engañada?

¿Con cuánta desconfianza mira usted al siguiente hombre que le promete que va a llamarla, a amarla, a casarse con usted, a ayudarla a criar a sus hijos en la religión o cualquier otra cosa que sea atractiva para usted? ¿Qué ha aprendido de sus experiencias?

Nuestras experiencias son legados que colorean nuestras perspectivas en las futuras relaciones. Los compromisos mantenidos y los rotos son poderosos maestros, y nosotros somos los aprendices.

Aprender la diferencia entre las intenciones y los resultados

Las intenciones y los resultados son dos bestias completamente diferentes. Lo que él se propone y el resultado final pueden ser cosas totalmente diferentes, por un millón de buenas o no tan buenas razones. ¿Qué le parecería poder examinar las promesas que alguien le hizo al comienzo de una relación y ver cómo resultaron meses o años después? ¿Se sentiría consumida por la furia y el dolor, o se sentiría llena de optimismo y esperanzas? Hay algo seguro: podría separar al instante el engaño de la verdad. ¿El resultado? Si se trata de mentiras masculinas, las mujeres son ganadoras al instante cuando logran saber en quién confiar y a quién hacer a un lado. Las decisiones pasan a estar motivadas entonces por *el comportamiento real* y no por las palabras.

Jano, el dios mítico de los comienzos en Roma, podía mirar hacia adelante y hacia atrás. Los antiguos romanos lo representaban con dos rostros, de modo que podía mirar en ambas direcciones al mismo tiempo. Imagine si usted pudiera mirar hacia atrás para ver las intenciones y al mismo tiempo prever los resultados hacia adelante.

La mayor parte de nosotros ganamos con mucho esfuerzo una mirada del tipo de la de Jano. Nuestro último consuelo es que cuanta más experiencia tenemos, más sabiduría y buen juicio desarrollamos.

¿Qué veríamos si tuviésemos una mirada como la de Jano? Probablemente cientos de tonos de grises. Nos encontraríamos con compromisos cumplidos, con personas que trabajan duro para conseguir la armonía, que se tratan con sinceridad. Veríamos comienzos que son auspiciosos y otros que no lo son tanto, y algunos finales felices. Hallaríamos entremezcladas verdades y mentiras. Nos asombraríamos del poder seductor de las mentiras.

En particular, esto nos sucedería con las mentiras acerca del compromiso. La promesa del compromiso es atractiva porque, cuando es auténtico, es maravilloso. Sin embargo, para algunos hombres el compromiso no es más que un modo de lograr sus objetivos. Cuando dan en el blanco y la convencen de que son el auténtico hombre esperado, entonces se van con sus trofeos. Algunos toman conciencia y cambian de rumbo. Para otros, en cambio, usted pasa a ser nada más que otra contingencia en sus caminos: alguien a quien engañaron para conseguir lo que querían. Lástima que lo que ellos querían era tan diferente de lo que usted quería.

Además, aun para el bien intencionado, muchas veces sostener las promesas es todo un desafío. El arte de sostener las promesas es como un oficio en extinción. Requiere estar abiertos y conocer los propios sentimientos. Requiere que seamos lo suficientemente disciplinados como para saber decir no a otras opciones posibles y atractivas. Por otra parte, aunque nuestras intenciones sean buenas, las cosas cambian: nosotros mismos, las circunstancias, nuestras parejas. Por eso, el resultado de nuestras promesas puede ser muy diferente de lo que suponíamos.

Tipos de falso compromiso

"¿Su mentira? Que estaríamos juntos para siempre o, al menos, hasta que yo me fuese de su departamento."
—Mujer soltera, treinta años.

"Me mintió al decirme que quería que siguiésemos juntos

por el camino, que compartiésemos más cosas y también al de-
cirme que quería una mayor unión."
—Mujer soltera, treinta y ocho años.

Su máscara de falso compromiso le permite entrar en su vida mucho más allá de sus rápidos viajes al dormitorio de los primeros días. Sin embargo, sus verdaderos motivos pueden estar bien ocultos.

¿Qué es lo que está escondiendo y por qué? Comencemos por identificar las máscaras del falso compromiso con las que más frecuentemente se topan las mujeres.

Tres tipos de falso compromiso

El compromiso hueco

Es seguro que él está comprometido con usted... pero no le pregunte por qué. Tal vez se trate de una cuestión del momento, porque todos sus amigos están formando pareja o sencillamente se cansó de andar picoteando por ahí. Tal vez le dio vergüenza decirle cómo se sentía en realidad o qué quería. Usted pensará que se trata de silencio machista, pero la verdad es que él no sabe qué decir. Y dentro de quince años, cuando uno de sus hijos le pregunte: "¿Por qué te casaste con mamá?", él comenzará a buscar una respuesta en su mente. Tal vez conteste: "En ese momento me pareció una buena idea" o "No lo sé, me pescaste". Desgraciadamente, como su compromiso fue hueco desde el comienzo, todo puede romperse y acabar sorpresivamente.

El compromiso minimalista

Cuando se trata de relaciones, este tipo es un maestro de lo mínimo. Es el rey de los que no se comprometen. Su energía puede estar puesta al servicio de su carrera, en los niños, en entrenarse en el gimnasio o en otras mujeres. Esté donde esté, lo evidente es que no está puesta en usted ni en la relación, pero al comienzo usted no se dará cuenta. Tal vez esté enojado y evite los sentimientos de ternura por eso. Es más probable aún que se sienta desgraciado y que por eso la haga a usted sentirse desgraciada también.

El compromiso oportunista

He aquí el caso típico. El le dice lo que sea para que usted se involucre con él sexual, afectiva y hasta financieramente. Sin embargo, él no tiene puesto en usted un interés estable o perdurable. Tal vez, usted represente un trofeo para su colección, un cerebro que puede redactar sus notas, una máquina de producir dinero o una flor para su jardín. Usted representa una oportunidad de conseguir algo que él desea o necesita, y entonces aprovecha el momento. Sólo recuerde que cuando él diga se terminó, se habrá terminado y que eso puede ocurrir en cualquier momento.

Independientemente de cómo acabe una relación, estas máscaras de falso compromiso crean brechas importantes en la confianza entre hombres y mujeres. Muchas veces estas máscaras reflejan que él no sólo está desconectado de usted sino que además está desconectado de sí mismo. Años de refrenar sentimientos han hecho que él no se conozca a sí mismo y que se oculte sus propias intenciones tanto como se las oculta a usted. Trata de complacer a todos pero no complace a nadie, mucho menos a él mismo. Ha pasado años tratando de llegar a la cama de las mujeres y aún no ha logrado el conjunto de habilidades sociales que le permitan demostrar que no se trata de nada serio.

¿Qué hay en el fondo de estas máscaras de falso compromiso? El psicólogo de Harvard, Samuel Osherson, en su libro *Wrestling with Love,* de 1992, se refiere a las batallas internas que libran los hombres en relación con las uniones. Según Osherson, en los hombres "el deseo de unirse y el impulso de acabar con la intimidad surgen al mismo tiempo". Osherson señala con razón que si nosotras prestamos atención "al deseo de los hombres de escapar de las relaciones", eso hace que perdamos de vista "los deseos de unirse que ellos tienen al mismo tiempo". Sin embargo, el perder de vista la batalla que ellos libran internamente resulta, más frecuentemente, perjudicial para la mujer.

El centrarse en los deseos de los hombres por establecer la unión hace, muchas veces, que las mujeres pierdan de vista que ellos desean escapar de las relaciones.

Las batallas de los hombres respecto de la unión con una mujer muchas veces se manifiestan en conductas oscilantes de "Te quiero/No te quiero", que confunden y perturban a muchas mujeres. Si usted escarba un poco, encontrará la ambivalencia en la raíz de muchas de las mentiras de compromiso y armonía que él le ha dicho.

Tomemos el ejemplo de dos hombres: Andrew y Jake. Comencemos analizando sus máscaras de compromiso hueco.

Compromisos huecos: ahora y para siempre

Con décadas de diferencia en sus edades y kilómetros de distancia en sus residencias, Andrew y Jake tienen algo en común: los dos han usado la máscara del compromiso hueco para ocultarse y para esconder sus batallas internas. Cada uno le dijo a una mujer que quería casarse con ella, y lo hizo.

Seguramente usted se estará preguntando si leyó mal. ¿Desde cuándo prometer algo y cumplirlo es una mentira? ¿No es esto lo que sucede con millones de parejas felices? Cuando un hombre dice que quiere casarse con una mujer y luego dice "Sí" frente al altar, ¿cómo puede decirse que tenga un problema con el compromiso?

En primer término, debemos recordar que la máscara del falso compromiso es una máscara muy aceptable. La mayor parte de las mujeres están dispuestas a creer en ella cuando se trata de relaciones que desean que perduren. El dice: "Casémonos", ella pregunta: "¿Lo dices en serio?". El asiente y en una milésima de segundo ella está en el Registro Civil. Después de todo... *si lo dijo fue porque deseaba hacerlo.* Como hay tantos hombres con fobia al compromiso —que ven en esa palabra algo tan deseado como lo es una prisión para un ladrón—, cuando un hombre escucha la palabra "Casémonos", se comprende que desee golpear en caliente antes de que el apego se distienda y él se retracte.

Desdichadamente el "Casémonos" como el "Te amo" son palabras fáciles de pronunciar y, muchas veces, huecas. Créase o no, las palabras que él ha dicho pueden no implicar un verdadero compromiso. Afirmar "Quiero casarme contigo" puede servirle a él para superar temporariamente el hecho de que no tiene idea de lo que siente o desea. Puede ser que se sienta solo o que quiera igualarse a sus amigos que están formando parejas. Tal vez está viendo qué oportunidades tiene él y le parezca acertado hacerlo en ese momento. Pero como en esta decisión están involucradas dos personas, tanto él como usted se verán profundamente afectados por esa elección ocasional. Sin pensarlo demasiado, él se deja llevar por un compromiso que no está preparado emocionalmente para afrontar. ¿Por qué? Porque no es real. Porque es hueco.

¿Como puede suceder una cosa así? Es difícil no simpatizar con ambas partes en un caso como este. Eso es lo que surge del testimonio de Andrew, un hombre maduro, de cincuenta y tantos años, que nos refiere lo que ocurrió hace más de treinta: *"Hacia 1963, sentía extrañas presiones por parte de ella, de su familia y del medio social. Parecía que era lo correcto.* Todos mis amigos estaban casados, así es que parecía que eso tenía sentido. *Yo no quería perderla. Ella me lo exigió y sugirió que me dejaría si no lo hacía. Sin embargo yo nunca llegué a tener un verdadero compromiso afectivo".*

Al preguntarle cómo se sentía, él dice: "Esperé encontrar algún modo de escapar. Tenía conciencia de que no me sentía totalmente cómodo. Gradualmente me di cuenta de que no quería casarme". El resultado: "Acabamos casándonos y nos divorciamos dieciocho años después".

Andrew se sintió atrapado en los cambiantes años sesenta. Como observa Barbara Ehrenreich en su libro *Los corazones de los hombres,* de 1983, en esa época el matrimonio era considerado una prueba de madurez. Se trataba de "armar una pareja que funcionara" y que pudiera "superar el romance y dar lugar a una concepción realista del matrimonio", para lograr "un estado de madurez emocional". Este hombre americano de veintitrés años, sentía "extrañas presiones" que lo urgían a entrar en la vida adulta asumiendo el papel de sostén de la familia, esposo y padre. Se consideraba que casarse era lo correcto. El estaba en el punto justo para este desafío. Como graduado de la Fuerza Aérea, estaba acostumbrado a hacer lo que había que hacer, a respetar las expectativas y las reglas. Había hecho una promesa y la mantuvo. El problema es que él sentía obligación, deber, no un compromiso que saliera del corazón. Quería dar un paso que lo transformase en un hombre, en un adulto. El matrimonio era para Andrew otro rito de iniciación –como la graduación o un ascenso– que lo llevaban un escalón más arriba. Sus sentimientos, lo que realmente deseaba, estaban ocultos tanto para él como para su novia. La máscara de Andrew era la de un compromiso afectivo, cuando en realidad este no existía. A medida que los tiempos cambiaron, ese compromiso emocional hueco se cobró su precio. Andrew y su esposa se fueron apartando, tuvieron aventuras y luego se divorciaron.

En el caso de Jake, su paso hacia el altar tuvo un toque primordialmente impulsivo. Jake, un productor de cine que se considera actualmente un mentiroso patológico en recuperación, había estado bebiendo y comenzó a hablar tonterías machistas. Estaba en Tucson, moderadamente ebrio, y llamó por teléfono a su antigua novia estudiante que vivía en Phoenix. En ese momento salieron de su boca estas palabras: "Si hay alguien con quien pasaría el resto de mi vida, eres tú". Jake manifiesta que, aunque esa mentira tuvo lugar hace más de una década, fue la última mentira que lo atrapó. *"Martha lo tomó como una proposición. Yo, en realidad, no quería casarme. Ella tomó un autobús hasta Tucson.* Pensó que yo le había hecho una proposición y yo seguí con el juego. *Eso sucedió en marzo. Terminé mis estudios en junio y me reuní con ella en Phoenix.* Nos casamos en noviembre."

Lo curioso aquí no es que Martha haya tomado en serio el atisbo de propuesta de Jake sino que él haya continuado con el juego. El podría haber dicho: "Verdaderamente me importas, pero aún no sé lo que quiero. Probablemente no estoy preparado para asumir un compromiso". Sin embargo, en lugar de afrontar la incomodidad de ese momento, él prefirió seguir adelante con los planes de ella. ¿En qué diablos estaba pensando? ¿Cómo resultó ese matrimonio accidental? Usted podrá juzgarlo.

Para comenzar, ese esbozo de proposición reflejaba la batalla que estaba librando Jake en su interior. Tenía una gran ambivalencia y no sabía por qué. Deseaba mantener la distancia y al mismo tiempo unirse, y mantener la distancia, y eso fue exactamente lo que hizo. Comenzó entonces con una venganza. El era el condenado a cadena perpetua con Martha y tenía por delante sólo nueve meses de libertad antes de que sonara el gong. Según Jake, entre marzo y noviembre tuvo cuatro aventuras, tanto en Tucson como en Phoenix. Su compromiso con Martha era una máscara hueca, una ficción, pero ella no se daba cuenta. Sus tradiciones le dictaban que "una debe casarse con su noviecito del colegio". La propuesta llegó cuando ella acababa de graduarse y estaba sola. Después de casarse con Martha, Jake continuó con sus aventuras amorosas. Siguió saliendo con mujeres y mintiendo, poniendo excusas cada vez que se iba. En realidad, no le resultó demasiado difícil, ya que Martha era el complemento perfecto para sus mentiras: "Martha nunca cuestionó mis mentiras porque nunca eran extravagantes ni grandiosas", por lo cual Jake, maestro de la mentira, se permite recomendar a los aspirantes a mentiroso: *"Si usted va a mentir, hágalo simple y diga siempre lo mismo"*.

Mientras Martha aceptaba todas las afirmaciones de su esposo —constituyéndose en otro ejemplo de la creencia de las mujeres en las palabras por sobre las acciones—, Jake se perfeccionaba en el arte del engaño.

En un momento Jake se enamoró de una de las tantas mujeres con las cuales tuvo aventuras y abandonó a una Martha totalmente sorprendida. Como era previsible, Jake continuó con sus hábitos de mentiroso y llevó el engaño a sus dos siguientes matrimonios.

La relación: cómo evitar las fracturas del compromiso

Las fracturas del compromiso son algo serio. Implican renegar de una promesa o un acuerdo que ambos habían hecho y que era parte fundamental de la relación. Pueden romperse compromisos que afecten a cualquier esfera de una pareja: dónde van a vivir, el trabajo de cuál de los dos será el fundamental, cuánto de exclusiva va a ser la relación, si van a casarse, si van a formar una familia, si van a ahorrar o a gastar sus ingresos, si van a pertenecer a alguna religión en particular.

¿Por qué podría alguien hacer compromisos huecos o falsos en esferas y temas tan importantes para la pareja? Por las siguientes razones:

- *Por razones tácticas.* Comprometerse a algo puede ser el camino más corto o más expeditivo para llegar de a hasta b, o para cualquier otra cosa que desee quien asume el compromiso: sexo, matrimonio, hijos, una casa en los suburbios. El que se compromete falsamente pensará en lo que va a suceder mañana, el mes que viene y el año que viene, pero las consecuencias para la relación durarán mucho más que eso.
- *Por adaptarse sin pensar.* El acuerdo puede responder más a un impensado "Está bien" que a un razonamiento maquiavélico del tipo "Ahora acepto, pero cuando consiga lo que quiero cambiaré de idea". El acuerdo en estos casos es consecuencia de un deseo de complacer y no de un verdadero compromiso. Sin embargo, están sentadas

las bases para la fractura de ese compromiso, ya que en algún momento quien lo asumió se dará cuenta de todas las implicaciones que tiene su acuerdo.

- *¡Por qué las cosas cambian!* En algún momento puede parecer algo bueno, pero después de aceptarlo por un tiempo y ver cómo funciona en la vida cotidiana, se llega a la conclusión de que ese compromiso fue un error y surge la necesidad de escapar. De este modo, se sientan las bases de una futura fractura del compromiso.

El principal problema es que en estos casos no se dice abiertamente: "Me equivoqué", "No lo pensé bien" o "Cambié de idea", ni se intenta renegociar el acuerdo. La parte que ha cambiado de idea actúa unilateral y precipitadamente, y cambia las reglas sin decirlo, provocando con la ruptura del compromiso efectos devastadores.

Por ejemplo, en algún punto de una relación o de un matrimonio una pareja decide tener o no tener hijos. Aunque el compromiso para con la paternidad no tenga la misma intensidad en los dos, en algún momento pueden acordar en un curso de acción y comprometerse a eso. Una vez que han tomado la decisión, las consecuencias son claras: tendrán relaciones sexuales o para procrear o por puro placer.

Madelein y Ned pasaron por esta situación. Habían estado casados cinco años y tenían dos hijos. A los treinta y siete años, Madelein quiso tener un hijo más. Su reloj biológico ya hacía sonar la alarma. Ellos "habían hablado de tener otro hijo" y Madelein estaba segura de que "Ned estaba en la misma onda". Una noche, después de una pequeña discusión, estaban haciendo el amor cuando sucedió algo que Madelein describió así: *"El se disculpó y fue al baño. Luego acabamos y me di cuenta de que él ya no estaba excitado. Sentí que él no había acabado. Le pregunté si lo había hecho y dijo que sí. Insistí y él volvió a decir que sí. Al día siguiente estábamos conversando y yo volví a tocar el tema, porque me di cuenta de que él no estaba bien. entonces lo confesó: 'Tienes razón. No quiero tener un bebé, así es que fui a eyacular al baño'"*.

Madelein se enfureció. Ella quería quedar embarazada. Ned le había escatimado el esperma y *le había mentido al respecto.* Ella comenzó entonces a culparlo. "¿Ahora me vas a decir que porque hemos tenido una pequeña discusión ya no quieres tener un bebé?" El se retractó y dijo que volverían a intentarlo, pero la mentira había cristalizado y algo había cambiado para Madelein:

"Después de eso ya no volví a confiar en él. El también se distanció. La mentira había horadado nuestra relación."

¿Qué había sucedido? Ellos no habían tenido un desacuerdo. Simplemente, Ned había aceptado seguir el programa de Madelein sin estar convencido, en lugar de haberle dicho "No lo sé", "Debo pensarlo" o "No quiero tener otro bebé". Después de haber estado de acuerdo en algo que era muy importante para Madelein, trató de engañarla y de pasar por alto lo acordado. Luego, en un momento de enojo, lo que estaba sucediendo había salido a la luz. Madelein sorprendió a Ned usando la máscara del compromiso hueco y, lo que es peor, mintiendo para evitar un conflicto. Es verdad que una discusión acalorada puede resultar incómoda, pero a veces puede abrir las puertas para un diálogo franco y evitar consecuencias negativas. En este caso la mentira actuó como un síntoma y como un catalizador. Madelein y Ned se divorciaron dos años después.

El compromiso minimalista

El que asume el compromiso minimalista puede tener mucha energía y mucho espíritu. El problema es que no está dispuesto a invertirlos en usted o en la relación. Muchas veces esto aparece tempranamente, cuando él falla en la segunda o la tercera cita y da alguna excusa para ocultar el hecho de que ni siquiera está suficientemente comprometido como para atender el teléfono cuando usted lo llama. Si usted no se da cuenta en ese momento, se dará cuenta más tarde. El es desapegado y muchas veces en el pasado ha dejado mujeres esperándolo y preguntándose qué ha sido de él. Salvo por los breves momentos de unión sexual, el bando de la unión ha perdido en su batalla interna y él ha optado por esas relaciones breves, de las que puede entrar y salir con facilidad, que le demandan poca energía y poco compromiso. Aunque al comienzo la relación le parezca muy prometedora, lamentablemente en algún momento usted tomará su lugar en la larga serie de breves relaciones.

El compromiso minimalista de dejar a su esposa

El dice que hace diez años que no tiene relaciones sexuales con su esposa. No duermen en la misma habitación y mucho menos en la misma cama. Ella es muy quisquillosa y muy propensa a enojarse y a derrochar el dinero. El ha contratado a un abogado, está transfiriendo sus bienes a nombre de otro (eso debería decirle algo) y está buscando un departamento. Además, él la ama y desea vivir con usted en cuanto arregle cuestiones tales como sus finanzas y la custodia de sus hijos, o pueda darles la noticia a sus parientes.

Lo que él dice que va a hacer no es tan importante como lo que no hace. El tiempo pasa y él no deja a su esposa.

Tania podría escribir un capítulo entero acerca del compromiso minimalista. Ella no dudó en creer lo desdichado que era Al en su matrimonio. Ella lo conocía desde hacía muchos años: *"Es alguien a quien conozco desde hace mucho tiempo. Hasta habíamos tenido una relación romántica cuando estábamos en la escuela secundaria. Ahora, veinte años más tarde, él sigue formando parte de un grupo de antiguos amigos. Hace aproximadamente un año y medio me acosté con él tres veces. Cuando dijo: 'Me estoy separando de mi esposa. Voy a ir a mi casa a preparar las maletas' yo le creí. El y su esposa tenían muchos problemas. Tenían una relación horrible. Yo misma lo había escuchado decirle a su mujer que iba a irse".*

¿Por qué Al le dijo a Tania que iba a separarse de su esposa cuando en realidad no iba a hacerlo? Tania responde a esa pregunta en términos muy sencillos: "Me mintió para llevarme a la cama. Pensó que iba a hacerlo, pero no estaba del todo decidido. Estaba deprimido". ¿El resultado de todo esto? "Yo quedé embarazada, pero se lo dije recién después de haberme hecho un aborto porque para ese entonces yo estaba saliendo con otra persona."

Tania seguía acostándose con su antiguo novio y él seguía diciéndole que iba a dejar a su esposa. Dos años más tarde él continuaba con sus discusiones habituales en una relación marital conflictiva.

Tania merece un premio. Cuando le pregunté si se arrepentía de lo hecho, ella respondió: "Sí, de haber sabido que no se iba a separar de su esposa, no me hubiese acostado con él". Pero luego agrega: "El día siguiente al que me hice el aborto, le conseguí un empleo en el mismo lugar donde yo trabajaba. El aún no sabía lo del aborto".

Al le dijo una y otra vez la misma mentira y ella omitió contarle una importante verdad.

Para comprender mejor este fenómeno volvamos a la historia de Andrew, aquel que asumió el hueco compromiso de casarse hace treinta años y llevó adelante un matrimonio con aventuras de ambas partes. El también le mentía a la otra mujer respecto de su compromiso. En este caso, Andrew se tornó minimalista. Cuidadosamente escogió las palabras que decía: *"Nunca le dije abiertamente: 'Casémonos', pero le dije que iba a divorciarme de mi esposa y que entonces podríamos pensar en casarnos. Lo dije para sentirme bien conmigo mismo. Luego, mi esposa descubrió mi aventura. La otra mujer se sentía muy desdichada y estaba muy enojada".* Cuando le pregunté por qué pensaba que ella le había creído, Andrew respondió con una mezcla de culpa y remordimientos: "¿Por qué se dejó engañar?... Pues porque quería que la engañara..., aunque eso no me disculpa".

Andrew ha tenido mucho tiempo para reflexionar respecto de su compromiso hueco con su esposa y su compromiso minimalista con su amante, y sobre las consecuencias. Reconoce que sus mentiras predilectas son "Me siento comprometido" y "Quiero casarme contigo". Cuenta algo que sucedió más recientemente: *"En dos ocasiones aseguré a dos mujeres que quería casarme con ellas. Nunca ocurrió, de modo que hay por allí dos mujeres que no confían en mí. Ellas querían casarse conmigo y yo me dije a mí mismo: 'Esta es una mujer fantástica con la cual puedo tener una magnífica y amistosa relación sexual, pero no es como para pasar con ella el resto de mi vida'. Lo que yo deseaba era una versión mejorada de mi ex esposa".*

Dada su actual comprensión de las cosas, ¿qué cambiaría de su conducta? *"Volvería a tener la aventura, pero dejaría en claro que se trata de una aventura. No haría promesas ni establecería compromisos. Sería sincero."*

A los cincuenta y tres años, con una claridad duramente ganada, Andrew elige la sinceridad porque "ha comprendido que las mentiras son demasiado dolorosas a largo plazo".

Tal como Al y Andrew, los hombres que adoptan un compromiso minimalista suelen tornarse inamovibles cuando se los presiona para que realmente dejen a sus esposas. Algunos hombres y mujeres mencionaron al respecto la frase de película "No quiero perderte" como típica de esas situaciones en las cuales esta clase de hombre se ve entre la espada y la pared. ¿Es esta frase una mentira? Creo que tiene algunos rasgos de verdad y que refleja muy bien la realidad minimalista. Es verdad en parte: *él no quiere* perderla, pero no desea hacer ningún esfuerzo para conservarla. Andrew lo explica de este modo: "Quiero retener a la persona dentro de mi radio de alcance y con el objeto de retenerla digo pequeñas mentiras que tienen grandes consecuencias emocionales".

Es posible que hombres como Andrew tengan la decencia suficiente como para no decir a las mujeres que están a su lado la mentira de "Te Amo". Sea lo que sea que usted represente para él (comodidad, libertad para su vida matrimonial, un puerto seguro, una madre), él lo valora y lo extrañaría por un tiempo, si usted se cansase de esperarlo. Simplemente, usted no debe abrigar esperanzas de que él haga algo más que expresar su temor de perderla. El compromiso que el tiene para con usted, que incluye el hecho de abandonar a su esposa, es totalmente minimalista.

Prometió y la dejó plantada: una historia minimalista

Si bien no la dejó plantada ante el altar, ¿por qué siente como si lo hubiese hecho? El dijo que se encontraría con usted en Nueva Orleans, donde usted iba a pasar una semana con su madre y su hermano, pero no apareció. No le avisó, no dio excusas, simplemente no fue. ¿Es esto frecuente? Escuché una y otra vez hablar de los plantones, que van desde no llegar a una cita o no ir a un fin de semana planeado durante meses hasta desaparecer después que el traje de novia ha sido comprado y el sacerdote está listo. ¿Cuántas mujeres se han quedado sentadas esperando, solas y azoradas, a ese hombre que nunca aparecería?

Gwen es una de ellas, y eso la sigue dañando. Algunos días no puede evitar traer a la memoria el episodio completo. Ella es una muchacha fresca y abierta, pero no puede ocultar sus ojos nublados por la decepción que sufrió la última vez que un hombre, llamado Larry, le mintió. "Me engañó, me hizo promesas y me dejó plantada", recuerda. *"Un tipo con quien salía quería continuamente mi compañía. Por su comportamiento me hizo creer que estaba más comprometido en la relación de lo que verdaderamente estaba. Como pasaba tanto tiempo conmigo yo creí que realmente le gustaba. Si yo doy mi tiempo, eso significa algo. El les dijo a mis amigos que yo realmente le gustaba, aunque a mí nunca me dijo cuánto le gustaba. La relación era maravillosa hasta que se destruyó por completo."*

¿Qué hizo que esa prometedora relación se destruyese? A sabiendas o no, Gwen planteó exigencias que iban más allá del compromiso minimalista de Larry. Ella quería que él conociese a su madre, aunque para eso Gwen tuviese que atravesar medio país. Lamentablemente, lo único que Larry escuchó fue el ruido de las puertas de la celda cerrándose a su lado. *"Quedamos en encontrarnos en un hotel de Nueva Orleans y no apareció. Lo llamé y no respondió a mi llamada. Finalmente, me di cuenta de que la relación significaba más para mí que para él. Larry no estaba dispuesto a invertir nada. El me confundió con su comportamiento, no con sus palabras. La relación iba avanzando y eso lo asustó y lo hizo escapar."*

Gwen hacía grandes esfuerzos por explicarse algo que aún no lograba comprender ¿Cómo podía ser que alguien en quien ella confiaba y con quien sostenía una relación sentimental seria la hubiese tratado de esa manera y, además, estando su madre de por medio? Le pregunté entonces, para llevarla al centro de la cuestión: "¿Cuándo fue la última vez que habló con él?". Gwen sacudió la cabeza con incredulidad. "Lo había visto diez días antes y todo parecía estar bien. No sentía nada especial. Le creí porque no tenía ninguna razón para no hacerlo." Con la voz quebrada, Gwen repetía la frase que he escuchado pronunciar a cientos de mujeres: "No tenía ninguna razón para no...".

Más allá de cuáles hubiesen sido las intenciones de él cuando le prometió que iría a Nueva Orleans, Gwen seguía cargando con el peso de esa mentira. Lamentaba tener que preguntárselo, pero era importante saberlo: "Dime, Gwen, ¿cómo te afectó esa mentira?".

¿Cómo no solidarizarse con alguien que da esta respuesta?: *"Me sentí muy mal. Yo lo amaba. Nunca antes había amado a alguien de esa manera. Mi madre me dijo: 'Tal vez tuvo algún problema'. Más tarde lo llamé. El no podía conversar de lo que había hecho. Actualmente pienso que él es una persona muy desconsiderada. Tal vez no quiso decepcionarme frente a frente. No lo sé. Le dije: '¡Eres una basura!' y todo lo que él respondió fue: 'En este momento estoy con muchas cosas, tienes razón'"*.

Si Gwen pudiese reescribir ese fin de semana terrible, sin saber lo mínimo que era el compromiso de él, ¿cómo lo haría? Su respuesta es interesante: *"Me habría gustado que me dejase de a poco. Creo que él fue muy desconsiderado. Yo le di opciones: 'Si no quieres venir este fin de semana a verme, está bien'. Le di una salida. Si él la hubiese tomado, me habría dado una pista. En cambio, de esta manera, sigo cavilando sobre esa situación"*.

Gwen no es tonta. Ella es una ejecutiva de relaciones públicas y es una buena estratega. Ella se cubrió a sí misma y lo cubrió a él, dándole mucho espacio para que se negara, para que quedase bien y no la lastimase innecesariamente. El hecho de que él no tomara esa opción parece muy revelador para Gwen, acostumbrada a leer entre líneas. Yo le dije que seguramente él pensaba ir. Para Gwen era inconcebible que, en un abrir y cerrar de ojos, él cambiase de opinión. Ese comportamiento le parece desconsiderado y ella, acostumbrada a ponerse en los zapatos de otro, piensa que nunca lo hubiese hecho.

Sin embargo, la paciencia y buena voluntad de Gwen para con los hombres que le mintieron fueron decreciendo a medida que la entrevista llegaba a su segunda y tercera hora.

Mientras que al comienzo ella se preguntaba si "había dejado de lado información importante", si "había captado las señales de advertencia demasiado tarde", más avanzada la charla comentaba: "Hay que ver la clase de estúpidos con que una debe tratar. Me gustaría poder comenzar de nuevo. Ahora siento que llevo un peso demasiado grande". Su desesperación se fue transformando en furia. El compromiso minimalista de Larry le había dejado una profunda herida. Este hombre había contribuido a ampliar la brecha entre los sexos. Gwen, tal como Donna y muchas otras mujeres, espera ser menos ingenua la próxima vez. ¿Cuál fue la intención de Larry? Probablemente no fue lo que Gwen obtuvo como resultado.

"Te llamaré"

¿Es una mentira o no lo es? He aquí una promesa muy trivial que divide justo al medio el campo de los hombres del de las mujeres. Pregúntele a los hombres que conoce cuán grave o serio consideran ellos el incumplimiento de la promesa "Te llamaré" hecha a una mujer luego de una cita, se trate del comienzo, el medio o el fin de una relación. Luego plantee la misma pregunta a sus amigas mujeres. Observe las reacciones de ambas partes.

El veinte por ciento de las mujeres entrevistadas señaló "Te llamaré" como una de las tres mentiras más frecuentes que los hombres dicen a las mujeres. En cambio, sólo un hombre mencionó "Te llamaré" como una de las mentiras más frecuentes que ellos les dicen a las mujeres. Además, entre las mujeres, otro veinticinco por ciento mencionó espontáneamente "Te llamaré" durante las entrevistas, mientras que sólo un diez por ciento de los hombres lo hizo. Aparte de a las sesenta mujeres entrevistadas, he escuchado a cientos de mujeres hablar sobre esta promesa rota. Por supuesto, no se trata de una mentira tan hiriente como "Te amo", pero las mujeres consideran que ésta es la mentira más frecuente e irritante por parte de los hombres.

Sin embargo, hay algo gracioso: los hombres lo ven de una manera completamente distinta. Ellos no creen siquiera que se trate de un compromiso, mucho menos de una mentira. ¡Ni siquiera piensan que una mujer se lo deba tomar de manera personal! Muchos de los hombres entrevistados manifestaron que les parecía absurdo considerar "Te llamaré" como una mentira relacionada con el compromiso. Incrédulos, me preguntaban: "¿Acaso las mujeres esperan verdaderamente que uno las llame porque les ha dicho 'Te llamaré'?". Ellos sostenían lo siguiente: "Sólo se trata de una expresión. No significa nada".

Tal vez no signifique nada para *ellos*. No obstante, para la mayor parte de las mujeres "Te llamaré" es una mentira que crea mucha confusión. Si ella lo dice, quiere decir exactamente eso. ¿Por qué no es lo mismo para él?

Parece tratarse de un compromiso relativamente pequeño, si lo comparamos con otros tales como "Me casaré contigo", "Mantendré a los niños" o "No tendré otra mujer". Sin embargo, resulta dañino. Cuando el "Te llamaré " que no se cumple proviene de alguien recientemente conocido, es probable que no genere demasiada sorpresa en una mujer ya iniciada, pero de todos modos resulta irritante. Cuando por el contrario es el último jalón de una relación prolongada, "Te llamaré" deja a la mujer muy alterada, esperando durante semanas e incluso meses que el teléfono suene.

¿Por qué? Nuevamente vemos aquí que las mujeres tienen una relación con las palabras diferente de la que tienen los hombres. Para una mujer "Te llamaré" es una declaración de la intención de continuar con la relación. Es una manera de decir "Me agradas" y "Deseo pasar más tiempo contigo". Se trata de una afirmación que lleva consigo una obligación. "Te llamaré" abre la posibilidad de mayor intimidad.

Para los hombres, en cambio, "Te llamaré" es como "Hasta pronto, fue un placer conocerte, sigo mi camino". Es un camino de salida rápido que no promete nada y no pide nada. Lo pone a salvo de usted y lo devuelve a su propio campo. Desde el punto de vista de una mujer, es una manera menos dolorosa de dar las cosas por terminadas.

Para usted es un atisbo de compromiso que espera que él respete. Para él es tan sólo una frase minimalista que le garantiza salir a salvo.

Compromisos oportunistas

Usted ha conocido a alguien nuevo y está abierta para ver cómo se van desarrollando las cosas. Lo sepa o no, usted le ha hecho una oferta que él no puede rechazar. Sea lo que sea lo que usted tiene o representa belleza, inteligencia, figura, sexo, estatus, dinero o compañía es demasiado bueno como para dejarlo pasar. Sin embargo, las intenciones de él son sacar el mayor provecho posible y seguir adelante. Tal vez él se lo diga. En ese caso, no se tratará de una mentira sino más bien de un negocio acordado entre dos adultos. Sin embargo, en muchas ocasiones él no se lo dirá, aun cuando no necesita de una bola de cristal para darse cuenta de lo que va a suceder después. Usted resultará sorprendida y se sentirá engañada. Mientras usted fantasea respecto del futuro, él está pensando en cómo salirse del anzuelo. Es probable que incluso ya tenga un plan.

La promesa de exclusividad

La promesa de exclusividad es un falso compromiso que le da a él la libertad de hacer lo que quiera sin que usted lo sepa. A veces la promesa de exclusividad es también una fachada oportunista que lo lleva a él con facilidad de un punto a otro en una relación, al menos por un tiempo. Se trata más de una transacción que de un compromiso.

Así la usa Stuart. Stuart está en mitad de la vida, es atractivo, seguro y está lleno de encanto. Ríe al pensar en la primera mentira que le dijo a una mujer. Es la risa conocedora de un hombre que admite que después de esa mentira, ha dicho muchas más: *"Mi mentira fue 'Tú eres la chica más importante de mi vida', la mentira de la exclusividad, sabiendo bien que tenía en mi bolsillo trasero una libretita negra con otros doce nombres de las chicas a quienes llamaría el domingo por la mañana".*

Stuart, al igual que un tercio de los hombres entrevistados, suscribe a la escuela de "Diles lo que ellas desean escuchar" respecto de las relaciones masculino-femeninas. El mentía acerca de la exclusividad porque suponía que eso es lo que en general las mujeres deseaban escuchar: que "merecen compromisos exclusivos". Lo que valoraba Stuart era "el sexo, el estatus y el hecho de tener una novia como posesión". ¿Era consciente de que ese compromiso implicaba un fraude? Stuart echa por tierra mi pregunta: "Ella lo sabía, yo lo sabía, nuestros amigos lo sabían. Tanto los hombres como las chicas hablan. Nunca volvimos a vernos".

Stuart había solucionado su batalla interna respecto del compromiso con un abordaje que implicaba hacer cualquier cosa que lo llevara a cerrar el trato, a realizar esas operaciones cada vez que le resultase conveniente. Para Stuart, el compromiso no era algo personal. Todo era parte de un juego de compra y venta. Cuando una relación terminaba, tampoco era algo personal: "Ella se iba y alguna otra la reemplazaba". Se tachaban algunos nombres de la lista y se agregaban otros. A Stuart le gustaba mantener las opciones abiertas.

Lo llame como lo llame, es tan sólo algo temporario

"Yo ocultaba mis sentimientos, mi premeditada falta de comunicación. No decía que la relación era algo temporario, que no me hubiese involucrado con ella de saber que se iba a ir de la ciudad. Deseaba tener satisfacción sexual. Ella también, pero yo le gustaba más de lo que ella me gustaba. En lugar de dejar que ella viese la verdad, se la oculté. No dije nada."
—Soltero, treinta y dos años.

Sí, parece algo importante. El se muestra atento e interesado. Es romántico y tiene mucho tiempo para usted. Es una pena que usted no se dé cuenta que la única razón por la cual está con usted es (complete con alguna de las opciones de la lista que sigue):

1. Viven en ciudades diferentes.
2. El sabe que va a tomar un nuevo trabajo en Africa Occidental dentro de dos meses.
3. Usted se va a mudar a otra ciudad dentro de cuatro meses y se lo ha dicho.
4. Cada uno está casado con otra persona.
5. Han hecho un arreglo para encontrarse el año que viene a la misma hora.

A Marty le cabía la opción número tres. Como usted recordará, se trata del mismo Marty que se fue a Filipinas y a Tailandia, y olvidó decirle a su virginal novia que tendría allí aventuras sexuales. En esta nueva situación, Marty seguía buscando relaciones sexuales sin compromiso y esta parecía la ideal. Courtney se iba a mudar a Oklahoma mientras que Marty permanecería atado a su trabajo en la Costa Oeste sin posibilidades de viajar en el horizonte. Marty lo consideró una oportunidad, algo bueno para los dos. La pasarían bien y se dirían adiós sin culpas. Marty estaba encantado. Se sumergió en la relación, ya que desde el comienzo podía ver el final. El único problema fue que Marty no le hizo conocer el acuerdo a Courtney.

Para Marty se trataba de "mantener la relación dentro de sus cánones: el no compromiso". Marty sostiene que él no planeó mentir ni enmascarar sus intenciones. Al menos no al comienzo. ¿Por qué hacerlo? El pensó que estaban "en igualdad de condiciones". Como ella se iba a mudar, él se imaginó que ella también lo veía de esa manera. Lástima que olvidó consultarlo con ella.

El problema es que para Courtney las barreras geográficas eran irrelevantes. En una era de teléfonos, faxes y aviones, ¿qué problema planteaban tres mil kilómetros de distancia? A medida que la relación avanzaba, Marty comenzó a ver más claramente: *"Me di cuenta de que yo le gustaba mucho. Comenzó a llamarme demasiado: dos veces por semana y a veces más.* Me sentía invadido, pero no le dije nada".

Entonces, Marty adoptó la máscara del compromiso. Ocultó su incomodidad y no mencionó su plan de cortar la relación abruptamente cuando ella se fuese de la ciudad. El se adaptó a los términos de ella, fingiendo que ella le agradaba casi igual que él a ella. Todo fue una mentira oportunista. En un momento, después de considerables esfuerzos, Courtney captó el verdadero mensaje y desapareció de su vida.

La intención de Marty era tener una relación temporaria y eso fue lo que obtuvo. Sin embargo, Marty no se sintió bien. El mantuvo el sentimiento residual de haberle hecho daño y, por otra parte, estaba enojado por sentirse culpable: *"Me siento culpable, pero... ¿es acaso un crimen que ella gustara de mí más que yo de ella. ¿Por qué debo sentirme culpable?"*. Internamente, él siente remordimientos: *"Hay una parte de mí que no es abierta y sincera. Si hubiese sido más auténtico y me hubiese mostrado tal como soy: 'tómalo o déjalo', me hubiese sentido más cómodo"*.

La motivación de Marty era el interés en sí mismo. También lo era el de Courtney. Si Marty le hubiese dicho cuáles eran sus verdaderas intenciones hubiesen estado en condiciones de igualdad y hubiesen tenido más posibilidades de desarrollar lo que fuese posible. Tal vez la relación no hubiese llegado a ninguna parte, pero el resultado y los efectos hubiesen sido diferentes. No hubiesen terminado con remordimientos, culpa y pena.

El compromiso prematuro

"Era recién nuestra primera cita, pero yo le pregunté: '¿Por qué no te mudas conmigo? La casa es grande y no tiene sentido que ambos estemos pagando una renta'."
—Médico divorciado, cuarenta y cuatro años.

"Entonces, le dije: 'El fin de semana pasado dijiste que querías viajar por todo el mundo durante un mes. Llamé a mi agente de viajes y está trabajando en eso'."
—Abogado divorciado, sesenta y cinco años.

"Bill me dijo: 'Conocerás a mi amigo Harvey, con quien nos criamos juntos, y a Charlie, que es mi socio. Más o menos en un mes quiero que conozcas a mis hijos'. Más o menos en un mes dejó de llamarme. Nunca más lo vi."
—Trabajadora Social, soltera, treinta y ocho años.

Algunos hombres parecen tener una disposición especial a lo que yo he dado en llamar el "síndrome del compromiso prematuro". Conocen a una mujer y la colocan en algún estándar que les resulta aceptable. Usted tiene los requisitos mínimos. Es suficientemente atractiva, suficientemente inteligente, suficientemente simpática, suficientemente talentosa o les ha dado una impresión suficientemente buena. Tal vez usted signifique una especie de trofeo, y ellos están ansiosos por meterla en un saco y cerrar trato. A menudo son hombres de éxito en los negocios o en una profesión. Están acostumbrados a tomar decisiones rápidas, conseguir lo que quieren e irse. Les hace falta una compañera, alguien dulce, y usted parece la mujer adecuada. Para ellos no es algo muy diferente de lo que hacen en una gran tienda, cuando encuentran una buena selección de camisas, escogen las de los colores apropiados y la talla adecuada, y resuelven la compra rápidamente. Todo ese ejercicio es algo impersonal y expeditivo, que les permite conseguir lo que necesitan siempre que haya mercadería disponible. Están uno o dos escalones más arriba de los compradores compulsivos. El único problema es que en este caso la mercadería es usted.

Al conducir tan rápido, esos hombres esperan muchas veces pasar de largo por esas tortuosas fases de conocer todo acerca de la mujer que tienen al lado. Quieren evitar tener que aprender acerca de sus estados de ánimo y sus opiniones, sus necesidades y sus deseos. En realidad, no quieren gastar tiempo en conocerla. Prefieren poseerla. Cuentan con su habilidad para tomar atajos y por eso se comprometen prematuramente.

A veces actúan como si fuera cierto que van a pasar el resto de su vida juntos. Gwen, nuestra brillante gerente de relaciones públicas, lo describe así: "Ellos crean un vínculo falso. Dicen demasiadas cosas demasiado pronto, como si debiéramos conocernos de inmediato y ser amigos del alma para los postres de la primera cena". Cuando ella salió con un hombre que le dijo hacia el final de la cena "Eres exactamente la clase de mujer que estoy buscando", no se sintió halagada. *"El no me conocía. Quería una mujer y yo le parecí apropiada. Me sentí como una mercadería. Si no era yo, sería la próxima. Yo era un comodín. Le dije que yo no tenía la misma ansiedad que él."*

La agudeza de Gwen la salvó de ocupar ese lugar y acabó con la relación. Fue una jugada inteligente.

El problema comienza cuando una mujer acepta las tempranas proposiciones que le plantea esta clase de hombre. Estos apresurados, indefectiblemente, sufren esos ataques de remordimiento que también son propios de los compradores compulsivos. Después de la compra comienza la batalla interna. Consumidos por las dudas, reparan en cualquier defecto real o imaginario. Todo lo que desean es regresar a la tienda y devolver su compra sin siquiera abrirla.

Lo que parecía una cosa segura se vuelve una cosa imposible. Usted puede esperar escuchar cualquier tipo de excusa: "Mi madre dice que aún no he conocido suficientes mujeres" (¿Su madre?, ¡es un analista industrial de cuarenta y cinco años!), "No le agradarás a mi ex esposa" (Nunca había mencionado a una ex esposa, y ¿por qué podría importarle lo que ella piense?), "No puedo hacer ningún compromiso hasta que no se solucionen mis problemas de trabajo" (¿Qué problema de trabajo y qué tiene eso que ver con la relación?). Sea cual sea su excusa, él está enviando un claro mensaje: "No estoy preparado siquiera para comprar un auto; mucho menos para casarme, vivir contigo o llevarte a almorzar", o cualquier otra cosa que se haya comprometido a hacer. En cualquier momento la llamará para cancelar la cena o la salida del fin de semana.

No se aflija. Como sucedía con el compromiso oportunista, en nueve de cada diez casos no se trata de algo personal. Este hombre estaba predispuesto para comprometerse con cualquier mujer que se cruzase en su camino y retractarse después. Le tocó a usted. No tiene nada que ver con cómo sea usted. En este caso *se trata de él.* Regrese ese pez al estanque y busque otro lugar donde pescar. Además, aún en el caso de que fuese algo personal, es mejor saberlo ahora que dentro de seis meses, cuando usted ya hubiese desarmado su departamento y dado de baja su línea telefónica.

El compromiso como retribución

La mayor parte de los compromisos se rompen porque una de las partes no está totalmente comprometida, se comprometió por razones equivocadas o en un momento inadecuado. Hay historias en las cuales se rompe un compromiso y luego se lo usa como un arma para herir al que provocó la ruptura.

En esta historia, la que rompió el compromiso fue Donna, y Lance fue el que buscó una retribución. Donna, que tenía dieciocho años, estaba comprometida con Lance. Tenían planeado casarse después de que él se graduara en la Academia Naval, en la primavera. El verano anterior él había tenido que irse a un entrenamiento, y Donna estaba trabajando como consejera en un campamento, donde tuvo una aventura amorosa. Así describe Donna lo que ocurrió: *"Nunca se lo conté a Lance. Le escribía cartas mientras salía con otro. Pasé seis días en el campamento y después regresé a casa. Ese domingo llevé a mi amante a casa, para que pudiésemos estar juntos. Dormimos juntos y nos bañamos juntos. Entonces vi el auto de mi novio en la calle. Lance estaba dormido. Había conducido día y noche para estar conmigo. Lance y yo habíamos acordado no tener relaciones sexuales con nadie más. Entonces coloqué una manta en el diván, arreglé todo y abrí la puerta para buscar el periódico. Fingí estar sorprendida: '¡Lance! Estoy tan contenta de verte...'* Lo hice pasar

*y le presenté a mi amante diciéndole que era un amigo. El nunca
me preguntó nada".*

Lance lo supo, pero recién un año más tarde. Aunque Donna
le había dicho que nunca debía leer su diario, una vez estaba solo
en casa de ella y se tentó. Fue hasta su escritorio, lo leyó y descubrió cada detalle de la aventura, el amante y la traición. Así lo
describe Donna: *"El estaba en un dilema. Había leído el diario y
en eso me había traicionado. Había abusado de mi confianza. Yo
le había dicho: 'Nunca leas mi diario'. El lo leyó y no me lo dijo.
Luego, él me evitaba y no quería tener relaciones conmigo. A la
semana siguiente me enfrentó: '¿Quieres saber lo que está mal?
He leído tu diario'. Enloquecí: '¿Hasta dónde leíste?' y él me
dijo que estaba enterado de mi aventura del verano. Yo estaba
asustada. Tenía la boca seca, transpiraba y mi corazón latía con
fuerza. Estaba comprometida con este hombre y él me había descubierto. Era una idiota. No debía haber escrito nada. Pensé:
'Me va a dejar. Lo voy a perder. ¿Cómo me va a hacer eso?'.
Sollocé, diciéndole: 'Te amo. No me dejes'. Conversamos. Tratamos de superarlo. El me dijo: 'No te conozco. Creí que te amaba'. No me insultó ni gritó. Es una persona pasiva. Estaba herido y enojado, pero no había emoción en sus palabras".*

En medio de las lágrimas de Donna y de las recriminaciones, Lance siguió siendo un perfecto oficial y un perfecto caballero que no demuestra sus emociones. Antes de hablar había estado incubando una semana la rabia de la traición. La máscara del
estoicismo le sentaba bien. Conversaron acerca de la mentira de
Donna. Ella se disculpó, pero no pudo explicar su infidelidad. No
había sido algo racional. Ellos lucharon y trataron de superarlo, o
al menos eso creyó Donna.

Herido profundamente, Lance esperaba retribución y justicia. Entonces, Lance se puso la máscara del compromiso. Pero no
era de ninguno de los tipos que ya hemos tratado. La suya era una
máscara de falso compromiso como retribución, una manera de
restaurar su honor. Durante seis meses hizo ver que todo estaba
bien, esperando la oportunidad de vengarse. *"Después que Lance
leyó mi diario y descubrió mi mentira, en los seis últimos meses
de nuestro compromiso mintió continuamente diciéndome que aún
me amaba, mientras en realidad planeaba terminar la relación
en cuanto se graduara en la Academia Naval. Entonces rompió
el compromiso sin ninguna advertencia."*

En la despedida se mantuvo parco y desconectado de sus

emociones. Con la frialdad de un cirujano, él acabó con la relación que le había provocado dolor: *"Lance se graduó en la Academia. Luego me dijo: 'No te voy a llevar conmigo'. Dos semanas más tarde me envió una carta en la que me decía: 'No quiero verte nunca más. Quédate con el anillo'. Lo llamé. Estaba enojada. ¿Por qué estaba jugando conmigo? Me dijo: 'Quiero que termines tus estudios. Necesito tiempo'. Pero luego volvió al viejo tema".*

Donna lo tomó muy mal. No pensaba en otra cosa. En algún momento, cambió de idea. Se preguntó: *"¿Cómo pudo hacerme eso? Tenía un anillo. Me sentí traicionada, humillada. El me lastimó. Estuve deprimida durante tres años. El no pensó en mis sentimientos".*

Ella se convenció de qué él era una basura. Más tarde se casó con otro. Pero Donna piensa que si volviese a estar en la misma situación, no lo engañaría. "Fue mi primer amor verdadero y era un hombre fantástico."

En la historia de Donna se funden elementos de melodrama y elementos de la vida real: compromiso, promesas rotas, engaño, traición y venganza. En su médula está la cuestión del falso compromiso y de la capacidad que este tiene para hacer daño. Lance, a diferencia de la mayor parte de las mujeres entrevistadas —que no buscaron venganza por más que la traición hubiese sido artera—, buscó revancha. Después de descubrir la infidelidad, dijo palabras sugestivas: "No te conozco". Al parecer, ella tampoco lo conocía.

Demasiado bueno para ser verdad: una mezcla de máscaras

¡Qué príncipe! Este hombre es atento y encantador, y adora las mismas cosas que usted. Todo comenzó con palabras de seducción, pero fue más allá. El la llama desde el teléfono celular de su auto, entre vuelos, le envía poemas de amor por fax y hasta por correo electrónico. Está siempre ansioso por verla, le hace enviar flores cuando está fuera de la ciudad cosa que sucede muy a menudo y disipa todas sus dudas al regalarle un encantador colgante de oro que dice "Para siempre". Es un romance de cuento de hadas, demasiado bueno para ser verdad.

Quédese tranquila, no lo es.

Usted es parte de la rica vida interior que él está desplegando en una de sus crisis de la edad madura. Está luchando para no sentirse viejo, cansado y decepcionado de la vida. Nunca ha alcanzado sus sueños. Usted es parte de su fantasía escapista que él ha construido para pasar el resto de su vida. Este hombre podría ser un mentiroso patológico o podría estar seriamente deprimido. En realidad, podría ser ambas cosas. Con usted, él miente respecto del compromiso. En lo que se refiere al falso compromiso, este hombre es una especie de máquina expendedora que prodiga compromisos huecos, minimalistas y oportunistas uno tras otro. Si usted se queda el tiempo suficiente a su lado, llegará a darse cuenta de que él realmente no era sincero en *ninguna* de sus declaraciones de amor y compromiso. Aunque resulta devastador, las mentiras que él le dice a usted son sólo una parte del daño. La otra parte pueden ser las cosas que no les dice a su esposa y a su familia.

Déjelo ir.

El legado de las máscaras del compromiso

Esta claro que los hombres usan máscaras de falso compromiso. Lo que no es tan claro y es mucho más complicado es el porqué. Oscar Wilde decía que hay dos tragedias en la vida: una es no conseguir lo que uno quiere, la otra es conseguirlo. De algún modo nos ingeniamos para desear lo que no tenemos y para rechazar lo que tenemos.

En el fondo de esta batalla se encuentra la ambivalencia entre nuestra necesidad de unión y nuestra necesidad de libertad. Algunos psicólogos llaman a esta necesidad simultánea de estar lejos y de estar cerca: *"el dilema del puerco espín"*. ¿Por qué? Porque los puercos espines quieren acercarse el uno al otro para conseguir calor, pero cuando se acercan mucho se pinchan con las espinas del otro. Entonces, se apartan o son apartados. Tarde o temprano, esta ambivalencia afecta tanto a hombres como a mujeres. Las batallas respecto de la unión que sostienen los hombres pueden resultar confusas tanto para ellos como para sus parejas, especialmente cuando ellos se empeñan en lograr un compromiso y, cuando lo ven real, se apartan. Cuando la unión se hace posible, algunos hombres se dan cuenta de que lo que verdaderamente querían era la libertad. Sin embargo, como tampoco desea perderla a usted, una vez que ha recuperado su libertad insiste buscando una nueva versión de la relación. ¿Cuál es la verdad? Que no quiere comprometerse, pero tampoco desea renunciar a nada.

Frente al dilema que les plantea un compromiso permanente, muchos hombres eligen centrarse en lo que es bueno a corto plazo. Le dicen entonces lo que piensan que usted desea escuchar y *lo que probablemente estará programada para creer*.

En una comunidad profesional y social que valora el compromiso para con la familia, él puede considerar que una relación seria lo hará avanzar en el camino del éxito. Es posible que la relación que tiene con usted tenga más valor en sus logros profesionales que en su realización afectiva. Para él —y también para muchas mujeres—, el matrimonio y la familia pueden ser simplemente "acontecimientos de un momento de la vida". Como todos lo hacen, en un momento determinado también para él es lo mejor. Si usted está dentro de la categoría de lo que él cree que desea, usted se transforma en una elección genérica e impersonal, en lugar de ser una elección personal y específica.

En este caso, se está comprometiendo con una forma de vida, no con usted. Usted en sí puede no ser más que un personaje temporario en el drama de su vida. Este efecto suele producirse cuando la mujer también va hacia el compromiso guiada por necesidades similares (presión de sus pares, el tiempo, miedo de estar sola, deseo de tener una familia). Sin embargo, aun cuando hombres y mujeres asuman un compromiso real, a veces no tienen las habilidades comunicativas y la capacidad de relacionarse que necesitan para llevar adelante las cosas y enfrentar las duras realidades que se les presentarán. En ese caso, ellos, —y tal vez usted también— deciden fingir. Entonces aparece la máscara de "Todo está bien".

Estas máscaras evitan enfrentar los conflictos, los enojos y las cosas desagradables. Con esta clase de fachada una pareja logra *parecer* armoniosa, pagando como precio la falta de unión real, de comunicación, de apertura. Años después, usted puede llegar a preguntarse: "¿Quién era este hombre enmascarado?".

Esa máscara tan exitosa que él lleva será nuestro próximo tema. Las engañosas mentiras de la falsa armonía son la lógica consecuencia o corolario de las mentiras del falso compromiso que hemos estado tratando. A su vez, la distancia emocional que crean las mentiras de "Todo está bien" crea el campo necesario para llegar a las más oscuras de las mentiras: las mentiras de evasión.

8

CUANDO "TODO ESTA BIEN" ES UNA MENTIRA

"Los hombres nunca hablan de sus sentimientos. Estoy segura de que los tienen, pero no de que sean capaces de identificarlos. Niegan que los tienen porque no quieren que los consideren débiles."
—Estudiante, treinta y cuatro años, divorciada.

"No dicen lo que sienten. Para evitar una discusión, prefieren mentir."
—Vendedora, veintiocho años, soltera.

"Mi esposo miente porque no quiere enfrentarse a mi enojo. Si me enojo, él no lo comprende, y eso crea otra brecha entre nosotros. Sin embargo, cuando yo me entero, me enojo más que cuando él no me lo dice. Mi furia es mayor."
—Empleada de la justicia, treinta y tres años, casada.

"El no quería herir mis sentimientos. Pensó que me enojaría. No quería que lo atacase. En realidad, no sé si me protegía a mí o se protegía a sí mismo."
—Consultora, veinticuatro años, casada.

Si miramos las historias de las personas, veremos que existen una enorme cantidad de sueños que van desde la romántica cabaña para dos hasta las versiones yuppies del éxito, desde las caminatas románticas hasta los bailes mejilla a mejilla en la terraza. Sean cuales fueren los sueños, las realidades suelen estar bastante lejos de los cuentos de hadas y de las vidas de las y de los príncipes y princesas encantados. Hasta en los cuentos de los hermanos Grimm, después de que el príncipe y la princesa parten a caballo hacia el atardecer dorado, la historia acaba piadosamente evitándonos las noticias desagradables acerca de la futura declinación de la felicidad.

Una vez que nos comprometemos en una relación, las mentiras siguen desempeñando su papel. Al comienzo, las lisonjas, las mentiras seductoras y las de los sapos que se transforman en príncipes nos ayudaron a acercarnos. Luego, las mentiras como máscaras impidieron que conociésemos con precisión con quién estábamos. Una vez que nos comprometimos, tuvimos otra oportunidad de abrirnos a la sinceridad.

Lamentablemente, las máscaras no caen. Lamentablemente, la mayor parte de las personas no tenemos un plan para construir sin escollos la felicidad que buscamos. Sin embargo, no tener la clave no significa que no lo intentemos. Seguramente, lo que buscaremos no será el conflicto, pero muchas veces nos toparemos con él.

¿Por qué? Ni los hombres ni las mujeres tenemos facilidad para afrontar las adaptaciones que requiere el acercamiento de dos personas que vienen de distintos medios, tienen distintos objetivos y usan distintos medios para alcanzarlos. Para hacer las cosas aún peores, las mujeres no somos las únicas que tratamos de evitar los conflictos. Los hombres a menudo se ocultan detrás de una máscara de estoicismo, fingiendo que todo está bien cuando no lo está. Actúan como si no tuviesen sentimientos, cuando en realidad los tienen. Todos conocemos a mujeres que se quejan de que los hombres no hablan con ellas acerca de sus sentimientos o de cuestiones íntimas. Sin embargo, esas mismas mujeres son las que preservan el *statu quo* y cifran sus esperanzas en que su mundo será fantástico, si logran transformarse en expertas en comprender cualquier problema de conducta y en mirar elegantemente hacia otro lado. Cuando las mujeres dejan pasar los síntomas de problemas mientras los hombres fingen que todo está bien, se sientan las bases de graves conflictos. Nadie dice nada, nadie pregunta, y se logra la falsa armonía a expensas de la verdad.

Muchos de los hombres entrevistados insistieron en que las mentiras de que todo está bien eran necesarias. Esos hombres minimizaban esas mentiras, considerándolas habituales e inocentes. Para estos hombres, la máscara de que todo está bien hace que la vida sea tolerable, porque de este modo pueden disfrutar de la paz cotidiana sin tener que reflexionar. Además, estas mentiras también lo reservan. ¿De qué? De la furia que usted sentiría al saber que está al margen de sus verdaderos sentimientos. El problema radica en que usted no es la única que queda al margen de los sentimientos de él. Frecuentemente, él también se queda fuera.

Ellos también tienen sentimientos, ¿verdad?

"Los sentimientos tienen que existir. Simplemente los hombres no hablan de ellos."
—Asistente de laboratorio, veintitrés años, soltera.

"Los hombres esconden sus pensamientos profundos. Mantienen en secreto sus emociones."
—Enfermera, veintisiete años, divorciada.

"Mantengo en secreto que tengo sentimientos, que no soy impermeable. El gran secreto masculino es ser el sexo estoico. Ahora soy absolutamente sincero. Es difícil serlo. Nunca sé como me irá. Ahora contesto con detalle. Cuando ocultaba la verdad, pensaba que controlaba la relación, pero en realidad era una fantasía."
—Diseñador gráfico, treinta y siete años.

Un perplejo Sigmund Freud, cierta vez, formuló esta pregunta frecuentemente citada: *"¿Qué quieren las mujeres?"*. La pregunta que, en cambio, deja perplejas a las mujeres es: *"¿Qué sienten los hombres?"*. Para casi un cuarto de las mujeres entrevistadas y para cientos de clientas y estudiantes de los últimos quince años, esa es la pregunta. Además, cuando se trata de las mentiras de falso compromiso de los hombres, esa pregunta da en el blanco.

Louise no pudo comprender la respuesta sino varios años después de su divorcio. Ella creyó durante mucho tiempo que el hombre con quien se había casado diecinueve años antes era alguien a quien ella comprendía y conocía bien. Finalmente descubrió que lo conocía menos que a los héroes de ficción de las novelas que adoraba leer. El hombre con quien Louise se había casado se transformó en un perfecto extraño. La engañó tan bien que cinco años después de la disolución de lo que ella había creído un matrimonio estable seguía tratando de descubrir la identidad de él y de identificar sus aventuras y sus mentiras. Estaba comprendiendo en ese entonces que él la había excluido de sus sentimientos mucho tiempo antes de sus aventuras y su divorcio.

Entre la furia y la desesperación, se daba cuenta de que él, como muchos hombres, *probablemente había mentido para llenar los espacios vacíos que había en lugares donde él sabía que debía haber sentimientos, pero por alguna razón no los había.* Ella comprendía que el desconocer sus propios sentimientos hacía que él se sintiese muy mal. Para sentirse mejor, entonces, él había necesitado fabricar lo que fuese.

La fachada segura, pero falsa, que él le había mostrado todo el tiempo había sido un recurso efectivo para ocultar su incertidumbre, su confusión y la turbulencia que le provocaba no conocer su propio interior. Las máscaras del falso compromiso y de la falsa armonía son una solución sucia y rápida para remediar la imposibilidad de un hombre para articular y dar cuenta de sus sentimientos.

He trabajado con muchos hombres que se arriesgaron valientemente a investigar en profundidad sus sentimientos, y que acabaron frustrados y vacíos. Una y otra vez he escuchado alguna exasperada versión de: "Usted me pregunta todo el tiempo lo que siento, lo que sentí. *No lo sé. No sé lo que siento*". Hacía tanto tiempo que no prestaban atención a sus sentimientos que, aunque los mirasen de cerca, no los reconocían. Para comprenderlo mejor, piense en las veces que usted furiosamente ha negado su furia. La furia es como un punto oscuro para usted, aunque esté en su voz y en sus músculos tensionados. Otros pueden verla, pero usted no.

Este tipo de negación es lo mismo que les sucede a muchos hombres respecto de una cantidad de sentimientos. ¿Por qué los hombres experimentan tanta incomodidad respecto de sus sentimientos? ¿Por qué los evitan? En algunos casos, es porque piensan que los sentimientos son cosas de mujeres. Aprendieron desde niños que los hombres no deben mostrar vulnerabilidad, dolor o incertidumbre. Hacerlo produciría humillación. He visto hombres jóvenes, de poco más de veinte años, que aún estaban librando batallas para separarse de madres dominantes y afirmar su masculinidad, sentirse incómodos por su propia sensibilidad, diciendo cosas como: "Lo único que me falta es vestirme de rosa, como una niña".

La máscara estoica de no tener sentimientos le sirvió primero para alejarse de su madre y luego para separarse de usted. Lamentablemente, esa máscara también les acarreó muchas limitaciones. No adquirieron práctica para dejar salir sus sentimientos con el tono y las palabras adecuadas, y con todos los matices que las cuestiones emocionales requieren. Muchos hombres, particularmente en los grupos de autoayuda para varones, llegan a descubrir que dejar salir los sentimientos les provoca una sensación de indefensión. Descubrir lo que sienten puede ser un gran desafío para ellos.

Según el consejero matrimonial y familiar, John Amodeo, en su libro *Amor y Traición*, de 1944: "La verdadera comunicación sólo es posible si estamos abiertos a lo que ocurre dentro nuestro". Fácilmente, podríamos sustituir la palabra "sinceridad" por "intimidad" y la palabra "compromiso" por "comunicación".

He aquí el nudo del problema. Si la intimidad se funda en la apertura y en la habilidad para acceder a los sentimientos y comunicarlos, inevitablemente, para muchos hombres se constituirá en un desafío. Cuando la intimidad y los genuinos sentimientos se viven como un estado de indefensión, los hombres suelen sentirse muy incómodos al abrirse.

Esta fue la respuesta de Stuart, ese maduro consultor casado que tenía la libreta negra, cuando le pregunté sobre en qué cosas mentía más: "*Los sentimientos. Miento sobre lo que siento hacia las mujeres, sobre mis reacciones frente a los actos de ellas y frente a la apertura que ellas manifiestan. Miento sobre muchas peligrosas verdades: verdades que hieren, verdades que clarifican, verdades que nos hacen ganar enemigos. ¿Por qué decir la verdad cuando esta puede herir? Miento para minimizar mi propio dolor. En las relaciones con las mujeres, es preferible resultar herido al comienzo que más adelante*".

Las mentiras proveen un conveniente atajo para evitar enfrentarse a los sentimientos y a la verdad. Son una armadura instantánea que protege al "yo" de la intimidad con otro. Además, una vez que las mentiras han pasado a formar parte del paisaje de una relación, ayudan a mantener y a ampliar la distancia entre los dos, mientras él se defiende para que usted no llegue a conocerlo.

Si usted no logra zanjar esa distancia, los espacios que los separan se harán cada vez más oscuros. Se transformarán en una tierra de nadie, literal y metafóricamente. En esa tierra no crece nada, pero ustedes siguen viviendo allí. A menudo uno —o a veces los dos— sigue actuando como si la relación aún estuviese viva, pero es posible que no lo esté. Todo lo que habrán hecho es declarar una paz fría.

Cuando la paz se transforma en un obstáculo para la armonía

Paz y armonía, tal como amor y matrimonio, son dos palabras que suelen pronunciarse juntas. Sin embargo, la paz y la armonía pueden ser dos cosas muy diferentes. Para muchas parejas, como para los países en conflicto, la paz significa simplemente la ausencia o el cese de hostilidades abiertas. Aunque puede ser mucho mejor que la guerra, está lejos de ser armonía. La paz superficial no es el verdadero objetivo. Se trata de una falsa armonía y de una complacencia que detiene el crecimiento de la pareja.

La armonía requiere de apertura y confianza, voluntarias y mutuas. Nos lleva a poner la relación en un primer plano, aun cuando el trabajo, los amigos, los hijos o las necesidades individuales conspiren contra el aire que el vínculo necesita.

Muchos hombres sienten que eso es algo semejante a un trabajo. Según el viejo cliché, para ellos "su casa es su castillo" y prefieren limitar las cuestiones conflictivas y desagradables al ámbito de la oficina. Todo lo que él desea es:

Que no haya confrontación, ni discusiones, ni conflictos.

En realidad, no desean poner de manifiesto sentimientos reales, ni agradables ni hostiles. Cuando llegan a sus hogares, muchos hombres son como caballeros andantes que vienen de luchar todo el día contra los dragones. Sólo quieren levantar el puente del castillo y descansar. Se sienten merecedores de un tiempo libre de tensiones y luchas agotadoras, aun cuando eso implique irse lejos, bien lejos de usted.

Así es como él elige la paz sin armonía. He aquí algunas tácticas y técnicas que él probablemente usará como atajos. Estas fórmulas han sido tomadas de cientos de parejas que han practicado la paz a cualquier precio.

Fórmula rápida para obtener paz sin armonía

- Responda a cualquier pregunta del tipo "¿Qué te está pasando, querido?" con:
  - Silencio.

- Negación.
- Cambio rápido de tema.

- Evite conversar sobre temas afectivos.
- Si la discusión se torna acalorada, ciérrese.
- Cuando lo enfrenten directamente, mienta.
- No se muestre vulnerable.
- Esté demasiado ocupado como para poder conversar.
- Dé información sólo si es necesario.
- Finja que todo está bien, que todo es como siempre, no importa lo que esté sucediendo.
- Si todo lo demás falla, tranquilícela con regalos.

Estos comportamientos tienen consecuencias. Para las mujeres que permanecen en sus casas, ese hombre al que saludan en la puerta las hace sentirse enclaustradas. Las muchas mujeres que salen al mundo del trabajo y regresan a sus nidos al anochecer, también sienten que necesitan un santuario libre de conflictos y discusiones. Desean un mundo donde sean aceptadas y comprendidas. Sin embargo, no suelen elegir el aislamiento. Desean conversar, discutir y conectarse.

De nuevo estamos en lo mismo. Existe una divergencia fundamental en los modos de comunicación entre hombres y mujeres, muy bien identificada por Lillian Rubin en *Extraños íntimos* y por Deborah Tannen en *Tú no me entiendes*. Es como si hombres y mujeres tuviesen modelos diferentes respecto de lo que es una relación cotidiana ideal, diferentes proyectos y diferentes intereses. ¿Cómo lograr entonces la armonía?

El camino hacia la armonía

Recuerde los matrimonios que usted conoció cuando niña. ¿Quién revoloteaba en torno a quién? ¿Cuánto enojo y furia había detrás de todo está bien y todo como siempre? ¿Cuántas veces salía a relucir el veneno? ¿Recuerda algún picnic o cena familiar en la que haya sido testigo de una trifulca o una verdadera *Guerra de los Roses* entre la tía Sara y el tío Ben?

¿Opta usted por la paz a cualquier precio en sus propias relaciones? ¿Hay tensiones ocultas bajo la tranquila fachada convencional o la guerra es abierta? ¿Cómo se supone que dos personas deben manejar las inevitables diferencias de opiniones y de valores, de tal modo que los resentimientos no se acumulen hasta que estalle una terrible explosión?

Para que dos personas logren una armonía duradera, deben estar de acuerdo en:

- Definir la armonía como algo importante para la relación.
- Compartir la idea de qué es y cómo se siente esa armonía.
- Dedicar tiempo a conversar acerca de lo que funciona y lo que no funciona.
- Mantenerse comunicados, especialmente cuando resulta incómodo.
- Aprender y aplicar habilidades para resolver conflictos.
- Ser persistentes, no sólo en un par de cosas sino en muchas.
- Dedicar mucha energía y buena voluntad el uno al otro.

¿Parece trabajo? Sin duda. Pero es un trabajo con muy buenas recompensas a largo plazo. Ese trabajo vale su peso en oro.

Cuando no se toma el camino de la armonía

¿Cómo ocurre que dos personas que se quieren lleguen a estar aisladas y separadas? Muchos hombres y mujeres, cuando tienen una relación estable, encienden el piloto automático. Ya pagaron sus deudas, pueden descansar. Las parejas dejan de prestar atención a lo que está sucediendo en la relación, excepto cuando se trata de una crisis. Por supuesto, eso no significa que no suceda nada. Cuando uno duerme, el mundo sigue girando, De pronto, alguno de los dos se torna consciente de alguna urgencia personal. Tal vez la crisis de la mediana edad ha comenzado a mirarlo desde el espejo del baño, tal vez lo despidieron de su trabajo o se enamoró de alguien nuevo y refrescante.

¿Y eso qué tiene de malo? ¿Acaso las mentiras y "la paz" no hacen que la relación siga a flote y que cada uno pueda funcionar? El problema es que esta clase de mentiras les dan tranquilidad justo en el momento en que las alarmas deberían estar sonando y ustedes deberían estar discutiendo acerca de sus diferencias. Irónicamente, estas mentiras tranquilizadoras resuelven todo menos la felicidad eterna.

Cuando "todo está bien" confunde los sentimientos

Aun cuando no estén en contacto con cada sentimiento, muchos hombres perciben cuando algo no anda bien. Esto a veces crea una corriente de confusión respecto de lo que está sucediendo. Sin embargo, como la única manera de resolverlo es sumergirse profundamente en los sentimientos y las motivaciones que están por debajo de la superficie, él puede optar por cerrarse. ¿Cómo? En lugar de explicar sus sentimientos y su incertidumbre, puede adoptar una máscara de "Todo está bien" como para controlar la situación.

Eso fue lo que hizo Jeff. A los treinta y siete años y aún soltero, nos cuenta acerca de sus dificultades para terminar su relación con Amy, su novia de la secundaria: *"Mi primera mentira fue ser incapaz de decirle que no quería casarme con ella. Estaba a punto de pedírselo y algo me decía: 'está mal, está mal'"*.

Jeff sabía que algo andaba mal, pero tenía una maraña de relaciones y sentimientos de él y de ella que debía desembrollar. Además, él estaba buscando seguridad y unión, soluciones claras. Jeff nos da un análisis particularmente interesante acerca de sus dificultades para reconocer y aceptar su propia incertidumbre. *"La mentira tenía que ver con que no quería responsa-bilizarme de lo que me estaba sucediendo. Tenía que sentir que controlaba la situación. No era capaz de decir: 'No sé hasta dónde quiero que llegue esta relación, pero quiero averiguarlo'. Me resultaba muy difícil decirle: 'No estoy seguro de que tú seas la persona con la cual deseo pasar el resto de mi vida'. Me sentía muy descontento y no era capaz de romper la relación. Llegué entonces a desear que ella lo hiciera por mí."*

Jeff ha dicho cosas importantes. El estaba cerrado en su imperiosa necesidad de tener todo bajo control, de ser quien decidiera si seguir adelante o no, de tener respuestas claras respecto de su compromiso emocional. Estas no son necesidades particulares de Jeff. Son parte del papel masculino en nuestra cultura. Sin embargo, esas necesidades de control y seguridad, indudablemente, se volvieron en su contra. No llegaba a esa seguridad, pero tampoco podía decirle a Amy cuáles eran sus inseguridades respecto de un futuro para los dos. Jeff sabía que tenía dudas, pero no podía compartirlas con ella. No sabía cómo manejar el descontento de ella. Cuando Jeff trató de romper la relación, Amy se sintió tan mal que él no pudo disolver el vínculo. Estaba otra vez en el punto de partida.

Lo que es aún peor, cuando Amy se apartó y comenzó a salir con otro, Jeff volvió a acercarse. No quería tenerla, pero cuando aparecía otra persona, surgía en él un instinto primitivo de defender el territorio. El descontento que en Jeff generaba su propia ambivalencia enviaba señales confusas a Amy. En un momento, Jeff traspasó a Amy la responsabilidad de cortar la relación. Como ella no lo hacía, él estaba cada vez más furioso. Afortunadamente, Amy finalmente captó el mensaje y le resolvió el problema. Cortó la relación y se casó con otra persona.

El problema de Jeff iba más allá de una incapacidad para aceptar y conversar acerca de sus confusos sentimientos y su incertidumbre. También tenía un problema para comprender a Amy. El deseaba que ella asumiese la responsabilidad de los sentimientos de él y que actuase en consecuencia, pero no era capaz de ponerse en el lugar de ella para averiguar cómo se sentía. Si bien es comprensible que él tuviese dificultades para conocerse a sí mismo y para demostrar lo que le pasaba, su falta de sinceridad lastimó a Amy.

Por supuesto, Jeff es aún un hombre joven. A medida que él vaya viviendo nuevas experiencias y tomando más conciencia, es posible que logre equilibrar mejor su necesidad de sentirse cómodo con la sinceridad necesaria para una relación de confianza. Sin embargo, Jeff no es el único que adopta este tipo de conducta. A cualquier edad resulta difícil cortar los lazos con alguien que a uno le agrada y con el que está ligado afectivamente. Tanto los hombres como las mujeres saben lo difícil que esto puede resultar. Algunos hombres se rehúsan a hacerse responsables de sus sentimientos y, como Jeff, le traspasan la responsabilidad a la mujer, para que sea ella quien rompa la relación. Eso era lo que me decía un dibujante comercial, casado desde hacía treinta y cinco años: "Todos los días rezo para que mi esposa conozca a un médico muy rico, se enamore perdidamente de él y sea inmensamente feliz". Desgraciadamente, antes de que a ella le tocase esa oportunidad, él conoció a una joven estudiante, se enamoró perdidamente y fue inmensamente infiel. Su esposa, de sesenta y pico de años, está sola.

Cuando se ocultan los sentimientos, cualquier excusa es buena

Algunos hombres son incapaces de expresar sus verdaderos sentimientos. En esos casos, cualquier excusa es buena para introducir un cambio importante en la relación. Cuanto más serio sea el sentimiento, más trivial será la excusa. Ruth, una vendedora de bienes raíces, de cincuenta y cinco años, conoce muy bien este tema. El episodio de "cualquier excusa es buena" le ocurrió varias veces. Había estado saliendo con Isaac durante un año y la relación parecía marchar bien. Un día fueron a una feria americana y compraron una chomba que Isaac usó más tarde para jugar al tenis. Entonces se produjo uno de esos nimios incidentes de la vida diaria: Isaac le pidió a Ruth que lavase su chomba. Ella declinó la invitación. Comúnmente, eso no hubiese sido un problema grave, pero el ambiente comenzó a caldearse: *"El armó todo un escándalo porque yo no quise lavar su chomba y se fue. Yo pensé que se trataba de un berrinche, pero más tarde me di cuenta de que la cosa era seria. El quería terminar con la relación. Me pareció demasiado trivial"*.

Era trivial. Lo que no era trivial era que él estaba interesado en otra persona. Con su duramente ganada sabiduría, Ruth se da cuenta ahora de que Isaac estaba buscando un pretexto, *cualquier pretexto*, para dar por terminada la relación. ¿Qué hubiese preferido ella? Nuevamente lo mismo: como miles de mujeres, ella sostiene que hubiese preferido la verdad. Dice Ruth: "Yo hubiese preferido que fuese sincero y me dijese que estaba saliendo con otra persona. Aunque fuese doloroso, quería conocer los motivos reales de ese final".

Mentir para evitar el enojo

La mayoría de nosotras sabemos que la verdad tiene una mecha larga y puede iluminar una noche oscura. ¿Por qué entonces molestarse en fingir? ¿Por qué no decir las cosas tal como son? Estas preguntas aún intrigan a muchas mujeres inteligentes y perceptivas. Las respuestas son complicadas y variables, y están basadas en una innumerable variedad de personalidades, relaciones y situaciones. Sin embargo, si yo tuviese que arriesgar una sola respuesta, diría que es porque los hombres tienen miedo de la furia de las mujeres.

Esta idea de que los hombres mienten para escapar al enojo de las mujeres, suele sorprender hasta a la mujer más perceptiva, acostumbrada a creer que los hombres son los que detentan el poder y que la confrontación y el dominio son patrimonio del macho de la especie. No esté tan segura. Recuerde que todo hombre adulto fue alguna vez un niño pequeño, y que la mayor parte de los niños fueron criados bajo la tutela de una madre poderosa, que tenía la capacidad de avergonzar y castigar. Desde el punto de vista de un niño, esta autoridad femenina podía reaccionar de una manera amenazante e impredecible, provocando miedo. Este niño también tenía un problema si se identificaba demasiado con la madre poderosa y llegaba a ser visto como un nene de mamá. Eso también podía acarrearle vergüenza y humillación. Además, los niños, a diferencia de las niñas, tienen el problema de separarse de esta mujer poderosa para relacionarse con otros niños y otros hombres. Luego de esta separación, los varones pasan años de su niñez y su adolescencia tratando de mantener barreras alrededor de lo que ellos son (su identidad) y de lo que hacen (su independencia), de modo que el mundo sepa que son "hombres" y no "mujeres".

Para lograrlo, los hombres tradicionalmente han encontrado su voz y establecido su identidad en el mundo, fuera del hogar, lejos de las relaciones personales masculino-femeninas. Los hombres, típicamente, afirman su voz primaria en el mundo del trabajo y la vida pública. Si usted quiere saber cómo suena esta voz masculina, sintonice cualquier día un programa de radio en Estados Unidos. Escuchará las voces masculinas llenas de opinión, pasión e interés por cuestiones que siempre soslayan lo personal. Esta es una voz que encarna los vínculos masculinos, pero lejos del hogar.

Las mujeres dominan el mundo privado de las relaciones, un mundo lleno de vínculos y apegos. Los hombres se sienten muy incómodos y se cierran sobre ellos mismos cada vez que sus soluciones rápidas no logran remediar el dolor o evitar el juicio de sus parejas. En estas situaciones, las mujeres se quejan seriamente de la incapacidad de los hombres para conversar, reconocer y comprometerse con ellas afectivamente. Las mentiras y los ocultamientos de los hombres respecto de quiénes son respecto de sus mujeres resultan, en este terreno, sumamente traicioneras para ellas.

La ironía radica en que lo que más enoja a las mujeres es la incapacidad de los hombres para conectarse y conversar, y los hombres mienten justamente para evitar ese enojo. Tenemos aquí un claro caso de callejón sin salida con graves implicaciones para las relaciones masculino-femeninas.

Observemos detrás de las máscaras de la falsa armonía para ver los problemas que este dilema provoca en la uniones.

Cuando "todo está bien" oculta la vergüenza y el enojo de él

"Sinceramente, yo les digo que todo está bien cuando no lo está. Mantengo en secreto aquellas cosas que pueden resultar hirientes o decepcionantes para mi pareja."
—Productor de cine, treinta y cinco años, casado.

Seguramente ustedes recuerdan a Jake, el confeso mentiroso patológico en recuperación. Este productor de cine, de treinta y cinco años, va actualmente por su tercer matrimonio y es un experto en estas cuestiones. ¿Cuál es la número uno entre sus mentiras? Sin el menor atisbo de conciencia, Jake dice: "*Sinceramente, yo les digo que todo está bien cuando no lo está*". Y después agrega: "Una de las razones por las cuales he sido tan buen mentiroso es que en realidad no miento: simplemente no digo toda la verdad".

Jake admite abiertamente que tiene problemas para enfrentarse a su propio enojo y al de su esposa. Nos cuenta que la noche anterior a nuestra conversación le dijo a su esposa Christy que estaba demasiado cansado como para hacer el amor. La verdad era que "no quería hacer el amor" y que "estaba muy enojado por algo que ella había hecho el día anterior".

La mentira, esa máscara de "Estoy muy cansado", era un castigo hacia su esposa, porque ella se había enfurecido con él el día anterior debido a que Jake se había olvidado de colocar uno de los discos de ella en su cubierta.

Aunque Jake da una importante prioridad al trabajo sobre la verdad y la mentira en la relación con su esposa, en cuanto ella le pregunta directamente si está enojado, su resolución de ser honesto flaquea. Su respuesta inmediata es no. Detrás del ocultamiento del enojo, están la vergüenza y la humillación de Jake. Conscientemente o no, él se siente incómodo al tener que dejar a la vista lo mal que se sintió ante un episodio aparentemente trivial.

Jake sugiere que miente "para evitar el enfrentamiento". Su esposa se siente sorprendida, porque "ella espera que él haga un esfuerzo y le diga la verdad". ¿Habrá un enfrentamiento? "Tal vez un poco", reflexiona Jake. "Ella se da cuenta. No es tonta." Ella le pregunta: "¿Seguro que no hay nada que quieras decirme?". Como verán, ella rápidamente asume el papel femenino de cuidar la relación. Jake, en cambio, escapa de nuevo asegurándole que no hay ningún problema: "Estoy bien".

¿Pueden adivinarlo? En realidad, las cosas no están nada bien. Ese es el gran secreto que encubre la máscara de la falsa armonía. Para Jake, enfrentarse con Christy significa dejar al descubierto su vergüenza y su desamparo, y también los de ella. Si lo hiciera, sacaría a luz la vulnerabilidad y crearía la posibilidad de acercamiento, conocimiento y aceptación mutua. Sin embargo, en este momento Jake no está preparado para hacerlo. Rechaza el ofrecimiento de ella y se vuelve a esconder tras su máscara.

Caminando sobre cáscaras de huevo

No hace falta estar casado veinte años para que aparezca una máscara de que todo está bien, ocultando los conflictos. En muchos casos, estas estrategias comienzan muy pronto y duran mucho tiempo.

Veamos el caso de Len, un gerente de sistemas muy apuesto y de sólo veintitrés años. El ya lleva cinco años de relación con Ellen. Cuando le pregunté acerca de las mentiras que Ellen había descubierto, él las minimizó diciendo que eran "inocentes". Yo profundicé y le pregunté: "¿Qué clase de mentiras inocentes?". *"Bueno, yo tengo la mala costumbre de mascar tabaco. Mi novia me preguntó si lo había hecho y le dije que no. Luego ella me sorprendió con tabaco en la boca."*

Le pregunté por qué mentía respecto de algo tan evidente. Me miró incrédulo y, pacientemente, me explicó lo que le parecía obvio: *"Se lo oculto para evitar que se moleste y que tengamos una conversación de esas que no conducen a nada. Es para que no se enoje y me grite".*

Luego él agrega: "Es una relación de cinco años", como si esto revelara el peso de sus palabras. Le pregunto, entonces, si había planeado ocultárselo. Sí, lo había planeado, pero veamos cómo había armado su "mentira inocente": "Considero que le mentí para que se sintiera bien. *A ella no le afecta demasiado. Sus preguntas y su enojo son respuestas condicionadas".*

Parecería que Len considera las preguntas de Ellen como reflejos condicionados y sus mentiras como actitudes para protegerla a ella más que para protegerse a sí mismo. Luego reflexiona y agrega: *"Le digo la mayor parte de las mentirillas cuando está con el período, porque no quiero hacer nada que la irrite. ¡Por nada del mundo! Reaccionaría exageradamente. Es como caminar sobre cáscaras de huevo. Son mentiras para evitar problemas, para no decepcionarla. También evito decir que sí a cosas que no podría cumplir".*

Len es bastante convincente. Tal como la describe, su relación con Ellen es como vivir bajo un régimen de terror. Por eso, claro está, él dice "mentirillas inocentes". Hace cualquier cosa para no dañarla. Sin embargo, cuando uno lee esas respuestas, ¿parece una relación con una novia o más bien con una madre demandante que tiene la capacidad de humillarlo y avergonzarlo?

Esconder los sentimientos para evitar molestarla

"Le mentí por omisión a mi esposa, ya que no le dije cómo me sentía porque su negocio no daba dinero. Necesitábamos de sus ingresos para poder prosperar."
—Gerente, casado, cuarenta y cuatro años.

Warren está casado y feliz, y desde hace diez años está intentando ser más sincero. El reconoce que su esposa "fue absolutamente sincera con él desde el comienzo".

¿Qué secretos esconde Warren a su sincera esposa? Solamente sus sentimientos. Dice: *"Lo que siento respecto de alguna cosa".* Le digo que está bien, que no hay problema.

¿Por qué miente respecto de sus sentimientos mientras está tratando de ser sincero? "Le miento por omisión a mi esposa *porque no quiero herir sus sentimientos."* El piensa que está protegiendo los sentimientos de ella al ocultar los de él. ¿Pero acaso de todas maneras ella no se dará cuenta de lo que él siente? Profundizo un poco y la verdad comienza a aparecer en sus palabras: *"En el matrimonio uno se hace más vulnerable. Cuando ella hace algo que a uno realmente le molesta, uno dice: 'Está bien', porque no quiere perjudicar la relación. Tiene miedo de que lo abandonen... y no quiere enfrentamientos. Yo oculto lo que siento principalmente para evitar enfrentamientos. Cuando uno está más comprometido íntimamente es más fácil salir lastimado".*

¿Cuáles son los problemas entre ellos? Por un lado está la cuestión económica. *"Ella tiene su propio negocio y no esta sosteniendo nuestra economía básica. Yo quiero que vuelva a un empleo, para que gane dinero para nosotros. ¿Qué debo decirle? ¿Por qué no ganas 20.000 dólares más? Odio los enfrenta-mientos."*

Aunque Warren sostiene que él está comprometido a tener una relación sincera con su esposa, utiliza la máscara de la paz a cualquier precio. ¿Por qué? Porque es un inveterado evitador de conflictos y teme ofender a su esposa. ¿Cuál es el problema, entonces? ¿Qué tiene de malo ocultar sus sentimientos por temor a herir a su esposa?

Bastante. Las investigaciones demuestran que hasta las parejas más felices protestan, se quejan y discuten. En lugar de fingir que todo está bien y ocultar el enojo, ellas expresan sus diferencias con frecuencia, evitando así que la furia aparezca días, meses o hasta años después. En contraste, la máscara de que todo está bien es la costumbre diaria de aquellos que evitan los enfrentamientos. Estas parejas que buscan la paz a cualquier precio se ven en serias dificultades cuando deben enfrentar los problemas que inevitablemente aparecen en cualquier relación. Son maestros de la escoba, especialistas en esconder la basura bajo las alfombras. Allí, lejos de la vista, se van acumulando todo tipo de heridas, ofensas y humillaciones. Lo que está bajo la alfombra nunca desaparece. Una mañana, mientras discuten acerca de quién va a preparar el café, él saca a relucir lo infeliz que se siente, la ira que le produjo la reacción de ella frente a una fiesta de sus compañeros de oficina hace dos años, o ella desliza algún comentario acerca de la aventura que él tuvo un año antes. Los problemas sin resolver están allí agazapados, esperando el momento de entrar en escena.

Cuando los problemas reales e imaginarios sin resolver acechan, el problema de la relación es:

Cuando él la complace a expensas de sus propios deseos, usted acaba pagando un precio muy caro.

El descontento y el resentimiento raras veces permanecen tan ocultos como creemos. Se van filtrando en los espacios de nuestras vidas, desde el dormitorio hasta la sala, y tienen efectos corrosivos.

Historias de tres matrimonios

"En mi primer matrimonio, mi esposo dejó de mentirme. Después de tres años de noviazgo y dos de matrimonio, él me dijo que era desdichado. Dejó de vivir en la mentira de que todo estaba bien."
—Auditora casada, treinta y tres años.

Hemos visto cómo la máscara de la falsa armonía esconde la vergüenza y la furia, y evita los enfrentamientos. La mayor parte de nosotras hemos experimentado en nuestras relaciones cotidianas alguna variante del "todo está bien". Estas mentiras son particularmente difíciles de localizar, ya que en general son mentiras por omisión, son cosas "no dichas" y no flagrantes falsedades.

¿Pero qué sucede cuando esta mascarada se transforma en

una forma de vida, cuando las cosas no dichas pasan por armonía en lugar de verse como las treguas temporarias que son en realidad? ¿Qué ocurre cuando estamos casados con nuestros papeles y nuestras tareas en lugar de estar casados con otra persona? ¿Hemos construido acaso una mentira que nos sirve como escudo contra otra persona, contra el rechazo y contra nuestros propios miedos?

Tal vez esto forma parte de la condición humana, que desea unión, pero se niega a pagar el precio que esta supone.

Dos matrimonios perfectos

Una vez conocí a una pareja que era universalmente admirada por ser un matrimonio perfecto. Aun siendo física, Allison parecía tener tiempo para preparar los almuerzos de Glen, llenos de sus delicadezas importadas favoritas. En las fiestas estaban de la mano, se besaban y ella se sentaba en las rodillas de él. Siempre se alentaban el uno al otro. Nadie que los conociese los había visto nunca en desacuerdo. Como patinadores campeones, se movían en perfecta sincronía. Sus carreras iban en ascenso. Parecían vidas totalmente felices. De pronto un día, sin advertencia alguna, Glen la sorprendió a ella y a todos sus amigos. Dejó a Allison por otra mujer. Ella se sintió golpeada. El nunca le había dado ninguna señal de que algo estuviese mal, de que su vida sexual no fuese satisfactoria, de que la vida que llevaban juntos no fuese la ideal. En esa supuesta perfección que habían creado, no habían dejado ningún espacio para que apareciesen las diferencias. La nueva mujer desapareció en unos meses, pero Glenn nunca volvió. Allison nunca comprendió cómo algo que parecía tan perfecto había fracasado.

Veamos también lo que sucedió con Susan, aparentemente una esposa perfecta. Ella conoció a Stephen durante su último año en una universidad para mujeres en Nueva Inglaterra. El asistía a una escuela de ingeniería cercana y fue el primer hombre que la invitó a salir. Antes de conocer a Stephen, Susan se había integrado a las actividades del campus, pero cuando él comenzó a cortejarla, las abandonó. Se casaron justo antes de la graduación de Susan y ella se transformó en una esposa perfecta. Ella lavaba y planchaba a mano la ropa de él y se las ingeniaba para cocinar con cualquier cosa. Mantuvo una casa pulcra y crió a dos hijos con todos los cuidados imaginables, mientras Stephen ascendía por los peldaños del éxito. Mientras tanto, él alternaba su atención a Susan con sus largas horas de trabajo y sus múltiples viajes, pero parecía verdaderamente feliz. Durante veinte años Susan hizo "todo lo que creía que él deseaba", fue una esposa y madre perfecta.

"Pero: *un día él me pidió que fuésemos a dar un paseo al parque. Me tomó de la mano, me miró a los ojos y me dijo: 'Ya no te amo, querida'. Jamás había pensado en algo así. No vi ninguna amenaza en el horizonte. Cada vez que le preguntaba, él respondía: 'Todo está bien'. Una semana después él se fue a vivir con una mujer de veintiocho años. Fue el fin de veinte años de matrimonio. Nunca volvimos a hablar sobre nosotros. Si él me hubiese pedido algo, yo hubiese cambiado, pero nunca dijo nada.*"

Estas dos historias de matrimonios perfectos ilustran un punto difícil: ninguna relación permanece al margen de las imperfecciones, los desacuerdos, los conflictos y los pactos. Lo que tenían estas parejas no era un matrimonio perfecto, sino una perfecta división del trabajo que no dejaba espacio para la sinceridad y mucho menos para la intimidad.

Tanto el marido como la mujer de estos matrimonios perfectos permitieron que fueran sus roles los que determinaran el modo de relación. Cada uno desempeñó sus tareas a la perfección: él ganaba el sustento; ella cuidaba de él, de los niños y de la casa. Su matrimonio se transformó en una cuestión social. ¿Pero dónde quedaban los intercambios privados, las diferencias, el compartir las visiones de la vida de cada uno? Estas parejas perfectas se olvidaron de que el objetivo de una relación es relacionarse el uno con el otro.

Tom, un analista de negocios, lo resume de este modo: "Las mujeres mienten para alimentar y agrandar el ego de los hombres, mientras que los hombres mienten, engañan y omiten información para preservar las relaciones, sin fijarse en qué es lo que hace falta en realidad". Estas parejas perdieron de vista lo que realmente necesitaban.

Cuando la verdad oculta irrumpe

Esta es una extraordinaria historia de paz sin armonía, de negación sin enfrentamientos y de una verdad que finalmente irrumpe y demanda que le presten atención. Los actores se ven y actúan aparentemente como típicos norteamericanos suburbanos de la clase media.

Verónica, directora de una escuela dominical, está actualmente divorciada y vive en el Sudoeste. Estuvo casada veintidós años y creía verdaderamente en la felicidad eterna, pero no la encontró en su matrimonio. Si hubiese sido perspicaz, los síntomas estaban allí desde el comienzo. Pero Verónica no quería verlos. El primer síntoma de problemas apareció después del nacimiento del primer hijo. Pareció algo inofensivo. Jerry le dijo que tenía que ir a comprar algo a la tienda.

"Demoró horas. Me contó excusas. Yo me di cuenta de que mentía, pero él nunca lo confesó. Varios meses más tarde se hizo evidente que salía con varias mujeres. Me sentí herida, traicionada, pero nunca lo enfrenté."

Pese a que Verónica temía que él estuviese teniendo una aventura con su mejor amiga, actuaba como si todo marchase bien. El hacía lo mismo. Doce años más tarde él le confesó que había tenido una aventura con la mejor amiga de ella.

¿Cómo se supo la verdad después de tantos años?

No fue intencional. Verónica estaba revisando los resúmenes de las tarjetas de crédito y encontró un montón de recibos de prostitutas. Verónica describe lo que sucedió después: *"Me di cuenta de que él tenía problemas. Temí por su salud mental, pero no quería acorralarlo. Consulté con un terapeuta. Lo llamé entonces por teléfono y le dije: 'Hay algunas cosas extrañas en nuestra tarjeta de crédito. Algo está sucediendo'. Pero lo que sucedía era más grave de lo que yo creía... Hablamos por teléfono dos horas y él me contó que había estado viéndose con prostitutas y teniendo aventuras. Pensé que se trataría de una o dos, pero era algo mucho peor de lo que yo hubiese podido pensar. El me había estado ocultando una adicción sexual a las prostitutas. Finalmente lo confesó".*

Verónica sabía que no tenía un matrimonio perfecto. Durante doce años había sospechado que Jerry le mentía, pero no lo había enfrentado. Había desviado la vista. Ella no había preguntado y él no había dicho nada. Ahora, la verdad se había hecho evidente. ¿Cómo reaccionó ella cuando cayó la máscara de "Todo está bien" y quedó a la vista la triste verdad? *"Sentí ansiedad. No podía respirar. Pensé que mi vida había terminado. Durante una semana estuve destruida.* El siguió contándome cosas. Cuando comenzó a contarme, me di cuenta. Todo combinaba, todo tenía sentido. Cuando a una le mienten mucho, acaba por sentirse un poco loca. Cuando él lo confesó, ya no me sentí loca ni estúpida. *El temor no me había permitido hablar. Temía que mi familia se desintegrara."*

Verónica, a pesar de la angustia y el dolor del descubrimiento, fue sintiendo un alivio visceral a medida que Jerry iba confesando la verdad. Aunque ella no usó este término, finalmente se sintió entera. Su temor de perder la familia y la seguridad económica había superado su necesidad de conocer la verdad. Lentamente, la máscara de la falsa armonía había ido cubriendo una verdad amenazante, que fue socavando no sólo la intimidad sino también el bienestar y la salud mental. Ahora la máscara se había deslizado abruptamente.

Sin embargo, Verónica no estaba aún preparada para un final. Siguió viviendo con Jerry otros cinco años. "Quería creer que íbamos a poder superarlo." Además, había cuestiones prácticas: Verónica no tenía un buen trabajo y estaba emocionalmente destruida. Ella, al igual que Jerry, sentía una enorme vergüenza. Jerry "estaba sorprendido de que ella quisiese intentarlo". Como la heroína de una novela, Verónica se quedó junto a su hombre, pero consiguió ayuda profesional y aprendió a ser más fuerte: *El se inscribió en un programa de ayuda a adictos al sexo... Yo, mientras tanto, trataba de comprender por qué permanecía en una relación como esa. Establecí límites. Le dije: 'Si me engañas, te vas'*".

Verónica se comprometió. Asistían juntos "a reuniones, leían libros e iban a terapia". Conversaban y "él compartía con ella sus ideas acerca de la adicción sexual". Ella se sentía más unida a él. Acordaron que ninguno de los dos sostendría actividad sexual fuera del matrimonio. Sin embargo, lo que ocurrió después llevó a Verónica hasta el límite, y afortunadamente ella encontró las fuerzas para centrar su atención en su propia vida y su propio bienestar: *El me llamó. Lo habían arrestado por levantar a una prostituta. Yo no le permití quedarse conmigo. Nos separamos... Después de eso, yo me enteré de que él había estado con otras personas todo el año. El me había mentido. Estaba el problema del SIDA. Yo había confiado en él y él no lo merecía. Entonces me volqué a Dios. Fue en un instante. Una voz me dijo: 'Sigue la luz. Sal de las tinieblas'. No volví la vista. Alguien me guiaba... Sentí que un espíritu me sacaba de la oscuridad...*".

Cuando le pregunté a Verónica qué hubiese preferido que sucediese, qué hubiese cambiado, ella respondió: "*Hubiese cambiado el modo como manejé las cosas. Hubiese confiado en mis instintos. Hubiese tenido el suficiente coraje como para actuar. Hubiese sido capaz de decir: 'Esto no está bien'. Ya cuando estábamos de novios, le hubiese dicho: 'Cuando no me prestas aten-*

ción, me hieres'. Pero yo estaba demasiado ocupada preocupán-
dome por los sentimientos de él y no por los míos. Negaba mucho. Tapaba lo que sentía. Hubiese dejado de hablar... si no era
para compartir sentimientos verdaderos. Nunca aprendí a enfrentar a alguien que me mentía".

Verónica sufrió al lado del mentiroso con quien se había
casado, pero eligió usar su experiencia para aprender y crecer.
Ella ofrece a las demás mujeres este consejo: "Confíen en sus
instintos. Si algo huele mal, es porque alguien les está mintiendo.
No sientan que son ustedes quienes están locas si alguien les miente.
Algunas personas son muy inteligentes y no se dejan atrapar".

Tres matrimonios, tres máscaras

El poeta John Donne escribió: "Ningún hombre es una isla".
Los psicólogos, con menos elocuencia, sostienen que el comportamiento humano es interactivo. Nuestras acciones influyen sobre los
demás y son influenciadas por ellos. Nada sucede en total aislamiento. Eso sucede en el matrimonio o en cualquier otro tipo de relación.

Los miembros de los tres matrimonios que acabamos de
ver coincidían en llevar la máscara de "Todo está bien" y negar
los problemas. Los hombres sólo decían a sus mujeres *lo que ellos
creían* que ellas necesitaban saber. Las mujeres no pedían más
información ni provocaban enfrentamientos. El resultado era un
paisaje chato y perfecto en el que no cabían las imperfecciones de
las personas reales que se mueven y respiran, crecen y cambian.

En sus primeros matrimonios, Allison y Susan, y sus res-
pectivos esposos, habrían podido cambiar la relación si tan sólo
hubiesen hablado de lo que les estaba ocurriendo como pareja.
Para aprovechar esa oportunidad, ellos hubiesen tenido que:

- Reconocer que algo no estaba bien en el paraíso.
- Prestar atención a sus sentimientos viscerales, a sus in-
tuiciones.
- Comenzar el incómodo proceso de comunicar aquellas
cosas que estaban ocultas para uno, pero no para el otro.
- Enfrentar las mentiras, tanto explícitas como implícitas.
- Hacerse de más tiempo para la intimidad.
- Salir de la estrecha zona de la comodidad para enfrentar
sus descontentos.

Si hubiesen hecho estas cosas es posible, aunque no hay garantías, que sus modelos de ocultamiento y de mentiras encubiertas y abiertas hubiesen sido reemplazados por formas más sinceras de comunicación y luego por la confianza bien ganada.

En el tercer caso, Verónica, hubiese tenido que pelear una batalla muy dura. Los crónicos engaños por parte de su esposo estaban encubriendo una severa y dañina adicción sexual que, probablemente, había aparecido en el tercer año de matrimonio. Los dos necesitaban ayuda profesional para atravesar esas circunstancias. Verónica hubiese tenido que superar su inseguridad y ponerse firme para exigir a Jerry toda la verdad. Ella hubiese necesitado acrecentar su fortaleza y encontrar el apoyo que iba a necesitar cada vez que Jerry volviese a caer en la adicción. Si ella hubiese hecho estas cosas, al menos habría cuidado mejor de sí misma. Hubiesen llegado a un mejor entendimiento y tal vez ella hubiese podido tomar más decididamente la decisión de quedarse o de irse quince o dieciocho años antes. Aunque hubiese podido acercarse más a Jerry durante este proceso, sólo siendo tonta habría podido confiar en un hombre que tenía semejante adicción sexual. Al encerrarse y mirar hacia otro lado, Verónica se hizo cómplice de Jerry para perjudicarse a sí misma y a su familia. Ella estaba asustada y probablemente hizo las cosas lo mejor que pudo. Sin embargo, al aceptar las mentiras de él e ignorar sus propias intuiciones, se negó a sí misma el derecho a la salud, la intimidad y el verdadero amor, desperdiciando preciosos años de su vida. Aunque esta historia no tuvo un final feliz, al menos Verónica pudo salir de esa situación con un deseo renovado de relacionarse con otros.

Pocas parejas tienen que enfrentar obstáculos tan difíciles como los de Jerry y Verónica. Sin embargo, aunque el camino para la reconstrucción de la confianza sea menos duro, siempre hay problemas que enfrentar. Hay cuestiones mucho menos complicadas que el problema de Jerry y mucho más comunes para muchos hombres.

¿Temen los hombres a la verdad?

"Los hombres nos dicen mentiras para establecer una distancia respecto de nosotras o, al menos, para cumplir con su deseo de distanciarse. Las mujeres, en cambio, mienten para acercarse

a los hombres. Los hombres necesitan distancia, no cercanía, para
sentirse seguros."
—Directora de una escuela dominical, divorciada, cuarenta y cinco años.

Los hombres mienten cotidianamente en sus relaciones de trabajo o en sus relaciones personales con las mujeres. No lo hacen como producto de una aberración sino como parte de su cultura para construir el mundo cotidiano. En mis entrevistas y en mi trabajo con hombres, he podido distinguir un patrón diferente en el lenguaje que utilizan los hombres y en el que usan las mujeres, para hablar de la sinceridad y la verdad. Estos modelos pueden revelar poderosas diferencias y distintas suposiciones subyacentes acerca del valor de la verdad en la comunicación.

Sin embargo, yo misma no estaba preparada para escuchar a tantos hombres y a tan pocas mujeres aparear las siguientes palabras:

- Sinceridad brutal.
- Verdad desagradable.
- Manipulación constructiva.

Las primeras veces que escuché a los hombres reproducir estas palabras y observé las implicaciones que tenían, me sentí anonadada. ¿Cómo los hombres apareaban las palabras correspondientes a lo que nosotros consideramos virtudes, tales como "sinceridad" y "verdad", con términos tan negativos como "brutal" y "desagradable"? ¿Y cómo un término maquiavélico como "manipulación", al que la mayor parte de las mujeres vemos como negativo, aparecía junto a una palabra tan positiva como "constructiva"? ¿Qué sucedía? ¿Harían las mujeres estas mismas asociaciones? Pues aún no las he escuchado.

¿Puede ser que este lenguaje específico de los hombres sea un guía del usuario tomado de sus experiencias en el hogar y en el trabajo? Eso revelaría que ellos aceptan inconscientemete las ventajas de la mentira y los riesgos de la verdad. ¿Es que acaso detrás de la fachada de la armonía se esconden deliberadamente verdades desagradables nunca dichas?

Estas palabras revelan una perspectiva interesante: que la verdad y la sinceridad producen dolor, mientras que las mentiras aceptan las ruedas de la vida diaria y mantienen la posibilidad de llevar adelante las cosas como siempre.

Como una vez me dijo un hombre: "No pienso en eso como mentir. Lo pienso como un modo de resolver problemas".

¿Cómo se pone en práctica bajo esta perspectiva? ¿Sería probable que usted se sintiese inclinada a decir toda la verdad si su asociación primaria con "sinceridad" fuese "brutal" y su respuesta automática frente a "verdad" fuese "desagradable"? ¿Le costaría engañar, si asociara "manipulación" con "constructiva" en lugar de hacerlo con "egoísta" o con "dañina"? Ya lo habrá captado. Nuestras ideas influyen sobre nuestro comportamiento y, si se teme a la verdad, ¿no será acaso más fácil fingir que todo está bien?

Recientemente dije a Fred, un empresario que es cliente mío, que podía contar con Walt para que le explicara lo que estaba sucediendo, para que hablase con él abiertamente. La respuesta de Fred fue fascinante y reveladora. Me interrumpió para decirme: "Pero Walt no es *cruel*, ¿verdad?". Luego, me contó que la frase que había disparado esa respuesta había sido "hablar abiertamente". Eso es lo que las mujeres suelen sostener que más desean del hombre que está al lado de ellas. Fred asociaba hablar directamente con un modelo de crueldad mental. Eso no es lo que las mujeres tienen en mente. ¿Por qué "hablar abiertamente", que es para nosotros una manera de "decir la verdad", disparó esa asociación en Fred?

El modo como usamos las palabras muchas veces revela cómo pensamos y cómo nos manejamos en la vida. *En nuestros encuentros cotidianos, ¿cuál de estos tres pares de palabras es más probable que usted escoja para llegar a su objetivo inmediato: manipulación constructiva, verdad desagradable o sinceridad brutal? ¿Qué le dice su elección respecto de sí misma o de cualquiera que escoja una de estas tres frases?*

En la lista de abajo, usted verá cuántas de las mascaras que él usa con usted en privado también pueden ser utilizadas en público.

Aferrándose a la falsa armonía en lugar de afrontar la verdad

1. El cree en un etéreo cuento de hadas y teme que la discordia pueda arruinarlo.
2. El tiene una absoluta intolerancia respecto de las diferencias.

3. Es un negador. Si no es maravilloso, olvídalo; no está sucediendo.
4. Se siente incómodo si los conflictos están muy cerca de su casa.
5. Teme perderla o perder la idea de usted como un ancla en la relación.
6. Teme perder las cosas convenientes que le aporta la relación.
7. Supone que admitir los temores lo coloca en una posición de debilidad e inferioridad.
8. El es el Dr. Amor Extraño en las relaciones y debe mantener la ilusión masculina de ser quien controla las cosas.
9. Ha aprendido a encarar positivamente las dudas. (Los varones no lloran.)
10. Utiliza la falsa armonía para evitar discusiones que lo hacen perder el tiempo.
11. El teme que usted se enoje y disfrazará cualquier cosa para evitarlo.
12. Evita conversar porque eso sacaría a la luz sus propias ambivalencias respecto de la relación y el compromiso.
13. Utiliza "Todo está bien" para encubrir sus propios sentimientos negativos de inseguridad y fracaso.
14. Teme no ser una roca, por no tener las respuestas al instante.
15. Sospecha que si usted conociese sus inseguridades e incertidumbres, le perdería el respeto.

La ironía es que estas máscaras acaban creando distancias y no armonía, tanto en el trabajo como en casa. Es posible que él crea que en el trabajo, la política de "no sacudir el bote" y fingir que todo está bien lo protegerá de políticas negativas de la empresa o de la competencia de otros. Sin embargo, aun en el ámbito del trabajo, las lealtades suelen surgir a partir de la sinceridad y de la confianza. En el hogar, cuando una o ambas partes de la pareja teme revelar quién realmente es, porque teme el rechazo o el abandono, el resultado es cualquier cosa menos la lealtad y la unión. Lo que solemos obtener así es aislamiento.

"Odio que lo hagas y odio que no lo hagas"

La mayor parte de las mujeres sostiene que quiere la verdad y nada más que la verdad. ¿Qué sucede entonces si él deja caer la máscara de "Todo está bien" o si nunca la ha usado? Usted tiene a su lado a un hombre que está dispuesto a decirle las cosas tal como son. Usted decía que quería que él le dijese todo lo que tenía en mente y aquí está: todo un panorama de dudas, inseguridades y vulnerabilidades. ¿Está dispuesta? ¿Puede manejarlo? Aún más ¿quiere hacerlo?

Además, ¿cómo manejará él sus sinceras y potencialmente coléricas reacciones ante su sinceridad sin límites?

Un hombre de casi cuarenta años, que acababa de romper con una mujer, se arriesgó a esto. En la primera cita con otra mujer a la que había conocido en un baile para solos, le dijo toda la verdad. He aquí cómo él resume lo que sucedió:

Ella utilizó la verdad como arma.

Ella pensó que él tenía problemas y sugirió que fueran juntos a ver a un terapeuta. Esta relación, ya terminada, batió el récord de brevedad. El veredicto de él fue: "Nunca más".

Tal vez, el problema no fue la sinceridad sino el manejo de los tiempos. Los anzuelos que al comienzo de la relación llevan a alguien a admirar y a ver idealizada a la otra persona, son una parte esencial del romance al comienzo de una relación. Sin embargo, a medida que la relación va avanzando y se transforma en algo más estable y duradero, la gente quiere dejar de lado estas presentaciones idealizadas de su persona y revelar quién es en realidad. De esta manera busca que la amen y la acepten por lo que es y logra sentirse cómoda en una relación.

Aunque la mayor parte de las mujeres sostienen que desean la verdad en sus relaciones íntimas, la pregunta sigue siendo cuánta verdad son capaces de aceptar, cuándo y bajo qué circunstancias.

Por ejemplo, Kim no está segura de que la verdad sea siempre algo tan bueno. A los treinta y tres años, dos veces divorciada y dueña de su propio negocio, Kim tiene sus propios problemas con la verdad. Ella se reconoce como una mentirosa patológica parcialmente reformada y Russ, su último novio, es un defensor de la verdad absoluta. Aunque esto haya resultado útil a Kim —que desea saber qué es lo normal— ella sigue manteniendo muchas reservas respecto de la manera como Russ decía la verdad: *"Estoy saliendo con alguien que, a cada momento del día, me dice cómo se siente respecto de mí y de la relación. Sus palabras son como un barómetro de sus sentimientos, y las cosas cambian y evolucionan todo el tiempo. Eso llega a lastimar la relación. Es como un pronóstico del clima. Ahora me pregunto: '¿Necesito tanta información?'. Antes me decía: 'Merezco que me lo digan'. Ahora, no deseo escucharlo. Estoy tratando de sentirme bien conmigo misma y las negativas de él me confirman mis peores temores".*

Tanto Kim como Russ son excepciones. Ella utiliza las mentiras para controlar una realidad impredecible, para tornarla más manejable. El utiliza la verdad de la misma manera. El propósito en ambos casos no es la espontaneidad y la intimidad sino más bien el control. Podemos esperar que Russ y Kim se rompan los cuernos en la batalla por controlar la situación, no importa cuáles sean los hechos. Sus discusiones acerca de la verdad no son más que otro campo de batalla en la lucha por la autoridad y el poder.

El hombre detrás de la máscara

La máscara nos muestra una imagen falsa. Es una lástima, porque lo que buscamos es lo mismo a lo que nos resistimos: los sentimientos, las tensiones y la vulnerabilidad de la unión.

Pese a todos nuestros esfuerzos, la fachada que escogemos deja ver las turbulencias internas que queremos mantener ocultas. Las máscaras reflejan nuestros ideales culturales y nuestros arquetipos: aquellos con los que nos comparamos consciente o inconscientemente.

Todos usamos alguna máscara en algún momento. Eso actúa a la vez a favor y en contra de nosotros. Desde un ocultamiento relativamente inocente hasta un engaño devastador, la máscara distorsiona las cosas al mismo tiempo que atrae. Al comienzo, nuestras mascaradas pueden resultar graciosas. Pueden ser juegos encantadores que nos permiten ocultar algunos secretos por aquí y mostrar otros por allá. Sin embargo, como la base de todo eso es un engaño, el uso continuo de las mascaradas no hace más que crear distancias y aislar al hombre o a la mujer que se oculta detrás de la máscara.

En este y en los tres capítulos anteriores, hemos analizado las máscaras engañosas que los hombres y las mujeres utilizan para llegar a la intimidad sexual, para comunicar compromiso y para ocultar sus sentimientos detrás de una fachada de que todo está bien. Creo que las mujeres, tanto como los hombres, sienten que estas máscaras de las que hemos hablado les resultan familiares. Sin embargo, los hombres y las mujeres suelen escoger máscaras muy diferentes. Como muchos hombres suelen ocultarse detrás de la máscara del estoicismo, esta se llega a transformar en algo culturalmente aceptable y más difícil de quitar a medida que pasan los años. Los padres traspasan estas máscaras a sus hijos varones a través de sutiles gestos y a través de abiertos consejos acerca de cómo debe comportarse un hombre (no hay que demostrar sentimientos ni debilidad). A menudo, padres e hijos se transforman en conspiradores que ocultan una verdad desagradable a la madre esposa, ahogando sus propios sentimientos durante este proceso. Para muchos hombres, la máscara del estoicismo y todo el grupo de máscaras que ocultan sentimientos son algo tan familiar como la propia piel. Sea por falta de voluntad, por incapacidad o por pereza, ellos viven encerrados en esas máscaras. Para los hombres es muy fácil vivir con poses impostadas, no sólo en el trabajo sino también en la sala o en el dormitorio.

Dejar la máscara en su lugar es lo mas sencillo, pero tiene un alto costo para las relaciones. Cuando la máscara se torna rígida y pasa a reemplazar al verdadero rostro, habremos perdido nuestra identidad. Los verdaderos sentimientos quedan ocultos, y los pocos que se filtran tienen una apariencia mecánica y hueca cuando son puestos a prueba por el tiempo. Tanto él como usted son engañados por el rostro que tienen a la vista. Cuando la persona que está detrás de la máscara no puede acceder a sus propios sentimientos, sus acciones reflejan una identidad fragmentaria, definida desde el exterior, que lo va impulsando a una serie de mentiras aún más peligrosas: las mentiras de evasión.

Cuarta Parte

LAS MENTIRAS
COMO EVASIONES

9

LEJOS DE TUS OJOS SUPLICANTES

"Durante seis meses estuve saliendo con un hombre que me dijo que tenía una amiga platónica. No se lo cuestioné. Más tarde los sorprendí juntos... El me dijo que pensó que yo no iba a poder manejar esa verdad. La verdad no me hubiese asustado. Al menos hubiese tenido la posibilidad de elegir."
—Empresaria, treinta y tres años, divorciada.

"Cuando nos fuimos a vivir al exterior, él no me dijo que toda su familia iba a venir a vivir con nosotros y que se trataba de una mudanza permanente, planeada con su familia. Primero, al cabo de un mes, vino su madre. El me dijo que venía de visita. Luego vinieron dos primos. Más tarde su cuñada con tres niños... Toda la familia inmigró y vino a vivir a nuestro diminuto departamento.
—Oficinista, treinta y cinco años, separada..

"Si no me preguntas, es porque no necesitas saberlo."
—Ingeniero, cuarenta y dos años, soltero.

"¿Qué es un hombre? Un miserable montón de secretos."
                                    —André Malraux.

Estamos descendiendo ahora al fondo de las tinieblas. Aunque las mentiras de evasión pueden comenzar de una manera inocua, a menudo nos llevan hasta el oscuro mundo de la traición y los subterfugios. Las evasiones incluyen mentiras relacionadas con la infidelidad, las adicciones, las trampas económicas. Como mínimo, una mentira de evasión implica una asombrosa falta de empatía y de compromiso. Otras veces, representa una peligrosa inclinación hacia el engaño.

Las mentiras de evasión hacen que los anzuelos que sirven para atraernos y las máscaras que sostienen ciertas uniones nos parezcan juegos de niños. Por supuesto, no lo son. Las mentiras usadas como máscaras sientan las bases para las evasiones, ya que nos alejan el uno del otro, creando una mentalidad de ellos contra nosotras respecto de las personas con las que compartimos la cama y la vida. Las evasiones son las mentiras a las que más tememos en nuestras relaciones más íntimas. Son las mentiras más difíciles de perdonar y de olvidar, ya que fueron diseñadas intencionalmente para engañarnos. No importa lo sofisticadas, experimentadas o inteligentes que seamos, es muy difícil superar esta clase de mentiras sin incorporar una cuota de cinismo.

Martha todavía exhala resentimiento. Después de años de estudiar a la par que cuidaba de los niños y trabajaba, había comenzado a enseñar mientras esperaba obtener su diploma a fin de año. Después de dedicar tres meses a encontrar quien cuidara de los niños y a hallar un puesto cerca de su casa, imaginen su decepción cuando supo que su esposo había dejado su trabajo hacía ya ocho semanas y había aceptado un empleo a mil kilómetros de distancia. ¡Ah...! Además ella tenía que empacar y tener todo listo para fin de mes.

¿Y qué hay de Cynthia, que descubrió que el hombre a quien venía manteniendo usaba todo el día para cortejar a las vecinas en lugar de buscar trabajo? También tenemos el caso de Ellen, que descubrió que el hombre con quien había vivido durante siete años no iba a hacer ejercicio en un gimnasio, sino que hacía otro tipo de ejercicio en la cama de otra mujer. Otro caso es el de Lydia, cuyo novio le dijo que tenía que estudiar esa noche. A la mañana siguiente, ella lo fue a buscar a su departamento y lo encontró en la cama con otra mujer.

A estas mujeres les cuesta mucho no sentirse amargadas. Mentiras como estas son como bombas neutrónicas para las relaciones íntimas. Destruyen el amor y la buena voluntad. Dejan a una persona físicamente sana, pero emocionalmente destruida. Lo único que queda intacto son los despojos de tiempos más felices:

recuerdos, fotografías, parientes políticos, hijos. Inevitablemente, las evasiones implican la ruptura orquestada de una serie de compromisos, acuerdos y promesas. ¿La intención? Escapar a su conocimiento y desaprobación para poder hacer lo que él quiere, sin que sus juicios lo molesten. ¿El efecto de estas mentiras de evasión? Desarman, desilusionan, destruyen.

Exploremos la naturaleza de estas evasiones para captar qué es exactamente lo que se evade, cómo se hace para evadirlo y cómo nos afecta ser el blanco de esas evasiones.

La naturaleza de las evasiones

Difícilmente alguien va por allí buscando mentiras de evasión. En general preferimos pasar la mañana sentadas en el sillón del dentista haciendo que nos taladren los dientes. Sin embargo, estas mentiras encuentran un camino hacia nosotras. Además, suelen encontrarnos inconscientes y complacientes, sin registrar lo que está sucediendo a nuestro alrededor.

Las mentiras usadas como evasiones tienen algunas características en común con las mentiras usadas como máscaras, pero tienen con ellas una diferencia fundamental. Una máscara hace inaccesibles para uno los pensamientos y los sentimientos del otro, mientras que la evasión, además de hacer eso, logra que las acciones del otro también resulten inaccesibles para uno. Como las máscaras que él utiliza se adaptan a las concepciones que usted tiene —como por ejemplo el papel que debe cumplir un sexo— o un estereotipo cultural que encaja bien con él y que usted acepta—, el daño que causan va penetrando en usted. Usted va entrando en su mascarada y lo ayuda a ocultar quién es en realidad, ya que su estoicismo o su falso compromiso le parece tan seductor o tan normal que usted no escucha las alarmas internas sino cuando ya es demasiado tarde. Usted no pregunta y él no le dice. Las mentiras como máscaras son las bases sobre las cuales se construyen las mentiras como evasiones.

La *mentira que evade* se edifica sobre las máscaras y también sobre su buena fe y su aceptación. Sin embargo, más tarde va mucho más allá de esos límites. Las evasiones implican una retención, distorsión o falseamiento deliberado de información, de modo tal que él pueda hacer lo que quiera sin que usted lo sepa.

El sabe lo que va a hacer, y si sus acciones no fuesen a tener serias consecuencias, se lo diría. Pero él sabe que usted se enojaría, se sentiría herida o tal vez se iría de su lado, si se enterara o él se lo dijera. En resumen, él tendría que responder a las consecuencias de sus acciones. El nombre de este juego debería ser "verdad y consecuencia", un juego que sus mentiras de evasión le están indicando que él no está dispuesto a jugar. El no quiere rendir cuentas de sus acciones y hasta es posible que agregue un insulto a la herida, diciendo que lo ha hecho "por el bien" de usted.

¿Qué es lo que se evade?

Esta lista de evasiones puede resultar engañosa. Los temas mencionados pueden parecer tan apasionantes como una página de un código legal. Sin embargo, no se deje engañar por el tono antiséptico. Detrás de cada uno de estos términos se esconden diarios melodramas de proporciones trágicas y cómicas.

Los temas más frecuentes de las mentiras de evasión son:

• La exclusividad.
• Las adicciones ocultas.
• Las finanzas.
• Cuestiones laborales.
• Problemas de salud.

De lejos, la exclusividad, la de "Eres la única", es la ganadora de este lamentable récord. Este tipo de mentira aparece mencionada cuatro veces más que todas las demás juntas. En el próximo capítulo las examinaremos en profundidad.

Casi todas la hemos escuchado alguna vez. El dice que usted es la única. Sin embargo, tal como diría la proverbial mosca si pudiera hablar, también puede estar una esposa o una amante, una vieja novia o una nueva, o la amiga de la escuela a la que volvió a encontrar en el aniversario de graduados. Puede tener aventuras legendarias, pero es mucho más posible que lo sepan los muchachos del gimnasio y no que lo sepa usted. Seguramente, usted recién se enterará del romance que tuvo en la oficina, cuando lo despidan del trabajo o cuando su antigua secretaria le haga una denuncia por acoso sexual.

¿Le parece injustamente duro? Tal vez usted piense así

porque no ha visto las lágrimas ni escuchado la inseguridad y el resentimiento que tienen las mujeres que me han contado cada una de estas historias. O tal vez usted ha sido afortunada y ha podido evitar todo esto... o al menos eso cree.

Un productor de televisión homosexual, dos años antes de morir de SIDA, me contó acerca de un documental en el que estaba trabajando, que mostraba cómo cientos y cientos de anillos de matrimonio eran dejados en las cajas fuertes de las casas de citas. ¿Cuántas de esas esposas sospechaban dónde pasaban sus maridos esas horas robadas?

Cuando niña solía ver una serie de televisión llamada *Llevo dos vidas*. Era la historia de Stanley Philbrick, un agente del FBI, que se infiltraba en el Partido Comunista. Muchos de los maridos entrevistados, y tal vez muchos otros que conocemos, le darían una buena lección al viejo Stanley, no en el arte de mantener ocultos a un par de agentes, sino en el de esconder a una o más mujeres.

La viejas mentiras de oro de la evasión: adicciones, dinero, trabajo y salud

Es posible que sus compromisos y lealtades no se dividan entre dos mujeres y que no sea como un agente que trabaja para dos países, sino que más bien dedique su tiempo y su energía a una serie de actividades y objetivos, camuflados y secretos. El sabe bien de qué se trata, pero lo mantiene oculto ante usted.

Tomemos como ejemplo las adicciones. El alcohol, las drogas y el sexo se combinan para ganar el segundo puesto en el ranking del evasor y pueden alterar profundamente cualquier relación. Si usted concurre a una reunión de Alcohólicos Anónimos en cualquier ciudad, podrá comprobar la cantidad de engaños a los que recurren los adictos para continuar con su hábito. Dado que la adicción es la protagonista, su mejor estrategia en estos casos sería comprender que usted está teniendo una relación con ella y no con él. Además, la naturaleza de la adicción tiene que ver con el engaño, la distorsión y la destrucción, tanto para él como para usted.

A la evasión para las adicciones sigue en la lista, aunque bastante lejos, la relacionada con toda clase de cuestiones de dinero, desde ocultar dinero hasta contratar abogados para que lo ayuden a esconderle lo que gana y dejarlo fuera del patrimonio matrimonial. Tal vez, él simplemente le diga que fue un mal año y que por eso no tiene dinero para remodelar la cocina. Sin embargo, al mismo tiempo, él puede estar separando dinero para comprar un barco o una Ferrari. También, puede ser algo más serio: él puede estar separando dinero y depositándolo en una cuenta secreta, preparando su futuro divorcio de usted. También puede estar manteniendo a otra mujer. Algunas mentiras relacionadas con el dinero lindan con lo patológico, pero como el dinero está asociado con el poder y la libertad, cualquier hombre que haya amasado una buena cantidad de dinero puede pensar que esas maniobras de ocultamiento no son más que un modo de proteger sus intereses. Cuando esto se hace abiertamente, como por ejemplo en un acuerdo prenupcial, no se trata de una mentira de evasión. Las dos partes saben lo que sucede y tienen los ojos abiertos. Lo pernicioso es cuando está oculto y cuando la percepción está muy distante de la realidad de las finanzas comunes.

Pero esto no es todo. ¿Qué hay de todas las cuestiones laborales importantes, como el cambio o la pérdida del trabajo, los planes para el futuro y, claro, el acoso sexual? Y si pensamos en todo lo que usted no sabe. ¿Qué hay de la salud? ¿El le ha contado que es un prediabético? ¿Le ha dicho acaso el médico que si no deja de beber, sus células hepáticas ya no se distinguirán de las cerebrales? ¿Sabe que sigue un tratamiento por una erupción genital?

Si tienen una relación tan próxima, ¿cómo es que desconoce todo esto? ¿Es acaso la máscara masculina del estoicismo lo que la mantiene a distancia? ¿Se trata de un debilitamiento de los compromisos y del vínculo? ¿O acaso estará descendiendo por la traicionera pendiente de la evasión? Si los secretos que él guarda le permiten cubrir sus huellas, de modo que puede actuar lejos de su vista de maneras que la dañan y que usted considera inaceptables, convénzase de que se trata de una completa evasión.

Construya un plan de defensa, pero no espere hasta sus bodas de oro para hacerlo.

¿Son las evasiones las mentiras más comunes?

Por supuesto, en lo que se refiere a las mentiras de evasión, los hombres no tienen el monopolio. He escuchado a muchos hombres contar como una mujer destruyó su confianza y sus vidas. En lo que se refiere a las mentiras, las evasiones superan en número por dos a uno a cualquier otro tipo de mentira en ambos sexos.

Esto se hace evidente al observar las respuestas que dieron hombres y mujeres a mis preguntas respecto de las "últimas mentiras" que les habían dicho o que habían dicho a alguien del sexo opuesto. Los hombres y las mujeres entrevistados mostraron un acuerdo sorprendente. Las respuestas basadas en las experiencias de los interrogados evidenciaron un ochenta por ciento de mentiras de evasión. ¿Cómo respondieron las mujeres? De un modo muy similar a los hombres en este aspecto, ya que entre sus respuestas se registraron un setenta por ciento de mentiras de evasión. Sin embargo, estos porcentajes semejantes ocultan una diferencia importante. Sólo un tercio de los entrevistados, hombres o mujeres, recordaba una última mentira dicha por una mujer. ¿Y respecto de los hombres? El ochenta por ciento de los hombres no tuvieron dificultades para evocar específicamente la última mentira que habían dicho a una mujer. Por su parte, el setenta y ocho por ciento de las mujeres podían dar clara cuenta de la última mentira que un hombre les había dicho. Si bien intuitivamente esto sugiere una diferencia entre los sexos, dado que la muestra es estadísticamente pequeña, no podemos decir demasiado acerca de la fuerza de esta tendencia.

En cuanto al tipo de mentiras que dicen los hombres, ¿cómo están ubicadas las evasiones? Fueron, por lejos, las ganadoras en la categoría de hombres. Los hombres usaban evasiones siete veces más que máscaras y quince veces más que anzuelos, conforme al análisis de las respuestas acerca de la primera y la última vez que un hombre le había mentido a una mujer.

Si los hombres producen más mentiras de evasión que las mujeres, ¿está esto relacionado con el mayor poder y la mayor cantidad de opciones que la sociedad les da a ellos? Cuando un hombre comienza una relación con una mujer, generalmente se lo ve a él —y no a ella—, como el que tiene mayores posibilidades de ganar dinero, estatus, influencias y acumular bienes materiales. ¿Acaso esto les da a algunos hombres la sensación de que se han llevado la peor parte, ya que tienen que abandonar su preciada libertad sexual y económica, y además agregar responsabilidades a su vida? La mentira puede entonces transformarse en un atajo hacia la libertad, en un modo de restaurar la igualdad, en una manera de superar el enojo que les provoca ser controlados y en una ayuda para recuperar sus sentimientos de autonomía y afirmación masculina.

Herramientas y trucos del evasor

¿Cómo es que él logra salirse con la suya? Esa es la pregunta del millón en el juego de la evasión. Analizando cientos de historias de evasiones, descubrí que estas tienen su propia metodología, su propio ritmo. La clave para una evasión de éxito es lograr que lo extraño parezca familiar, lo bizarro parezca razonable y lo extravagante, común. Eso la alienta a usted para que vea lo que desea ver o lo que él desea que usted vea, en lugar de darse cuenta del engaño. Así se toma ventaja de que usted necesita creer lo mejor, confiar en que las personas son buenas y pensar que el hombre que usted quiere tendrá con usted al menos la cortesía de decirle la verdad. Es por eso que la evasión puede llegar a ser tan seductoramente triunfadora y tan notablemente destructiva en manos de un profesional.

La lista que aparece abajo le dará un rápido panorama de las herramientas y los trucos que probablemente utilice cualquiera que quiere llevar adelante con éxito una evasión. Tal vez usted pueda agregar alguna de su propia experiencia.

Trucos y herramientas para la evasión: una lista de control

1. Negación

La negación es, según Sigmund Freud, el mecanismo de defensa más primitivo. También es el más frecuente, si eso le dice algo. Estas mentiras de evasión van desde lo más trivial —lo sorprendieron con las manos en la lata de galletas, pero dice que no eran sus manos— hasta la clase de mentiras que encubren importantes faltas contra la confianza. Simplemente escucharemos su rápida respuesta: "No, no lo hice", no importa de lo que se trate.

"La primera persona con la que tuve relaciones sexuales, me mintió. Yo tenía diecisiete años y él tenía veintitrés. Quedé

embarazada y fui a su casa. Su mentira fue: 'Sé que no es mío. Ya no eras virgen cuando te conocí'."
—Gerente de producción, treinta y un años, soltera.

2. Racionalizaciones

El tiene una manera de razonar que lo explica todo, siempre desde su punto de vista y para su beneficio. Si usted le cree, obtendrá lo que merece. Tómese, pues, su tiempo para separar la realidad de la ficción. Considérelo un maestro de la racionalización que, además de engañarla a usted, se engaña a sí mismo. Si se siente confundida, consulte a una tercera persona objetiva para conversar acerca de este tema. Si tiene una relación seria con esta clase de hombre, necesitará toda la ayuda que pueda obtener.

"Mi esposo sostiene que no fue una aventura. Dijo que habían tenido relaciones un par de veces, pero·que todo había terminado ahí. El problema era que ella no quería dejar de verlo."
—Programadora de computación, treinta y nueve años, separada.

3. Secretos

El puede revelarle su secreto, pero a su debido tiempo —el tiempo de él—. El problema es que eso que usted ignora va a lastimarla. Recuerde que no importa lo hirientes que sean los hechos, siempre es mejor conocerlos que permanecer a ciegas durante meses o años. Siga averiguando y, si tiene dudas, contrate a un profesional.

"John me decía que vivía con su hermana, cuando en realidad vivía con Nina, la madre de su hijo."
—Asistente médica, cuarenta años, divorciada.

4. Promesas rotas

Este hombre es un maestro para pedir perdón, pero no para pedir permiso. Sus promesas son ideas pasajeras, no acuerdos, y él dirá que pensaba que usted se había dado cuenta de eso. El promete cualquier cosa y habitualmente acierta con lo que usted desea. Considere que él no es capaz de sostener una afirmación a través del tiempo. Su característica es que no es confiable. Recuerde el viejo dicho popular entre los maestros de cuestiones gerenciales: "Engáñame una vez, y será culpa tuya. Engáñame dos veces, y será culpa mía".

"Mi segundo esposo dijo durante nuestro acuerdo de divorcio: 'No pongas nada', respecto de la posibilidad de ver a sus hijos del matrimonio anterior. Me dijo: 'Te prometo que los verás'. Su mentira me destruyó."
—Estudiante de doctorado, cuarenta y un años, divorciada.

5. Furia
Sea este su primer o su último recurso, la furia es la soga de la cual se prende el mentiroso.

El convierte el nerviosismo que le produce el haber sido sorprendido en furia instantánea, de modo que transforma su vergüenza en enojo. He aquí su método: él le mintió porque temía al enojo de usted y ahora cuenta con que usted también se sentirá intimidada por el de él. El monta en cólera ante su menor sospecha y de esta manera puede lograr que usted se retracte. Usted puede intentar enojarse también para ver si él se hecha atrás, pero debe hacerlo en público, donde esté segura. Si él tiene una tendencia a la violencia, busque ayuda profesional.

"El último hombre con quien viví montaba en cólera cada vez que yo lo acorralaba, gritando: 'Siempre soy yo el que hace las cosas mal. Tú crees que lo haces todo bien. Pues déjame decirte que no eres tan perfecta'. Entonces comenzaba a lanzarme una lluvia de misiles verbales, quejándose de mí y diciendo que iba a irse. Finalmente me fui yo."
—Periodista, cincuenta y cinco años, divorciada.

6. Juegos mentales
Este hombre, literalmente, sabe cómo volverla loca. Este hombre siembra dudas acerca de todo. Cuestiona sus juicios, le jue-

ga triquiñuelas a su memoria, desafía sus convicciones y su cociente intelectual. Darse cuenta de que se está protegiendo a sí mismo puede ayudarla, pero a largo plazo este tipo de hombre destruye la confianza que usted se tiene. ¿Por qué entonces no protegerse usted también? Lleve un diario con fechas y citas. El captará de qué se trata.

"Este verano estaba saliendo con un hombre y ese día íbamos a encontrarnos. ¿Era a las siete o a las ocho? Lo llamé para confirmar la hora y él me dijo que no íbamos a encontrarnos, que él no había dicho nada. Sin embargo, yo lo había anotado en mi agenda."
—Diseñadora de interiores, treinta y cinco años, soltera.

7. Excusas
Como dijo Hillary Clinton en una entrevista televisiva: "Podría ser, debería ser, tal vez...". Cualesquiera sean, las excusas tienen como propósito sacarlo de un aprieto, de modo tal que él pueda seguir evadiendo su conocimiento y su censura. No acabará nunca de dar excusas, por lo tanto, usted debe adoptar una regla: *No hay excusas* y sostenerla.

"El me dijo que me había dejado plantada porque había ocurrido un accidente en la ruta y se había detenido para socorrer a una mujer herida. Luego canceló nuestra cita para ir a un concierto porque se le había pinchado una goma y no podía quitar los bulones. Otra vez, a último minuto, se sintió demasiado cansado como para ir a bailar. Fui hasta el estacionamiento del baile y vi que su automóvil estaba allí. El tenía una buena excusa para todo."
—Contadora, treinta y seis años, divorciada.

8. Verdades técnicas
El hombre que dice verdades técnicas suele ser inteligente y hábil. Lo que él dice es absolutamente cierto, de modo que puede tener la conciencia tranquila. Lo malo es que no dice algo que es fundamental. Sólo tenga en cuenta que la maniobra no la favorece. Lo que usted escuchará no se parecerá a lo que obtendrá. No dé nada por hecho. Averigüe más.

Seguramente él se enojará. Sólo pregúntese cuánto desea saber y cuáles serán las consecuencias de su ignorancia.

"Un tipo me dijo que iba a trabajar con sus compañeros. Yo quería verlo esa noche, así es que lo llamé al teléfono celular de su automóvil. Escuché una voz de mujer que le preguntaba: '¿Quién es?'. Más tarde, me dijo que era una amiga que necesitaba que la acercara a su casa. En realidad, era una amiga íntima que quería que la acompañase."
—Terapista física, treinta y un años, divorciada.

9. Distracciones

¡Qué cantidad de fuegos fatuos y ficciones que él inventa! Téngalos en claro y haga lo mismo con todos los demás recursos que él está poniendo en juego para que usted no se dé cuenta de lo que está sucediendo. Esté segura de que están sucediendo muchas cosas. En cuanto usted se acerque a la verdad, él le contará alguna historia que haga virar su atención, ya que sabe que tiene la capacidad de distraerla. No caiga en la trampa.

"La última mentira de mi esposo Eli fue con respecto a la aventura que estaba teniendo con su secretaria. Para esa época me dijo: 'Alguien en el trabajo quiere fastidiarme'."
—Directora de relaciones públicas, treinta y siete años, casada.

10. Seducir y cambiar de idea

Al comienzo, sus acciones parecen concordar perfectamente con los deseos de usted. Sin embargo, estos triunfos son pasajeros, ya que en cualquier momento él va a cambiar de idea. Usted es tan sólo una presa y después de que él obtenga lo que quiera de usted, probablemente niegue todo lo que ha sucedido y cuente con que usted estará tan azorada que lo aceptará. ¿Por qué no sorprenderlo diciéndole que no?

"Nos íbamos a casar. Yo ya había enviado mi equipaje a Hartford, cuando él me llamó y me dijo: 'Será mejor que no nos casemos, porque venimos de religiones distintas.' Sin

embargo, cinco meses más tarde se casó con una mujer de otra religión."
—Médica, cuarenta y ocho años, divorciada.

11. Desorganización creativa

¡Dios! El es tan desorganizado que es fácil creer que se equivocó de vuelo, olvidó la cena o su cumpleaños, o perdió la noción del tiempo y se quedó en la oficina hasta las tres de la mañana. Piense, sin embargo, en esta posibilidad: tal vez él sea más creativo que desorganizado. La cuestión de la desorganización le da a él una gran libertad. Un nivel tan importante de distracción puede ser el síntoma de un problema personal grave o, simplemente, una táctica astuta.

"Al comienzo él era tan encantador que no me importaban todos los cambios de planes. Yo era capaz de correr al aeropuerto para pasar con él treinta minutos antes de la partida de su vuelo, pero luego él me ubicaba para decirme que había cambiado de planes. Más tarde me di cuenta de que no iba a obtener nada diferente: a él le gustaban las cosas de ese modo."
—Consultora técnica, treinta y siete años, divorciada.

A través de todo este capítulo iremos descubriendo cómo los hombres usan estas herramientas y estas tretas para mantener oculta la verdad. Esté alerta para ver cuáles son las tretas preferidas del hombre que tiene a su lado y vea si también puede identificar las suyas.

Por qué él dice mentiras de evasión

Conocer las herramientas que él usa para poner en práctica sus mentiras de evasión es el primer paso para armar su propio arsenal de defensa. Sin embargo, no se trata aquí de armar una guerra. Se trata de estar preparada para protegerse de sufrimientos innecesarios. También será de mucha ayuda conocer las razones que, según los hombres, los llevan a decir mentiras de evasión. Por supuesto, esas razones pueden parecer obvias. Lo son *para él*. Sin embargo, es importante que usted también sea lo suficientemente consciente como para reconocerlas fácilmente. He aquí algunas de las razones más frecuentes que alegaron los hombres entrevistados para mentir de esa manera.

Algunas de las explicaciones más frecuentes para las mentiras de evasión de los hombres

- Para lograr algo prohibido y tentador que desean.
- Para evitar explicar datos de una situación que tendrá consecuencias no deseadas.
- Para conseguir lo que más les conviene con la inversión mínima de tiempo y energía.
- Para evitar el enojo de una mujer y la inseguridad que eso les provoca.
- Para igualar a la otra parte y no sentirse perdedores.
- Para controlar quién y cuándo acaba con la relación.

Lo que resulta particularmente curioso es la gran cantidad de hombres –apenas menos de la mitad– que al hablar acerca de sus evasiones adoptan una particular manera de racionalizar ese tipo de mentiras. *Alegan razones honorables o protectoras y dejan de lado el verdadero efecto de sus mentiras sobre la mujer en cuestión.*

¿Es esta racionalización una mera exageración para justificarse o es acaso una forma mucho más profunda de autoengaño? Eso depende de cada hombre y de cada situación. Sin embargo, en todos los casos estás excusas que se refieren "al bien de ella" traen al mentiroso en cuestión dos beneficios inmediatos. En primer lugar, le permiten afirmar sus buenas intenciones, que se contradicen con los verdaderos motivos de sus mentiras de evasión (la lista anterior: lograr lo prohibido, evitar el enojo, etc.). En segundo término, como racionalización, le permiten alejarse tranquilo, silbando, sintiéndose bien porque hizo lo que quiso, sin llenarse de culpa. En el mismo momento en que usted sufre las consecuencias de sus verdades a medias, sus mentiras y sus traiciones, él puede estar encaminándose hacia la salida, sintiéndose bien con su actuación *y con su mentira.*

Evadir la autoridad femenina

Lo más indignante de estas evasiones es que él actúa como si lo que hace no tuviera ninguna consecuencia en usted. Como si sus infidelidades, sus vicios, sus despilfarros o sus fracasos laborales no tuviesen nada que ver con usted. Pero la verdad es que, pese a la actitud libre que él demuestra, a menudo las mentiras de evasión están totalmente dirigidas a usted.

¿Por qué? Si no fuese por usted o por alguien como usted, él no tendría de qué escapar. Si usted no existiera, él tendría que inventarla. Usted puede ser nada más que la última de una serie de personajes, una más dentro de una larga lista de figuras de autoridad femenina, que van desde su madre y su maestra hasta su primera novia, su ex esposa o una jefa. Si esto es así, él se revelará desafiándola, engañándola o escapando de usted o de las restricciones que usted simboliza. ¿Cuánto de consciente es todo esto? Probablemente, no mucho. Como sus primeras experiencias con la autoridad femenina tuvieron lugar hace tiempo, probablemente él no reconozca el modelo. Además, aunque lo identificara, es muy poco probable que dijera: "Sí, ese soy yo". Es una pena, porque si no tiene conciencia de lo que le ocurre, ¿cómo podrá cambiarlo? Sin embargo, antes de sentirse apenada por él, recuerde que sus mentiras de evasión, conscientes o no, le allanan el camino hacia la libertad. Además, lo llevan a traicionarla a usted. Sin traicionarla, ¿cómo podría él sentirse libre?

La evasión de él y su respuesta

Hasta ahora nos hemos centrado primordialmente en él, en lo que hace, en por qué lo hace. ¿Y qué hay de usted? ¿Dónde entra usted en escena y dónde desearía entrar? ¿Qué papel desempeña en transformar las evasiones de él en realidad o en lograr que sigan siendo un sueño? Usted también tiene sus propios patrones de respuesta. Cuando una persona a quien quiere le dice una mentira de evasión, usted no reacciona por casualidad. Más bien usted actúa de una manera que refleja su propio pasado, sus propias necesidades y motivaciones. También se pondrán en juego sus esperanzas.

Cualquiera sea su patrón de respuesta, usted también tiene

opciones. Puede seguir haciendo lo que estaba haciendo o si no le gusta lo que ha sucedido en sus relaciones, tal vez esa no sea la mejor decisión. Como recordaba uno de mis clientes lo que su padre le decía: "Si todo lo que haces es lo que has estado haciendo, todo lo que obtendrás es lo que has estado obteniendo". Tenga en cuenta, entonces, que la respuesta femenina más frecuente a las mentiras de evasión, de acuerdo con las mujeres entrevistadas, era *la negación*. Fíjese, entonces, si la negación describe bien su manera de comportarse. Si es así, debe decidir si desea seguir manejándose de esa manera.

Negación y aceptación: una danza de dos

"Estuve comprometida durante cinco años, pero no funcionó. El tenía otras relaciones paralelas. La gente trataba de decírmelo, pero yo no los escuchaba. Decía que no era posible."
—Consejera económica, treinta y seis años, casada.

Hay dos maneras clave en que las mujeres ayudan e incentivan el proceso de sostener las mentiras de un hombre. El primero es negando por completo los signos y los síntomas de descontento, irritabilidad y distanciamiento por parte de él. Estos no suelen ser demasiado sutiles y es posible distinguirlos con facilidad. Por ejemplo, él pasa más tiempo en el trabajo, en la cancha de golf o con sus amigos. También, puede acostarse más tarde y levantarse más temprano, mientras su vida sexual queda archivada como un disco antiguo. También es posible que la mire menos, que preste menos atención a sus comentarios, que no inicie ninguna interacción con usted y que sólo le informe lo estrictamente necesario. Cualquier cambio importante en el comportamiento de él debería llamar su atención y ponerla en estado de alerta amarilla, si no de alerta roja.

El segundo modo como usted puede ayudar a sostener sus mentiras de evasión es aceptando sus negaciones, sus excusas, sus ataques y sus evasiones. Cuando él no quiere responder a sus preguntas, usted se esfuma. Eso es malo, porque si usted se mantiene en silencio y acepta, es posible que la relación también se esfume.

Por supuesto, usted también puede tener razones para negar y aceptar. Por supuesto, hay razones muy poderosas, llamadas amor, esperanza, confianza y miedo. Sin embargo, en ambos casos, cuando usted no realiza una acción vigorosa para protegerse, acaba siendo cómplice de làs mentiras. Y eso no es algo bueno.

Ahora bien, antes de culparse demasiado por su participación, recuerde que hay muchos hombres que son maestros del engaño y la evasión. Ellos podrían superar una prueba con el detector de mentiras de la CIA o de los servicios secretos. No tienen ningún inconveniente en mirarla a los ojos y falsear completamente la verdad. Estos hombres no sienten culpa. Sin embargo, si bien es posible que la sigan engañando, tenga en cuenta que la mayoría de los hombres no son más que mentirosos mediocres y hasta tienen ambivalencias al engañar. Por eso, con el abordaje apropiado, usted tendrá la posibilidad de llamar a las cosas por su nombre, conocer los hechos y hasta podrá sentar las bases para una mejor relación.

Lamentablemente, muchas mujeres dejan pasar esta posibilidad. En lugar de aprovecharla, empeoran aún más las cosas, ya que educadamente se niegan a enfrentar la verdad y aceptan a pies juntillas la primera negativa de ellos. Como me decía un empresario soltero de treinta y seis años: "Mi novia *verbalizó acertadamente* que yo estaba saliendo con otra. Cuando yo lo negué, *me asombré de la facilidad con la que aceptaba lo que yo decía. Aliviado, no podía comprender por qué lo había dejado pasar con tanta facilidad*". ¡El estaba asombrado de que ella se calmara tan fácilmente! No podía creer en su buena suerte. *El lo negaba, entonces ella también lo negaba.* Desde la perspectiva de él, la falta de persistencia de ella era una invitación para que le mintiese aún más. ¿El resultado? El sintió que le había dado permiso para continuar impunemente con sus mentiras de fidelidad. Y eso fue lo que hizo.

¿Pero por qué ella o cualquier otra mujer acepta tan fácilmente la negativa del hombre? ¿Por qué no lo puso en aprietos y lo acorraló durante un par de horas? Póngase en el lugar de ella. Usted adivina que él está con otra persona. Eso significa que usted está recibiendo indicios, consciente o inconscientemente. Su intuición le está gritando que algo anda mal. Usted cavila interminablemente, lo conversa con sus amigas, pero cuando junta el coraje para decírselo, él lo niega de plano. ¿Su respuesta? Una retirada inmediata. ¿Por qué?

La mayor parte de las mujeres conocemos la respuesta. Estamos esperando ansiosamente que lo que intuimos no sea verdad, que no haya otra persona. A nadie le gustan las malas noticias. Queremos que la relación sea maravillosa, queremos ser la única. Queremos que disipen nuestros miedos, no que los acrecienten. Cuando él dice que estamos equivocadas, nos sentimos bien. La última cosa que desean muchas mujeres es la verdad sin límites. Sin embargo, como la verdad de todos modos va a emerger en algún momento, sólo es cuestión de cuándo y a voluntad de quién. Esa fue una lección que Heidi finalmente aprendió.

El alto costo de la danza: la historia de Heidi

Como muchas de las mujeres entrevistadas, Heidi me pareció de inmediato cálida y afectuosa. Era difícil no simpatizar con ella enseguida. Era enfermera, divorciada, tenía casi cincuenta años y cuatro hijos grandes. Heidi tenía muchas historias y consejos para dar. Sin embargo, mientras yo anotaba sus respuestas, no podía evitar preguntarme: "¿Cómo diablos pudo quedarse junto a ese hombre durante veintisiete años?". Luego, revisando mis notas, me di cuenta de que Heidi había comenzado la conversación con esa respuesta: *Cuando un hombre miente, todos los indicios están a la vista. Lo que sucedió fue que yo, personalmente, no los reconocí*".

La primera parte de su respuesta daba en el blanco totalmente "Todos los indicios estaban allí", pero la segunda parte era incompleta y no del todo verdadera. La realidad era que ella estaba decidida a no ver la larga lista de mentiras perpetradas por su esposo Sandy, día tras día y año tras año. Ella era bien consciente del daño que una infidelidad puede causar a una relación. Su padre había engañado a su madre. Los ocultamientos de su esposo habían enloquecido a la madre de Heidi y ella había sido la encargada de controlarlo. Al comienzo de su propio matrimonio, Heidi había pensado mucho en su padre y en lo frustrado que él se había sentido "porque no había podido realizar sus sueños, siempre ocupado en lo cotidiano". Decidida a no darle a Sandy ningún motivo de rechazo, ella se había esforzado por ser una esposa extraordinariamente buena, lo había apoyado durante toda su carrera y lo había "ayudado a alcanzar cada uno de sus objetivos".

Años después, el velo se descorrió. Heidi se dio cuenta de que él andaba con mujeres por el Potomac, en Alexandria. "Eran tantas que él ni siquiera podía recordar sus nombres. Además, *Dejó* de venir a casa después del trabajo y decía que estaba jugando al golf con sus amigos. *Cada vez venía más tarde.* A veces volvía de jugar al golf a las tres de la mañana."

El sueño de tener un matrimonio completamente diferente al de sus padres se había deshecho. Ella había descubierto la gran crueldad de Sandy. Sus faltas iban desde el hallazgo de revistas pornográficas hasta sueldos gastados en clubes nocturnos. Además, allí estaban sus aventuras. Sin embargo, la enorme necesidad de negar que tenía Heidi recién se hizo clara para mí cuando me contó acerca de las cosas que Sandy le había ocultado: *"Nunca pensé que Sandy tuviese secretos para mí, hasta que él comenzó a ir con mujeres a Alexandria. Sin embargo, ya al comienzo de los años ochenta él solía traer a casa a una de sus secretarias. En realidad, lo echaron del trabajo por tener una relación con esa secretaria. Yo recién supe el motivo de su despido ocho años después. En esa época yo había recibido una carta anónima que me contaba acerca de lo que Sandy y Claire (su secretaria) hacían en la trastienda.* Pero Claire era una buena cristiana, *de modo que yo fui a la oficina de él y enfrenté a esas personas".*

Lo que iba a suceder con Sandy y Heidi fue evidente muchos años antes de que Sandy reconociera su adulterio. La verdad estaba a la vista, pero Heidi había mantenido los ojos cerrados. La realidad, en este caso, era lo último que ella deseaba ver. Aún en nuestra entrevista, ella seguía insistiendo en que su esposo no le había mentido "respecto de los motivos por los cuales lo habían despedido". Heidi seguía defendiendo a su hombre y a su irracional confianza en él: "Simplemente él no me dijo todo lo que sabía. *El mantuvo en secreto los motivos de su despido: que no quería dejar a Claire sola y que le impedía cumplir con su trabajo. Yo lo supe por su jefe ocho años más tarde.* Todavía no creo que haya habido algo entre ellos dos".

Sin embargo, Heidi no es tonta. Es, por lo que veremos a continuación, una muy buena observadora: *"Cuando estaba en la ducha, Sandy solía hacer un suave meneo. Sacudía su pene hacia adelante y hacia atrás para indicar que se sentía excitado. El tenía un sombrero de la Ciudad Vieja de Alexandria, donde ella (su amor de ese momento) vivía. Una vez, cuando alguien elogió su sombrero, el dijo: '¡Oh, sí!', y completamente vestido hizo ese meneo".*

Como excelente observadora de los detalles, Heidi tenía toda la información que necesitaba, tal como casi siempre nos sucede a todas. Incluso ofreció un consejo para las mujeres que desean descubrir un adulterio: *"Fíjense si cambia la manera de vestirse... Si dice: 'Debo comprarme un traje nuevo', o si hace más llamadas de larga distancia".*

¿Cómo se explica que una mujer tan sagaz haya aceptado durante años las burdas mentiras de Sandy? ¿Es que acaso el deseo de una mujer de continuar con sus proyectos puede ser tan peligroso para su salud y su bienestar?

Para comenzar, Heidi dependía de Sandy para valorarse a sí misma. "Yo deseaba pagar el precio para tenerlo a mi lado. Yo no quería que me dejara. El ya me había dejado, cuando yo no podía tener relaciones sexuales con él porque mi bebé tenía cuatro semanas." Tenía miedo de quedarse sola en la vida con sus cuatro hijos. Había aprendido de su madre lo amargo de vivir en medio de la angustia. La negación le permitía seguir viviendo como hasta entonces.

En segundo término, ella estaba ansiosa de no reproducir un matrimonio conflictivo como el de sus padres. Sentía que si podía ser suficientemente buena como esposa, como madre y como persona, merecería y tendría una vida mejor. Haciendo todos esos esfuerzos ella lograba sustraerse a la vergüenza y el malestar de estar casada con un hombre que la engañaba. Sin embargo, como la misma Heidi reconoce, en este proceso de intentar ser tan buena ella se olvidó de algo: "No fui buena conmigo misma".

Además, no era fácil tratar con Sandy. Las pocas veces que ella lograba enfrentarlo, el usaba tretas y herramientas de evasión para vengarse. El enojo y los juegos de la mente, mezclados con un poco de desorganización creativa, eran sus armas favoritas. Sin embargo, cualquier táctica era buena, ya que combinado con las inseguridades y vergüenzas de Heidi, cualquier recurso funcionaba. Heidi me contó que "cuando lo enfrentaba él se enojaba y la culpaba por alguna otra cosa". A veces, el llegaba a abusar de ella mental y físicamente: *"Hacia el final de nuestro matrimonio, él quería que yo me comportara... como las mujeres de los clubes nocturnos... El me dijo que yo no estaba a la altura de esas mujeres. Yo no sé si era verdad".*

Nuevamente, tenemos aquí muestras de la magnanimidad y la empatía de una mujer para con el hombre que está a su lado, aunque él no lo merezca. Esta es una constante en la larga serie de mujeres entrevistadas y de las que he conocido como clientas. Así evalúa Heidi las mentiras de su esposo: *"Creo que él se mentía a sí mismo. Salía con otras mujeres para mejorar su autoestima.*

Está envejeciendo y ya no le va tan bien en la cama como antes. Yo estaba obteniendo una maestría con excelentes notas, mientras él se sentía muy mal con lo que hacía... En el trabajo estaba en una posición desgraciada".

Escuchando a Heidi, las aventuras de Sandy parecían más un curso de autoestima que una serie de traiciones, como realmente fueron. Las acciones de él y los comentarios de ella muestran una verdad difícil: que ella seguía comprometida con él y con la relación, por enfermo que fuese ese compromiso, en tanto que el compromiso de él, o bien había nacido muerto, o bien había muerto en algún momento.

¿Cómo terminó la historia? Heidi finalmente "se dio cuenta". Reunió todos los indicios. Estaba enojada y herida, pero no lo enfrentó. ¿Por qué no? *"No soy confrontativa. Soy protectora. Si se hubiera sabido que estaba con otra mujer, hubiese perdido el trabajo. Sentí que había hecho todo lo que había podido, pero hasta en la cama él me miraba como si me odiase. Yo le estaba impidiendo hacer todo lo que quería. El no estaba agradecido por todo lo que yo había hecho por él."*

Heidi pagó un alto precio por la negación y la aceptación. Los sentimientos de vergüenza y responsabilidad que traía consigo desde el matrimonio de sus padres la llevaron a intentar mejorar su situación. Si ella llegaba a ser suficientemente buena, creía que al menos él iba a estarle agradecido y la apreciaría. Sin embargo, su persistencia y su deseo de no registrar ni reaccionar ante las transgresiones de él se volvieron en contra de ella. Lo que logró fue dolor y depresión, y que ese hombre llegara a odiarla. Finalmente se divorciaron, pero como la única adulta responsable de esta pareja, Heidi también tuvo que encarar esto sola.

Enfrentarse a la verdad es duro. Es un desafío para muchos de nosotros, hombres y mujeres. Cuando lo hemos hecho, no siempre nos gusta lo que obtuvimos. Sin embargo, cuanto antes lo hagamos, antes tendremos otra oportunidad para lograr la intimidad y la confianza que buscamos y merecemos.

Las mujeres que no niegan: la historia de Sari

No todas las mujeres niegan, aun cuando deban enfrentarse con virtuosos de la mentira. Ciertamente, Sari no lo hizo.

Sari conoció a Henry en una conferencia en Atlanta. Allí

comenzó una creciente correspondencia romántica durante un año. Ella estaba estudiando en la India y él era escritor en una universidad en los Estados Unidos. Transcurría 1984 y era toda una historia de amor. Al año siguiente ella vino a estudiar a los Estados Unidos por él. La relación era idílica: *"Nos encontramos en Raleigh-Durham, él me visita una vez al mes, me llama a diario, me dice que me ama, me escribe cartas y poesía. Me dedica un manuscrito de setecientas páginas. Me habla de matrimonio. Yo estaba muy interesada".*

Entonces, unos amigos le mostraron sus libros. Así cuenta Sari la historia de su descubrimiento y su desilusión: *"En uno de los libros había una dedicatoria para su esposa. Esto sucedió cuando llevábamos un año de relación. El me había dicho que era soltero, cuando en realidad era casado. Pienso que le creí porque él también es de la India. Me sentí muy golpeada".*

Sari se rehusó a ser su compañera en la danza de la negación y la aceptación. Inmediatamente lo llamó y lo enfrentó con la evidencia. La recepción fue un largo silencio y luego: "Déjame que te lo explique cuando nos encontremos, cuando estemos juntos...". ¿Que podría decir él que modificase una situación tan dolorosa? Desdichadamente, sólo más mentiras: *"Henry viene a visitarme, a explicarme. Para entonces yo ya he averiguado que él está más que casado, que hasta es abuelo. Me niego a verlo. Vino entonces hasta mi departamento cerca de la universidad. Lo seguía negando. Me dijo: 'Mira la fecha de edición (del libro dedicado a su esposa). Hemos estado divorciados desde entonces'. Sin embargo, sus colegas me confirmaron que estaba casado y que su esposa enseñaba en la misma universidad... Le regresé sus cartas y sus fotografías".*

La relación terminó. Sari había modificado toda su vida para estar junto al hombre al que amaba y con quien esperaba casarse, y finalmente averiguó que otra mujer había llegado antes, décadas antes, y que seguía en ese sitio. Sari era "la otra mujer accidental".

Lo que aquí es particularmente instructivo es que pese a las irrefutables evidencias con que contaba Sari, Henri siguió negando, distorsionando y mintiendo acerca de su estado civil. El persiguió a esta joven, la cortejó, la hizo recorrer medio mundo para obtener placer, pero aún en el amargo final sólo pudo ofrecerle más mentiras. ¿La opinión de ella? "Hubiese preferido que me dejase sola", pero luego, como casi todas las mujeres entrevistadas, también le ofreció el precioso regalo de su buena voluntad y de una salida elegante. Las palabras de ella reflejan más su necesidad de ver al mundo como un lugar hospitalario que una evaluación del carácter de él: *"Hacíamos una buena pareja. Yo le gustaba. Tal vez, él estaba atravesando una crisis. Sigo tratando de encontrar la parte positiva".*

Tal vez, sea porque Sari y otras mujeres como ella no pueden admitir que han dado su tiempo y su vida a un sinvergüenza, que necesitan crear una historia revisionista para explicar lo que les sucedió. Estas son mentiras de perdón, que les permiten achicar la distancia entre los hechos tal como ahora entienden que fueron y las esperanzas que sostuvieron hasta el fin.

Cuando estaba investigando acerca de la mentira, una azafata me contó cómo había manejado la mala y sorprendente noticia de la infidelidad de su esposo. Después de recibir una carta anónima que le contaba las reiteradas infidelidades de su esposo durante los quince años que llevaban casados, ella lo enfrentó muy enojada, evaluó sus respuestas y le entregó un saco para residuos para que guardase allí sus cosas antes de echarlo a la calle. Ella recuerda que se preguntó asustada: "¿Cómo haré ahora para vivir sin él?", y que se respondió: "Tengo una vida, amigos, hijos, un trabajo. El es quien no tiene nada". Ahora, felizmente casada por segunda vez, dice que lo único que lamenta es no haber atendido mucho antes a los claros indicios que tenía antes sus ojos. Muchos de los hábitos y comentarios que no comprendía partiendo de la idea de la fidelidad, ahora, al recordar se le hacen clarísimos. Por ejemplo, recuerda que mientras comentaban acerca de los divorcios de amigos, él dijo una vez: "Yo no sé por qué estos tipos quieren divorciarse. Piensan que el pasto nuevo es más verde: en realidad es siempre pasto". Ella recuerda que en ese momento se preguntó: "¿Y él cómo lo sabe?". Ahora ella sabe cómo.

A veces, la confrontación es el primer paso en un largo proceso de reconstruir la sinceridad y la confianza. Sin embargo, la confrontación no siempre lleva a un final feliz. A veces, simplemente, lleva a un final que de todos modos ya estaba en las cartas. La búsqueda de la verdad a menudo tiene resultado mixtos. Las mujeres que con toda su creatividad utilizan los recursos disponibles: tecnología, grabaciones, resúmenes de tarjetas de crédito, directorio telefónico, rediscado del teléfono y control del contestador automático, con el fin de confirmar sus temores y atraparlo *in fraganti*, pueden no sentirse bien con lo que averiguan. Sin embargo, una vez que están al tanto de los hechos, habrán sacado de las manos de ellos el poder de decisión y tendrán, bien informadas, la capacidad de decidir. La determinación de seguir o no con la relación será también de ellas.

¿Cómo defenderse?

La autodefensa comienza cuando usted enfrenta aquellas cosas que la impulsan a confiar en el mentiroso. Sí, a confiar en el mentiroso. La advertencia que me hizo mi padre hace tantos años es todavía válida. Su primer trabajo consiste en ver qué hay en usted que la hace desviar la vista, que no puede enfrentar las transgresiones de él, que la hace desdeñar esa permanente molestia en sus vísceras que le dice que algo no anda bien. Su segundo trabajo es cambiar su respuesta y enfrentar las cosas. Arriésguese a toparse con la censura, el enojo y la negación de él. Dése cuenta de que es una cuestión de tiempo: después habrá perdido el rancho, sus niños y veinte años de su vida. Hablaremos más acerca de esto al final del próximo capítulo. Usted debe saber que esto no es sencillo y que deberá pagar un precio. Recuerde también que no es necesario que lo haga sola. Necesitará toda la ayuda con que pueda contar: búsquela.

Ha llegado el momento de analizar con más profundidad los muchos rostros de la más común de todas las evasiones: "Eres la única". Esta clase de traición a la fidelidad puede dañar las relaciones íntimas y la confianza en cualquier etapa: al comienzo, en el medio o durante el amargo final.

10

Solo tu (y tu, y tu)

*"El permitió que construyéramos esperanzas y sueños. Me
hizo creer en ellos, en que íbamos a mudarnos a Florida. Luego
me confesó que estaba casado y que su familia iba a venir aquí a
Chicago."*
—Directora de escuela, cuarenta y cinco años, divorciada.

*"Me mintió respecto de sus aventuras. No me dijo que ha-
cía siete años que estaba con ella, que estuvo con ella incluso
durante mi embarazo. Mi último hijo nació cuando ya tenía esa
aventura. Todavía tengo cicatrices por eso."*
—Directora financiera, cuarenta y cinco años, vuelta a casar.

*"He tenido muchas aventuras durante mis dos matrimo-
nios. Parecía que siempre quería asegurarme de que ellas se
enteraran. Sin embargo, cuando me enfrentaban, las miraba a
los ojos y les decía cualquier cosa que deseaba que ellas creye-
ran... y ellas lo creían. No querían escuchar la verdad, entonces
les decía: 'Todo está bien, no ocurre nada'."*
—Director de cine, treinta y cinco años, casado.

Es la vieja y conocida historia. A menudo es difícil saber
cuándo comenzó, pero repentinamente ella nota un gesto desco-
nocido, una nueva loción para después de afeitarse, algo distinto
en la imagen de él en el espejo. Se percibe algo diferente. Sea lo

que sea, la máscara de que todo está bien ya no logra ocultarlo. El está involucrado con otra persona. Suceda lo que suceda a continuación, lo más probable es que a ella no le guste.

Piense en esta escena. Suspicaz y disgustada, ella lo enfrenta y le pide: "Dime que no estás teniendo una aventura". Su respuesta es clásica. Complacido, él le dice exactamente lo que ella le está pidiendo: que no la tiene. Todavía no del todo convencida, ella agrega: "No puedo creer que me hagas algo así", y él, viendo su oportunidad, la insta a que no lo haga. Sin embargo, la verdad desagradable está en el ambiente. Las vísceras de ella le están advirtiendo que algo no está bien y ambos quedan preocupados. Entonces él busca en su bolso de trucos y despliega la negación, los juegos mentales, las distracciones, todas las armas clásicas de la evasión. La respuesta es predecible: el negará vehementemente todo lo que ella diga y además la acusará de haber pensado mal. Le recordará todo lo que ha hecho por ella y le jurará que nunca haría nada que pudiese lastimarla. Repentinamente, él parece tan vulnerable que ella se retracta. Entonces él le compra flores, recuerda el aniversario y le asegura que es "la única". Si las sospechas de ella siguen aumentando, él contraataca y otra vez logra que ella se sienta culpable por haber desconfiado. Ella cederá, embarullada y temporariamente ignorará la verdad.

"Solo tú" encierra un triple engaño

Cuando existe otra persona y un hombre lo niega, su pareja se topa con la mentira de la exclusividad. Sin embargo, esta infidelidad en general no es la única falta contra la confianza. Mucho antes de que la mentira se haga evidente, él habrá creado dos conjuntos relacionados de mentiras evasivas que sostienen y esconden lo que está haciendo.

El primer conjunto de mentiras tiene que ver con lo que realmente está sucediendo. Estas mentiras sirven para dar explicaçiones y para distraerla y mantenerla en la oscuridad. La ayudan a pensar que nada ha sucedido, que usted sigue siendo la única. El inventa pretextos tales como que se debe quedar hasta tarde en la oficina, que debe viajar por negocios fuera de la ciudad o debe ir a visitar a un amigo enfermo. Estas mentiras para encubrir son traicioneras, pero no van directamente al tema de la exclusividad. El único propósito que tienen es evitar que usted sospeche lo suficiente como para lanzar la pregunta en cuestión: "¿Hay alguna otra persona?".

El segundo conjunto de mentiras implica la negación directa. Se trata de flagrantes mentiras como: "No querida, no hay nadie más" o de negaciones parciales como: "No es lo que tú piensas. Ella me hizo una escena. Está loca. Juro que nada sucedió. Estaba intentando sacármela de encima".

La infidelidad y los dos conjuntos de mentiras que lo rodean envuelven un golpe en tres tiempos:

- Golpe 1: La infidelidad en sí misma.
- Golpe 2: Las mentiras para encubrirla.
- Golpe 3: La mentira de la exclusividad.

He aquí como funciona este triple engaño. En primer término está la infidelidad. Puede ser que usted la conozca y puede ser que no. Luego vienen las mentiras para encubrir, que le van pisando los talones. Estas probablemente hacen que sus radares sospechen que algo anda mal, aunque usted no lo sepa. En algún momento aparece la mentira abierta acerca de la exclusividad, cuando él le asegura falsamente que no hay ninguna otra persona.

¿Por qué ser engañadas? ¿Por qué no estar preparadas para reconocer y manejar cualquiera de las tres en una relación? Comencemos por la infidelidad en sí misma.

Golpe 1: La infidelidad en sí misma

Engañar es tan norteamericano como el pastel de manzanas. Tanto los hombres como las mujeres suelen violar implícita o explícitamente los pactos de exclusividad que han hecho. Alfred Kinsley, en sus importantes estudios de sexualidad llevados a cabo al final de la década del cuarenta y al comienzo de la del cincuenta, descubrió que aproximadamente la mitad de los hombres y una cuarta parte de las mujeres encuestados tenían aventuras extramatrimoniales. Trabajos posteriores confirmaron que si bien no todos engañamos, un número importante de personas lo hacen. Sherry Hite, en su controvertido informe de 1987, sostiene que las infidelidades se extienden al setenta y cinco por ciento de los hombres y al setenta por ciento de las mujeres. El conservador informe Janus, de 1993, estima que un tercio de los hombres y un cuarto de las mujeres tienen relaciones extramatrimoniales. Estos estudios sugieren que ni los hombres ni las mujeres que sostienen relaciones comprometidas pueden dar por sentada la fidelidad. Además, si usted es mujer, según las estadísticas deberá afrontar un mayor riesgo de que su esposo o su amante la engañen; aunque la brecha entre los sexos en lo que se refiere a la infidelidad se está haciendo cada vez más estrecha. Por supuesto, estas estadísticas están basadas en lo que las personas están dispuestas a admitir, en las verdades que desean o no desean comunicarles a los científicos sociales. Además, como la mentira está aún más difundida que la infidelidad, es posible que los dos sexos sean más infieles de lo que reconocen.

Sin embargo, las aventuras amorosas son un deporte mucho más difundido entre los hombres. De hecho, los hombres prefieren tener una serie de parejas. David Buss, en su libro *La evolución del deseo*, de 1994, sostiene que en un estudio realizado entre estudiantes universitarios norteamericanos solteros, los varones decían que lo ideal para ellos sería tener seis parejas durante el siguiente año. A las mujeres les contentaba, en cambio, tener sólo una. Todas las encuestas acerca de sexo que he visto muestran que los hombres tienen más aventuras con más parejas, que las mujeres. ¿Por qué? Buss ofrece una explicación interesante: la tendencia de los machos —humanos o animales—, a volver a excitarse sexualmente frente a nuevas hembras "les da a ellos un mayor impulso para intentar acceder a varias mujeres". El resume sucintamente lo que esto significa, citando el trabajo del antropólogo Thomas Gregor acerca de los hombres Mehinaku, del Amazonas. Para los varones Mehinaku, la atracción sexual de las mujeres va desde lo insípido (*mana*) hasta lo delicioso (*awirintya*). Es triste decirlo, pero ellos sostienen que las relaciones sexuales con las esposas son *mana*, mientras que las que sostienen con las amantes es siempre *awirintya*.

Por supuesto, los deseos de las mujeres también pueden variar. Una antigua estudiante mía, una muchacha de veinticinco años, casada, cierta vez apuntó en una discusión acerca de la monogamia: "Todo lo que necesita cualquier relación para mantenerse viva es un nuevo cuerpo caliente". Sin embargo, un conjunto de restricciones sociales hacen que las mujeres dejen de lado sus deseos de variedad sexual. No importa en qué cultura nos fijemos, las mujeres que engañan a sus parejas deben enfrentar un castigo más severo que los hombres. Ellas pueden perder, desde su posición o estatus hasta su vida. Existen normas distintas y la infidelidad puede resultar muy peligrosa para la salud y la seguridad de una mujer.

Esto es lo referente a la parte de la infidelidad. ¿Qué hay de los encubrimientos y de la mentira de la exclusividad?

Golpe 2: Las mentiras para encubrir

Cuando los hombres prometen exclusividad y no cumplen, deben enfrentar un problema inmediato. Este problema se llama consecuencias. El desea tener la libertad de verse con otras mujeres, pero no quiere que usted sepa que él está haciendo uso de esa libertad. Desea *awirintya* con alguien nuevo, y no *mana* con usted. El quiere su pastel y quiere comérselo. Lo último que desea, en cambio, es tener que enfrentar sus sospechas o su enojo. Por eso, él miente respecto de qué hace en su tiempo libre, con quién está y qué está haciendo. Oculta sus transgresiones, como lo hacía el esposo de Heidi en el capítulo anterior, diciendo que fue a jugar al golf, que tenía que trabajar hasta tarde en la oficina o salir con los muchachos. Tal vez usted crea en sus pretextos, al menos por un tiempo.

Sin embargo, mentir no es la única opción posible. Después de todo, él es el responsable de su conducta. No olvidemos que él puede cambiar su comportamiento a su antojo. Aun después de una aventura él puede desear retomar la exclusividad con usted o bien puede tratar de renegociar y llegar a un acuerdo de no exclusividad. Aunque mentir y engañar son hábitos adictivos difíciles de romper, algunos hombres optan por hacerlo.

¿Por qué? Frecuentemente es porque estos hombres ya no pueden tolerar el dolor que están causando o porque no pueden soportar las tensiones que les provoca la mentira cotidiana. Otras veces, no pueden tolerar las demandas que les plantea la otra mujer. Entre las noventa y cinco entrevistas, sólo tuve noticias de cinco hombres así, pero he trabajado con algunos cliente hombres que han dejado de mentir en sus relaciones personales, de modo que estos hombres andan por el mundo. Algunos hombres dejan de mentir porque se enfrentan a una esposa o a una amante que restringe sus opciones a continuar e irse, o a quedarse y dejar de engañar. Algunos hombres, en cambio, prefieren lucirse con sus mentiras. Hasta coquetean con el descubrimiento. Cuando las mentiras de un hombre se tornan excesivas o demasiado arriesgadas, a menudo eso significa que están por llegar a un final en la relación. Muchas veces, estos hombres se enfrentan con un dilema, ya que no quieren irse como el malo de la película. Eso significa que él preferirá transferirle a usted la responsabilidad y que sea usted la que dé fin a la relación.

Sin embargo, muchas veces, antes de que esto suceda usted se dará cuenta de la verdad. Si se queda el tiempo suficiente, es posible que haga un asombroso descubrimiento:

Los proyectos ocultos de muchas personas
están menos ocultos de lo que ellos creen.

Pese a sus intencionales y cuidadosos encubrimientos, muchas veces la verdad logra filtrarse. Cuando usted finalmente descubre la infidelidad y todas las mentiras que se han tejido en torno de ella, muchas veces toma conciencia de que lo supo desde siempre. Los consejeros matrimoniales cuentan que cuando un hombre confiesa su infidelidad, hasta la más ingenua de las esposas suele tener la capacidad de decir quién es la otra. Lo mas frecuente es que, a pesar de las tácticas de distracción que él pueda estar implementando, nosotras sepamos muy bien lo que está sucediendo. Cuando esa comprensión se acerca demasiado a aquello que no queremos ver o aceptar, entonces redoblamos los esfuerzos para anular nuestra intuición.

Golpe 3: La mentira de la exclusividad

La intuición es un continuo y poderoso radar interno. No importa cuánto la desestimemos o tratemos de acallarla, milagrosamente sigue registrando todo lo que sucede afuera. Aun cuando no nos guste lo que registra, nos puede ayudar a estar alerta respecto de los desastres personales.

Usted siente que algo anda mal. La intuición le está gritando en el oído. Usted se acerca y se pone en contacto, y en el momento clave le pregunta a su pareja: "¿Hay alguna otra persona?".

¿Cómo responderá él? Eso depende de si es infiel y también depende de su grado de sinceridad.

Si él es *fiel* y *sincero*, responderá honestamente que no. No hay problemas con la exclusividad, aun cuando su intuición esté captando algunas otras tensiones, como problemas de trabajo o de salud.

Si él es *infiel y sincero*, confesará honestamente. Tendrán mucho que conversar, así que no es el momento de clausurar la comunicación. Pero recuerde que las cosas pueden no ser como aparentan. Su confesión puede implicar tan sólo una verdad parcial, como la del hombre de treinta y tres años que me contó: "Confesé que había estado con una mujer. Dije que habíamos pasado una noche juntos. En realidad, nos habíamos estado viendo durante meses". Por eso, trabajen sobre los problemas de la pareja, pero no perdonen y olviden de inmediato.

Si él es *infiel y mentiroso*, mentirá acerca del engaño e implementará cualquier treta evasiva para apartarla de la verdad. Si usted decide quedarse con él de todos modos, este hombre dará qué hacer a su intuición y a su confianza todos los días de su vida. Tomemos como ejemplo a este infiel mentiroso de treinta y siete años, que se refiere de esta manera a la cuestión de la exclusividad con su esposa:

"Mi segunda esposa me enfrentó porque sospechaba que le mentía. En realidad, no lo sabía a ciencia cierta. Como para mí el sexo y el amor son cosas diferentes, me dije a mí mismo: 'Esto no la afecta. No está mal, a menos que me descubra'. Me descubrió, pero pude mentir de nuevo y liberarme."

Estar advertida es como estar armada. Así es que téngalo en cuenta para saber a qué se debe enfrentar.

La mayor parte de las mujeres prefieren que sus parejas sean fieles y sinceras. Sin embargo, como muchos hombres no son ninguna de las dos cosas, usted debe examinar el fondo de la mentira de la exclusividad. Si usted estuviese con un hombre que deseara tener relaciones sexuales y afectivas con otras mujeres:

¿Preferiría usted saber la verdad acerca de la infidelidad de él o preferiría que la engañase con la mentira de la exclusividad?

A veces, las mujeres dicen preferir la verdad, cuando en realidad prefieren las mentiras que la encubren o hasta que él lo niegue abiertamente. ¿Cuál es su posición al respecto? Para responder con más facilidad, responda a las preguntas que siguen. Luego, si usted sostiene actualmente una relación de exclusividad, pregúntele a su pareja cómo respondería si la hipotéticamente infiel fuera usted. Recuerde que no hay respuestas que sean inherentemente correctas o incorrectas. Simplemente son reveladoras. Esa conversación puede abrirle los ojos.

Cúal es su posición respecto de la infidelidad y las mentiras de exclusividad

1. ¿Es para usted la exclusividad una condición *sine qua non* en una relación íntima con una pareja? ¿Qué importancia tiene?
2. ¿Es para usted la sinceridad respecto de la exclusividad una condición *sine qua non* en una relación de pareja?
3. ¿Qué sería para usted más doloroso o irritante: descubrir una infidelidad, descubrir una serie de mentiras armadas para encubrirla o que le mientan abiertamente sobre la exclusividad?
4. ¿Si usted descubriera accidentalmente que su pareja le fue infiel, lo enfrentaría más enojada por la infidelidad, por las mentiras para encubrirla o por la mentira respecto de la exclusividad?
5. ¿Qué ventajas le da a usted el hecho de conocer la infidelidad de su pareja?
6. ¿Cómo afectaría el hecho de conocer una infidelidad al nivel de confianza futura hacia su pareja?
7. ¿Cómo afectaría su futuro nivel de confianza el tomar conciencia de las mentiras encubridoras o aquellas sobre la exclusividad?
8. ¿Podría seguir sosteniendo el amor hacia su pareja si dentro de unos años descubriese que le ha sido infiel?
9. ¿Amaría menos a su pareja si le fuese infiel y usted lo supiese?
10. Si usted descubriera la infidelidad de su pareja y las mentiras con que la ha encubierto, ¿qué tendría que cambiar si tuviese que cambiar algo para que siguiesen juntos?

¿Qué puede sacar en limpio de sus respuestas? Depende. Pueden permitirle saber qué es para usted más vil: la infidelidad en sí, las mentiras tejidas para encubrirla o la mentira de la exclusividad. Por ejemplo, si usted respondió que sí a la pregunta número uno, la fidelidad es esencial para usted. La ruptura de la fidelidad puede ser suficiente para que usted lo dé vuelta todo, le mientan o no. ¿Cuál es el resultado de esta posición? Supongamos que su pareja sabe esto, pero de todas maneras es infiel. Desde la perspectiva de él, y también desde la suya, una vez que ha tenido una aventura, la única manera de que sigan juntos es que él le mienta. El y la otra mujer conocen la situación, pero usted no. Usted se queda afuera. No es un buen lugar para estar.

Supongamos que usted responde sí a la pregunta número dos. La piedra fundamental de su relación es la sinceridad. Por lo tanto, la mentira acerca de la exclusividad puede ser para usted tanto o más grave que la infidelidad. En todo caso, si usted puede conversar sinceramente acerca de la infidelidad y de lo que lo llevó hasta ella, tendrá una oportunidad de restablecer la unión. En cambio, si él le miente respecto de una aventura o le sigue mintiendo respecto de distintas infidelidades, usted pude decidir terminar con la relación y buscar un hombre más sincero.

Las infidelidades y las mentiras que las rodean van creando brechas que se van acumulando y atentan contra la confianza y la unión. En primer lugar, usted reacciona frente a la infidelidad, preguntándose indignada: "¿Cómo pudo hacerme esto?". Luego, minutos más tarde, usted reacciona de nuevo, exclamando: "¿Cómo me puede haber mentido?". Esta furia pude continuar por años.

¿Qué se debe hacer? No hay una respuesta que sea buena para todos. Una vez que hay una brecha en la relación la clave es llegar a un acuerdo que sea aceptable para los dos. Las relaciones sexualmente abiertas, en las cuales ambas partes aceptan tener otras relaciones, pueden ser buenas para algunas personas, en tanto haya acuerdo. En algunas relaciones tradicionales, el acuerdo tácito puede ser el ocultamiento de las infidelidades, en tanto existan otros beneficios que los mantengan unidos.

Descubrir que una pareja en quien confiamos nos engaña puede causar un inmenso dolor. Sin embargo, los consejeros matrimoniales experimentados sostienen que las continuas mentiras de encubrimiento y las mentiras de exclusividad son una amenaza mucho mayor para las uniones que las infidelidades en sí mismas.

¿Por qué? Porque sin sinceridad en una relación no hay confianza, credibilidad ni seguridad de que nada de lo que el otro dice sea real. Sin sinceridad, ¿cómo reconocer las infidelidades y saber cuál es el origen de las mismas? Sólo la decidida y completa sinceridad entre los dos podrá crear la suficiente buena voluntad para un genuino diálogo. Sólo así, y con paciencia, buena voluntad y persistencia, se puede llegar a reconstruir la confianza.

Mientras lea las historias acerca de las mentiras de exclusividad, mantenga sus respuestas en mente y piense cómo reaccionaría frente a cada situación.

¿Dónde comienza todo?

Las mentiras de exclusividad pueden comenzar en cualquier momento o a cualquier edad. Nadie está exento. Las raíces de las mentiras de exclusividad y la aceptación tácita de las mentiras del otro tienen su origen en nuestras historias personales. Un padre o una madre infieles pueden ser poderosos maestros. Un padre alcohólico, violento o afectivamente distante puede sembrar las semillas de nuestro comportamiento adulto, se trate de mentir y negar, o de ser hiperresponsable y aceptar las mentiras. Nuestras mentiras y nuestra aceptación de las mentiras de los otros pueden estar reflejando la vergüenza y el miedo que muchos aprendimos hace mucho tiempo. Muchos hombres y mujeres me contaron que aún llevaban con ellos el legado que les habían dejado las aventuras de sus padres adúlteros y las mentiras que ellos decían. Ellos se referían a la vergüenza y a la complicidad que habían sentido hacía ya muchos años y decían que esos sentimientos aún los acompañaban. Estos hombres y mujeres temían repetir los errores de sus padres.

Muchos de los entrevistados decían que las *primeras* mentiras que recordaban eran mentiras de exclusividad que se remontaban a la escuela secundaria o a la primera relación seria que habían tenido. Esas mentiras iban desde la frecuente: "¿Cómo decirle a mi novia que había conocido a alguien que me gustaba más que ella cuando estábamos por celebrar nuestro tercer aniversario?" hasta la flagrantemente premeditada: "El me llevó a Chicago a trabajar con él y para establecernos juntos allí, pero más tarde supe que había dejado a una mujer y a cuatro hijos en Ecuador".

Otros no se remontan tan lejos. Las *últimas* mentiras que recuerdan son mentiras de exclusividad. Muchas siguen en vigencia. Las mujeres contaron historias de decepción y furia por haber descubierto una verdad desagradable que no habían podido anticipar. Describieron cómo otra mujer había logrado entrar en la vida de sus esposos o cómo un hombre que les había porfiado su exclusividad había pasado de mentirles a dañarlas abiertamente, a menudo con una gran necesidad de volver a escribir la historia o de dejar al descubierto una verdad (como: "Nunca te he amado"). Otras veces han montado "mentiras para escapar", más dirigidas a protegerse ellos mismos que a ellas.

El factor común de las mentiras de exclusividad es que son siempre penosas para sus víctimas y que cada historia tiene un patrón exclusivo de respuestas que la identifica, como las huellas digitales. Por otra parte, aunque cada historia tiene su patrón propio, existen muchos factores comunes. Además, veremos como una cantidad de hombres y mujeres que sufrieron, víctimas de las mentiras de exclusividad, inadvertidamente contribuyeron al engaño, permitiendo a los mentirosos que amaban seguir adelante sin enfrentarlos.

Lo hicieron amoldándose al programa del mentiroso, mirando hacia otro lado y evitando las preguntas clave que dejarían al descubierto la triste verdad. A muchas de las víctimas de la mentira de "Sólo tú", lo que les repele no es la mentira sino la verdad. Es difícil no simpatizar con ellos. ¿Quién puede culpar a las víctimas de estas hirientes mentiras por desear aferrarse a la creencia de que sus parejas aún los aman y se preocupan por ellos? Sin embargo, la verdad es diferente. Negarse a verla no la hará desaparecer.

No suponga que las mentiras de "Sólo tú" aparecen solamente en la mitad o al final de relaciones problemáticas. Estas hirientes mentiras de exclusividad a menudo comienzan al principio, se van acrecentando en la mitad y llevan al mentiroso y a su víctima a un desagradable final.

Al comienzo

"Yo estaba en mi primer año de universidad, lejos de la chica con la que había salido durante dos años en la secundaria. Eramos como Brenda y Eddy en la canción de Billy Joel. Tres semanas antes se me había roto el corazón al apartarme de ella. Tres semanas después había encontrado a alguien que me gusta-

ba más... Pensaba dejarlo pasar durante el mayor tiempo posible, hasta que ella se diese cuenta. Al final de cada conversación telefónica le decía que la amaba, y cada noche subía a los dormitorios para estar con mi nueva novia. Seguía con la anterior porque sólo representaba dos o tres llamadas por semana. Me insumía poca energía. Estaba totalmente dispuesto para la nueva chica. Era la más bella que había visto en mi vida."
—Comerciante, veintiocho años.

En caso de que usted tuviese alguna duda, la cita que acaba de leer se las habrá despejado: no es necesario tener veinte años de casada para toparse con la mentira de la exclusividad. A menudo estas mentiras comienzan temprano y llegan a transformarse en un modo de vida. Así es que si usted se topó con ellas durante el noviazgo, es posible que vuelva a encontrarlas en la Corte, durante el divorcio. Si usted descubre y enfrenta tempranamente esta mentira de exclusividad, siéntase afortunada: puede haberse salvado de años de dolor y sufrimiento.

Un temprano patrón de mentiras

Las mentiras de exclusividad y otras mentiras de evasión no son hechos aislados en una relación. Son parte de un modelo que suele aparecer tempranamente y que se lleva de una relación a otra. Las primeras mentiras que los hombres recuerdan haberles dicho a las mujeres nos dan fascinantes claves. Tenemos, por ejemplo, el caso de Chuck, todavía soltero a los treinta y ocho años, que recuerda haberle dicho a una chica en la escuela secundaria que no podía verse con ella una noche porque tenía que asistir a la confirmación de su primo. El no quería que ella supiese "que salía con otra chica". Desgraciadamente ella vio a Chuck con la otra en un parque de diversiones y, pese a que él hizo todos los esfuerzos posibles no pudo evitar la ácida pregunta de ella: "¿Cómo estuvo la confirmación?". Eso marcó el final de la relación, pero no del patrón de Chuck. *"Así comenzó mi estilo. Me gusta salir con dos mujeres y que ninguna de las dos lo sepa. Me inclino hacia distintas personalidades y estilos... y todavía a veces me atrapan."*
Chuck descubrió su patrón. *Miente para evitar enfrentarse directamente con una mujer e informarle que no es la única. Lue-*

go no toma las suficientes precauciones como para que no lo atrapen, de modo de tener siempre un espacio amplio y no quedar atrapado en ninguna de las relaciones. En el caso de Chuck, la mentira de la exclusividad siempre está un poco expuesta. Las mentiras para encubrir el engaño son bastante endebles. Que lo descubran en relaciones paralelas es su escape, su camino hacia la libertad. Luego vuelve a comenzar con las siguientes relaciones paralelas.

También tenemos el caso de Randy, de treinta y pico de años. La primera mentira que recuerda Randy es una mentira de exclusividad. Fue durante la escuela secundaria, al comienzo de su relación con Anna Marie. Ya había en ese momento una "exclusividad implícita" establecida. Randy salió con alguien con quien había tenido una relación anteriormente. Su amigo Roger, cuyo interés por Anna Marie podía más que su lealtad hacia el amigo, fue quien la alertó. Anna Marie, enfurecida, decidió darle una lección y lo enfrentó en público, arrojando el brazalete de plata que él le había regalado. Randy era uno de esos mentirosos que quieren "la chancha y los veinte". El quería "salirse con la suya, evitar decir la verdad, evitar los arranques de su novia y evitar el final de la relación". Según su propia evaluación, su mentira había sido brillante. Desdichadamente, las consecuencias continuaron: *"Yo lo negué todo. La miré a los ojos y mentí descaradamente: '¿De qué estás hablando?'. Ella acabó creyéndome, pero de todos modos fue el final de nuestra relación. Rompí con ella un mes más tarde, porque no podía tolerar que hubiese dado un espectáculo en público. Todos lo sabían".*

Randy, el exitoso mentiroso, se había salido con la suya usando la treta de negar y enojarse. Sin embargo, Anna Marie, pese a que había caído en la trampa de la mentira de exclusividad, se mostró demasiado temperamental como para poder permanecer al lado de él. Seguramente iba a ser difícil engañarla con mentiras corrientes y, además, lo había hecho pasar vergüenza en público. El prefirió entonces terminar con la relación.

El patrón de Randy permanece firme. El desea la libertad para hacer lo que quiere sin tener que rendir cuentas a una mujer fuerte y enojada. Lo principal en él son las mentiras creativas, no la infidelidad. El prefiere jactarse con los muchachos en el café antes que jugar al Casanova con mujeres fáciles. Es infiel, pero en su caso lo más grave es la falta de sinceridad. Randy, casado hace diez años y padre, sigue con los viejos trucos.

El mismo patrón a lo largo del camino

Un chico puede salir de la adolescencia, pero la adolescencia puede aparecer en cualquier hombre. Este juego puede seguir siendo el preferido, sea que él tenga dieciséis o sesenta años. Edward es un ejemplo al respecto. Investigador de gran nivel, sesentón, está lleno de historias de intriga e infidelidad. La evasión y Edward han tenido una larga y satisfactoria relación a través de los años, y no hay indicios de que esta relación vaya a terminar. Su última historia muestra cómo deliberadamente engañó a una mujer de la Costa Oeste, haciéndole creer que ella era la única: *"Hubo muchos episodios en los que necesitaba ver a mi hija en Vermont. Bárbara me preguntaba dónde pensaba hospedarme. Yo le decía que iba a quedarme con los Carlson, amigos desde hacía mucho tiempo. En realidad no me quedaba con los Carlson, sino con Sally, una mujer divorciada. Decir la verdad hubiese hecho que ella se preguntara: '¿Qué está sucediendo?'. Mi mentira no le planteaba ningún problema, mientras que decirle que me quedaba con una divorciada sí hubiese provocado conflictos"*.

Edward es un consumado experto en evitar los enfrentamientos. Sus subterfugios son magistrales y muy efectivos. En lo que se refiere a la mentira de exclusividad, él no concede nada: "Cuando Bárbara me pregunta: '¿Hay alguna otra mujer en tu vida?', yo rápidamente le contesto que no aunque sí la haya. Responder de otro modo llevaría a muchas más preguntas de las que yo quiero contestar. Llevaría, por ejemplo, a la pregunta de si tengo o no relaciones con la otra. No quiero revelar estas cosas: *Ella se sentiría incómoda"*.

La posición de Edward es de *infidelidad y falta de sinceridad* con todas las mujeres que hay en su vida. Su manera de operar es *el secreto, la negación* y *la racionalización,* con algunos toques de *distracción* y algunos toques de *verdades técnicas* y *verdades a medias.* Al igual que Chuck y otros hombres jóvenes entrevistados, Edward quiere tener relaciones con dos mujeres diferentes y mantener a ambas al margen de la situación. Desea mantener un estricto control de las relaciones y evitar el enojo y las molestias que las mujeres pudieran causarle. Además, quiere sentirse un héroe, salvándolas *de ser conscientes de los daños que él les causa.* El es un maestro en mirar solamente la nobleza de las intenciones y no fijarse en el dolor que causa. Edward, que ha tenido treinta o cuarenta años para racionalizar su comportamiento, supera a sus colegas más jóvenes y se gana un sitio de honor en la galería de los mentirosos, diciendo: *"Yo me explico a mí mismo mis mentiras diciéndome que sirven para que todos superemos la situación sin dolor. Hace que ellas no duden. Un artículo de la revista* Times *sostiene que todo el mundo miente. Mi mentira hace que todos salgan de la situación sin resultar lastimados.* Mentir es una manera de resolver problemas".

Edward se las arregla para transformar la mentira en un imperativo moral, en algo que evita el sufrimiento a las personas y al mismo tiempo la despersonaliza, convirtiéndola en una herramienta para resolver problemas. El, por supuesto, es un maestro en la utilización de la mentira para resolver problemas y también un héroe, al menos en su opinión. Mentir, después de todo, es algo útil, como solucionar problemas o debatir.

El modelo particular de Edward nos muestra un experto en relaciones múltiples, que sabe equilibrar verdades a medias, secretos y mentiras de exclusividad. El está satisfecho. Para Edward, las mentiras de exclusividad no son un medio que le permite alcanzar un fin. Son parte de la manera como él se define, parte de lo que lo ayuda a sentirse bien respecto de su papel en el mundo. El les hace a las mujeres un magnánimo favor al mentirles. Tal vez él piense en transformar su función en un cargo público. Volveremos más tarde a Edward cuando analicemos las mentiras que dan fin a una relación.

La turbulenta mitad

Las mentiras de exclusividad al comienzo de una relación decepcionan. Pero, al menos, usted no ha dedicado diez años de su vida a quien es el origen de su pena. No hay hipotecas, no hay bebés y no hay una larga historia que los una. Cuando se terminó, se terminó. En cambio, cuando las mentiras de exclusividad se producen en relaciones comprometidas y en matrimonios de larga data, suelen causar interminables ciclos de dolor y sufrimiento. Además, los residuos tóxicos que dejan muchas veces acompañan a quien las padeció en las siguientes relaciones.

Después de todo, han compartido la vida. Probablemente no haya sido un cuento de hadas, pero usted cree que se llevan bastante bien. La máscara de la falsa armonía ha mantenido la ilusión en su lugar, pero como los corsés de los viejos tiempos, la máscara de la falsa armonía esconde más de lo que la vista puede suponer. Esa máscara ha encubierto toda clase de evasiones, que pueden haber ido desde una doble vida, hasta evadirse de usted pasando muchas horas en el bar, en el club o en el trabajo.

Tanto los hombres como las mujeres pueden utilizar las mentiras de evasión y causar con ellas efectos devastadores en la pareja. Las infidelidades de cualquiera de las dos partes provocan mayores daños en aquellas relaciones en las cuales la pareja comparte hijos, propiedades, amigos y parientes. Sin embargo, a medida que envejecen, las mujeres se sienten mucho menos seguras que los hombres, que habitualmente van ganando más estatus y poder hacia la edad madura. Las mujeres, en cambio, se preocupan porque no saben si seguirán siendo atractivas con más años y más kilos. Comienzan a preguntarse si podrán seguir compitiendo con las siguientes arremetidas de mujeres más jóvenes. Estas dudas proveen de un terreno fértil para que las mentiras más flagrantes de exclusividad logren su cometido. Así le sucedió a Laura.

Cuando ni siquiera puedes confiar en él respecto de la niñera

Laura fue mi primera entrevistada para este libro. Un sábado al atardecer, Laura, divorciada y cincuentona, estaba vestida para ir a un concierto. Le interesaba mostrar que ella aún salía con hombres, tenía actividad sexual y era atractiva. Intensa y elegante, indudablemente poseía un encanto especial. Después de algunas formalidades, le dije: "Cuénteme la última mentira que un hombre le dijo". Su tono era monótono e indiferente, como si estuviese leyendo una lista de compras, pero el dramatismo de lo que contaba atrapó mi atención de inmediato. Me contó una historia que sería la primera de las muchas historias que me contarían las mujeres durante el siguiente año, historias capaces de conmover el corazón de cualquiera: *"¿La última gran mentira que me dijo un hombre? Cuando estaba casada, mi esposo me dijo que iba a llevar a la niñera a su casa. Como no regresó en mucho tiempo, salí a buscarlo. Vi el auto estacionado junto a un natatorio. Abrí la puerta del auto y allí estaba... haciendo el amor con la niñera. El parecía azorado. El había dicho que iba a llevar a la niñera a su casa y, en lugar de hacerlo, la llevó a un lugar desierto y tuvo relaciones con ella. Volví a casa, puse a todos los niños en el auto y me fui a Chicago. Allí subalquilé un departamento".*

Irse a otra ciudad con siete hijos pequeños no debe haber sido una cosa sencilla. Le pregunté entonces si esa había sido la primera vez que él le había mentido respecto de la infidelidad. No, no había sido la primera vez. Esa mujer tan segura que estaba delante de mí aparentemente no había sido siempre así. Laura, se inclinó y suspiró: "Varias veces había encontrado preservativos en su portafolios, pero *nunca le había dicho nada".*

¡No le dijo nada! Laura ni siquiera lo enfrentó el día en que se fue con sus siete hijos. Hablaba de esos acontecimientos como si fuesen algo que había sucedido en otra vida.

¿Por qué no lo había enfrentado? "Nuestra relación no era sana. El tenía un temperamento violento y yo aceptaba todo. Hacía cualquier cosa con tal de que no me gritara." Su esposo había utilizado el *enojo* y los *secretos* para mantener en su lugar a su esposa, madre de sus hijos. Como respuesta, Laura había sumergido sus aspectos más seguros y positivos bajo un escudo protector de aceptación y temor.

Luego, de alguna parte del pasado, emergió la justificación del esposo: "El era una persona bien intencionada. No creo que lo haya planeado. El pensaba llevar a la niñera a su casa. Sintió deseos, lujuria. Fue una cosa del momento". Después de tantos años de dolor y sufrimiento, ella aún seguía justificándolo. Este era un hábito antiguo y enfermo, tanto como los amoríos de él. Ella todavía tenía muchas cosas que la afligían. "Mi matrimonio, la traición, la autoestima," según sus propias palabras. Pensó en regresar a Arizona, donde se había criado, pero cometió un error revelador: después de su dramático viaje a Chicago, Laura llamó a su casa a la mañana siguiente. "El estaba arrepentido. *Me dijo que nunca volvería a suceder.* Más tarde regresé con él, pero nunca volví a tenerle confianza." Habiendo sido sorprendido por su esposa mientras tenía relaciones con una niñera adolescente, el marido de Laura decidió adoptar el abordaje *infiel y sincero.* Durante un tiempo eso tuvo algún éxito. La comunicación entre ellos se volvió un poco más abierta. Sin embargo, no tuvieron un final feliz. *"Más tarde se interesó de verdad en una mujer con quien salía. Lo supe y lo enfrenté. Debí haberme ido a Arizona como pensaba..."*

Laura hizo un aprendizaje con el método más duro. Los

297

viejos modelos no desaparecen por decreto. Este hombre era un mujeriego incorregible que siempre hacía lo que quería y no respetaba en absoluto sus votos de fidelidad. Para él, las herramientas de evasión, como *la negación, el enojo, el secreto, las promesas rotas y las excusas,* se habían transformado en un modo de vida.

Laura, temiendo el abandono y sintiéndose responsable de sostener su relación con este sinvergüenza, había hecho sencillo para su esposo el engaño y la evasión. Ella era poco demandante y estaba tan ansiosa como él por evitar los enfrentamientos. Como no tenía que mentir demasiado para concretar sus infidelidades, ni siquiera se molestaba en cubrir sus huellas, como por ejemplo sacar los preservativos del portafolios. Sin embargo, en la única ocasión en la cual Laura no lo toleró, él sintió remordimientos y dijo "lo que debía decir".

Laura, como activa madre de siete hijos, ponía todo su esfuerzo en cuidar de los afectos y hasta de esta relación enferma. Para ella era natural racionalizar y decirse que estaba demasiado ocupada, que era demasiado dependiente como para cortar amarras y volver a comenzar sola. Eso la llevó a ser su compañera en la danza de la negación y la aceptación. El modelo estaba establecido, pero en un momento las acciones de él fueron tan alevosas que tuvo que romperlo.

El hombre *glamour*

Algunos evasores son atrevidos artistas. Lo que les encanta es el riesgo de la alta tensión. Les encanta desafiar la posibilidad de que los descubran y tienen un comportamiento audaz y caradura. Ese es el caso de Stan, otro maestro de la mentira. Burócrata cuarentón de Washington, Stan vive tórridos romances del estilo de la película *Atracción fatal.*

Stan, a espaldas de Bev, su esposa desde hace seis años, ha estado manteniendo una aventura con Marlene, compañera de gimnasia de ambos. Bev sabe que Stan juega con la verdad, pero hasta ahora sus mentiras han sido más o menos soportables. Como Stan dice: *"Mis mentiras son absolutas. Llego a casa cansado y transpirado, y Bev pregunta: '¿Dónde estabas?'. Yo miento: 'Salí temprano de la reunión y me fui a jugar al racketball'. Ella me dice: 'Eres un maldito mentiroso'. No ocurre demasiado. Sin embargo, no sé qué sucedería si ella se enterase de una relación extramatrimonial. Una amiga le dijo a Bev: 'Stan está saliendo con otra mujer'. Ella me dijo: 'Eres un mentiroso'. '¿Qué estás diciendo?, le dije. 'Puedo explicártelo.' Falso, falso, falso....,* pero ella no me asusta. Siento que puedo salirme con la mía."

A Stan parece encantarle poner a prueba sus habilidades frente a los cuestionamientos de Bev. Por eso no es sorprendente que corra riesgos de vez en cuando, sólo por deporte. Aunque Stan es *infiel y mentiroso*, su verdadera pasión no es el sexo sino más bien mentir y engañar.

Por ejemplo, Stan y Bev están viajando en avión de regreso de unas vacaciones en San Francisco y leyendo juntos una revista *Glamour*. Se topan de pronto con un artículo acerca de cómo saber si el marido la está engañando. Leyéndolo en voz alta, Stan dice gratuitamente: "Parecemos Marlene y yo". Bev pregunta entonces: "¿Crees que Marlene es una destructora de hogares?" y Stan responde: "No, ella es una chica sensible".

¿Qué está haciendo Stan? ¿Está tratando de que lo descubran? El admite que alertó a Bev, pero según el fue "para probar la temperatura del agua" y para reafirmar el hecho de que "no tengo nada sexual con Marlene". ¿La mentira se le escapó o acaso la planeó? La respuesta es sorprendente: "Sí, estaba todo calculado". Parece que Stan no resultó atrapado esta vez, pero ¿acaso lamenta haberse arriesgado con una mentira así? "En realidad no. Tengo todos los síntomas de un infiel. Soy difícil de cambiar. Tengo la libertad para hacer lo que quiero. Tengo toda una historia de engaños."

Stan se vale de todas las herramientas: *la negación, las excusas, las verdades técnicas*, pero en realidad es un maestro de la *distracción, de atrapar y cambiar, y de los juegos mentales*. Todo esto lo ayuda a evadirse de los ojos suplicantes de su bella e inteligente joven esposa. Se ha construido un mundo que compensa el hecho de que "no puede hacer todo lo que quiere y además mantener su relación con Bev". Siente que tiene que hacer algo para tener una vida oculta y "la solución es ocultarlo todo con mentiras".

Stan parece presumido, pero en realidad es un tratado ambulante acerca de los conflictos con el compromiso y el autocontrol. Es difícil no percibir el conflicto que siente acerca de lo que está haciendo y de si debe seguir o no casado. Al comienzo alega que le gustaría no engañar, ser "el padre del año", y luego da marcha atrás, buscando excusas para justificarse y apartándose de su responsabilidad. Se queja: "Me gustaría que mi esposa me resultase tan atractiva que no pudiese apartar mis manos de ella. Me gustaría sentir el deseo de llegar a casa para masajearle los pies".

Tampoco resultaría sorprendente que si le preguntara qué cosa haría de otra manera, se librase totalmente de sus responsabilidades, diciendo: "No debería haber tenido aventuras o no debería haberme casado". Pero tampoco puede mantener esa posición. Finalmente asume la culpa, agregando misteriosamente: "Me porté mal al final de mi matrimonio". ¿El final de su matrimonio? Como sigue casado, este desliz revela que ha dejado de lado la posibilidad de cambiar en cuanto a sus mentiras y sus infidelidades, comportamiento que ha roto la confianza en su pareja.

Además, allí está el miedo al enojo de la mujer. Stan lo muestra en abundancia, como así también evidencia tener un oculto pero verdadero temor de perder a Bev debido a sus acciones cada vez más atrevidas: *"Ella me pregunta si ha sucedido algo entre Marlene y yo. Le digo que no y luego le digo algo negativo de Marlene. Es como si Bev supiese que algo ha sucedido. Si se lo confirmo, ella tendría que divorciarse de mí.* Nuestras vidas acabarían. *Ella me dice: 'Bueno, si algún día lo descubro, te mato'. Un tipo de la oficina fue descubierto en una situación semejante, y su esposa lo dejó. El debe sentirse amargado".*

En cuanto Stan muestra debilidad y miedo a la pérdida, la máscara del macho atrevido vuelve a su rostro: *"Puedo sobrevivir a cualquier cosa.* Seis meses después sería lo mismo. *Soy a prueba de balas. Si mi esposa se despertase mañana y me dijese: 'No te quiero', no me importaría... Pero quiero que esto (su aventura) se termine. Creo que es una psicótica. Quiero que me deje tranquilo. Me gustaría terminar con esto, ignorarla, pero es imposible. Yo ya me he enfriado... Si Bev lo supiera, me gustaría que fuese intolerante".*

Si analizamos el fluir de la conciencia de Stan con cuidado, veremos una de las características principales del perfil del evasor: ambivalencia respecto del compromiso y vulnerabilidad. He aquí un hombre que no puede asumir el compromiso de irse y, tampoco, el de quedarse. El desea tener el permiso para deslizarse entre las sábanas de muchas mujeres, pero también un hombre que valora la justa indignación de su esposa o de su amante. Eso le demuestra, al menos por ahora, que todavía lo valoran. La paradoja del mentiroso evasor es que es, al mismo tiempo, a prueba de balas y muy vulnerable. Esto es parte de su encanto. Sin embargo, este comportamiento tiene consecuencias emocionales destructivas, tanto para él como para sus muchas víctimas.

El principal problema es que las mentiras de Stan bloquean el camino de una comunicación sincera y abierta entre él y Bev. Para hacer las cosas aún peores, Bev se ha desentendido de sus mentiras y se concentra solamente en su infidelidad. Esto crea un callejón sin salida que le impide comunicarse acerca de su verdadero problema, lo atrapa en su propia mentira de infidelidad y en los otros engaños que la rodean. Lo que ella no sabe es que, hasta que él no sea sincero, no podrán resolver los problemas de infidelidad y de su matrimonio.

Cuando la infidelidad es sólo un detalle

Tina tiene tan sólo veintiséis años, pero ya ha acumulado muchas experiencias. Cuando le pregunté acerca de la última mentira que un hombre le había dicho, rió y dijo: "Son tantas, que no sé cuál escoger". Lo triste es que Tina no estaba bromeando. La fuente de todas estas mentiras es Josh, el hombre con quien ha estado viviendo y peleando durante varios años, especialmente debido a la adicción de él a las drogas y a sus periódicas etapas de desempleo. La última mentira en la que lo sorprendió sucedió en una de esas frecuentes situaciones en las cuales ella estaba trabajando y él no hacía nada. Acababa de evitar participar en un programa de rehabilitación de la drogadicción.

La confianza entre ellos había experimentado un nuevo descenso. Como él solía bajar la campanilla del teléfono y no lo contestaba, Tina lo había compensado con tecnología. Con un dispositivo de monitoreo colocado en su contestador automático, Tina podía escuchar lo que ocurría en la habitación de su casa mientras estaba en el escritorio de su oficina. Una tarde, cuando él no contestó el teléfono, ella escuchó su voz en el dispositivo de monitoreo. Aparentemente lo que escuchó no le gustó. *"Me fui directamente a casa en un taxi y le pedí al chófer que esperase. Encontré a Josh con su ex novia. El se había apoderado de todo lo que yo tenía. Yo estaba furiosa. Su rostro tenía una expresión de '¡Ay, Dios mío!'. Estaba aterrorizado. Trató de empujarme hacia la puerta."*

La última cosa que ella esperaba era la infidelidad de Josh. Sin embargo, en lugar de manifestarle a él su enojo y su dolor, desplazó su furia hacia su ex novia: "Si ella era infiel a la hermandad, se las vería conmigo". La escena que siguió fue un pandemónium. La ex novia de Josh corría y Tina la perseguía.

Tina empacó sus pertenencias y se fue. Luego Josh se fue y Tina volvió. En el último episodio de esta telenovela, volvieron juntos e, increíblemente, siguen así.

¿Qué conclusión podemos sacar? La mentira de Josh, no sólo era verbal sino también de comportamiento. Al apoderarse literalmente de las cosas de Tina, le estaba afirmando su mentira de exclusividad. Sin embargo, sus mentiras de evasión eran genéricas y se daban en todos los terrenos: la infidelidad, el trabajo, la adicción a las drogas. El estaba fingiendo que no estaba en casa y que estaba buscando trabajo, cuando en realidad estaba con otra mujer.

Sin embargo, Tina sabe que la infidelidad es aquí tan sólo un detalle. Es un síntoma de un problema mucho más amplio. Ella llega al fondo de la cuestión cuando identifica el verdadero problema, el juego mortal en el que Josh está atrapado, un juego que combina *las drogas, el desempleo y otras mujeres*. Así lo expresa Tina: *"Lo de las otras mujeres puedo manejarlo. En cambio, respecto de las drogas, si él lo niega, nada se puede hacer. El todavía miente sobre eso. Le dije que debía anotarse en un programa contra las adicciones y que si no lo hacía, no lo vería más. Eso me demandó un esfuerzo enorme"*.

Tina comprende que está afectivamente comprometida con un consumidor de drogas, a quien no se le pueden confiar dinero ni responsabilidades. Ahora ella sabe que su fidelidad también está en cuestión. Aún más, su palabra no tiene ningún valor. Las mentiras se han transformado en su modo de vida. Si tanto sus palabras como sus acciones están bajo sospecha, ¿qué queda? Es imposible confiar en Josh. Y, una vez más, vemos que si no hay honestidad, no hay solución.

La pregunta sigue siendo: ¿Por qué alguien brillante y responsable como Tina sigue dedicando su atención a controlar y cuidar a alguien que esencialmente no está comprometido con ella sino con su hábito? Aparentemente, Tina también se pregunta lo mismo, especulando que tal vez ella también tiene un estado de "negación parcial" y se da cuenta de que cree más "en lo que él dice que en lo que él hace". Dada la propensión de Tina a las actividades detectivescas, al sorprenderlo en su falta y mantenerse cerca de él, Tina parece más una policía secreta que una víctima de la vida desastrosa de Josh.

Para Josh, el plan es claro. Tina es una autoridad más a quien debe desafiar . Ella esta peleando una batalla que no podrá ganar. Ella no se da cuenta de esto y queda atrapada en la lucha, tratando de ganar cada acción a Josh. Eso es un trabajo de tiempo completo, con o sin ayuda técnica. En lugar de armar una vida decente para ella, Tina se dedica a lidiar con cada crisis de su pareja y en acrecentar sus propios talentos, pensando que tiene el poder de ponerlo en línea.

No resulta asombroso que, de vez en cuando, experimente un alivio temporal desplazando su enojo hacia un blanco de carne y hueso como la ex novia de Josh. En realidad, las dos están luchando inútilmente contra la adicción. Es muy posible que Tina no haga más que arruinar su vida y perder el tiempo. Las mentiras de evasión son un patrón de conducta muy destructivo para los adictos y sus familias.

El dilema

¡Qué dilema! Historia tras historia vemos cómo las mujeres tratan de defender la familia o la relación, mientras que los hombres tratan de conseguir la libertad o conquistar a otras mujeres. ¿Cuál es el resultado lamentable? Un conflicto doloroso y persistente, cuyas consecuencias naturales son la pena y la falta de entendimiento.

El dilema es relativamente simple, pero la solución no lo es.

Cada sexo, encerrado en la visión de las cosas que ha aprendido, ve el papel de su pareja tal como él lo desempeñaría según sus criterios. Así, las mujeres atribuyen a los hombres las características y los puntos de vista que son propios de ellas. También los hombres proyectan sus presupuestos y proyectos masculinos en las mujeres.

Por ejemplo, las mujeres suelen esperar que los hombres hagan todo lo posible para preservar la relación. Después de todo, ellas lo harían. Además, como las mujeres tienen una debilidad por creer en las palabras tanto o más que en las acciones, esperan que los hombres asignen gran valor a sus palabras en una relación. Un hombre también puede esperar que la mujer juegue para ganar, que vea a través de la óptica de él y que lo enfrente y busque resoluciones rápidas. Ellos también se sienten golpeados cuando las mujeres no lo hacen. Una y otra vez, como hemos visto, los hombres que mienten respecto de la fidelidad suponen que las mujeres no van a persistir en una relación deteriorada. Se asombran, pues, de la tenacidad de las mujeres que persisten pese a una abundante serie de infidelidades, encubrimientos y mentiras de exclusividad, y de los turbulentos finales que serán tema del próximo capítulo.

Esto deja a cada uno de los sexos desconcertado ante las actitudes del otro. Esto ha sido muy bien documentado por varios investigadores, entre ellos Deborah Tannen en el libro *Tú no me entiendes*. En su trabajo, Tannen explica cómo el diferente uso del lenguaje que hacen los dos sexos va provocando la falta de entendimiento. Sin embargo, la manera de hablar propia de cada sexo es la consecuencia de la diferente visión que tiene cada uno de ellos. Nuestras más íntimas convicciones no tienen origen en nuestras palabras, sino en la esencia de nuestro yo, en el modo como pensamos y como nos vemos a nosotros mismos en relación con la persona que amamos. Los hombres y las mujeres tenemos historias personales y experiencias distintas, aunque hayamos crecido en las mismas familias.

Como resultado de esto, muchas mujeres llegan a descubrir que las mentiras que los hombres les dicen, particularmente las dañinas mentiras de exclusividad, reflejan un punto de vista completamente diferente respecto de qué es lo fundamental en la vida.

Como los hombres muchas veces consideran que la mentira es un juego, incluidas las reglas de jugar para ganar, para ellos es sencillo reducir las relaciones íntimas al nivel de una transacción comercial, como cuando se consigue el mejor precio para comprar un auto o las mejores condiciones para un contrato. Prestemos atención al lenguaje de Bruce, un representante de ventas de veintisiete años, cuando describe sin remordimientos cómo ocultó una aventura sexual a la mujer con quien tenía una relación: "Después que comencé a salir con Nancy... otra mujer que no estaba disponible antes, *quedó disponible*". El podría estar hablando así de boletos para un concierto o de un asiento en un avión. Ha reducido su aventura al nivel de una transacción. Según muchos hombres, en estas relaciones de corto plazo la mentira, si bien no es lo ideal, es legítima. La mentira aceita los mecanismos que le permiten jugar ese juego por deporte y para beneficio propio.

Estas ideas sientan las bases de las mentiras de ellos. Sin

embargo, usted podría alegar que los negocios son negocios pero que la vida personal es sagrada. Es sagrada para usted. Si mentirle a los de afuera es como un acto reflejo, mentirle a usted puede ser mucho mas fácil de lo que usted piensa. Además, dado que él tiene una aventura, usted de ser parte participante pasará a ser parte ajena a la relación. Cuando dejan de ser dos y pasan a ser tres, usted puede dejar de ser parte esencial del juego.

¿Qué ocurre con las mujeres? Las mujeres también mienten y las entrevistadas no fueron excepción. Entre sus respuestas encontré mentiras propias de su sexo y mentiras de infidelidad. Sin embargo, para la mayor parte de las mujeres entrevistadas, la relación amorosa seguía siendo esencial. Era tan importante, que muchas de ellas se veían impulsadas incluso a hacer oídos sordos, a disculpar las injusticias y, finalmente, hasta a rogarle al mentiroso "Por favor, por favor, quédate". Estas mujeres estaban dispuestas a convivir con las mentiras y a no verlas. Preferían mentirse a sí mismas para proteger esa relación que, bien o mal, constituía la parte central de la valoración que tenían de ellas mismas. Algunas prefieren desplazar su enojo hacia la otra mujer en lugar de centrarlo en el hombre a quien todavía aman. Algunas mujeres, cuyas historias hemos visto, hasta siguen añorando aún a hombres que ya hace mucho se han ido de su lado; y explican que en realidad él no quiso hacerlo, que sus infidelidades fueron impulsos o productos de la bebida, que él era un hombre muy bueno. Todo esto crea un dilema.

La solución

Los hombres no son niños. Son responsables de sus actos. Sus comportamientos tienen consecuencias lógicas. Las mujeres, por su parte, no deben hacerse cómplices de los hombres en las mentiras de encubrimiento o de exclusividad para protegerlos de tener que enfrentarse con el dolor que están causando.

Las mujeres no son tontas. No tienen que arrojar por la ventana su buen sentido y la experiencia que han acumulado sólo porque están sosteniendo una relación romántica o comprometida. Las mujeres deben valerse de su natural intuición, hacerse responsables de crear un clima en el que puedan hablar francamente con sus parejas acerca de lo que piensan que está sucediendo y lo que sienten al respecto. Si la sinceridad y las reglas de la conversación sincera no forman parte del repertorio particular de un hombre, hay allí una buena oportunidad para que se tomen el tiempo de aprender algo. Ya sea que la relación tenga o no un final feliz, ambas partes saldrán mejor de ella después de realizar la experiencia de comunicar la realidad, comprender el punto de vista de la otra persona y asimilar los retazos de verdad que puedan extraer.

¿Qué debe hacer una mujer cuando sospecha que su pareja la está engañando? No existe una fórmula de lo que hay que hacer, pero en general culpar y acusar no son los mejores recursos. Ese abordaje sólo sentará las bases de las mentiras para terminar con la relación, de las que nos ocuparemos en el Capítulo 11. En general, lo mejor es hacerse responsable de usted misma y de sus propios sentimientos. Decir con tranquilidad "Tengo la sensación de que tienes algo con otra mujer" puede ser un menor inicio para comenzar un diálogo sincero que "¿Tienes una aventura?" o "¿Cómo puedes hacerme esto?". Sin embargo, este es un territorio espinoso, y muchas parejas parecen incapaces de sostener un diálogo razonable sin un tercero neutral que mantenga las cosas en calma. Tampoco es una vergüenza necesitar de un consejero matrimonial. En realidad, muchas veces es la manera ideal de poner las cartas sobre la mesa y obtener los mejores resultados posibles.

Pero la cuestión no es necesariamente la infidelidad. Puede tratarse más bien de nuestra relación con la verdad. ¿Queremos hacernos responsables de nuestras intuiciones y mantener los ojos abiertos? ¿Está dispuesta a hacerle saber a él que la infidelidad y las mentiras para encubrirla son temas de los que deben hablar y que deben solucionarlos juntos? Piense en esto: Si usted fuese su hermana o su mejor amiga, ¿el consejo que daría sería diferente de lo que usted está haciendo?

No hablar acerca de sus temores y fingir que todo está bien, cuando en realidad usted se duerme llorando todas las noches, también es una mentira. Estas son sus mentiras, sus secretos. La diferencia es que esas mentiras la hieren a usted más que a él. Finalmente, usted no puede cambiar el comportamiento de él, como no podía cambiar el de sus padres cuando era pequeña. Sin embargo, usted es capaz de cambiar su propio comportamiento.

En el siguiente capítulo veremos como las mentiras de evasión y de exclusividad pueden llevar a un final que destruye... y a veces libera.

306

11

EL AMARGO FINAL

"Ellos no mienten para terminar con una relación. Dicen la verdad: que no te quieren ver más. Mi esposo se quería mudar a Evanston para estar más cerca de la mujer con quien salía."
—Representante de ventas, cincuenta y cinco años, divorciada.

"Yo creía que se trataba de una relación seria, pero él un día me dijo: 'Fue para pasarla bien'. Se iba a mudar a California con otra mujer."
—Empresaria, cincuenta y tres años, divorciada.

"El me dijo que yo les agradaba a sus padres, cuando en realidad estaban haciendo manejos para acabar con nuestra relación."
—Bibliotecaria, veinticuatro años, divorciada.

"Un hombre con quien había estado saliendo durante dos meses cambió de pronto. Se volvió muy distante y me dijo que había vuelto a una antigua relación muy profunda, cuando en realidad acababa de conocer a otra mujer."
—Estudiante, veintisiete años, divorciada.

Bienvenidas al mundo de los corazones rotos. A casi todos les sucede al menos una vez. Sin embargo, hasta la más breve estancia en este terreno la dejará convencida de que el corazón se resiente. En las relaciones románticas o comprometidas, a menos que ambos quieran darle fin, los finales son más duros para la persona que es abandonada. Encienda la radio y verá la gran cantidad de canciones que tratan acerca del amargo final de una relación o de la humillación del que fue abandonado.

Recuerde sus propias experiencias con los finales o escuche a amigos que han sido rechazados en una relación amorosa. Ellos lo expresan claramente: han sido *dejados de lado, despreciados, humillados, abandonados.* Se sienten *destruidos, deprimidos, desilusionados, enojados, molestos y amargados.* Confíe en ellos. No están bromeando. Los finales son dolorosos, y cualquiera que haya sido rechazado y abandonado por alguien a quien amaba colocará esa experiencia entre las más traumáticas que ha vivido.

Los finales también pueden ser duros para la persona que corta los lazos que la unen a otro. La exitosa canción de Paul Simon de los años setenta, enumeraba "cincuenta maneras de dejar a tu amante". Sin embargo, la mayor parte de las personas sentimos que no sabemos cómo terminar elegantemente con una relación. Nos preguntamos si estamos haciendo lo correcto y, al mismo tiempo, nos preguntamos cómo lograrlo. Eso es igual para hombres y mujeres. No hay una manera gentil y correcta de alcanzar la salida. Los que se van no quieren soportar escenas. No desean ser el blanco de lágrimas y recriminaciones. Es más, *ni siquiera quieren enterarse de esas cosas.* Tampoco quieren soportar tediosas conversaciones que los llenen de culpa y se prolonguen durante semanas o hasta meses. Tal vez no quieran lastimar a nadie, pero la realidad es que tampoco quieren quedarse. Algunos, en particular las mujeres, no quieren que las persigan.

¿Cuál es el resultado de todo esto? Cuando se trata de finales, tanto los hombres como las mujeres se sienten inseguros porque no tienen pautas claras de conducta. Tratan de evitar, negar y desaparecer. Lamentablemente, la otra persona no los dejará ir tan fácilmente, y eso significa que pueden estar yendo y viniendo como un yo-yo, tratando de salir, siendo seccionados otra vez y urdiendo algo para irse nuevamente. Toda esa tensión no hace más que tornar más atractiva la salida rápida. Acerca de qué cosas mienta una persona que se está yendo, depende principalmente de lo incómoda que se sienta, qué cosas estén en juego y si verdaderamente está preparada para un final. Algunos dicen verdades a medias y optan por dejar una puerta abierta, por si acaso decidiesen regresar. Unos inventan historias extrañas para liberarse. Otros recurren al medicamento más amargo: la pura verdad.

No importa cómo se haga, el amargo final suele tener dos partes, que a menudo se superponen:

- Primero viene la *preparación,* que abre el camino hacia la salida.
- Luego viene el *final*, que marca la terminación de ese camino.

En las páginas que siguen no daremos "cincuenta maneras de dejar a su amante" ni nos dedicaremos a analizar todos los nefastos modos de preparar y alcanzar la salida. Más bien nos dedicaremos a explorar aquellos finales que implican evasiones y rupturas de la exclusividad. Examinaremos el modo como algunos hombres mienten para preparar el final de una relación, cuando ya están mirando a otra que los espera con los brazos abiertos. Comenzaremos con la preparación, junto con las promesas rotas esparcidas por el camino del amargo final. Luego, iremos al penoso final en sí mismo, incluyendo las terribles mentiras piadosas, que paradójicamente eliminan e incentivan al mismo tiempo nuestros últimos rastros de esperanza. Finalmente, veremos cómo la verdad hace su debut: como una salida de emergencia asombrosamente efectiva.

La preparación

La preparación es el plan para escapar. Nos lleva, lo deseemos o no, cuesta abajo por el camino de la disolución de la relación. Puede estar tan bien orquestado como el despegue de una nave espacial o ser tan azaroso como los vaivenes del tránsito un día domingo. Lo que caracteriza a la preparación es que uno de los miembros de la pareja, usted o él, quiere darla por terminada y no se lo ha anunciado al otro.

La preparación implica exactamente lo contrario de lo que implican los encubrimientos ¿Recuerda usted cómo los encubrimientos tapaban sus infidelidades y otras evasiones? La razón de ser de la preparación es ir revelando todos aquellos signos de descontento de su pareja: las infidelidades, las adicciones, el enojo, la vida secreta. Eso la va preparando para dejarlo ir sin tantas protestas. Sin embargo, por mal que se sienta usted frente a esta preparación, no se equivoque: este no es el final. Durante la preparación, el que desea irse va dejando ver al otro todas las razones por las cuales la relación no va a funcionar, todas las fallas que definen a quien ya es el futuro abandonado. Sin embargo, a menos que usted llegue antes hasta ese punto y acabe con todo enseguida, el verdadero final no llegará sino más tarde.

Cuando Harry abandonó a Sally: anatomía de la preparación

Supongamos que Harry decide terminar su relación con Sally. Para lograr una ruptura total, lo primero que debe hacer es endurecer su corazón para evitar la posibilidad de que las cosas funcionen. Luego, debe convencerse a sí mismo de que la ruptura es lo correcto. De esta manera logrará permanecer inconmovible frente a las súplicas de Sally de que se quede y trate de hacer funcionar las cosas. Luego, Harry debe preparar una cadena de acontecimientos que creen distancia entre ellos y sienten las bases de la separación, tanto para él como para Sally. Aquí es donde él permite que se filtren atisbos y aun evidencias de sus evasiones y encubrimientos. Antes, todas estas cosas permanecían ocultas; ahora, son evidencias desparramadas tácticamente para guiarla a ella hacia el camino de salida.

Finalmente, Harry debe estar preparado para adentrarse en la noche *y no* salir de allí. El propósito de esta preparación es ayudar a Harry a salir y a quedarse fuera. Las infidelidades pasadas y presentes, que le permitirán mostrarse ligado a otra mujer y colocar a Sally en la posición de alguien que está fuera, ayudarán a llevar adelante ese proceso.

Sin embargo, pese a todos los planes y maniobras que él ejecute, sucede algo extraño. Harry se sigue sintiendo ligado a esa relación, y a Sally le ocurre lo mismo. ¿Por qué? Porque los finales son difíciles. Aun cuando Harry y Sally estuviesen de acuerdo en terminar la relación, seguramente tendrían cambios de ideas y darían pasos en falso. Eso es normal. Demuestra que son capaces de relacionarse y de simpatizar. Romper un vínculo es algo difícil para cualquiera que se interesa en otra persona. Pero en este momento Harry quiere irse. Posiblemente tema lastimar a

Sally, pero eso es secundario frente a su necesidad de ser libre. Sin embargo, algo lo retiene. Durante este proceso es probable que Harry dé dos pasos adelante y tres atrás.

Sally, en este momento desesperada, comete un error fatal; se esmera aún más. Se culpa a sí misma, se amolda todavía más al mal comportamiento que Harry ha diseñado para apartarse de ella y corona todo esto trabajando arduamente para perdonar y olvidar todas las transgresiones de él. Las personas que están por ser abandonadas pueden dejar de lado toda su dignidad en su esfuerzo de mantener la relación.

¿Esto produce algún beneficio? No para Sally. A medida que ella acepta cada vez más el comportamiento de transgresión de Harry, él va aumentando los decibeles. El resultado es cada vez más doloroso. Harry usa todos los medios de que dispone para acelerar la ruptura. Como me explicaba un hombre de treinta años: "Ella no podía creer que estuviésemos terminando, entonces yo era premeditadamente hiriente". Acrecentar la intensidad del dolor para lograr que la mujer tome la rápida decisión de irse es una táctica frecuente. Un hombre de treinta y tres años dijo a su esposa que si ella seguía haciéndole preguntas, con sus sospechas lograría que él se fuese. En realidad, irse era una decisión que ya estaba tomada y la infidelidad que la hizo sospechar era parte del paquete para iniciar la salida.

La mejor posibilidad para Sally es acabar con la charada y hablar abiertamente, diciéndole a Harry que se da cuenta de lo que él está haciendo: "*Harry, pareces descontento. Todas las cosas que te gustaban de mí, ahora te irritan. Me estás sugiriendo que tienes a otra. Cuanto más trato de complacerte, más defectos me encuentras. Tengo la sensación de que estás tratando de decirme algo*".

Es posible que esto retarde las cosas porque él sea cobarde o porque aún no esté preparado para la ruptura definitiva. De todas maneras, usted habrá logrado sacar el problema a la luz. Tenga en mente, no obstante, que hasta la más abierta de las conversaciones puede llevar a más mentiras cuando se trata de un final. Aunque los dos estén de acuerdo, no hay garantías de finales sinceros o felices.

Mi cronograma, no el tuyo

Esto es lo que sucedió a Brenda, una maestra de escuela de veintiún años. Ella y Roy conversaron acerca de su relación y fijaron una fecha límite, para dar fin a esa relación. Sin embargo, él pareció cambiar de idea: *"Dijo que no quería. Comenzó a comportarse de una manera muy agradable y dulce. Dijo que quería 'hacer el amor, no el sexo'. Se refirió al futuro, diciendo que íbamos a 'estar juntos largo tiempo'. Quiso que yo conociese a sus padres y a sus amigos que vivían fuera de la ciudad".*

Brenda reconsideró la situación. Le tomó la palabra, pero fue un error. Nada cambió. No conoció ni a su familia ni a sus amigos. Lo peor: un mes después de la fecha que habían fijado, él dio por terminada la relación. Brenda aún está amargada. Se sintió engañada y manejada: "Yo estaba muy enojada. El me engañó. Sólo quería hacer las cosas cuando él quisiera, en lugar de hacerlas según lo convenido". Roy quería controlar la preparación y el momento del final.

La infidelidad al rescate

Para muchas personas que quieren acabar con una relación, la infidelidad es la principal táctica de preparación. Las infidelidades anuncian la profundidad de la brecha. En un estudio en el que los investigadores preguntaron a cien hombres y mujeres qué táctica utilizarían si desearan salir de una relación, una gran cantidad de los entrevistados respondió que tendría una aventura o se haría ver junto a otra persona. Más de un tercio de las mujeres entrevistadas dijo que la mentira de exclusividad y los encubrimientos eran las más dañinas que un hombre podía decirles. Además, a casi todas estas mentiras de exclusividad les seguía una preparación y un final.

Una enfermera de veintisiete años, divorciada, dijo que la peor mentira que le había dicho su ex marido fue "que ella era la única". Ella descubrió esa mentira a través de una serie de claras pistas que su ex marido dejó que se filtraran para alertarla de que el final estaba próximo: *"Hubo pequeñas pistas. El no venía a casa. La otra mujer llamaba. Un día lo vi con ella. Cuando yo di la vuelta con mi auto para alcanzarlos, se alejaron. Cuando llegó a casa, yo había empacado todas sus cosas".*

El había comenzado el camino cuesta abajo que lo llevaba hacia el final de la relación. En etapas anteriores, los hombres dicen muchas mentiras para encubrir sus infidelidades. Durante la preparación, en cambio, dejan al descubierto pistas indudables que dejan ver cuál es la situación. Este hombre le había dejado muchos rastros a la vista, pero todavía se sentía muy ambivalente y muy culpable como para ser más directo. En cambio, una vez que su esposa lo vio con otra, todo estaba confirmado. Ella se puso en acción y lo empujó hacia el *final* que él deseaba pero no podía implementar. El perdió el control del momento en que sucedería, pero a cambio pudo irse sin tener que afrontar la situación de ser él quien diese fin a la relación. Tuvo suerte: hizo la preparación. Su esposa hizo el resto del trabajo.

¿Esto es muy frecuente? Aproximadamente el veinte por ciento de las mujeres con las que hablé describieron alguna forma de preparación en la cual un amante o un esposo incentivó sus sospechas con evidencias muy claras. Justo para ese momento encontraron recibos de hotel, gastos hechos con la tarjeta de crédito, cartas de amor, facturas de llamadas telefónicas, marcas de lápiz de labios en camisas y calzoncillos, y ¡hasta bombachas en la guantera del auto!

Julie, una gerente de restaurante divorciada, de cuarenta y tres años, contó que su tercer esposo, Mack, la asombró dejando cartas de amor en una gaveta que ella normalmente abría. Cuando lo enfrentó "él al comienzo lo negó, pero cuando no lo pudo negar más, hablaron del tema abiertamente". Entonces, comenzó el baile. Julie se dio cuenta de que "ya no lo quería más a su lado, pero tampoco quería que estuviese con otra mujer mientras seguían casados". Habían estado hablando acerca de la posibilidad de tener hijos, y ella sintió que el engaño y las mentiras provenían de eso. Mack estaba seguro de una cosa: quería terminar con el matrimonio. Por eso, conscientemente o no, preparó su despedida con comportamientos transgresores, mentiras y finalmente evidencias tangibles de su infidelidad para lograr que Julie se pusiera en acción.

Esta preparación es tan divertida como bañarse en ácido clorhídrico. Las rupturas son muy duras, pero además "las cosas no terminan hasta que terminan", y eso puede tomar más tiempo, más esfuerzo y más dolor.

Las promesas rotas como un medio para llegar al final

"Al comienzo de la relación ellos descubren lo que una desea. Luego lo prometen."
—Ejecutiva, cincuenta y cuatro años, divorciada.

Al comienzo de las relaciones las promesas son anzuelos que nos atrapan. Más tarde, cuando la relación ya ha avanzado, también hay promesas. Algunas de ellas alientan nuestras mejores esperanzas. Esas promesas crean expectativas que nos permiten planificar el futuro, nos hacen sentirnos amadas y seguras, y fortalecen la unión. Cuando todo sale bien, las cosas van en la dirección que él dijo que irían. Sin embargo, otras veces, desde el comienzo él pensaba romper las promesas. Eran sólo una parte de esa estrategia de salida, en la cual él da dos pasos adelante y tres atrás.

Por supuesto, pueden existir muchas otras razones para romper promesas. Hay personas que dicen lo que les viene a la mente y son incapaces de sostener algo a través del tiempo. Para ellos las promesas rotas son parte de la vida, no son algo personal contra usted ni tienen la intención de llevar la relación a la ruptura aunque algunas veces, la acumulación de falsas promesas se torna tan frustrante, que usted opta por armar la preparación y el final.

Es bastante descorazonador que él le haya prometido que si usted conseguía ese empleo en Des Moines, se mudaría allí con usted, y ahora que usted está hablando con una inmobiliaria de Des Moines, él se comporte como si mudarse a la vuelta de su casa fuese irse demasiado lejos. ¿Se trata de un testarudo, o acaso está él lenta y premeditadamente debilitando su confianza en sus compromisos como parte del plan de ruptura?

Supongamos que él le dice que la ama y que desea casarse con usted. Eso es una promesa. Si usted siente lo mismo, es maravilloso. Pero, ¿y·si es parte de una catapulta hacia la salida? Pregúnteselo a Leslie, una empresaria divorciada de cuarenta y nueve años. Ella debió recorrer un largo camino de promesas rotas que llevaban hacia el amargo final. Ella aprendió que "Con este anillo..." puede ser la última falsa promesa.

Leslie amaba al hombre que tenía a su lado. Para dejar de lado su pequeño pero próspero negocio e irse con él al otro lado del país, sin duda lo amaba mucho. Demasiado generosa, hasta le prestó sus ahorros para que él pudiese pagar sus impuestos. ¿Por qué? Porque Frank "decía que me amaba y que quería casarse conmigo". Habían estado juntos dos años.

Después de mudarse a Boston, la historia va empeorando: *"Frank comenzó a beber, cambió y estaba muy ensimismado. Yo trabajaba para él. Me tenía en un puño. Luego decidió que no íbamos a casarnos. Después de seis meses, lo dejé y regresé a Chicago. Entonces él me rogó que regresase."*

Durante seis meses Leslie había estado negando las malas noticias que su futuro esposo transmitía con toda claridad. El bebía y no prestaba atención a las necesidades de ella. Luego de haber sido independiente en Chicago, pasó a estar a merced de él. Eso debería haberle dicho algo. No había que ser adivino para darse cuenta de que los signos no eran auspiciosos. Desde el punto de vista de un observador, la encantadora Leslie había tenido suerte. La preparación de Frank estaba comenzando a dar resultado. Ella habría podido evitar desperdiciar más años de su vida con este aburrido alcohólico, egoísta y errático. Afortunadamente, el gong la había salvado.

En realidad no fue así. Leslie estaba demasiado comprometida en la relación. Quiso forzar lo que era la realidad de su experiencia con Frank, para acomodarla a sus ilusiones de una vida en común. Todavía enamorada del suplicante Frank, regresó a Boston donde, según dijo: "El volvió a los viejos comportamientos". Sin embargo, se produjo una alentadora novedad. Frank esta vez corroboró su promesa con un anillo de compromiso que, como Leslie explica un año después, "la hizo regresar a Boston".

Al regresar, Leslie encontró accidentalmente una nota que se cayó del bolsillo de Frank. La preparación estaba en marcha. En la parte posterior de una factura de un bar donde solía ir a beber, decía: "Me alegro de verte de nuevo. Buena suerte en tu búsqueda de la esposa adecuada". Leslie comenzó a atar cabos. Pese a su compromiso con ella, que era la buena empleada, la que le prestaba dinero, la amante y compañera, él le decía a todo el mundo que seguía buscando esposa. Leslie reaccionó adecuadamente frente a la preparación: *Me sentí muy mal. Lo amaba. Me sentí destruida. Nos gritamos. El no me amaba, quería buscar otras mujeres. Yo ya no pude tolerarlo*".

Se dio cuenta y en un momento de lucidez lo dejó. Regresó a Chicago. Pero recuerden que las preparaciones son procesos confusos que no terminan hasta el verdadero final.

Como todavía no estaba preparada para dejar ir a Frank y a su corazón infiel, le dio otra oportunidad. Hicieron una cita en la playa. Esta vez el resultado era previsible para cualquiera menos para Leslie: "*El me dejó. Me abandonó en un motel en Bar Harbor. Me dijo: 'Regreso a Boston. No estoy preparado para casarme. Esto se terminó'. Días más tarde lo llamé y me dijo: 'Todavía te amo'. Sin embargo, conoció a otra mujer y está viviendo con ella*".

Es fácil creer que Leslie es una tonta, pero pensemos en

todo lo que ella puso en juego en función de Frank: por él dejó atrás su trabajo, su casa y su dinero. No se trataba de cualquier hombre sino del hombre a quien amaba, junto al cual había estado tres años y con el que estaba todo dispuesto para casarse. Ella quería que él cumpliese con su promesa. Sin embargo, todo lo que él podía darle era su ambivalencia, que la alejaba y luego la volvía a atraer.

Mientras tanto, él estaba haciendo planes para futuras relaciones con candidatas que pudieran ocupar el puesto de "buena esposa". Pese al anillo de compromiso, Frank estaba haciendo todo lo posible para expulsar a Leslie.

Sin embargo, Leslie, en lugar de apartarse, regresaba para recibir más de lo mismo.

La preparación no estaba funcionando. Frank, como muchos otros hombres, subestimaba la cantidad de dolor que una mujer está dispuesta a soportar para sostener una relación en la que ha puesto todo. Finalmente, Frank se sintió arrinconado. Tuvo que hacer lo que esperaba que Leslie hiciese por él: dar fin a la relación. Cuando sus comportamientos lesivos como beber, engañarla y mentirle no cumplieron sus cometido, Frank tuvo que hacer el trabajo pesado. Sus promesas rotas eran parte de la preparación. Otras veces, las promesas rotas son parte del doloroso final.

El final

A menudo devastadora, la ruptura es el último capítulo y el amargo final. Todo ha terminado. Cualquier esperanza de futuro compartido se ha ido para siempre. La ambivalencia de una u otra parte se ha desvanecido. El lazo se ha roto. Las reacciones predominantes son el alivio o el dolor, y a veces los dos.

Después de todas las idas y venidas, de las penosas separaciones y uniones, alguien aprieta el interruptor. A veces es quien desde el comienzo quería irse, como en el caso de Frank. Frustrado ante la capacidad de Leslie para ignorar la preparación, finalmente terminó él con la relación. A veces, en cambio, es el amante exhausto; como Holly, de treinta años, quien ya no puede tolerar las idas y venidas. Ella explica: "Estuve cuatro años en una relación con un hombre al que le mentí todo el tiempo y a menudo rompía conmigo. Finalmente, fui yo quien le dijo que todo había terminado". Sin embargo, él estaba decidido a tener la última palabra, aun cuando estaba ya claro que habían llegado al final. Una vez que Holly le dijo que todo había terminado, él reafirmó su orgullo clavando el último clavo en el ataúd: le dijo a Holly que de todos modos él ya no la amaba.

Los penosos finales reúnen realidad y ficción, hechos y fantasías. Lo único que verdaderamente importa en esta etapa es cuál es la puerta de salida que se encuentra más próxima. Para muchos hombres, en este momento vale todo y el amor se transforma en una guerra donde todo es lícito.

En este momento suelen aparecer una legión de mentiras distractoras que hacen que usted ya no se fije en la infidelidad de él. A veces, él escoge cruelmente algún atributo que usted no puede cambiar o al cual es particularmente sensible, como su edad, su religión, su origen, su altura, su peso o su personalidad. Entre los hombres y las mujeres entrevistados, la religión fue una de las favoritas. También podemos tomar el caso del origen. Supongamos que él le dice: "Mira, mi familia no puede tolerar que tú no seas de una buena familia". Es una artimaña muy inteligente para romper una relación. En primer término, porque suena muy fuerte como para dejarla pasar, aunque en realidad él se esté valiendo de cualquier pretexto. En segundo lugar, porque para usted es difícil discutir acerca de algo que la avergüenza o que no puede cambiar. El habrá así derrotado su deseo de seguir tras él.

Un final típico

Gary, un contador soltero de cuarenta y cinco años, terminó su relación con Fran con una información hiriente. Lo hizo más por desesperación, para poner fin al vínculo, que porque la información fuese especialmente relevante o siquiera verdadera.

"Utilicé el sobrepeso de Fran y sus potenciales antecedentes, que ella me había confiado confidencialmente, para terminar con la relación en dos o tres discusiones."

Como final abrupto, fue extremadamente efectivo. Gary cuenta que "Fran *se enojó mucho* en ese momento y no le habló durante dos o tres años". ¿Cómo se sintió Gary al hacer esto a alguien a quien alguna vez había querido? Admitió que se sintió mal por "haber tenido que llegar tan lejos para terminar con una relación", pero confesó que también "actuó con alguna satisfacción interior", confesando que "algunos rasgos crueles de su persona afloraron en ese momento". Suena como si Gary se hubiese vengado de algo. ¿Era el sobrepeso el verdadero motivo de la ruptura? Según Gary, ella estaba luchando por superar un problema con su peso, pero la verdadera razón de la ruptura no tuvo nada que ver con su peso o con su pasado. Lo que sucedía era que "él no podía actuar sexualmente al nivel de las expectativas de ella". Fran tenía demandas sexuales que Gary no podía satisfacer y que dañaban la autoestima de él y lo hacían sentirse incapaz de complacerla. Para él, mantener esa relación era muy difícil psicológicamente. Aparentemente, Gary consideraba que no era suficiente decir: "Fran, las cosas no andan bien para mí en esta relación". En lugar de hacer eso, prefirió alegar que la dejaba por el aspecto y el pasado de ella. No fue sincero, pero según Gary, de esa manera él pudo restablecer su propia imagen.

Como hemos visto, las promesas rotas forman parte del armamento de quien se va. En el amargo final, cuando la relación se termina, estas promesas rotas a menudo llenan de desilusión e ira, y hacen que las víctimas no puedan defenderse. Lo que es aún peor, muchas veces estas promesas rotas suelen dañar la capacidad de las personas para volver a confiar en alguien.

Eso fue lo que sucedió con Charlotte, quien ahora tiene cuarenta y siete años y toda una historia de amantes y esposos infieles. Ella aún se siente dolorida cuando piensa en el triste e inesperado final de su relación con Chico, el hombre con quien iba a casarse. Chico era un marino de una rica familia de Houston. Su familia tenía una gran casa en Miami, donde ellos iban a vivir después de casarse. Ya habían hablado con el sacerdote, y ella ya había comprado el traje de novia. A ella le pareció bien cuando Chico le dijo que iba a "viajar a Miami para arreglar la casa". Desdichadamente "desde ese día no tuvo más noticias de él". La promesa rota de Chico no fue una preparación: fue el final. Ese final abrupto que causó un severo daño a Charlotte: *Me abrió los ojos. Ahora no confío en las palabras. No confío en los gestos amorosos. No confío en nada*".

La historia de Charlotte es de las peores, pero es una variación sobre un tema del que he escuchado hablar a muchas mujeres cuyas relaciones terminaron abruptamente. Fueron abandonadas por los hombres con quienes estaban dispuestas a compartir sus vidas. Desde el punto de vista de estas mujeres, en este caso no hubo ninguna preparación que ellas pudiesen vislumbrar. Podría ser que ellas estuviesen tan enamoradas que no la pudiesen percibir. Sin embargo, es más probable que estos hombres hayan usado la máscara de la falsa armonía y el falso compromiso hasta el amargo final. Como los Houdini ocultos del Capítulo 6, estos hombres hacían y decían cualquier cosa, mientras estaban planeando la escapatoria. Aún en el preciso momento del final, prefirieron deslizarse en la noche sin decir nada, cometiendo una de las omisiones más dañinas. La promesa rota en este caso no fue verbal, sino *comportamental*. Este tipo de evasión, que les permite no tener con la pareja siquiera la gentileza de la verdad, es pura y simple cobardía. Como esto sucede sin antes dar ninguna explicación, muchas mujeres se atormentan durante años buscando razones.

Aún tratándose de matrimonios de mucho tiempo, algunos hombres prefieren la omisión. Se trata de evitadores consuetudinarios y con éxito. A menudo, sus mujeres son las últimas en descubrir las verdaderas razones del fin de ese matrimonio. Grace, de cuarenta y pico de años y actualmente divorciada, se refiere al fin de su matrimonio. Su esposo Earl se sentía desdichado y ambos acordaron divorciarse. Poco después de que ella se fuese ocurrió esto: *"Yo estaba con una amiga y le dije: 'Déjame mostrarte dónde vivía. Fui hasta mi antigua casa. Earl y Ruth estaba en el jardín, juntando las hojas secas. Ruth se había ido a vivir con él inmediatamente. Yo nunca le había preguntado si él tenía otra mujer".*

Grace está muy impresionada y dolorida: *"Mientras mi padre estaba muriendo, mi esposo comenzó a salir con otra mujer y me lo ocultó. Yo no sospechaba conscientemente de nada mientras vivíamos juntos. Tenía demasiado de qué ocuparme".*

Ella no sospechó nada sino después de mudarse. Ella sabía que su ex esposo "mentía cuando estaba bajo presión y solía inventar historias", pero nunca pensó que tuviese u ocultase una aventura. Su preparación consistió en no revolver el avispero, para poder conservar los laureles de haber sido un esposo fiel, mientras agrandaba su general infelicidad en la vida. Luego utilizó la distracción de la enfermedad del padre de Grace par iniciar una nueva vida junto a otra persona. La credulidad de Grace lo ayudó a sostener sus mentiras de encubrimiento. Todo lo que tuvo que hacer fue exhibir su infelicidad, retacear su afecto y dejar que ella supusiese quién era él. Eso era más que suficiente para que la relación se fuese deslizando hacia el suave final que él deseaba. Sin embargo, el final no fue tan suave para Grace, que tuvo que soportar el dolor más tarde.

También hay hombres que en el final usan una de las formas más evolucionadas de evitación que es la santa mentira piadosa. Lamentablemente, esta mentira suele encubrir sus verdaderos motivos y temores, y deja a sus parejas esperando que en algún momento se dé la posibilidad de estar juntos nuevamente. Las mentiras piadosas son pura evitación por parte de quien las dice y un verdadero infierno para la mujer que cree en ellas. Aunque las mentiras piadosas a veces reflejan una verdadera intención de evitar dolor, el efecto es desinformar: sustraer a una mujer la verdadera información que necesita para tomar decisiones inteligentes y que la favorezcan. En resumen, el mentiroso presupone que sabe qué es lo mejor para la mujer a la que está dejando y actúa en consecuencia... sin consultarla.

La mentiras piadosas al rescate (de él)

"El me dijo que no podía casarse porque no éramos de la misma religión. Sin embargo, cinco meses más tarde se casó con una mujer de otro origen. El era un cristiano renacido y ella no lo era."
—Estudiante de medicina, cuarenta y dos años, divorciada.

"Yo siempre quiero saber la verdad. Me gusta que me la digan. Prefiero que me lastimen ahora y no más tarde."
—Empresaria, treinta y seis años, soltera.

Algunos hombres evitan la dureza del final desapareciendo, otros ocultando. Algunos dicen mentiras sucias e improvisadas que la hieren y la alejan. Otros evitan su enojo y su control de la situación, diciéndole mentiras piadosas que dan a la cosa un aspecto que suponen que usted va a aceptar. De ese modo, ellos no deben soportar su enojo, su malestar o su frustración, o cualquier otro de los sentimientos que suelen acompañar al amargo final. Ellos racionalizan que con una mentira piadosa van a evitar herirla. Así, en lugar de lastimarla, la matan gentilmente. No piensan que una verdad desagradable es mucho mejor que una mentira agradable.

Usted, en cambio, en algún momento se dará cuenta de que es así.

Con las mentiras piadosas, él puede pensar que ha logrado un final noble y ha evitado el dolor. Sin embargo, tenga la seguridad de que se ha evitado el dolor de él, pero no el suyo. El es tan cuidadoso, tan ingenioso y tan evasivo que usted hasta puede pensar que su decisión no es irrevocable. Así pueden pasar años. ¡Años de espera e incertidumbre! ¿Alguna vez cumplen una función las mentiras piadosas? Seguro. Cuando ninguno de los dos está demasiado comprometido en la relación o cuando los dos prefieren evitar las cosas y llegar a un final fácil.

Volvamos al caso de Edward, el investigador del capítulo diez, que considera a las mentiras una manera de resolver problemas. El no ve nada de malo en terminar una relación con una mentira piadosa. Le dijo a Lonnie, su compañera de mucho tiempo con quien había tenido una muy buena relación, que lo habían despedido de su trabajo, que estaba bajo más tensión de lo que realmente estaba y que se iba a mudar a una pequeña comunidad del Sudeste porque era el único lugar donde había conseguido un empleo. Desdichadamente, eso iba a hacer que la relación terminase. Eran las circunstancias, no Edward, las que causaban la ruptura. Sin embargo, la verdad era mucho más complicada: *"No sabía cómo terminar... No quería hacerle daño. No le confesé que en realidad quería irme porque tenía otra relación esperándome. Fabriqué entonces una crisis para dejar mi trabajo y dejarla a ella. Deseaba la posibilidad de una nueva relación. Mi nuevo vínculo era muy tormentoso: ella estaba divorciándose... Dije muchas mentiras, principalmente para evitarnos el dolor a ella y a mí".*

Edward quería cortar su relación con Lonnie "sin causar dolor ni tener que confesar que quería romper porque quería romper". Quería su libertad y no tener que rendirle cuentas a Lonnie, pero no quería admitirlo. Aunque su empresa tenía muchos vaivenes políticos, *no era eso ni que lo hubiesen despedido* lo que lo llevaba a cruzar todo el país y a separarse de Lonnie. Lo hacía porque tenía la posibilidad de alguien nuevo, de una mujer que estaba casada y le había prometido divorciarse. Como él dice: "Había algo mucho más satisfactorio en puertas", y él quería ir tras esa oportunidad.

Sin embargo, Lonnie se rehusó a aceptar la separación y la ruptura de esa unión, como sucede a tantas mujeres en la preparación y el final. Basándose en la falsa información que Edward le había dado, ella se seguía sintiendo comprometida. Pueden adivinar lo que sucedió entonces. Las expectativas de Lonnie de continuar con la relación obligaron a Edward a subir los decibeles. Su mentira piadosa había fracasado y él tuvo que tomar medidas. "Me negué a comunicarme con ella y lo tomó muy mal."

Mientras tanto, lejos de los ojos suplicantes de Lonnie, él comenzó su relación con la nueva mujer, que aún estaba casada y en el proceso de divorciarse de su marido. Desgraciadamente, el vínculo no duró, ya que ella volvió con su ex esposo y Edward se quedó solo y triste. Sin embargo, su mentira piadosa le había permitido dejar algunos hilos sueltos que le daban la posibilidad de volver a Lonnie si la necesitaba. Al decirle que se iba por cuestiones de trabajo y no persiguiendo a una nueva relación, la había invitado a mantener las esperanzas y la había dejado como un seguro a distancia: "por las dudas". Entonces: "*Dos años más tarde le envié una nota diciéndole que lamentaba haberla herido y que debía haber manejado las cosas mejor. No le estaba pidiendo retomar nada, pero ella insistió en retomar la amistad, pero a larga distancia y sin intimidad sexual*".

¿El resultado? Lonnie, su fiel amiga, le escribe regularmente y está esperando volver a atrapar su atención. Edward la sigue evitando y no le dice la verdad. Para Edward, la relación es "como una nube distante, pero no impide que pasemos un buen momento y charlemos tranquilos". Ve a Lonnie "una o dos veces al año". Edward todavía sigue insistiendo con la mujer casada y mantiene a Lonnie periféricamente dentro de su panorama. Sus tácticas no cambiaron.

¿Por qué Edward no respetó a Lonnie y le dijo que la relación no era satisfactoria para él y que había conocido a otra persona? El pareció sentirse mal por engañar a Lonnie, pero no se sintió tan mal como para no engañarla de nuevo. Racionalizó el final que eligió: una mentira piadosa y el subsiguiente corte de la comunicación, diciendo: "Soy la clase de persona a la que no le gustan los enfrentamientos y que evita las peleas. Por eso, volvería a hacer lo mismo". ¿Quién podría culparlo por no querer decir a Lonnie que la dejaba por la tenue esperanza de una relación con una mujer casada a quien apenas conocía? Edward siente que su mentira está justificada.

¿Pero la mentira piadosa tenía como objetivo salvar la salud psíquica de ella o la de él? Lamentablemente Lonnie, en la oscuridad, desperdició tres años de su vida escribiendo y llamando a Edward, que casualmente olvidó mencionarle que había otra persona en su vida.

La supuesta mentira piadosa de Edward sirvió para protegerlo a él de la furia y la pena de Lonnie, y para dejar algún leño encendido, por las dudas. La persistente mentira muestra más falta de valentía que santa piedad. Al limitar sus posibilidades a blanco o negro, "Debo decirle la brutal verdad o una piadosa mentira", él se asegura salir triunfante, mientras los que pierden son Lonnie y la verdad. Tengamos en cuenta que Edward no optó por una sola cosa. El escogió la mentira y sembrar esperanzas para poder volver a Lonnie en caso necesario. Lo predominante aquí es el interés en él mismo, no la piedad.

Más tarde, Edward dejó al descubierto la esencia de la verdad, una verdad que debería haber formado parte de un diálogo entre ellos: *"Nunca hablé con Lonnie acerca de por qué la relación entre nosotros no era buena. Ella quería controlar demasiado mi vida. Nunca se lo dije"*.

Edward supo todo el tiempo que la relación entre ellos estaba condenada al fracaso. Tal vez por eso estaba tan ansioso de iniciar una nueva. Sin embargo, aunque Lonnie no era buena para ser la actriz principal, sí lo era para actuar como red de seguridad.

Edward, como la mayor parte de las personas, quiere considerarse bueno y cariñoso. Sin embargo, cada vez que Lonnie lo llamaba o quería visitarlo, se sentía acosado por la culpa de haberla engañado. Si Edward hubiese sido capaz de presentar la verdad de una manera tan cuidadosa como presentó la mentira: responsablemente, con tacto, con afecto hubiese hecho lo correcto.

Seamos amigos

Suena muy seductor. Las palabras son otra evasión que él presenta antes de desaparecer en la noche. En el contexto de una relación sexual, "seamos amigos" son palabras de lucha, al menos para la parte de la pareja que quiere seguir persistiendo en la relación. Se trate de un hombre o de una mujer, estas palabras pueden sonarle positivas o negativas según uno se encuentre en la posición de emisor o de receptor.

"Seamos amigos" es la salida que suele aparecer al final de una relación difícil, cuando romper es el objetivo primario de uno de los dos y quedarse es el objetivo primario del otro. Se trata de un último intento de encontrar la salida sin hundir el barco. La mayor parte de las mujeres con quienes hablé ven esa despedida de "seamos amigos" como una versión más avanzada que el código de huida "Te llamaré".

Sin embargo, hay aún más implicaciones en esta estrategia. Cuando una mujer realiza esta súbita transición de transformar a su amante en amigo, él consigue evitar el enojo de ella ante el rechazo. Después de todo, ¿cómo enfurecerse con este hombre tan agradable, que ahora es su amigo y compinche? ¿Pero qué hay con usted? ¿Siente que no la considera suficientemente buena como para una relación amorosa, sino que la tiene únicamente en cuenta para ir a tomar un copa, confiarle sus ambiciones profesionales o su ambivalencia respecto de la nueva mujer con quien está saliendo? ¿Acaso esa amistad no le impedirá seguir adelante con su vida?

No es sorprendente que hayan sido los hombres, más que las mujeres, los que manifestaron sentirse conformes con haber terminado con una relación amorosa con la estrategia de "Seamos amigos". Después de todo, él sigue gozando del placer de su compañía sin tener que soportar ninguna obligación o presión. El obtiene lo que quiere: la libertad de cualquier restricción que usted pudiera representar.

Algunos hombres hasta llegaron a manifestar que aquellas mujeres que de ser sus amantes habían pasado a ser sus amigas platónicas eran las únicas personas con las cuales podían sostener una relación sin mentiras. Después de todo, ellos nunca les mentían a sus amigos. ¿Quién era usted antes, entonces?

Sin embargo, ninguno de estos hombres tuvo en cuenta la posibilidad de retomar una relación comprometida con aquellas antiguas amantes que habían pasado a ser sus amigas. Eso no significa que no pueda suceder sino que demuestra que usted no debe cifrar su futuro en esa alternativa. Si a usted verdaderamente le agrada esa persona y desea mantener una relación de amistad con él, es posible que ese vínculo beneficie a todos. En cambio, si usted acepta el "Seamos amigos" como una estrategia, pensando que así gana tiempo y oportunidades para restablecer su relación amorosa, reconozca que está equivocada y apártese.

Sé que es difícil, ya que las relaciones amorosas crean vínculos y ataduras. Aun cuando su pareja le haya mentido, la haya engañado o la haya tratado mal, es posible que usted se sienta muy dolorida ante la ruptura de los lazos que tenía con él. Muchas mujeres me han contado que no podían creer cuánto tiempo se lamentaron por la pérdida de "desgraciados", aun insultándose a sí mismas por hacerlo. Sin embargo, al mantenerse cerca de una pareja que las ha rechazado, particularmente después de una historia de mentiras e infidelidades, usted sólo está postergando el proceso de reconstruir su vida y seguir adelante.

La amistad, aun cuando se ofrezca con sinceridad, es bajo estas circunstancias una tabla de salvación, no un barco que pueda llevarla a donde usted desea ir. Cuando el ofrecimiento de amistad es, en cambio, una mera formalidad que lo hace sentirse mejor a él, véala más como una forma de condolencia que como una solución.

¿Recuerda la idea de igualdad de la que hablamos en capítulos anteriores? Si tienen intenciones semejantes, ambas partes operan a partir de proyectos parecidos y en un plano de igualdad. En el amargo final, muchas veces una de las partes empuja a la otra hacia la amistad, pero las intenciones de ambos son bien diferentes ya que la otra parte desea restablecer la relación. La igualdad de intenciones es imprescindible para que "Seamos amigos" tenga éxito. Si los dos están de acuerdo en encarar una amistad sin un proyecto romántico a largo plazo, es muy posible que las cosas funcionen bien. El problema aparece cuando "Seamos amigos" es una mentira por parte de quien lo ofrece o por parte de quien lo acepta falsamente.

La verdad que lo libera

"La mayor parte de mis relaciones terminaron con la verdad. La mentira las hacía seguir adelante."
—Productor de televisión, treinta y nueve años, casado.

Analicemos este punto de vista: el desea dejar la relación y comienza a apartarse con una infidelidad. Luego dice una serie de mentiras para encubrirla e incurre en la mentira de la exclusividad. A partir de esto, él comienza a sentirse mal con su vida y con las mentiras que ha dicho, y experimenta el temor de ser descubierto y quedar expuesto a la furia de ella. Desesperadamente, desea su libertad. Ha hecho todo lo posible para inducirla a que ella termine con la relación. Eso es parte de la preparación. Utilizó una serie de excusas endebles, débiles negaciones y flagrantes evidencias para anunciarle a ella que su interés se ha debilitado y que ya no es la única.

En su mente, él le está diciendo simplemente: *"Repite conmigo: La relación ha terminado. No nos vamos a ver más. Ya no somos una pareja. No es para siempre. Tú irás por tu camino y yo por el mío. Tu abogado puede hablar con mi abogado"*.

¿Pero qué hace ella? Se queda junto a él. Niega que las cosas estén mal. Diligentemente compra quitamanchas para quitar los rastros de lápiz labial de los calzoncillos de él. Dice que él tiene un trabajo muy tensionante y que deben pasar más tiempo juntos. Tal vez, ofrece ella, una terapia les haría bien.

¿Y por qué *debería* ella cambiar de actitud? Ella ha sido su pareja y su cómplice en el encubrimiento. Sin embargo, recuerde que la verdad siempre se filtra, y que ambos saben eso. Como usted recordará, cuando una mujer se enfrenta con evidencias irrefutables de la infidelidad de su marido, habitualmente puede decir quién es la otra aunque hasta ese momento haya estado negando la situación. Negar día tras día sus propias intuiciones le está demandando una gran cuota de energía. Ella cierra los ojos a su curiosidad natural y a su capacidad de análisis. Hace mucho tiempo que siente que algo anda mal, por eso es muy probable que en su interior ella sepa lo que está sucediendo.

Sin embargo, ella *no quiere verlo en este momento*, de la misma manera que *no quiso hablar de eso antes*. La única diferencia es que ahora él está ansioso por terminar con la relación. Ahora él quiere la ruptura, para poder seguir con su vida sin ella.

Sin embargo, el patrón de no enfrentamiento *de ella* es parte del paisaje emocional *de ambos*. Además, ella ha estado soportando el distanciamiento y las evasiones de él desde hace ya mucho tiempo, desde antes que él comenzase con las mentiras de exclusividad. Es probable que, según cuáles sean sus intenciones, ella esté dispuesta a soportar mucho más dolor del que él haya podido imaginar antes de renunciar y aceptar la partida de él. Como una leona, ella protegerá la santidad de la relación y defenderá su terreno. Es poco probable que en este punto suceda lo que él tiene en mente.

El va descubriendo: *"Oh... ella todavía no puede escucharme. ¿Qué debo hacer para que me oiga y podamos seguir cada uno con su vida?"*.

Tal vez se trate de un momento de aprendizaje en el que la vida le enseña a ser más abierto y sincero. Tal vez se trate del fin

de la esperanza o del amanecer de un nuevo día. La cuestión es
que muchas veces, en este punto, una voz interior le sugiere: *"¿Por
qué no intentar decirle la verdad?"*.

¿Qué debe hacer? Imaginemos su diálogo con la verdad:

El: ¿Estás bromeando? ¿Por qué no seguirle diciendo lo
que ella desea escuchar?

Verdad: Por que eso no está dando resultado. Si quieres
irte, debes decirle lo que ella no quiere escuchar.

El: ¿Te refieres a la verdad?

Verdad: Correcto. Es el único abordaje que aún no has in-
tentado.

El: Está bien. ¿Pero piensas que ella podrá soportarlo? No
quiero que ella se destruya por mi culpa ni que haya violencia.

Verdad: Los hechos, aunque no le gusten, siempre serán
mejores que la mentira. Ya no sentirá que está loca. Podrá seguir
adelante con su vida.

El: Sí tú lo dices, probemos.

Querida, hay algo que he estado tratando de decirte. Esta
es la verdad.

(Escoja dos de esta lista.)

____ Estoy casado.

____ Nunca te amé.

____ Encontré otra persona que realmente me interesa.

____ No puedo soportar el modo como siempre tratas de
       controlarme.

____ Quiero el divorcio.

____ No voy a dejar a mi esposa.

____ No voy a casarme contigo.

____ No hay romanticismo ni atracción en nuestra relación.

Ella: —rogando—. Espera un momento. Piensa. No hay
necesidad de sacar conclusiones tan rápido. Claro que estoy decepcionada, porque me mentiste cuando yo quería sólo la verdad.
Ahora que sé lo que sucede, no me dejes. Arreglaremos las cosas,
buscaremos ayuda. Sabes lo mucho que te quiero.

Ella: —furiosa—. ¡Eres una basura, un mentiroso! No puedo creer nada de lo que me digas. No conoces la diferencia entre
la verdad y la mentira. ¿Hasta dónde piensas llegar? ¿Cómo puedo
haber perdido un minuto de mi vida contigo? No quiero ni verte.

Querido...

(Escoja dos)

Insistiendo:
___   Siempre te he amado.
___   Podemos solucionarlo.
___   No me dejes.

Enojada:
___   ¿Cómo pudiste hacerme esto?
___   Sabía que estabas mintiendo, basura.
___   Vete. Ya rebasaste el vaso.

Reclamando cordura:
___   La verdad lastima, pero es mejor que las mentiras.
___   Siempre pensé que algo así sucedía.
___   Me alivia saber lo que está sucediendo.

Cuando la verdad sale de su oscuro envoltorio, sólo resulta obscena porque ha estado oculta durante mucho tiempo. Ahora es el atajo hacia la libertad de él. Sin embargo, los dos han estado viviendo con ella todo el tiempo. ¿Entonces, qué hacer ahora?

¿Cómo reaccionó usted frente a este diálogo? ¿Qué consejo le daría a cada uno de ellos? ¿Le pediría a él que fuese más considerado? ¿Le aconsejaría a ella a actuar con dureza?

Veamos a personas reales que pasaron por la situación de que sus parejas terminaran con la relación usando una verdad que las liberaba.

Las verdades liberadoras que terminaron el trabajo que las mentiras habían comenzado

- "Le dije a esa chica que en nuestra relación no había romanticismo, que no podía seguir adelante."
  —Soltero, treinta años.

- "Le dije que no iba a romper mi relación con otra mujer."
  —Casado, cuarenta y cuatro años.

- "En el final de una relación, le dije una verdad parcial. Le dije: 'La relación no está funcionando bien para mí'. Ella comenzó a llorar en el teléfono. Le dije un par de pequeñas cosas, pero no pude decirle algunas cosas importantes."
  —Soltero, treinta y cinco años.

- "La revelación de la verdad fue como una bomba: mi ex esposo no era feliz."
  —Casada, treinta y un años.

- "Me dijo que era casado. Que su familia estaba por venir a Puerto Rico."
  —Divorciada, cuarenta y siete años.

- "El me dijo: 'Creo que no te amo más. Creo que estoy enamorado de otra persona'."
  —Separada, treinta y tres años.

- "El me dijo: 'Amo a mi esposa. No voy a dejarla'."
  —Divorciada, cuarenta y cinco años.

- "Pregunté a mi esposo: '¿Hay otra persona?'. Dijo que sí."
  —Divorciada, cincuenta años.

Algunas de estas verdades son muy duras, hasta brutales. Los hombres que las dijeron eran, en muchos casos, más hábiles para mentir que para decir la verdad, tal como lo demuestran estas verdades finales. Algunos retuvieron sus verdades ocultas durante demasiado tiempo y por eso, cuando las dijeron, lo hicieron con un dejo de venganza y falta de cuidado. Sin embargo, antes de condenar a esa verdad no deseada, recuerde que la verdad, al igual que la mentira, tiene muchas facetas. Recuerde, además, que la intención de la verdad puede ser noble, aunque el enfrentarla sea doloroso.

Al menos, la verdad con todo su potencial para dañar es real y duradera: no desaparecerá. A diferencia de las confusas y efímeras mentiras, la verdad informa, clarifica y enseña. Uno siente que la verdad es buena, porque es lo correcto.

Aun cuando la relación no haya tenido un final feliz, las mujeres que recibieron la verdad recibieron un regalo importante. Finalmente, tuvieron la oportunidad de comprender lo que realmente estaba sucediendo. Ganaron la posibilidad de construir su futuro sobre bases más sólidas. Aunque le temieron a la verdad, en realidad la que les había causado más daños y les había robado opciones había sido la mentira.

Finales y comienzos

Los finales traen consigo sabores mezclados. Por un lado, está la amargura de lo que se pierde y, por otro, el sabor agridulce de haber aprendido cosas que nos permitirán comenzar de nuevo. Debemos enfrentar que cuando hemos atravesado un camino lleno de mentiras evasivas, mentiras de exclusividad, promesas rotas y una premeditada falta de diálogo, ya es tiempo de un cambio.

Cambiar de pareja no será suficiente. Si usted se siente harta de todo lo que ha tenido que soportar, tiene que considerar la posibilidad de cambiar a la única persona a quien verdaderamente puede cambiar: a usted misma.

Una vez que se dé cuenta de esto, los finales serán tan liberadores como usted les permita ser. El secreto consiste en dejar de intentar complacer a los mentirosos para ganar su amor y en empezar, en cambio, a concentrarse en respetar sus propios deseos y necesidades.

Esa es una de las lecciones que las mujeres entrevistadas compartieron conmigo. Muchas de las mujeres protagonistas de las historias que usted ha leído han elegido ceder todo el poder al mentiroso, al hombre que las engañó y lo encubrió, al que siguió mintiendo cuando lo enfrentaron. Ese fue el mismo hombre que, cuando le convino, encontró un medio conveniente para liberarse de ellas.

¿Por qué esas mujeres renunciaron a sus potencialidades? Miraron hacia un costado, no se enfrentaron y pusieron sus esperanzas en que las cosas mejorasen. Pero en general las cosas empeoraron. Dejaron a cargo de ellos las cosas más importantes, actuando como si sus propias vidas tuviesen menos valor que complacer al mentiroso, al infiel y al evasor. Al no enfrentarlo, además, se convirtieron en sus cómplices.

Irónicamente, nada de esto les dio más felicidad a ninguna de las dos partes. La mayor parte de estas relaciones caracterizadas por las mentiras de evasión acabaron con una *preparación* y un *final* que dejó a una o a las dos partes amargadas y aisladas. Algunas de estas parejas siguen aún juntas, pero sin cambios importantes, tales como decir qué les resulta aceptable y qué no están dispuestas a sobrellevar y conversar acerca de lo que sienten y desean. Dadas estas condiciones, el final es previsible.

En estas historias de mentiras evasivas y finales, a veces, la verdad aparece. Aun cuando esto suceda en el amargo final y el precio sea muy alto, tanto los hombres como las mujeres admiten que la verdad representa un alivio.

Liberadas de las parejas que las debilitaban, estas mujeres ganan una nueva oportunidad de recuperar la capacidad de hacer lo que es bueno para ellas. Además, para los hombres que han mentido, engañado y evadido, no es demasiado tarde para comenzar a sentirse con la verdad tan cómodos como se sentían con la mentira.

Después de todo, la verdad a la que estos hombres y mujeres temían tanto fue fuente de enormes decepciones, pero también los liberó. Les dio la oportunidad de intentarlo de nuevo, esta vez con mayor respeto hacia sí mismos y mayor integridad. Ese es un regalo valioso. Tienen la oportunidad de establecer una unión más abierta la próxima vez.

Para algunos hombres y mujeres, la verdad será algo heroico. Para ellos, la mentira es un modo de vida y cambiar para ser sinceros requerirá de una transformación drástica de hábitos y modelos que están muy arraigados.

Quinta Parte

RECONOCIMIENTO
Y DEFENSA

12

A MENTIROSOS EXTRAORDINARIOS, VIDAS ROTAS

"Me tomó siete años darme cuenta de que él era un mentiroso consuetudinario, que no se trataba de pequeñas mentiras."
—Maestra de escuela, treinta y nueve años, divorciada.

"Mi esposo mentía en todo. Dijo que lo habían asaltado y le habían disparado. También dijo que tenía cáncer."
—Gerente departamental, cuarenta y siete años, divorciada.

"Hay dos clases de personas en el mundo: los que son mentirosos y los que no lo son. Dos mentirosos no pueden soportarse. Tampoco pueden soportarse dos personas que dicen la verdad. La conjunción ideal es la de un mentiroso con alguien que no lo es. Además, hay dos clases de mentirosos. Están los mentirosos interesados, que mienten en beneficio propio, y los mentirosos por deporte, como yo. Hay algunos que no tienen código ético, que no distinguen lo bueno de lo malo... Los mentirosos son personas muy carismáticas. A la gente le gusta estar cerca de ellos. Hay que tener carisma para salirse con las mentiras."
—Analista financiero, treinta y dos años, casado.

Imagine esto. Usted está piloteando un avión y de pronto los sistemas eléctricos fallan. No hay radio, ni luces, ni radar. Usted está en medio de las nubes y no sabe ubicar dónde es arriba y dónde es abajo. En aviación, esta pesadilla para los pilotos se llama "cámara negra". Lanzada a ciegas a través del tiempo y el espacio, usted se ve obligada a confiar en sus instintos para volver a tierra firme.

El gran mentiroso, aquel que le roba la fe y la confianza en su capacidad para discernir verdad de mentira, crea una clase diferente de "cámara negra", una cámara negra del corazón para cualquiera que confíe en ellos. Cada vez que usted confía en uno de esos mentirosos extraordinarios o patológicos, corre el riesgo de perder sus propios sistemas de guía interna, los que la mantienen a salvo.

Cuando comencé a investigar acerca de las *101 Mentiras*, los que me interesaban primordialmente no eran los mentirosos extraordinarios, sino más bien los ordinarios. Dado que aun la más sincera de las personas alguna vez comete un desliz, supuse que todas las personas entrevistadas podían contribuir, al menos, con una experiencia o dos acerca de las mentiras dichas y recibidas. Todo lo que yo tenía que hacer era formular las preguntas correctas.

Lo que no pude anticipar era la urgencia que tenían las víctimas de la "cámara negra" por contar sus historias.

Sobrevivientes de la "cámara negra"

Llenas de nerviosa energía, ellas abrían su corazón. Un torrente de palabras, sólo interrumpidas por gestos y suspiros, revelaban con todo detalle cómo habían entrado en el mundo del mentiroso.

Lo que había obnubilado su buen juicio había sido algo personal, invisible y vergonzoso. Se preguntaban cómo se habían permitido caer en las garras de una persona así. Habían puesto en riesgo su capacidad para creer en otras personas y para creer en su propio juicio.

Connie, una atractiva y vivaz ejecutiva de cuentas de treinta y siete años, divorciada, comienza su historia, todavía anonadada de que alguien tan normal como ella tenga cosas así para contar: *"Todavía me pregunto cómo pude creerle. Me asombran las cosas que le creí. Quiero advertir a otras personas. Las muje-*

res somos muy ingenuas. Si uno es una persona sincera, nunca piensa que un hombre pueda mentirle. La primera vez que me sucedió, me dije que no iba a ser tan estúpida una segunda vez, pero luego lo conocí a Lenny".

También encontramos a Marisa, la diseñadora de interiores divorciada, de cincuenta y tres años, que con una mezcla de pesar, humor y cinismo, me introdujo en su historia antes de que yo pudiese siquiera destapar mi lapicera: *"Quiero hablar acerca de una experiencia que tuve en el último par de años con un hábil mentiroso que me quitó mucho dinero. Este hombre, con quien yo salía, me estafó en 105.000 dólares. Aumenté veinticinco kilos y desconfío de mi propio criterio. Aquí estoy contándola, tratando de librarme de esa experiencia.*

Aun en el extenso reino del engaño, lleno de mentiras y ocultamientos, las grandes mentiras que padecieron estas mujeres son sobresalientes. Al despertar, ellas se sintieron como furiosas sobrevivientes que se preguntaban: "¿Cómo pudo, cómo se atrevió?". Las grandes mentiras no sólo tuercen la verdad, la eclipsan.

Eclipsar la verdad es un modo de vida para el habitual perpetrador de mentiras extraordinarias. No se trata de mentirosos ocasionales, que tratan de defenderse en circunstancias delicadas, sino de hombres y mujeres adictos a la mentira, a la que tienen como su modo de comunicación predilecto. Dos de ellos, un hombre y una mujer, se llamaron a sí mismos "mentirosos patológicos en recuperación". Ellos quisieron explicar sus mentiras del pasado. Jessica, ya familiarizada con los beneficios de las confesiones públicas, se presentó diciendo: *"La confianza y el engaño son una gran parte de mi vida. Tenía interés en conocerla. Ya fui entrevistada, y fui tema de una revista de salud cuando trataron el tema de la mentira patológica. En ese momento, confesarlo me hacía sentir nerviosa. Ahora ya no me pongo tan nerviosa. También hablé en un programa de televisión acerca de mis mentiras".*

Jake puede ser un mentiroso patológico en recuperación, pero también reúne las condiciones para ser considerado un Don Juan en recuperación. Sus mentiras se centran sobre sus múltiples aventuras, aunque no se limitan a estas: *"Acabo de pasar por el final de un matrimonio y por una terapia... He modificado mi comportamiento de mentiroso, pero este aún sigue siendo uno de mis principales problemas. Tengo dos matrimonios fracasados en mi haber. He sido un mentiroso patológico... La mayor parte de mis problemas de relación provienen de haber mentido... Me gustaría ayudar a otros a evitar los errores que yo cometí".*

Ellos querían contar sus historias, explicar como sus mentiras habían evolucionado aun más allá de sus propios límites y cuánto les costó salir de eso.

El mentiroso extraordinario

Jessica y Jake se llamaron a sí mismos "mentirosos patológicos", un término que ha sido utilizado durante muchos años por muchos psicólogos y psiquiatras para describir a los mentirosos peligrosos o compulsivos, pero que en la actualidad ya no tiene prestigio como categoría diagnóstica. En este capítulo, sustituiré ese nombre por el de "mentirosos extraordinarios" para acentuar el carácter extremo de sus mentiras.

¿Quiénes son esas personas a quienes llamamos mentirosos extraordinarios y por qué se comportan como lo hacen?

Los mentirosos extraordinarios son extremistas. Mienten más frecuentemente y, a menudo, son más creíbles que los mentirosos ordinarios. Algunos son mentirosos dañinos que buscan un objetivo fácil, que saben cómo congraciarse con usted desde el momento en que la conocen. Muchos son mentirosos habituales. Sin embargo, usted no los reconocerá hasta que haya estado junto a ellos el tiempo suficiente como para sentir el peso acumulativo de sus mentiras.

Pueden mentir para beneficiarse o por deporte. El artista de la estafa miente para beneficiarse, mientras que el mentiroso extraordinario hace de la mentira su modo de vida. Algunos tienen los dos perfiles: son artistas de la estafa y además mentirosos extraordinarios. Cualquiera sea el objetivo, cuente con que sentirán muy poco o ningún remordimiento o conmiseración por el dolor y el sufrimiento que causan. Tenga en cuenta, además, que ambos son peligrosos para su salud y su bienestar.

La mentira tiene para ellos vida propia, más allá de cualquier situación que la haga necesaria. La mentira es para ellos un fin, además de un medio. Mienten cuando piensan que deben hacerlo *y también cuando están seguros de que no deben hacerlo.* Se transforman en expertos en el oficio de mentir. El interés en ellos mismos es su razón de ser, aunque usted se sienta tentada a pensar otra cosa. Dado que la mayor parte de las personas se inclinan a conceder al mentiroso el beneficio de la duda, aun cuando no deben hacerlo, el mentiroso extraordinario goza de un enorme éxito a corto plazo. Eso los refuerza y los lleva a otras experiencias. Son como guijarros que ruedan, moviéndose hacia su siguiente objetivo, y muchos de ellos disfrutan de éxitos en serie. Muchas de sus víctimas, aun después de haber descubierto las patrañas, están tan atrapadas en sus anzuelos que se quedan para recibir un par de embustes más.

La característica típica del mentiroso extraordinario es una asombrosa falta de consideración hacia el blanco de sus mentiras. Esa falta de consideración y de empatía puede asombrar al propio mentiroso tanto como a sus amigos y parejas. Si usted no reconoce a estos mentirosos al comienzo de su trayectoria, sin duda lo hará luego del tendal de corazones y promesas rotas que dejará por el camino.

Es más frecuente que los mentirosos ordinarios sientan respecto de sus mentiras cosas tales como remordimientos, vergüenza o culpa. Sus falsedades son más específicas respecto de una situación y no están tan enraizadas en su personalidad ni aparecen porque sí. Los mentirosos ordinarios mienten para impresionar a alguien que acaban de conocer, para evitar alguna reacción en particular, para proteger su intimidad de la curiosidad de un amigo entrometido, para evitar tener que soportar reacciones negativas o para salirse con la suya. Todos alguna vez mentimos gratuitamente. No tenemos necesidad de hacerlo, pero lo hacemos de todos modos. Eso es común. En cambio, para el mentiroso extraordinario, la mentira gratuita es un modo de vida. Los mentirosos extraordinarios suelen falsificar la verdad, libre y frecuentemente, aun cuando no haya ningún fin en particular a la vista. La mentira se convierte en su trabajo.

Cuando analizamos más de cerca los extremos, tenemos una visión más clara de lo que es para nosotros un terreno más habitual: las mentirillas, las mentiras por conveniencia y las excusas. La mentira extraordinaria nos muestra también cómo los anzuelos, las máscaras y las evasiones que hemos llegado a considerar parte de nuestra vida diaria nos van llevando a dejar pasar o a racionalizar los síntomas de la mentira, aun cuando hacerlo perjudique nuestros intereses.

¿Se encontrará usted con alguien extremadamente mentiroso?

¿Qué probabilidad existe de que usted se tope con uno de estos mentirosos perjudiciales y extraordinarios? Es difícil decirlo, ya que nadie sabe cuántos hay. Hay algo seguro: los mentirosos extraordinarios no suelen golpear las puertas de los terapeutas en busca de ayuda. Se sabe que los mentirosos graves sólo buscan ayuda cuando se ven forzados a hacerlo.

Los periódicos nos cuentan acerca de aquellos que acaban en prisión o que han mentido y engañado en grandes empresas o en el Gobierno, al menos aquellos que fueron descubiertos y que hicieron algo ilegal. Por eso, teniendo en cuenta todas estas cosas, la posibilidad de encontrarse con un mentiroso extraordinario en su lugar de trabajo, en una conferencia o en una relación personal, puede ser más alta de lo que usted imagina.

No hace mucho Carlolyn, una gran amiga mía, pasó una semana en un curso de entrenamiento para ejecutivos, durante el cual un tranquilo psicólogo cincuentón, que acababa de mudarse a esa zona, logró la simpatía de todo el grupo cuando habló acerca de los crecientes problemas de salud de su hija. Varios meses más tarde, Carolyn, azorada, me mostró una noticia del periódico: *"Hombre que se hacía pasar por psicólogo acusado de fraude"*.

El "psicólogo" que el grupo había acogido con tanta calidez, no tenía licencia para practicar, había estado en prisión por robo y había ejercido la medicina ilegalmente en otro estado. ¿Cómo lograba este hombre engañar? ¿Cómo reaccionaron las personas engañadas?

Carolyn estaba impresionada. Soltera y muy atareada, ella había pensado que las conferencias eran lugares seguros, donde podía conocer hombres profesionales interesantes sin tener que estar en guardia. Este hombre les había parecido sagaz y vulnerable, pero un buen artista de la estafa puede engañar a cualquiera. Hasta el director del Consejo de Alcoholismo de la ciudad había comentado: "La gente decía que confiaba en él y algunos hasta lo creían un visionario".

Por otra parte, la mayoría de las mujeres no logran trasladar lo que leen en los periódicos a las personas que conocen en la realidad. No pueden creer que estos ladrones y estafadores sean personas que ellas pueden conocer, y mucho menos que pueden salir con ellos o hasta casarse con ellos. Tomemos como ejemplo un titular del periódico, que en el año 1995 anunciaba: *"Hombre con cuatro esposas va a prisión por 5 meses"*. Este hombre se había casado con cuatro mujeres en tres estados diferentes y debía anotar las historias que contaba a cada una para no perder el hilo. ¿Suponen ustedes que alguna de esas mujeres hubiese corrido al altar para casarse con él si hubiese sospechado que era un mentiroso extraordinario y un polígamo?

La mayor parte de las mujeres jamás sospecha que un nuevo amor o una nueva pareja sea un mentiroso extraordinario. Como muchos de estos mentirosos desarrollan "especialidades" en mentiras financieras, matrimoniales o de identidad, suelen tender enseguida sus trampas en estas esferas. Esa particularidad en sus intereses puede ayudarla a detectarlos. Sin embargo, cualquiera sea el modo de operar que ellos tengan, si usted no tiene conciencia de que ellos andan por ahí *y* que pueden ser sus compañeros de trabajo o amigos de un amigo suyo, no es probable que los reconozca. Son muy hábiles para esconder quiénes son y lo que son.

Algunos son peligrosos. Otros no lo son. Es poco probable que usted pueda diferenciarlos a primera vista. Una de las características claves de la personalidad psicopática es que su patrón de mentiras a menudo aparece encubierto por una gruesa capa de atracción instantánea. Algunos de estos encantadores se inclinan por carreras como las ventas o la actuación, que les permiten sacar provecho de su carisma natural. Otros muchos no lo hacen. Algunos son tan buenos que pueden engañar a los expertos y hasta a los detectores de mentiras. Es bueno recordar que *si bien no todos los grandes mentirosos son psicópatas, casi todos los psicópatas son grandes mentirosos*. Aunque en este capítulo no vamos a dedicarnos a los psicópatas en sí, recuerde que usted puede encontrarse con uno y que puede representar una seria amenaza. Manténgase alerta y no minimice el peligro.

Dicho esto, comencemos nuestro viaje hacia el mundo de los mentirosos extraordinarios y las mujeres comunes. Cuando Connie conoció a Lenny, sin saberlo comenzó un viaje en "cámara negra" que temporariamente la dejó sin su sistema interno de navegación.

La verdad y el hombre "soltero"

La historia de Connie comenzó poco tiempo después de su divorcio, cuando comenzó a salir con hombres. Conoció a un hombre agradable en el lugar y el momento más seguros que podía imaginarse: en la sinagoga donde asistía su familia, durante una festividad religiosa. Salió con él, tuvieron relaciones y sólo accidentalmente descubrió que, aunque él le había dicho que no estaba casado, su esposa no estaba de acuerdo con esto. Naturalmente, Connie se sintió engañada: *"Yo no tenía idea de que si le hacía una pregunta a un hombre, él pudiese mentirme, o que si espontáneamente me contaba algo, pudiese ser falso. Me sentí muy mal... y nunca más supe de él. Comencé a pensar que todos los hombres eran una basura".*

Decidida a que no la engañasen nuevamente, decidió conocer a hombres en reuniones para personas solas, en las cuales todos eran investigados previamente. Así conoció a Lenny, a quien equivocadamente tomó como uno más del grupo de personas solas. En realidad, él sólo había ido al bar del hotel para ver un partido de fútbol: *"Cuando él me dijo que no era de la ciudad, le pregunté a boca de jarro: '¿Eres casado?'. El respondió: '¡No!'. No tenía sortija de casamiento. Me dijo que vivía en Nueva York y me invitó a salir la noche siguiente... Era perfecto. Todo lo que decía me gustaba. Era tan encantador que una moría por él. Era todo un caballero. Era mayor que yo, de cerca de cincuenta y me llamó desde el aeropuerto para despedirse".*

Dispuesta a no dejarse engañar de nuevo, Connie investigó a Lenny para corroborar que era un abogado de Manhattan. Cuando llamó al servicio de información telefónica de Nueva York y no encontró nada, lo conversó con su padre, quien le dijo: "Probablemente este hombre sea casado". Eso llevó a Connie a persistir en su búsqueda. Lo encontró en un pueblo de Connecticut. *"Llamé a su número para ver si atendía una mujer. Durante un par de semanas me atendió siempre un contestador, y decidí que no había peligro. Más tarde lo enfrenté y le pregunté porqué me había dicho que era de Nueva York si en realidad era de Connecticut. Me dijo que había pensado que seguramente yo no iba a conocer su pequeño pueblo, y que por eso dijo Manhattan. Yo quería dejar de lado mi escepticismo."*

Connie se sintió satisfecha, creyendo que Lenny le decía la verdad. Dejó de lado sus dudas y volvió a su nivel natural de credulidad. La relación a larga distancia seguía y avanzaba. El fue a Phoenix algunos fines de semana y también para el cumpleaños de Connie. Viajaron juntos a Miami.

Luego, cuando llevaban seis meses de relación, los radares

de Connie marcaron alerta roja. No era nada seguro, pero llamó de nuevo al servicio de informaciones para saber si había algún otro número de teléfono que correspondiera a su dirección en Connecticut. Efectivamente, había otro número. Estaba a nombre de la esposa de él. El número al que ella había llamado era el del hijo y nunca contestaba nadie: *"Había hecho mis tareas, pero no había funcionado. Lo llamé a su casa y lo enfrenté: 'Así es que eres casado'. 'Sí.' Grité, lloré y lo insulté. Escribí una carta a su esposa. Los hombres, cuando escuchan esto, se sienten azorados. Abren los ojos y sus mandíbulas caen. Le dije que lamentaba mucho haber salido con su esposo, pero que yo ignoraba que estaba casado".*

Más tarde lo volví a enfrentar por teléfono. "Trató de ser honesto. Dijo que no le gustaba tener aventuras ni mentir, *pero que era demasiado cobarde."* Sin embargo, ella estaba tan atrapada afectivamente que comenzaron a verse de nuevo, pese a que él estaba casado. Ella comenzó a confiar en un mentiroso y a justificar esa confianza. Por eso, cuando él le confesó que ella no era su primera aventura, en lugar de verlo como un adúltero incorregible se sintió reivindicada: *"Cuando me contó eso, sentí que yo no era una destructora de hogares. Tan sólo deseaba sentirme querida y valorada. Le conté que había escrito una carta a su esposa. No pareció enojado sino, más bien, sorprendido. Ella no le dijo que había recibido una carta".*

Cuando la relación se hizo más seria, Connie recuperó el sentido y le dijo que era mejor terminar. Entonces Lenny cambió de actitud: *"Comenzó a actuar de una manera extraña y me dijo que iba a divorciarse de su esposa. Decidí entonces continuar con la relación. El había averiguado que su esposa lo engañaba. Me dijo que había leído su diario".*

Eso bastó para que Connie volviese a la acción. Ella lo quería. No podía creer lo bien que se llevaban. Entonces comenzaron a aparecer en escena los problemas de dinero. Viajaron a Puerto Rico y Lenny le pidió que pagase el alquiler del automóvil con la tarjeta de crédito de ella. Allí se enteró de que él debía miles de dólares a su tarjeta.

Más tarde estalló la bomba: *"Una semana después de un viaje a Nueva Orleans, él me llamó desde el aeropuerto de Phoenix. Quería suicidarse. Lo habían descubierto en un desfalco. Había estafado a una anciana en 35.000 dólares. Me dijo: 'Defraudé a todos, a mi hijo, a mi familia'. Pasé la noche con él*

en el hotel del aeropuerto. El estaba ocultándose. El desfalco era
un secreto. Nunca supe por qué lo hizo".

Veámoslo con claridad. Connie tan sólo quería un hombre
soltero y agradable con quien establecer una relación luego de su
divorcio. En lugar de eso, ¡acabó enamorándose de un estafador
casado que estaba escapando de la justicia! Pese a los intentos de
detectar sus mentiras, él la engañó desde el primer día respecto
de su estado civil y respecto de dónde vivía. Más tarde comenzó
a pedirle dinero prestado. Gradualmente, él fue actuando sobre la
necesidad de ser amada y apreciada que ella sentía, y ella se fue
hundiendo cada vez más en su vida de mentiras.

La cámara negra de Connie la estaba llevando a cualquier
parte. Ella intentó hacer tres cosas: quedarse al lado de su hombre, ser su consejera y su línea de vida, y manejar el enojo que le
provocaba la situación en la que él la había puesto.

Aconsejó a Lenny "regresar y enfrentar las acusaciones".
Sin embargo, como ustedes recordarán, la valentía no era una de
las características sobresalientes de Lenny. La situación se salió
de control. He aquí el relato de Connie acerca de lo que sucedió:
"Su abogado le dice que va a pasar dos años en prisión. El re-
nuncia a la barra de abogados y viene a verme... Yo era la única
que sabía quién era él en realidad. Le aconsejé que se instalara
en alguna parte, que consiguiese un trabajo y ganase dinero. Que
fuese a Nuevo México o a Wyoming. Mi mayor temor era que se
mudase conmigo y lo tuviese en mi casa por el resto de mi vida.
Su mundo se estaba viniendo abajo. Yo era la única que estaba
comprometida con él. Me pidió dinero para asistencia médica.
Eso fue difícil para él. Le envié ciento cincuenta dólares. El no
tenía dinero ni automóvil. Sólo tenía una bicicleta. Se quebró una
pierna y ya no pudo andar en bicicleta".

Finalmente, Connie encontró el modo de salirse de la cámara negra. Lo entregó: *"El FBI vino a verme a mi trabajo. Me*
llevaron a una habitación y me preguntaron: '¿Sabe usted dónde
está?'. Dije que sí. No iba a mentir al FBI. El FBI me dijo que no
debía decirles que había hablado con ellos. Tuvimos una conver-
sación telefónica y lo atraparon esa misma noche. Me llamó a
través del sistema de cobro revertido desde la cárcel. Le oculté la
verdad. No le dije que yo era quien lo había entregado. Cuando
se lo dije dos o tres llamadas después, él dijo: 'Nunca quise
involucrarte en esto'".

"Lo enviaron de regreso a Nueva York... Eso todavía sigue. Todavía me llama desde la cárcel. El me dijo que había robado 35.000 dólares cuatro años antes de conocerme. Me llamó para Año Nuevo. Para mí fue difícil. En un impulso le pregunté: '¿Por qué lo arruinaste todo?'. No sé por qué lo hice. El está en la cárcel. *El respondió: 'Pensé que si no te llevaba de viaje no ibas a amarme'. No sé cómo va a terminar esto.*"

¿Cómo se sintió Connie? En el momento de la entrevista ella todavía estaba tratando de asimilar lo que había sucedido y de entender cómo había sido arrastrada hasta allí. Aún se puede percibir el enojo en sus palabras: *"El se disculpó por haberme involucrado. Los hombres piensan que pueden hacer cualquier cosa, con tal que después se disculpen. O si no, dicen que son una basura y parece que el decirlo los autoriza a serlo".*

Sin embargo, Connie también se culpa a sí misma. Con gran sagacidad ella se da cuenta del poco caso que hizo de sus primeras mentiras, que eran una clara advertencia. Al comienzo de la relación, cuando ella todavía creía que él era soltero, ella se había dado cuenta de que en su pasaporte él figuraba con una edad de cincuenta y cuatro años, en lugar de los cuarenta y ocho que le había dicho que tenía. En ese momento, Connie le restó importancia, pensando que se trataba de una "mentirilla inocente". Dijo: "¡Hasta mi madre miente respecto de su edad!". Pero luego, con escalofriante conciencia, ella agregó lo que casi todas las víctimas de estos mentirosos llegan a comprender en algún momento:

"Más tarde me di cuenta de que me había mentido en todo."

La experiencia había dejado su huella. Connie dijo: "Todavía me miente respecto de la cantidad de dinero que robó". Con justicia, sostiene que nunca podrá volver a confiar en él. Pero la cosa va aún más lejos. No sólo ya no fue posible una relación con Lenny, sino que además Connie siente que ya no podrá confiar en las relaciones con los hombres. Toda su forma de buscar una unión ha quedado dañada.

¿Qué cambiaría Connie en su manera de actuar? Ella sostiene: "En cuanto escribí la carta para su esposa, no debí volver a verlo nunca más". *Ella debía haberse fijado límites estrictos y haberlos respetado. No debería haber dejado de lado su escepticismo con tanta facilidad.*

Cuando le preguntamos qué es lo que Lenny lamenta de

todo lo que sucedió, su respuesta es reveladora: "Lamenta que lo hayan atrapado".

Si tomamos el periódico leeremos acerca de muchas personas como Lenny. No es la primera vez que un abogado falta a su juramento y tuerce el espíritu de la ley. Lo que es alarmante es que Connie, en su segunda relación después del divorcio se haya permitido confiar y ser estafada por un mentiroso extraordinario.

Créase o no

En el fondo, la mayoría de nosotras somos crédulas. Queremos tener confianza en lo que nos dicen las personas. De eso, precisamente, se aprovecha el mentiroso.

Si nuestros padres fueron confiables, si no abusaron de nosotras ni nos traumatizaron, aprendimos dos cosas junto a ellos: a confiar en quienes amamos y a confiar en nuestras sensaciones. En un mundo de sinceridad, eso funciona bien, pero en un mundo de engaños, nos plantea serios problemas.

La primera relación que tuvo Connie después del divorcio fue una seria advertencia. Descubrió que una mujer no podía confiar de inmediato en un hombre que acababa de conocer. Muchas mujeres aprenden eso. Connie tomó en serio la lección y por eso decidió controlar a Lenny.

Satisfecha con los resultados de la investigación, dejó de lado su escepticismo. Eso la dejó indefensa frente al *modus operandi* de un mentiroso tan dañino. Además, aun cuando Lenny no hubiese sido tan extremadamente mentiroso, ella habría hecho mal en deponer todas sus dudas tan rápido. Eso está bien cuando se trata de una película o una obra de teatro, pero no cuando se trata de una relación íntima. Después de todo, suspender las dudas tan rápido también podía haberla hecho caer bajo las garras de un mentiroso corriente.

Al igual que Connie, la mayor parte de nosotras no estamos preparadas para enfrentarnos con alguien extremadamente mentiroso. Ellos parecen y actúan como cualquier otro, excepto porque son mucho más encantadores, más irresistibles. Son la clase de hombres que le ofrecen todo lo que usted desea, no porque la amen sino porque es el juego en el cual son expertos. Gradualmente, ellos la van introduciendo en su mundo. En eso consiste el desafío. Para lograrlo deben descubrir lo que usted más desea, lo que necesita. *Luego, estos mentirosos le prometen hacer realidad todos sus sueños. Cuidadosamente; logran la habilidad de hacer y decir todo lo que usted necesita para superar sus dudas.* Para alguien ingenuo, el gran mentiroso que lo promete todo y da sólo lo necesario para convencer, es difícil de rechazar y más difícil de abandonar.

Connie tuvo destellos de conciencia acerca de Lenny en distintas ocasiones, pero todas las veces Lenny la ayudó a dejar de lado sus intuiciones. Esta experiencia descorazonadora junto a un mentiroso sin escrúpulos es parte de lo que Connie y todas las otras Connies que andan por el mundo llevarán a sus siguientes relaciones. A Connie le tomará tiempo reconstruir su confianza en su propio juicio respecto de los hombres.

El artista de la estafa

Sus amigos no podían comprender qué había visto en él. Pensaban que estaba perdida, pero educadamente callaron hasta que todo terminó. Si vamos al punto, Marisa también se asombraba. Ella no lo había encontrado tan atractivo, tenía mala salud y era muy malo en la cama. Mintió cuando no tenía por qué hacerlo e hizo promesas que no cumplió.

¿Por qué ella entonces permaneció junto a Saúl dieciocho meses? ¿Y además, por qué demonios en los últimos tres meses de relación decidió prestarle 105.000 dólares, que eran todo el dinero que tenía? Esas son preguntas sobre las cuales ahora Marisa tiene mucho tiempo para meditar, y sus ideas al respecto son muy adecuadas.

Como era una diseñadora de interiores muy ocupada y deseaba conocer hombres, Marisa solía responder a los anuncios sobre relaciones personales. Así conoció a Saúl. El la recogió en su nueva casa, situada en un muy buen vecindario, e inmediatamente comenzó a hablarle de sus éxitos económicos. Marisa recuerda que una vez llegó a decirle: "Tengo más dinero que Donald Trump". Le dijo que tenía casa propia, que tenía una cadena de negocios de fotografía en grandes centros comerciales y un par de hijos ya crecidos a los que les iba muy bien. Hablaba mucho y decía que tenía trajes de etiqueta en su guardarropas. Saúl prometía mucho, pero lo que daba, por ejemplo en la cama, dejaba a Marisa esperando. Según Marisa, él era particularmente hábil para prometer aquellas cosas que a ella le parecían importantes. Esa cualidad de camaleón podía haberle dado una pista: *"El creaba expectativas. Hacía planes que nunca llegaban a cumplirse. Sostenía que era extremadamente rico. Decía: Si tienes un fin de semana libre este verano, podemos ir a Charleston. Pero si yo decía: 'Está bien. ¿Qué fin de semana te conviene?', él respondía: 'No me apresures'. Entonces comenzaba a halagarme. A mí me gustaban sus atenciones y sus promesas. El sabía lo que yo quería, lo que era importante para mí. Entonces lo prometía. Yo había conocido a muchos hombres que no tenían un peso. Saúl me parecía muy trabajador y de éxito".*

Cuando hablaban de cuestiones financieras, Saúl la escuchaba con atención. A Marisa eso le gustaba y cada vez le contaba más cosas. Le contó acerca de un mal negocio inmobiliario que había hecho y él se mostró muy comprensivo. "Además, él también averiguó que yo tenía ahorros." En un momento, a un año de relación, él tendió la trampa que había preparado cuidadosamente: *"Me pidió un préstamo momentáneo para ayudarlo en sus negocios. Me dijo que se trataba de una inversión fantástica. El me daría un pagaré. 'Si algo me sucede, serás rica. Con el interés que yo puedo pagarte, no necesitarías trabajar.' Yo tuve que hacer muchos esfuerzos para conseguir el dinero porque estaba depositado a plazo fijo. El me llamaba todos los días. Me dijo que necesitaba un cheque porque estaba remodelando una tienda en Charlotte".*

"Le di 105.000 dólares que nunca me devolvió. Después que le di el dinero, me pagó algunos intereses. Una vez me pagó doscientos dólares y luego dejó de darme dinero... Sólo entonces comencé a sospechar. Después de ese último cheque, me dijo que no creía que debiéramos 'mantener una relación social'. Después de fin de año liquidó su negocio. *Yo le inicié un juicio, pero no logro cobrarle, ni siquiera con un abogado. Desapareció. Luego me enteré que tenía veinticinco juicios en su contra."*

Operando desde una cámara negra, Marisa había perdido el rumbo. Arriba pasó a ser abajo. Ahora estaba tratando de contabilizar los daños y de tomar conciencia de lo que había sucedido.

En primer lugar, Marisa descubrió que todo lo que Saúl le había dicho era falso: Saúl vivía en una casa, pero no era de él. El nombre que usaba, bien podía no ser el suyo, ya que actuaba al menos con dos nombres. Sus "exitosas" tiendas estaba en bancarrota. Mientras Marisa examinaba los restos de su relación, cayó en la cuenta de que probablemente él lo había preparado todo desde el comienzo. El no era el hombre de negocios de éxito que ella creía, sino más bien un fracasado y un artista de la estafa. Es probable que "haya mentido en todo". El papel que Saúl había desempeñado había sido una completa actuación: *"Sus primeras mentiras eran inocentes. Mintió en todo: se quitó tres años de edad, se agregó seis centímetros de estatura y se quitó diez kilos de peso. Todo estaba mal. Hasta había mentido respecto de su fecha de cumpleaños. Había dicho que había nacido el 4 de julio, y en realidad su cumpleaños era en octubre... y eso sólo fue el comienzo.*

Al recordar, Marisa se da cuenta de que sus mentiras inocentes "eran parte de un patrón que debió haber percibido". Sin embargo, los pequeños engaños no se le hicieron evidentes hasta que se topó con los grandes. Aun entonces se quedó a su lado y no fue capaz de enfrentarlo. Lo más alarmante de todo fue que ella estaba comenzando a darse cuenta de su propio papel en esta representación. Cuando Saúl le contaba las pequeñas mentiras, ella sentía "pena por él". *"Yo racionalizaba y le daba el beneficio de la duda, cuando era prematuro hacerlo. Pensé que se veía más viejo de lo que era y me condolí. Pensé que no era atractivo y que trataba de sentirse mejor. Pensé: 'Pobrecito, piensa que pesa 95 kilos'. No pude verlo tal como era."*

¿El resultado? Marisa, Connie y otros tantos hombres y mujeres estafados por un nefasto mentiroso extraordinario al igual que ellas, acaban sintiendo temor de confiar en sus propios juicios y "temerosos de otra relación". Ella se dio cuenta perfectamente de que su propia necesidad de compañía y el plan de él combinaban a las mil maravillas. Su análisis posterior al desastre es brillante. Marisa, al mismo tiempo que era engañada, estaba recibiendo toda la información que necesitaba para mantenerse a salvo. Sin embargo, ella prefirió ignorar su sistema de navegación interno. Desconectó temporalmente su intuición. ¿Por qué? *"Porque yo era débil y él decía lo que yo deseaba escuchar. Aunque no me resultaba atractivo físicamente, me quedé a su lado... Ahora veo que era muy astuto y egoísta. Me usó todo el tiempo. Me llamaba y me decía: 'He hecho reservas en un lugar espléndido'. Luego, llegaba una o dos horas tarde y daba excusas: 'No pude irme de la tienda'. Hacía exactamente lo que quería."*

"No tenía límites para pedirme cosas. Su automóvil se rompió un sábado. Me llamó y me preguntó: '¿Puedo usar el tuyo cuatro o cinco horas?'. Luego eran siete u ocho. Yo tenía que

cambiar mi programa. El me menospreciaba y me sembraba dudas. Refiriéndose a mi casa, me decía: 'Si yo viviese aquí, sentiría claustrofobia'."

Saúl no era un aficionado. Hacía lo que hacen los mentirosos ordinarios, pero mentía más, mejor y hasta en un grado muy extremo. Eso es lo que lo hacía un mentiroso extraordinario y un triunfador artista de la estafa. Saúl comenzó con un exagerado anzuelo del tipo del sapo que se transforma en príncipe y sedujo a Marisa con sus mentiras. Como cualquier buen mentiroso, le dijo todo lo que ella deseaba escuchar. Luego, hizo las promesas adecuadas para despertarle expectativas. Las máscaras que utilizaba ocultaron quién era en realidad. Sus mentiras evasivas le permitieron hacer lo que quería sin ser detectado, mientras mantenía a Marisa hechizada y esperando lo que él ya sabía que nunca iba a suceder. Al mismo tiempo, él comenzó a desplegar una subversiva forma de juego mental, cuestionando las creencias de ella, debilitando sus defensas y sembrándole dudas. Todo estaba calculado para hacerla más receptiva a lo que él se proponía.

Saúl estaba llevando a cabo una sutil forma de lavado de cerebro. Al socavar las creencias de Marisa y promover el caos, la estaba debilitando y haciendo dependiente de él. El llevó adelante una forma de seducción y cambio de actitud que perjudicó enormemente la autoestima de ella. Durante dieciocho meses introdujo en la vida de ella la suficiente turbulencia y la apartó tanto de la realidad, que ella no pudo destejer la maraña. Eso hizo que fuese más fácil para Saúl alcanzar sus objetivos.

Lo que más sorprende no es que Saúl fuese un mentiroso y un estafador. Lo asombroso es que Marisa, aun arrastrada al turbulento mundo de él, seguía registrando todos los hechos con el detalle de una cámara fotográfica dotada de película infrarroja. Es posible que ella estuviese conduciendo en medio de la "cámara negra", pero su intuición seguía registrando todo. Sin embargo, ella no logró apartarse. Ella explica cómo Saúl fue adquiriendo poder sobre su vida: *"Yo pasaba dos o tres días con él y me preguntaba: '¿Por qué estoy en esto?'. Le daba poder sobre mi vida. Mis amigos no podían creerlo. Cada vez él me llevaba más abajo. Ibamos a cenar a bares baratos. Me decía que tenía un servicio de limpieza para su casa, pero luego me pedía que limpiara. Ibamos a su tienda después de horas de estar comprando pintura y hasta me hacía llevar la pintura. Trataba de tener relaciones, pero era impotente. El decía entonces: 'Ella (su ex espo-*

sa) me hizo esto'. Se iba de la ciudad y me decía: 'Quiero que vengas ahora mismo. Es el único momento que tengo para verte'. Mentía en todo, pero yo en ningún momento dije: 'Ya basta'."

Al comienzo, él le dijo lo que ella quería escuchar y ella creyó en sus promesas. Luego, él la estafó. Además de perder sus ahorros, Marisa sufrió la vergüenza y la humillación de que la viesen tan desesperada como para unirse a una escoria como esa.

Marisa nunca lo enfrentó directamente. Lo hizo a través de su abogado.

Cuando pregunté a Marisa cuál era el propósito de ella en esta relación, ella respondió: "La esperanza". Sin embargo, cuando le pregunté qué cosa haría de un modo diferente a como lo hizo, su extensa respuesta me reveló que había estado pensando en eso durante mucho tiempo. En primer término, ella sugiere buscar las pistas para *detectar al mentiroso*. He aquí condensado el consejo de Marisa, que puede aplicarse tanto a los mentirosos ordinarios como a los extraordinarios.

Los consejos de Marisa para detectar a un mentiroso extraordinario

Estas cosas deben hacer sonar una alarma:

1. Las pequeñas mentiras inocentes
   Si él miente respecto de su edad o de su peso, eso puede ser parte de un patrón mayor.

2. Demasiada jactancia
   Sospecharía de cualquiera que alardea demasiado respecto de sus posesiones materiales.

3. El tipo solitario
   El hecho de que no conozcamos a su familia, sus amigos o sus hijos también puede ser una clave.

4. Promesas rotas
   Vamos a hacer esto y aquello, pero cuando llega el momento el tipo sólo puede comprar una banana verde.

Cuando todas son palabras y no hay acciones, también es una señal.

5. Sólo compra en efectivo
Cuídese de un hombre que sólo paga en efectivo.

6. Incongruencias y cosas extrañas
Se internó en un hospital para hacerse una angioplastia y no quiso que lo visitara.
Dijo que tenía un servicio de limpieza y luego me pidió que limpiase.

En segundo lugar, Marisa se comportaría de un modo diferente luego de su experiencia con Saúl, el artista de la estafa:

Lo que Marisa haría de un modo diferente

1. Verificar y detectar, activamente
Utilizaría todos los métodos que tengo disponibles:
Obtener una verificación del crédito.
Contratar un detective.

2. Buscar una segunda opinión
Hablaría con mis amigos acerca de cómo lo ven.

3. Lo pondría en contexto
Le pediría conocer a sus amigos, su familia, sus relaciones de negocios.

Al final de la entrevista, pregunté a Marisa: "¿Qué pregunta omití formular?". Su respuesta fue una pregunta que he escuchado más de una vez:

"¿Dónde están los hombres sinceros?
Sólo me gustaría saber dónde están."

¿Quién es suficientemente tonta como para confiar en un mentiroso?

¿Cómo es que una brillante y segura profesional pudo confiar en un hombre mentiroso y deshonesto como este? Nosotras nunca haríamos algo así, ¿verdad? ¿O acaso lo haríamos?

En efecto, cuando la mayor parte de las personas escuchan historias como la de Connie y la de Marisa, tienden a culpar a la víctima en lugar de culpar al mentiroso. Les resulta útil separar la clase de personas que confiarían en mentirosos y ladrones de las personas como ellos, que no lo harían. Ellos son sensatos y firmes. Eso les permite seguir creyendo que las cosas malas les ocurren a otras personas, estúpidas e ingenuas, no a personas como ellos, que nunca caerían en la trampa de un ladrón extraordinario o de uno ordinario.

Sin embargo, lo hacen. ¿Por qué les sucedería algo así? Veámoslo de esta manera. Arroje una rana en agua hirviendo y se saldrá del recipiente. Es una rana inteligente. Pero vea, en cambio, lo que sucede si coloca a la misma rana en agua fría y va calentando el agua gradualmente. La rana se queda y finalmente se cocina. Eso es lo que sucede cuando una persona sin sospecharlo cae en las garras de un gran mentiroso.

El gran mentiroso coloca a su presa en el agua usando todas las convenciones normales: cincuenta por ciento de halagos, que son verdades técnicas, y cincuenta por ciento de expectativas a satisfacer. Nadie pestañea. Es lo habitual. Luego están las máscaras que usan los grandes mentirosos. Hacen un buen trabajo tapando sentimientos, antecedentes, intenciones y problemas que bajo la máscara del gran mentiroso parecen idénticos a los que tapan las máscaras de cualquiera. No dan motivos para alarmarse. Permanece en el agua, nos dicen, sólo está un poquito más caliente. ¿Evasiones? Seguro que hay unas pocas evasiones. Las esperábamos. Miente respecto del dinero. Y bien... ¡tanta gente lo hace! ¿Se ha dado cuenta cómo está subiendo la temperatura? Usted piensa que él se está viendo con otra mujer, pero cuando se lo pregunta, él le dice: "No, eres paranoica". Va fabricando espléndidos encubrimientos. Lo niega, se enoja, la acusa, la distrae, juega juegos mentales. ¿Usted se está confundiendo? ¿Será tal vez porque el agua está muy caliente?

Ya se habrá dado cuenta. Puede sucederle a cualquiera, *con cualquier mentiroso,* pero en el caso del mentiroso extraordinario usted corre muchos más riesgos de acabar cocinada.

Por eso es importante que usted incluya un poco de comprensión respecto de lo que es un mentiroso extraordinario y lo que son sus mentiras, dentro de su equipo de defensa.

De boca del mentiroso extraordinario

Hemos escuchado relatos de boca de dos víctimas de mentirosos extraordinarios. ¿Pero qué sucede con los que dicen las mentiras extraordinarias? A partir de más de trescientas horas de entrevistas he llegado a hacerme una idea acerca de las mentiras de ellos. Tres personas se autoidentificaron como extremadamente mentirosas y otras dos como mentirosos patológicos en recuperación (Jake y Jessica) que estaban dispuestos a compartir sus puntos de vista. También tuvimos noticias de Randy, un gerente de treinta y dos años, y de Will, un empresario de veinticinco. Sus comentarios servirán para abrirnos los ojos.

Carisma

¿Quién no ha sido engañado por un mentiroso carismático? Amistosos y cálidos, ellos saben cómo granjearse una simpatía inmediata, que hace que los demás bajen las defensas. Las investigaciones muestran que las mentiras de los extrovertidos son más inmediatamente creíbles que las mentiras de los introvertidos. El mentiroso extrovertido, que arroja sonrisas confiadas y siente poca ansiedad respecto de la mentira, es un experto en engaños. Este mentiroso probablemente ha estado mintiendo y saliéndose con la suya desde los cinco años. A esa edad es cuando los niños se dan cuenta de que su padre y su madre no pueden leer sus mentes para saber lo que han hecho cuando estaban fuera de su vista. El temprano éxito con las mentiras alimentó su confianza, como así también una sensación de superioridad y poder. Esa confianza reduce la ansiedad de que puedan atraparlos y los libera para intentarlo una y otra vez. La práctica los va perfeccionando y así van adquiriendo una mayor habilidad para decir mentiras. Usted se topa con ellos cuando tienen veinticinco, treinta y cinco o cuarenta y cinco años, y a esa edad ya están muy prácticos en el juego de la mentira. He aquí lo que Jake, un productor cinematográfico y Don Juan en recuperación tenía para decir respecto de su carisma con las mujeres: *"Muchas mujeres me dijeron que tengo un cierto carisma, una atracción para la mayoría de ellas. Cuando me pongo nervioso, tengo la habilidad de actuar como si estuviese muy tranquilo. Ellas toman eso como seguridad, la sienten y responden a ella".*

Si leen atentamente lo que Jake dice, verán que también esa seguridad carismática es falsa. Es otra mentira. Jake está nervioso interiormente pero no lo demuestra, ya que ha aprendido a parecer tranquilo. Usa la máscara de la inalterabilidad. Lo que las atrae no es su verdadera identidad. Aunque él ve todo eso simplemente como un perfeccionamiento más de su maquillaje y no como el resultado de su carrera de mentiroso, con este abordaje, todos pierden. Como muchos mentirosos, él no siente que se ha ganado el derecho a que lo amen por lo que es o de decirle a las personas lo que verdaderamente siente sin que lo rechacen. Para ganar aprobación y afecto, miente y promete más y más. A largo plazo, está destinado a la decepción.

El secreto y la liberación del control

Los secretos son una manera de establecer límites en torno a nuestro espacio privado. Comienzan durante la infancia como una manera de eludir el control de un padre poderoso, independizarse y aumentar el sentido del yo. Los mentirosos extraordinarios quedan atrapados en la seguridad y la independencia que los secretos les confieren. Aman la libertad de hacer lo que quieren sin que nadie lo sepa. Muchos de los hombres que mienten tienen secretos para con las mujeres que están a su lado, como si esas mujeres fuesen las herederas de sus padres dominantes y controladores. Randy, un agente de ventas de productos médicos, de treinta y cinco años, casado, podría escribir un libro al respecto: *"No me parece necesario dar información. Todo comienza con la madre o con la primera novia. Ella quiere saber dónde está uno, para poder seguirlo. Así puede controlar nuestro tiempo. Una cosa que aprenden los casados felices es a retacear la información a sus esposas. No me gusta contarlo todo. A nadie le concedo la historia completa. No es asunto de nadie. Me parece que la* mayor parte de las mujeres no deben saber, a menos que sea absolutamente necesario. Es la manera de que no presionen".

Indudablemente, los mentirosos ordinarios y los extraordinarios están de acuerdo en que contarlo todo los perjudica. Ambos sienten que las mujeres ejercen un control que les quita libertad y a veces hasta masculinidad. Randy nos ofrece su fórmula a prueba de balas para la libertad: *"Yo le oculto a mi esposa que la engaño, que bebo y que me tomo tiempo libre. Esos son comportamientos indecorosos para una persona que ocupa un lugar como el mío en la comunidad. Uno tiene que ser totalmente inhallable, que no haya manera razonable de detectarlo. Así se tiene completa libertad. Uno puede disimular cualquier cosa. A las nueve me voy a pescar o al bar. Le digo a mi jefe que tengo una cita con un cliente. Le miento a mi esposa y a mi jefe, pero no le mentiría a un cliente. Eso puede perjudicar realmente a alguien. No robaría, pero en cambio engañaría a mi esposa".*

Randy sostiene que él le mentiría a su esposa y a su jefe, pero no a un cliente. ¿Por qué? Porque tanto su esposa como su jefe representan poderosas autoridades, que tienen la capacidad de entrometerse y controlarlo. Sus mentiras le permiten dar una bofetada a la autoridad femenina de su esposa y a la autoridad masculina y social de su jefe. El cliente, en cambio, es el camino de la liberación de Randy. Sin embargo, él también puede estar mintiendo respecto de no mentirle a los clientes. Tratándose de un mentiroso extraordinario, es difícil saberlo.

Jake, el mentiroso patológico en recuperación ha encontrado su propio atajo, menos elaborado, hacia el secreto y la libertad: la verdad a medias. *"Una de las razones por las cuales yo era tan buen mentiroso es que no mentía. Tan sólo omitía decir toda la verdad."*

La belleza del abordaje de Jake reside en que sus verdades a medias y ocultamientos no sólo son efectivos sino que, además, le dan la doble satisfacción de cumplir con la verdad y al mismo tiempo violar su espíritu. Solamente Jake conoce y retiene los derechos de la verdad oculta.

Un yo ficticio mejorado

¿Quién necesita un Pigmalión? Si no le gusta su familia, su pasado o su nivel social, puede inventarse unos nuevos. ¡Haga realidad sus deseos fingiendo que es otra persona! Tanto los mentirosos extraordinarios como los ordinarios exageran y hacen agradables las cosas. La pregunta es: ¿Cuánto es demasiado? Algunos mentirosos se construyen una identidad completamente nueva. Sin embargo, no importa cuán mentirosos sean, en alguna parte de su interior saben que ellos aún están allí. Observemos las semejanzas entre dos mentirosos extraordinarios.

Will

"Mis mentiras son parte del 'envase'. Yo fui a la escuela secundaria en Lake Forest, Illinois, un lugar donde hay muchas mansiones. Viví cerca de todo eso, pero no pertenecía allí. Sin embargo, me asimilé a la cultura del dinero de North Shore... Prestaba mucha atención a la porcelana y la platería y asumía una actitud de entendido. La gente tenía la impresión de que yo había vivido mucho mejor de lo que había vivido en realidad. Era una pose que tenía que ver con el estatus, con dónde quería estar y el origen que deseaba tener."

Randy

"Miento porque desde niño quise parecer interesante a las otras personas. ¿Y si decía la verdad? Ya no iba a interesarles... Ahora mi vida es tan interesante que ya no tengo que mentir... Me creé a mí mismo como una ficción. Digo mentiras para mostrar que soy más que todos: más inteligente, más mundano, más rico, más experimentado, más drogadicto... ¡Diablos! Tengo treinta y cinco años. El año pasado gané 130.000 dólares. Compré una casa en la playa. Tuve una aventura. Soy una persona terriblemente interesante."

¿Y qué hay de las mujeres extraordinariamente mentirosas? Jessica suele darse distintas identidades. Como muchos mentirosos patológicos y algunos ordinarios, Jessica es particularmente convincente porque acaba creyéndose sus propias historias. Como saben los terapeutas, los mentirosos extraordinarios suelen compartir tres características: (1) repiten su historia tantas veces que acaban por creerla, (2) están muy comprometidos en negar y defenderse contra cualquier realidad inaceptable y (3) están desesperados por la retribución psicológica que sus esquemas les traen. Como resultado de estos factores *¡Creen sus propias mentiras!* Jessica, por ejemplo, llega mucho más lejos que Randy o Will.

357

Miente respecto de su educación, su título universitario, sus finanzas y hasta sobre una gran herencia que sostiene va a recibir. Todo eso parece real en algún momento: *"Digo que fui a una escuela privada, que me gradué en la universidad y que todo está en orden. También digo que tengo más éxito económico del que tengo en realidad. Eso es lo que los hombres desean escuchar. Temen a la dependencia. No les digo que tengo muchas deudas".*

Todo esto no es más que un preludio para la pura ficción con la que luego borra años enteros de su vida, que incluye la invención de un malvada melliza a la cual responsabiliza de todas sus acciones vergonzosas: *"Participé en cuatro películas pornográficas y en servicios de sexo telefónico. También me casé. Fue a los dieciocho y duró ocho años. En realidad, vivimos en pareja sólo dos años. Es más fácil decir que nunca estuve casada. Inventé la historia de una hermana gemela. Ella hizo todas esas cosas y yo quedé liberada de ellas".*

Jessica hasta mintió a su esposo diciéndole que tenía leucemia. Le dijo que había remitido, pero que luego había recaído. Inventó un elaborado esquema respecto del hospital y el tratamiento. Cuando le pregunté por qué lo había hecho, me dijo simplemente: *"El me cuidó. Yo quería que me cuidaran y tener una razón legítima para que lo hicieran. Creo que él, en realidad, sospechaba que era una mentira, pero no quería saberlo. Me gustaría decirle que lo siento".*

Para algunos mentirosos la mentira es un instrumento para conseguir lo que necesitan. Pueden necesitar amor, admiración y dependencia como Jessica, o poder, superioridad y control, como Randy. Generalmente, estos mentirosos sienten que tienen pocos méritos como para que los amen y los acepten como son, o para que satisfagan sus necesidades. Constantemente buscan la aprobación de una audiencia amplia, pero su propia crítica interna suele ser mucho más devastadora que la que pueden ejercer las víctimas de sus mentiras.

Un modo de vida mentiroso

Para los mentirosos extraordinarios, la mentira es una vieja amiga. Recurrir a ella es como ponerse unos cómodos zapatos viejos. Para ellos, decir una mentira familiar es como encender la luz luego de una pesadilla. La mentira les sirve para mejorar el carácter de cualquier situación. La mentira es lo normal. Entonces, cuando no suceden muchas cosas, se sienten tentados a poner en acción un nuevo conjunto de mentiras. Según un hombre entrevistado "la mentira es una forma de comunicación". Randy comprendió esto tempranamente: *"Yo miento para mantener una conversación. En la escuela secundaria, un amigo y yo comenzamos con un juego que consistía en mentirle a otras personas usándonos mutuamente como referentes. Se trataba de mentiras muy minuciosas. Era divertido. Las mentiras sostienen una conversación. Es un hábito. Comencé muy joven y por eso soy más hábil. Todavía miento mucho".*

Ese sentimiento de superioridad y de control que dan las mentiras se torna adictivo. Sin embargo, cuando un adicto a la mentira se aparta de ella, adquiere una perspectiva completamente distinta. Jake, por ejemplo, está tratando de cambiar, pero no le resulta fácil: *"Me he encontrado sosteniendo conversaciones con extraños y mintiéndoles. ¿Cómo cambiar? ¿Qué pasos debo dar? ¿Cuáles son las señales de advertencia? ¿Hay algún truco, como en los programas de autoayuda?".*

Distinguir el bien y el mal

Un mentiroso ordinario parece distinguir perfectamente el bien del mal. Cuando vamos en cambio a casos extremos, como la experiencia de Connie con Lenny o de Marisa con Saúl, nos movemos hacia el mundo de los mentirosos antisociales y psicopáticos, cuyas necesidades egocéntricas pueden llegar a borrar las distinciones más convencionales entre el bien y el mal.

Aunque parecería que eso hace más fácil distinguirlos de un mentiroso ordinario, en realidad no es así. Pese a que los mentirosos extraordinarios suelen ser manipuladores impulsivos a quienes les gusta vivir en el riesgo y que por lo tanto deberían sobresalir entre una multitud, sus mentiras convincentes y su encanto superficial los camuflan de inmediato.

Aún peor, aunque sólo unos pocos mentirosos extraordinarios son psicópatas peligrosos, la mayor parte de los criminales psicópatas, aun asesinos en serie como Ted Bundy, son hábiles mentirosos que se caracterizan por su falta de sensibilidad, de remordimiento o de culpa. Sobre este tema, Paul Eckman en su libro *Decir mentiras*, de 1992, una obra clave que trata sobre el reconocimiento de las pistas de las mentiras, cita a Ann Rule, autora de cinco libros sobre asesinos en serie, quien trabajó con Ted Bundy y en ningún momento se dio cuenta de que él era un asesino en serie. La cita diciendo: "La personalidad antisocial siempre parece sincera. La fachada es perfecta. Pensé que sabía cómo detectarlas, pero mientras trabajaba con Ted no apareció ninguna señal de alerta". Aunque no sabemos si eso es cierto, sabemos que logró engañarla. La capacidad de engañar a los expertos es una advertencia para los que piensan que es sencillo detectar a un psicópata.

¿Qué tiene que ver esto con la percepción del bien y el mal para el mentiroso extraordinario? Sucede que probablemente él no vea el bien y el mal de la misma manera que usted. Analice el comentario de Jake, el mentiroso en recuperación, respecto de la ética de su mentira: *No está mal, a no ser que me atrapen. Me atraparon, pero pude mentir y liberarme. En mi primer matrimonio me atraparon con lo que hoy es mi segunda esposa... No estoy seguro de haberme dado demasiadas explicaciones para mis mentiras. Mi lógica era: 'Entonces, se me escapó...'*.

El sabe que opera fuera de las normas convencionales respecto del bien y el mal. Sólo está mal si lo descubren. Lo malo aquí no es lo malo moralmente, sino que lo malo es haber cometido un error que lo puso en evidencia. Pero aún así, Jake se considera suficientemente hábil como para escapar del anzuelo y nadar hacia la libertad. Hasta se presenta lo suficientemente inteligente como para usar su infracción moral para adquirir una nueva vida. Veamos cómo despersonaliza su objeto de amor extramatrimonial cuando dice "lo que hoy es mi segunda esposa". Desgraciada aunque previsiblemente, "lo que hoy es su segunda esposa" corrió la misma suerte. También la engañó. Su excesivo carácter de mujeriego y las mentiras de encubrimiento lo definen mucho más que cualquier relación en particular. No es sorprendente que defina sus mentiras como "deslices". Lo único que falta es verlo encogerse de hombros.

También podemos analizar el abordaje de Will respecto de la ética de la mentira: *No pensé en eso hasta que me descubrieron. Entonces me justifiqué. Es cuestión de conservación. Miento para preservar mis mejores intereses. No pienso en eso... Sigo la doctrina de que la sinceridad es la mejor política..., pero cometo deslices.*

En teoría al menos, Will distingue el bien del mal. Hasta dice seguir una doctrina de sinceridad. Sin embargo, cuando su comportamiento se desvía de ese código, a él le basta con hacerlo a un lado y dejar de pensar en eso. Cuando lo descubren y se ve forzado a enfrentar que miente, se justifica de dos maneras. En primer lugar, la define como crucial para sus intereses, del mismo modo como un gobierno justifica un bombardeo diciendo que es en aras del interés nacional. Luego, se garantiza a sí mismo una disculpa, diciendo que nadie es perfecto y que todos cometemos errores. Tanto Jake como Will, en distintos lugares del mismo país, utilizan la idea del "desliz" como una excusa para explicar sus frecuentes mentiras intencionales.

Los sentimientos eran sinceros
(No te fijes en ninguna otra cosa)

Sus historias eran falsas pero sus sentimientos eran verdaderos. Los mentirosos extraordinarios pueden fabricar historias que concuerden con sus sentimientos. En su momento, cada historia les parece real porque concuerda con las emociones a las que están prestando atención. Esto hace que lo que dicen resulte convincente, porque se percibe que lo dicen de corazón. Desgraciadamente, sigue siendo una mentira. Los psicólogos las llaman *mentiras afectivas*. He aquí cómo dos verdaderos mentirosos explican lo que hacen, de la siguiente manera: *"Soy sincero respecto de mis sentimientos. Miento para halagar y para evitar conflictos"*.

"Supongo que alguien puede decir que inventé todo eso y causé mucho dolor. Yo nunca planeé dejar a Judy e irme a vivir con Beth. Simplemente mis sentimientos eran reales: estaba enojado con Judy y quería a Beth."

Véalo de esta manera, si puede: Sus mentiras guían sus sentimientos, no los hechos o la realidad. Las mentiras afectivas pueden ser acorde con los sentimientos de quien las dice, pero claramente dejan de lado los de la víctima.

Una falla en la empatía

Los mentirosos extraordinarios tienen una empatía enormemente baja. Esta también es una característica de los mentirosos habituales. En realidad, muchas de las fallas en las relaciones personales y en el mundo en general tienen que ver con esta falta de empatía. Es decir que, aun cuando estas personas carentes de la suficiente empatía no mintieran, seguramente serían malos amigos, amantes desconsiderados o compañeros egoístas. Con ellos, cualquier relación tiene un mal pronóstico. Hasta Will, en un momento de reflexión, se da cuenta de que sus maniobras y mentiras para con las mujeres tienen que ver con que él está centrado en transacciones a corto plazo. En primer lugar, él describe cómo niega las acusaciones que, respecto de otra mujer, le hace la actual mujer de un amigo. Como todos los grandes mentirosos, se siente muy orgulloso de su capacidad para negar. Sabe que puede confiar en las mentiras que va sacando de su bolsillo, en el momento en que lo descubren en falta. Cuando describe su victoria sobre Marcy adopta un lenguaje propio de una maniobra militar: *"Tengo buen sentido del humor, así es que puedo salirme de los atolladeros. Cuando llega el momento de un enfrentamiento, adopto una estrategia de negar y cambiar de tema. Yo solía planearlo así. Es un modo un tanto salvaje de hacer las cosas. Me baso en la fuerza de mis palabras. De esa manera, me salgo de los escollos. Uno espera actuar con la fuerza suficiente como para ganarles y acabar con las acusaciones. Es lo contrario de confesar y arreglar las cosas. Uno comienza a negar aun antes de que le empiecen a preguntar. Las abordo directamente: 'Escucha, anoche yo estaba solo'. Yo mismo les abro el camino. Me encantan los enfrentamientos".*

Cuando le pregunté cómo se explicaba a sí mismo sus mentiras, se tornó pensativo: *"En el pasado casi no sentía remordimientos y eso me chocaba. Luego, me dije a mí mismo... si con eso les alcanza, entonces es suficiente. Por lo menos debo ser comprensivo".*

El modo como Will ve su falta de empatía es muy efectivo. Si alguna vez deja de estar satisfecho con él mismo y con las relaciones que establece, entonces recién podrá cambiarlo. Pero es probable que eso demore mucho tiempo. Nadie debe contar con eso en una relación con este mentiroso extraordinario, aunque se trate de uno que tenga conciencia de su comportamiento.

No se puede contar con que los mentirosos que la rodean reconozcan o cambien su falta de empatía. Tampoco se puede esperar modificarlos con amor y comprensión. Eso tomaría un gran compromiso por parte de los dos y, además, muchos años. Si usted está afectivamente ligada a un mentiroso, seguramente no es esto lo que desearía escuchar, pero lo mejor que puede hacer es no ponerse a merced del mentiroso. Su mejor posibilidad es identificar al mentiroso antes de comprometerse y apartarse de su lado tranquila e ilesa. De esa manera, se protegerá contra el dolor y el daño que seguramente él provocará en su vida antes de ir tras otra presa.

Distinguir al mentiroso extraordinario

¿Cómo distinguir a un mentiroso extraordinario? En primer término, usted debe recordar lo obvio: están allí, pero usted no los distinguirá en la multitud. Eso es parte del juego que ellos juegan y que les permite adentrarse en su vida. En segundo lugar, debe saber cuáles son las características en las que debe fijarse.

Las preguntas que figuran abajo la ayudarán a recordar cómo debe distinguir al mentiroso extraordinario. Pruebe hacerse estas preguntas teniendo en cuenta a algún mentiroso que conozca. Usted podrá juzgar si son adecuadas. Luego, aplique las mismas preguntas a alguien que usted esté segura que miente muy poco. Verá la diferencia. Si está satisfecha, aplique el mismo cuestionario a alguien de cuya sinceridad duda.

Dos precauciones. En primer lugar, es posible que aun los mentirosos comunes obtengan muchas respuestas positivas. Eso es exactamente lo que debe suceder. La diferencia es que el mentiroso extraordinario obtendrá un apabullante número de respuestas positivas. En el caso de los mentirosos extraordinarios, cada pregunta es como una trampa para ratones, y cazará con ella mucho ratones.

En segundo término, si sospecha que usted está frente a un psicópata o a un mentiroso verdaderamente peligroso, vaya con este cuestionario a alguien que lo conozca bien a él y que sea sincero al evaluarlo. Como aprendimos de Connie y de Marisa, es difícil ser objetivas cuando deseamos una relación o cuando estamos emocionalmente comprometidas.

Cuestionario para detectar a un mentiroso extraordinario

SI	NO	PREGUNTAS
___	___	1. ¿Miente aun cuando no hay razones evidentes para mentir o cuando no va a sacar provecho alguno de esa mentira?
___	___	2. ¿Siempre está preparado para mentir, como si fuese un acto reflejo más que algo preparado?

—   —   3. ¿La valoración que tiene de sí mismo sube y baja según cómo lo perciben otras personas?

—   —   4. ¿Lo ha descubierto mintiendo coherentemente a través del tiempo?

—   —   5. ¿Miente tanto en los aspectos triviales de la vida como en los importantes?

—   —   6. ¿Lo descubrió mintiendo en dos o tres pequeñas cosas durante la primera o segunda cita?

—   —   7. ¿Llena sus expectativas con promesas que luego no cumple, una y otra vez?

—   —   8. ¿Ha estructurado su vida y sus horarios de modo tal que ni usted ni personas con autoridad puedan controlarlo?

—   —   9. ¿Siempre exagera y embellece las cosas, como si la realidad nunca fuese suficiente?

—   —   10. ¿Falsea hechos o acontecimientos, aun cuando usted haya estado presente y sepa que no sucedió de esa manera?

—   —   11. ¿Tiene siempre lista alguna respuesta que lo salva o lo disculpa?

—   —   12. ¿Inventa historias acerca de su pasado, su ocupación, sus finanzas y a veces acaba creyéndolas él mismo?

—   —   13. ¿Le importa mucho conservar su privacidad, mantener secretos y retacearle información, o le da esa información solamente cuando es imprescindible?

—   —   14. ¿Tiene una insaciable necesidad de aprobación y elogios?

—   —   15. ¿Se jacta mucho de sus posesiones materiales, exagerando el valor que tienen?

—   —   16. ¿Ofrece excusas fantásticas, hasta para pequeñas infracciones?

—   —   17. ¿Siente poco remordimiento o pena por las personas que fueron o son víctimas de sus engaños?

—   —   18. ¿Mantiene varias partes de su vida separadas una de otra, de modo tal que usted no tenga acceso a sus amigos, sus compañeros o su familia?

___ ___ 19. ¿Finge frecuentemente enfermedades o dolencias para que lo cuiden o lo comprendan?

___ ___ 20. ¿Miente sobre alguna cosa en particular, por ejemplo sobre el dinero, otras mujeres, el precio de su ropa, cómo emplea su tiempo o sus cuestiones de negocios?

___ ___ 21. ¿Tiene una historia de comportamiento antisocial que incluya dos o más de las siguientes cosas: copiarse en exámenes; engañar en impuestos o en solicitudes de empleo; violar la ética profesional; tener problemas con la ley; tener negocios turbios?

___ ___ 22. ¿Habitualmente se comporta respecto de las reglas como si estas se aplicasen a otros, pero no a él?

___ ___ 23. ¿Proviene de una familia en la cual la mentira, el engaño o la ruptura de reglas fue una norma aceptada?

___ ___ 24. ¿Tiene una historia de alcoholismo, drogadicción, adicción sexual o adicción al trabajo?

___ ___ 25. ¿Todo tiene que ser perfecto en su mundo?

Recuerde la historia de la rana. Arrojada a un recipiente de agua hirviendo, salta y se salva. Puesta en un recipiente de agua fría que se va calentando gradualmente, acaba cocinada. Esta lista fue diseñada para que usted no acabe como la rana.

Si usted se da cuenta de que la respuesta a su lista es sí en más de cuatro o cinco ítems, tenga cuidado. El agua parece tibia, pero puede estar calentándose rápidamente. Si entre seis y nueve ítems usted ha respondido sí, en cuanto se caliente un poco más será el momento de saltar del agua. Si tiene dudas, busque ayuda profesional. Si tiene entre diez y quince respuestas positivas, los problemas de este hombre la están invadiendo rápidamente. El agua se está tornando insoportablemente caliente y es posible que usted necesite ayuda para salir de allí. Si los positivos son más de quince y usted mantiene una relación con este hombre, llame a emergencias. Si se siente demasiado exhausta para tratar de salir por sus propios medios, busque la ayuda de sus amigos, familiares y profesionales. Usted lo merece.

La mejor estrategia es estar alerta y saber en qué debe

fijarse antes de que el agua comience a calentarse. De ese modo, usted podrá salir de la olla antes de quedar cocinada como la rana.

Defenderse

Si mentir es un modo de vida dentro y fuera de las relaciones, la defensa también debe ser así. La conciencia y la autodefensa reafirman su valor y protegen su bienestar. Para comenzar, usted querrá saber lo que hace falta para detectar la mentira y luego querrá saber lo que debe hacer una vez que la ha detectado. Por ejemplo ¿cuándo y cómo enfrentar a un mentiroso?

¿Qué otras cosas necesita saber? En primer término, debe conocer principios generales y tácticas para defenderse. Estos le permitirán hacer tres cosas:

- Adquirir la capacidad y el control que necesita para sentirse bien con usted misma y con la relación.
- Evitar que la desvíen del amor y la intimidad.
- Mantener la energía para todas las demás áreas de su vida.

Cuando llegue a alcanzar eso, necesitará técnicas de defensa y principios que le permitan protegerse contra los mentirosos extraordinarios y otras especies más comunes.

Vayamos pues de lleno a la autodefensa. En el próximo capítulo veremos cómo distinguir las mentiras comunes que los hombres dicen a las mujeres y a los mentirosos comunes que las dicen.

366

13

AUTODEFENSA

"He descubierto a algunos mentirosos... probablemente he tenido un diez por ciento de éxito."
—Comerciante, veintidós años, casada.

"Cuando las sospechas se confirman, una se siente bien. Resulta tensionante pensar que nos están engañando, pero no tener la certeza. Por eso... tenía dolores de pecho, me sentía amargada y aumenté de peso. Me sentía mal. Lo odiaba. Quería herirlo. Me perjudicaba todo el tiempo, y estaba cansada de eso. Creía que éramos una pareja."
—Gerente, treinta y nueve años, soltera.

"Cuando se trata de detectar mentiras, no soy la persona más astuta del mundo. El me dice: 'Me gustaría que nos viésemos para cenar' y cuando no llama, me sorprendo."
—Gerente de ventas, treinta y nueve años, soltera.

"Busco evidencias: cualquier cosa nueva que él tenga, como esas medias de mujer en la guantera, los tampones en el botiquín o la lencería en las gavetas."
—Dibujante comercial, treinta años, soltera.

"La mayor parte de las personas tratan de no mentir. Utilizan un lenguaje suficientemente impreciso que les permita de-

cir la verdad, como por ejemplo: 'Salgo con una amiga'. Técnicamente es cierto, pero no es una elección al azar. Podría haber dicho: 'salgo con otra mujer'."
—Comerciante, veintiocho años, soltero.

Hemos recorrido un largo camino y escuchado muchas mentiras —más de 101—. Hemos indagado detrás de los anzuelos, las máscaras y las evasiones propias de los mentirosos ordinarios y extraordinarios. De cualquier manera que lo veamos, sería difícil negar que hay muchas mentiras rondando, no sólo en las noticias de los periódicos sino también en el seno de nuestra intimidad.

En capítulos anteriores nos hemos referido a las tácticas y herramientas que usted puede utilizar para defenderse contra tipos específicos de mentiras y contra mentirosos extraordinarios. Ahora hemos llegado a lo que usted estaba esperando: un paquete de información, genérica y sintética, para ayudarla a reconocer y a defenderse contra las mentiras cotidianas y los mentirosos cotidianos.

El camino hacia el éxito en la detección de qué cosa es una mentira y qué cosa no lo es puede no ser sencillo, pero no se descorazone. El hecho de que sea un camino complicado, en el cual hay que prestar atención a cada paso, no lo torna menos válido. Por supuesto, algunas mentiras de los hombres serán evidentes. En ese caso, la cuestión principal es qué hacer con ellas, si hay que enfrentarlas, cómo. Otras mentiras traen aparejadas cuestiones más complejas, porque son mezclas de verdades a medias, verdades técnicas, y omisiones. Estas requerirán de un análisis más inteligente.

Más allá de las mentiras, está la cuestión del mentiroso en sí mismo. Algunos mentirosos podrían rivalizar con Lawrence Olivier en su capacidad de hacernos creer algo. En esos casos es necesario estar en guardia permanentemente para evitar ser engañadas por sus actuaciones estelares. En otros casos, en cambio, se trata de personajes tan burdos que estamos tentadas a sentir lástima por ellos. ¡No lo hagamos! Abandonados a sus propios esquemas, van a mejorar. Mentir, particularmente cuando se trata de mentir inteligentemente, puede ser un hábito adaptativo, aunque no sea uno con el que usted esté familiarizada. Las investigaciones muestran que cuantas más veces una persona falsea la realidad, más hábil se torna para omitir las pistas que evidencian la mentira y también más hábil para engañarla a usted. Además, no es casual que cuantas más veces dice una persona una determinada mentira, más probable es que comience a creerla. Una vez que él cree en su propio engaño, puede convencerla a usted muy fácilmente. Aun cuando usted pudiera leer su mente (pero no puede, y él lo sabe), él podría engañarla. De modo que usted puede convertirse, o bien en un detective del comportamiento que descubre mentiras, o bien en la víctima de los engaños. Aunque ninguna de las dos cosas es muy atractiva, es una elección que usted debe hacer y debe confirmar todos los días.

Tal vez, usted sea una de esas mujeres que no desean saber toda la verdad todo el tiempo. Sin embargo, ¿no sería bueno saber *lo suficiente de la verdad como para protegerse?*

Si usted viene equipada con un detector de mentiras, sabrá de inmediato si alguien la engaña o le dice la verdad. Pero nadie viene así equipado. Cuando se trata de detectar las mentiras y los mentirosos, todas estamos en desventaja. En los experimentos psicológicos, la habilidad de las personas para detectar mentiras es más o menos la misma que si decidieran arrojando una moneda. Cuando se trata de mentirosos profesionales, hasta los expertos tienen un porcentaje de éxito muy bajo. Es mucho más fácil lograr que alguien crea en una ostensible mentira que lograr que identifique correctamente si alguien está mintiendo. Es como si estuviésemos preparados para creer, no para dudar, respecto de las palabras, las informaciones y las promesas, aunque sean emitidas por un extraño. Por eso, detectar las mentiras, a los impostores y los engaños toca más a nuestras debilidades que a nuestros puntos fuertes. ¡La naturaleza humana le ha dado ventajas a los mentirosos! Aun más, los verdaderos detectores de mentiras, ese tipo de aparatos que utilizan las agencias de información como el FBI o la CIA para evaluar a sus propios empleados, tampoco son infalibles. Entre mis clientes hay algunos mentirosos que han engañado a los detectores de mentiras y a los expertos que analizan los datos obtenidos.

Sin embargo, la mayor parte de las personas no se sienten indefensas frente a las mentiras. Desarrollan sus métodos favoritos para discriminar lo verdadero de lo falso, las mentiras de las verdades. Usted probablemente también lo habrá hecho. Suponga que usted sospecha que su esposo, su nuevo amor o un miembro de su familia le están mintiendo. No está segura, pero hay algo que no le parece cierto. ¿Qué haría? ¿Qué pistas buscaría para decidir si es verdad o mentira? ¿Cómo lo constataría?

Mejorando su cociente intelectual
para la detección de mentiras

¿Cuán buena es usted en la detección de una mentira? Constatemos su cociente intelectual para la detección de mentiras. Imagine esta situación: un hombre le ha dicho una mentira acerca de algo importante, como su pasado, sus intenciones, su salud, su nivel de compromiso o su exclusividad. Hemos recorrido un largo camino, así es que tiene en qué basarse. ¿Qué pistas le dará él que le den la clave de que la está engañando? Lea cada una de las preguntas que aparecen abajo y escoja las respuestas que mejor se acomoden a sus estrategias para detectar la mentira.

Evaluación de su cociente intelectual
para la detección de mentiras

1. Si los ojos son el espejo del alma, ellos le darán la pista de que le está mintiendo si:

a) Vuelve el rostro y evita el contacto visual.
b) Mueve los ojos todo el tiempo.
c) Parpadea mucho.
d) La mira directamente a los ojos.
e) Sus pupilas están dilatadas.

2. Si usted escucha la voz de él, sin atender a las palabras que dice, advertirá que miente si:

a) Habla más rápido y con un volumen de voz más alto, como apresurándose para terminar.
b) Tartamudea o usa muletillas.
c) Acaba sus afirmaciones subiendo el tono, como si estuviese formulando una pregunta.
d) Su voz es más aguda de lo habitual o tiene un tono quejoso.
e) Hace largas pausas entre las palabras o antes de responder.

3. Su expresión facial es la clave para detectar una mentira si:

a) Sonríe demasiado.
b) Su sonrisa está un poco torcida.
c) Tiene una cara de póker que no dice nada.
d) Sonríe demasiado largamente.
e) Sonríe con la boca, pero no con los ojos.

4. Si lo mira con cuidado, su lenguaje corporal le dirá que miente si:

a) Se mueve demasiado, cambia de posición o actúa nerviosamente.
b) Hace muy pocos gestos para ilustrar lo que quiere decir.
c) Se encoge de hombros y suspira demasiado.
d) Hace gestos y movimientos de la mano peculiares.
e) Juega con su reloj o arruga papeles.
f) Cruza sus brazos o sus piernas.
g) Se refriega las manos, se rasca, se toca el cuerpo.
h) Gesticula por todos lados.

5. Su actitud es la clave de la detección si:

a) Se enoja o discute cuando se le hacen preguntas.
b) Se lo ve dócil o culpable.
c) Sobreactúa, está demasiado animado o afirma demasiado las cosas.
d) Responde a las preguntas con demasiada precaución o pensándolas demasiado.

6. Las cosas que él no puede controlar son las que le dan las mejores pistas, entonces se dará cuenta que miente, si:

a) Sus pupilas se dilatan.
b) Cambia el ritmo respiratorio.
c) Traga saliva constantemente.
d) Transpira y sus manos están húmedas.
e) Se sonroja o tiene el rostro y el cuello colorados.

¿Cómo le fue? Tomemos cada ítem y comparemos sus claves favoritas, con lo que dicen las investigaciones respecto de la detección de mentiras. En la literatura popular se ha hablado mucho acerca de lo que revelan los códigos no verbales, y el lenguaje corporal. ¿Qué ocurre con los movimientos de los ojos, el comportamiento inquieto, los gestos de las manos, la calidad de la voz? ¿Son indicadores verdaderamente válidos que usted puede usar para captar la mentira y poner al mentiroso al descubierto? ¿O serán acaso parte de los falsos mitos que usamos para sentirnos seguros y negar lo indefensos que nos encontramos cuando queremos detectar las mentiras antes de enfrentarnos con sus serias consecuencias?

Item 1. Sus ojos lo delatarán

Todo está en los ojos. Son el método favorito de detección de mentiras. Casi el treinta por ciento de las mujeres entrevistadas mencionó alguna pista relacionada con los ojos del hombre como la clave favorita para detectar mentiras, y el veintidós por ciento consideró que la evitación del contacto visual era una clave infalible.

Lamentablemente están equivocadas. Y usted también lo estará, si confía en la falta de contacto visual como pista para detectar mentiras. Algunos mentirosos la mirarán a los ojos y le dirán "Te amo", cuando ya saben que a la mañana siguiente usted ya habrá pasado a la historia. Algunas personas muy sinceras son tan tímidas que no pueden pronunciar palabra mientras la miran a los ojos. No confíe entonces en la mirada desviada como prueba de que él le está mintiendo.

Nada menos que Paul Ekman, un psicólogo experto en las claves del engaño, explica que la mayor parte de las personas consideran que "los ojos son el espejo del alma" y confían en su habilidad para leer en ellos. Sin embargo, él afirma que si bien alguien puede bajar o desviar la mirada por vergüenza o culpa, la mayor parte de los mentirosos no evitan el contacto visual. ¿Por qué no? Porque son demasiado astutos. Saben que eso es lo que todo el mundo espera y que el contacto visual es algo, que a diferencia del sonrojarse, se puede controlar a voluntad. Cuando en experimentos psicológicos se interroga a los mentirosos acerca de sus engaños, ¡ellos aumentan el contacto visual! Sólo los mentirosos más ingenuos desvían la mirada. Los expertos en engaños consideran que toda mujer debería saber lo siguiente:

Los mentirosos controlan estrictamente todos aquellos comportamientos no verbales que creen que la gente identifica con el engaño.

El contacto visual encabeza la lista. Otórguese puntos, por lo tanto, si usted respondió que un mentiroso la mira a los ojos (respuesta *d*). Sin embargo, debe ser consciente de que esta no es una prueba absoluta para detectar mentirosos, ya que una persona sincera también puede mirarla a los ojos. Ayúdese con esto, pero no confíe plenamente.

¿Puede usted basarse en los ojos para obtener algunas pistas que le permitan detectar al mentiroso? Afortunadamente existen dos pistas confiables. Los mentirosos parpadean más que quienes no mienten (respuesta *c*). Y, si lo mira bien de cerca, verá que las pupilas del mentiroso se dilatan (respuesta *e*).

Item 2. Su voz lo dice todo

Bueno, dice algunas cosas. Sólo el once por ciento de las mujeres entrevistadas se valió de lo que revelaba la voz para detectar mentiras. Eso significa que el ochenta y nueve por ciento dejaron de lado uno de los indicadores más confiables de la mentira. Según Ekman, en el setenta por ciento de las personas estudiadas, el tono se torna más agudo cuando están alteradas. Por eso, si la mentira de un hombre implica emociones fuertes o si teme que lo descubran, su tono puede hacerse más agudo. Como el tono es difícil de controlar hasta para un mentiroso experto, una vez que usted conoce esta clave tiene grandes posibilidades de detectarla.

El también puede hablar más fuerte y más rápido cuando está tensionado o atemorizado, así que si usted ha marcado las respuestas *d* y *a*, ha descubierto dos pistas razonables de mentiras. Salvo, por supuesto, que la tensión de él esté relacionada con alguna otra cosa.

Supongamos que el tono sólo se eleva al final de las oraciones (respuesta *c*) . La elevación del tono al final de una afirmación suele indicar inseguridad o desamparo frente a una situación. Puede o no ser señal de una mentira.

Ninguno de estos indicios es sencillo, dado que las modificaciones de la velocidad y el tono del habla pueden estar revelando otras emociones distintas de la mentira. Por ejemplo, si él se siente malhumorado por sus mentiras o por las circunstancias que la rodean, es posible que su tono de voz baje y que hable más despacio. Por eso, si bien el tono alto o bajo es un signo revelador, sólo está distinguiendo una emoción. No es suficiente para distinguir verdad de mentira. Más confusas aún se tornan las cosas si él le está diciendo la verdad, pero teme que usted lo acuse equivocadamente. Es posible que entonces hable rápido, fuerte y con un tono tan alto como si fuese un mentiroso. Todo lo que estas cosas le demuestran es que tiene miedo. La voz de él, al igual que la suya, revela tensiones. Algunas mujeres escuchan a un hombre tensionado e inseguro y creen que miente. Identifican correctamente la tensión y el miedo, pero estos no son necesariamente signos de mentira.

¿Y en cuanto al tartamudeo y al uso de muletillas? ¡Bingo! Si ha marcado la respuesta *b*, ha señalado la pista correcta. Si él teme que lo descubran y se siente ansioso, es posible que se trabe con las palabras y que repita. Estas son pistas válidas para detectar una mentira. Sin embargo, antes de alegrarse demasiado, debe saber que algunos estudios señalan lo contrario. Han descubierto que hasta los mentirosos ocasionales suelen controlar lo que dicen y cómo lo dicen. Usan la estrategia de "Menos es más" y por eso hablan menos y usan menos gestos. Eso evita que los detecten. Quienes ejercen esta clase de control también tienen menos errores del habla y menos pausas, porque saben exactamente lo que usted está buscando.

Item 3. Sus expresiones lo descubren

Es posible, pero lo hacen a través de manifestaciones tan sutiles que usted no puede captarlas con la simple observación. Sus verdaderas emociones son destellos, que desaparecen en menos de un cuarto de segundo sobre el rostro de él. Usted necesitaría detener las imágenes de un vídeo para descubrirlas. De todos modos, es posible que usted pueda captar intuitivamente que algo está mal. Por eso, preste atención.

Su sonrisa, en cambio, es observable y puede revelarle algo si usted lo conoce lo suficiente como para tener claro cuál es su sonrisa característica. Ekman, en un extenso estudio acerca de la sonrisa, descubrió que la asimetría en la expresión facial es una pista confiable para descubrir el engaño. Cuando la expresión de un lado del rostro no coincide con la del otro lado, estamos frente a una clave de que las emociones que está mostrando esa persona no son sinceras. En las personas diestras, la expresión frecuentemente aparece más marcada del lado izquierdo del rostro. La sonrisa torcida revela una brecha entre lo que se muestra y lo que se siente. Sin embargo, un destello de falta de sinceridad en el rostro, no significa necesariamente que él esté mintiendo con sus palabras. Se trata tan sólo de una pista útil. Entre las mujeres entrevistadas, sólo una identificó la sonrisa torcida como un signo para detectar mentiras. Resulta interesante saber que esta mujer fue una de las pocas entrevistadas que admitió ser una hábil mentirosa. Si usted marcó entonces la respuesta *b*, está en el nivel de los expertos.

Para el mentiroso, la sonrisa es una estrategia muy efectiva. Inmediatamente ablanda a las personas. Además, como él sabe, para la mayor parte de la gente es difícil distinguir una sonrisa sincera de una falsa. Aunque solemos pensar en la sonrisa como un signo de felicidad, los investigadores han identificado dieciocho clases distintas de sonrisas *no engañosas,* que demuestran desde felicidad hasta resignación, desde miedo hasta desdicha.

¿Cómo distinguir entonces entre una verdadera sonrisa y una falsa? En primer término, fíjese en las sonrisas asimétricas. En segundo lugar, pueden ser también pistas de engaño el sonreír de una manera extraña o *demasiado largamente* (respuestas *a* o *d*). Busque también una sonrisa torcida que no implique un descenso de las cejas. Cuando se trata de una sonrisa falsa, muchas veces los ojos no participan en absoluto (respuesta *e*). Esta sonrisa puede aparecer demasiado abruptamente, disiparse demasiado rápido o durar demasiado. Es posible que algo respecto del tiempo de la sonrisa le llame la atención. Aunque las falsas sonrisas indican que se oculta algún sentimiento, no le revelarán si se trata de una mentira verbal o de algo que se está ocultando. Simplemente hay un indicio de que algo se esconde. Usted tendrá que descubrir de qué se trata.

¿Y qué sucede con una cara de póker? Como mínimo, el propósito de este rostro es no revelar ninguna información. Los jugadores de póker usan esas máscaras impasibles para no dejar ver su juego, *o su satisfacción de engañar al adversario.* Ellos esconden las emociones negativas y las positivas, ya que ambas permiten que se filtren pistas. Según mi experiencia, la cara de póker es más un síntoma de una personalidad introvertida y analítica que de un mentiroso consuetudinario. Entre las personas entrevistadas, eran los más sinceros y no los más mentirosos los que tenían caras de póker más inalterables. Es más probable que la cara de póker sea un signo de mentira cuando aparece en una persona que no la tiene como característica. Una vez más el mensaje es claro: establezca qué es lo habitual en él, antes de pensar en la cara de póker como un signo de mentira.

Item 4. Su lenguaje corporal le dirá la verdad

Tal vez. Entre las mujeres entrevistadas, el veinte por ciento identificó la lectura del lenguaje corporal como parte de su estrategia para identificar las mentiras. No hay dudas de que el lenguaje corporal, que incluye la postura, las expresiones y los movimientos, es una rica fuente de información oculta. A excepción de la expresión facial, el lenguaje corporal suele salirse del control consciente para la mayor parte de la personas. Aunque muchas veces los mentirosos controlan sus palabras y sus expresiones faciales, cuando se trata de lenguaje corporal es difícil saber exactamente qué controlar. Eso hace que el lenguaje corporal de un mentiroso no muy sofisticado sea un verdadero cúmulo de información reveladora que espera que la descifremos.

Sin embargo, hay un pequeño problema. El mentiroso no tiene que controlar demasiado su lenguaje corporal, porque en realidad todavía no ha sido del todo descifrado. Por supuesto, hay artículos que sostienen que los brazos y las piernas cruzadas de una persona indican que está escondiendo algo (respuesta *f*). Sin embargo, esa persona también puede estar cansada, tensionada, o puede usar esos gestos por costumbre. La única manera de comprender el lenguaje corporal lo suficientemente bien como para descubrir una mentira, es observar cómo se mueve, se sienta y gesticula habitualmente ese hombre en cuestión. Esa es su línea de base, y cualquier desviación de ese estándar deberá llamar su atención. Cualquier gran discrepancia entre lo que él dice y lo que su cuerpo está haciendo puede ser una evidencia razonable de que está luchando consigo mismo o de que no está diciendo la verdad. Sin embargo, no es una prueba incuestionable.

Si usted quiere leer su lenguaje corporal para descubrir signos reveladores de mentira, ¿qué debe buscar? Supongamos que él está inquieto o nervioso, que tamborilea los dedos o juguetea con su reloj. El diez por ciento de las mujeres entrevistadas consideraron que estos eran signos de mentira. Ekman dice: "Todos piensan que los mentirosos se muestran inquietos y que este es un signo de engaño". ¿Verdadero o falso? El mentiroso promedio y también el sofisticado conocen a mucha gente que piensa así, por eso pueden evitar este comportamiento. Recuerde que los mentirosos suelen evitar todas las cosas que creen serán tomadas como indicios de engaño. Por eso la respuesta *a* no le dará puntos en su capacidad para detectar mentiras. ¿Pero qué sucede cuando un mentiroso se esfuerza por controlar sus movimientos? En estos casos, en lugar de mostrarse inquieto, se verá rígido y controlado, con pocos gestos o movimientos. ¿La interpretación? Si él hace muy pocos gestos o movimientos para acompañar sus afirmaciones, puede estar mintiendo. Sin embargo, como ya hemos visto, también puede estar aburrido, cansado, distraído o temeroso. El problema es que cuando un hombre se mueve y gesticula muy poco, puede estar revelando muchas cosas diferentes. Por eso debe ser prudente al interpretar estas cosas como síntomas de una mentira. Además, para llegar al punto de decir que los gestos son muy pocos, necesita conocer el estándar normal de esa persona en lo gestual. Pocos gestos significa algo diferente cuando se trata de una persona habitualmente excitable y extrovertida, que cuando se trata de un introvertido flemático.

Muchas veces se toma por mentirosas a las personas que públicamente se rascan, se tocan la piel, se restriegan las manos o se tocan el cuerpo. Sin embargo, según Ekman, no hay indicios de que así sea. Mientras que muchas personas hacen estas cosas cuando están tensionadas, otras, paradójicamente, lo hacen cuando están relajadas. Los jugadores de béisbol se rascan todo el tiempo, aun cuando están frente a la televisión. Hay que conocer a la persona antes de emitir un juicio, por eso tache la respuesta *g* como genéricamente útil para detectar una mentira.

En cambio, si ha marcado las respuestas *c* y *f, ¡ha dado en el blanco! Los gestos extraños y los encogimientos de hombros son reveladores del juego de un mentiroso. Los jugadores de póker veteranos buscan las revelaciones en su adversario. ¿Cómo aparecen estas? A través de signos de engaño peculiares de una persona. Esos sutiles signos transforman al oponente en un libro*

abierto. En el Capítulo 9, Heidi descubrió uno de esos gestos reveladores que dejan al descubierto la infidelidad de un esposo.
Su esposo Sandy siempre hacía un pequeño balanceo en la ducha
cuando se sentía excitado. ¿Recuerda que cuando alguien le elogió un sombrero que llevaba puesto, él hizo el mismo gesto? Sucedía que había comprado ese sombrero en el vecindario donde
vivía su amante. Para Heidi, ese gesto, aun cuando lo hizo completamente vestido, fue la revelación del adulterio de Sandy.

Una revelación puede ser personal, como en el caso de
Sandy, o puede ser más universal, como cuando se trata de un
meneo de cabeza negando mientras se hace una promesa. También puede tratarse de un leve encogimiento de hombros junto
con un suspiro, que demuestra que la persona se siente incapaz de
hacer algo. También puede ser un movimiento extraño de la mano,
o un gesto obsceno que se desliza involuntariamente en una conversación tensa. Algunas de estas revelaciones son conscientes.
Otras, como los actos fallidos, pueden ser revelaciones no intencionales de sus verdaderas intenciones.

Item 5. El tiene una "actitud" y usted tiene la verdad

Las actitudes le permiten a usted conocer tres aspectos. En
primer término, ¿cuánto teme él que lo descubran? Cuando él reacciona abruptamente, enojándose o discutiendo, puede tratase
de una reacción refleja de aumento de la adrenalina en sangre.
Eso puede deberse al temor de que usted descubra su mentira, sea
la que fuere. También puede ser un método para apartarla a usted,
de modo que no pueda acercarse lo suficiente como para averiguar lo que sucede. Probablemente, usted ha oprimido algún bo-
tón interno de su personalidad, que no tiene nada que ver con la
sinceridad. Sea o no que él esté mintiendo, siempre es bueno conocer sus botones internos. Por ejemplo, él odia que cuestionen
su palabra o que alguien lo desestime. Conocer sus puntos débiles le da a usted otra ventaja: puede decidir si desea convivir con
ellos o no. Si usted ha marcado la respuesta *a* e investiga el origen del enojo de él, podrá aprender bastante. Sólo recuerde que el
enojo no necesariamente corresponde a una mentira.

La otra cara de la moneda es que él puede enojarse o reaccionar ásperamente porque se siente acusado injustamente, porque tiene un mal día o porque está atravesando una crisis. Sus

emociones y sus reacciones inmediatas nos dan poca información para juzgar a la mentira y al mentiroso. Sus emociones y reacciones inmediatas nos dan demasiado poca información como para inferir que está mintiendo. Cuando suponemos que alguien está mintiendo a partir de sus actitudes y emociones, corremos el riesgo de cometer el error que Ekman denomina "efecto Otelo", interpretando equivocadamente una emoción como prueba de una mentira, cuando en realidad la emoción puede no tener nada que ver con un engaño. Por eso, la respuesta *c* también nos lleva a algo incierto.

Pasando a otro aspecto, ¿cuánta vergüenza y culpa siente él por haber mentido? Puede mostrarse compungido simplemente porque se siente así. Tal vez él se queja demasiado porque está rumiando su engaño e incubando su vergüenza, y mintiéndose a sí mismo mientras le miente a usted. Sin embargo, antes de felicitarse por haber escogido la respuesta *b*, tenga en cuenta lo siguiente: él puede estar encantado de haberla engañado. El problema es que se siente culpable por estar disfrutando de esa situación. Puede, entonces, fingir enojo para que usted se sienta culpable y recuperar así su posición de seguridad. Por eso, el enojo o la culpa pueden ser malos detectores de mentiras, aunque revelen cosas.

¿Y si él responde a sus preguntas con demasiado cuidado, hablando lentamente y haciendo muchas pausas, introduciendo muchos "hum" y "ah"? Suponga que él piensa largamente antes de hablar, midiendo cada palabra cuidadosamente. ¿Y si habla como si se tratase del tránsito en un embotellamiento, arrancando y deteniéndose, en lugar de mantener su promedio de velocidad de ochenta kilómetros por hora? Si respondió *d,* tal vez tenga una pista, pero sólo si esta manera de hablar no es la habitual en él y usted supone que está bien informado de lo que está hablando. Tenga cuidado y piense: él puede estar manejándose con cuidado porque sabe que el tema es importante para usted, porque siente que usted está tratando de investigar algo o porque está distraído por otro tema.

He descubierto que si le formula a alguien que está ocultando algo una pregunta inesperada al respecto, es probable que se produzca una pausa más larga (generalmente de cinco o seis segundos) antes de la respuesta, en lugar de la pausa de uno o dos segundos que podría esperarse. Eso es lo que los psicólogos llaman "letanía de respuesta". Es como si el mentiroso dijese: "Estoy pensando, estoy pensando" y estuviese ganando tiempo antes de dar una respuesta. Sin embargo, esto sólo sirve como indicador si la respuesta no ha sido ensayada antes y si ese no es el modo habitual de responder de la persona en cuestión. Hay que separar los mitos de la realidad y proceder con cautela.

Item 6. Sólo su sistema nervioso autónomo sabe la verdad

Hemos llegado a un punto clave. Las reacciones del sistema nervioso autónomo son fisiología pura: dilatación de las pupilas, frecuencia para tragar saliva, rubor o palidez. Como son reacciones involuntarias, no es posible controlarlas o inhibirlas excepto para un selecto grupo de swamis que pueden controlar su propio pulso. Por lo tanto, son buenos indicadores de mentiras. Estos parámetros, además de la temperatura de la piel y el ritmo cardíaco, son los que miden los sofisticados equipos de detectores de mentiras. Si usted escogió alguna o todas las respuestas: *a*, *b*, *c* y *d*, va por buen camino.

¿Cómo pueden ayudarla esas pistas a detectar la mentira y descubrir al mentiroso? En primer lugar, usted debe saber lo que estas pistas le dicen y lo que no le dicen. Ellos revelan, a cualquiera que desee verlo, que el interlocutor está experimentando una emoción fuerte. Sin embargo, según Ekman, los científicos aún no pueden establecer si se trata de cualquier emoción fuerte y negativa o si se trata en particular de dolor, miedo, furia, incomodidad o de alguna mezcla de ellas. Todo lo que podemos decir actualmente es que una persona que tiene las pupilas dilatadas, está ruborizada, parpadea, respira rápidamente o transpira está experimentando una fuerte reacción emocional. Como las personas no pueden controlar esas reacciones, pueden considerarse signos seguros de fuertes emociones negativas. Esto es un importante elemento para detectar mentiras, por eso debe prestar atención a esos indicadores. Sin embargo, recuerde que el hecho de que alguien esté experimentando una emoción fuerte no significa necesariamente que esté mintiendo. Algunos mentirosos muy entrenados, como así también los actores, pueden engañar a sofisticados detectores de mentiras, si se entrenan para sacar a la luz experiencias emocionales del pasado a voluntad. De esa manera, ellos pueden sustituir su verdadera emoción actual por lo que sintieron en algún momento de alegría o serenidad. Además, existe otra excepción. Si una persona cree en sus propias mentiras, no muestra emociones fuertes cuando miente. Estos afortunados mentirosos pueden engañar a los equipos más sofisticados.

¿Y si usted se entrena para detectar mentiras? Sólo obtendría resultados ligeramente mejores que si se basara en la pura adivinación. Se volvería loca tratando de detectar las micro expresiones que revelan las mentiras. Compruébelo con alguien de quien sospeche que miente. Intente detectar una sonrisa torcida, la dilatación de las pupilas, un gesto sutil. Es difícil. Hace muchos años trabajé con un mentiroso compulsivo. Mentía tan bien que sólo podía detectar sus mentiras enfrentándolo e interrogándolo, y observando cuidadosamente sus pupilas para ver si se dilataban o apreciando el enrojecimiento de su piel. El problema era que muchas veces decía las mentiras en una sala de reuniones sin ventanas, que tenía una iluminación tenue. A veces intentaba con tanto empeño ver la dilatación de sus pupilas, que yo misma perdía el hilo de la conversación. Sus pupilas se dilataban. Se ruborizaba. Esa era una evidencia. Sin embargo, esas cosas aisladamente no constituían prueba de su mentira.

Usted observa al mentiroso, el mentiroso la observa a Usted

Cuando usted comience a prestar más atención a su defensa, se dará cuenta de que los mentirosos también están atentos. Seguramente ellos están observando su comportamiento para detectar cualquier signo de que usted sospecha de sus acciones. Si se dan cuenta de que usted está alerta, probablemente ellos también pondrán en funcionamiento sus sistemas de control. Eso significa que seguramente también modificarán los signos no verbales que pueden delatarlos. Los mentirosos, cuando tienen mucho en juego, son incansables observadores y muy buenos actores. Manejar su propio comportamiento y las percepciones que usted tiene de ellos es parte de su oficio. Además, recuerde que la detección de mentiras funciona mejor con los mentirosos ordinarios y ocasionales, con aquellos que no son patológicos ni compulsivos.

¿Mi consejo? Observe cuidadosamente, pero tenga en cuenta que sus observaciones no siempre van a revelarle si el hombre que está a su lado le está mintiendo. Su éxito para detectar una mentira también depende mucho de su conocimiento acerca del comportamiento normal de esa persona. Cuanto más lo comprenda, a él y a sus motivaciones, más probabilidades tendrá de descifrar las pistas. Al mismo tiempo, debe ser consciente de que el mentiroso también la observa, sea que usted lo esté observando o no.

Consulte la siguiente lista de referencia para recordar los mitos y realidades que acabamos de exponer ya que la pueden ayudar a detectar la mentira y descubrir al mentiroso.

Lista de mitos y realidades en la detección de mentiras

Mito 1: Un mentiroso no puede mirar a los ojos.

Realidad: El mentiroso compensa esta expectativa y mira a los ojos.
Los ojos y la expresión facial son controlados muy fácilmente por el mentiroso.

Mito 2: La voz de un mentiroso deja al descubierto el engaño a través de su tono agudo, la mayor velocidad y volumen del habla, los errores y las pausas.

Realidades: La voz es un indicador confiable de emociones, pero estar experimentando una emoción no es una evidencia de estar mintiendo.
Los mentirosos y las personas sinceras experimentan emociones semejantes por razones diferentes. Eso hace difícil detectar las mentiras.
El temor y la tristeza suenan diferente, pero ambos están relacionados con las mentiras.
Los mentirosos experimentados pueden eliminar las pistas, excepto el tono.

Mito 3: La sonrisa es tan sólo una convención social y así se la debe tomar.
Una cara de póker esconde una mentira.

Realidades: La sonrisa es una munición más en el arsenal de un mentiroso.

Las sonrisas falsas son asimétricas, involucran más a la boca que a los ojos, duran demasiado y se disipan inesperadamente.

Una cara de póker nos dice más de la personalidad de quien la tiene que de las mentiras, a menos que una persona normalmente expresiva de pronto adopte una cara de póker.

Mito 4: El lenguaje corporal nos da información muy importante para identificar al mentiroso.
Ciertas cosas del lenguaje corporal pueden leerse como si se tratase de un diccionario.
La inquietud desenmascara al mentiroso.
Los brazos y las piernas cruzadas evidencian que la persona está ocultando algo.

Realidades: Interpretar el lenguaje corporal es muy complicado. Hasta las piernas y brazos cruzados pueden significar distintas cosas.

Para comprender el lenguaje corporal usted debe observar a la persona y establecer un estándar. También es esencial conocer el contexto del comportamiento y el estado físico de la persona (cansado, aburrido, indiferente).

Los mentirosos omiten cualquier comportamiento que creen puede dejar al descubierto el engaño, incluso la inquietud.

Las pistas confiables para detectar mentiras incluyen revelaciones intencionales y no intencionales (encogimientos de hombros, gestos de las manos y movimientos totalmente personales).

Mito 5: Las respuestas desproporcionadas o enojadas ante una pregunta muestran que el mentiroso se encuentra en una actitud defensiva o se siente culpable por la mentira.
Mostrarse sumiso o culpable es la prueba perfecta del engaño.
Demasiada reflexión o respuestas dubitativas muestran

que él está ganando tiempo y pensando en una respuesta o excusa.

Realidades: Sus mentiras evidencian su personalidad y la forma como él maneja las tensiones. Hay que comprenderlo dentro del contexto de su pasado, su vida laboral y sus motivaciones.
La "actitud" refleja sentimientos complejos y reacciones respecto de todo lo que está sucediendo en su vida. Su enojo, su culpa, su actitud dubitativa pueden o no estar mostrando un engaño.

Mito 6: El sistema nervioso autónomo produce respuestas tales como el rubor, el ritmo respiratorio, la transpiración y la dilatación de las pupilas que ponen en evidencia al mentiroso, como lo hace un polígrafo.

Realidades: Las respuestas del sistema nervioso autónomo son indicadores de emociones negativas fuertes, tales como el enojo, el temor, la vergüenza y la culpa.
Una persona puede demostrar emociones negativas fuertes sin estar mintiendo, de modo que estos indicadores no son pruebas irrefutables.
Algunos hábiles mentirosos y actores experimentados pueden fingir o inhibir respuestas involuntarias recordando emociones pasadas.
Los mentirosos que creen en sus propias mentiras no demuestran emociones fuertes cuando mienten.
Ahora, combine estas técnicas con su sólida comprensión de los principios que hacen a las mentiras en las relaciones.

Algunas verdades acerca de la autodefensa

El modo de detectar una mentira es detectar al mentiroso. Hemos estado hablando de esto durante todo el libro. Veamos ahora ocho principios que le darán información, pistas y tácticas de autodefensa que se desprenden naturalmente de sus relaciones y de las situaciones en las cuales usted está inmersa.

La autodefensa comienza en usted. Es por eso que usted debe tener un punto de vista claro y no negociable acerca de qué cosas son o no aceptables para usted. De ese modo es menos probable que usted dé lugar al mentiroso y se transforme en una víctima. Por otra parte, usted debe estar dispuesta a permanecer alerta a la mentira y al mentiroso, controlando sin pasión lo que él está haciendo sin olvidar sus propios estándares.

¿Que esto no es muy romántico? Probablemente no lo es, pero tampoco lo es vivir cegado por los engaños que son evidentes para todos menos para usted. Aún en la mejor situación posible, ¿por qué suponer que dos personas van a ver las cosas del mismo modo? Las personas son diferentes, los hombres y las mujeres son diferentes, usted y él son diferentes. Para comenzar, nuestras historias, nuestras experiencias, nuestras expectativas acerca de las relaciones y el compromiso son distintas. Estas diferencias no sólo son inevitables sino que además son lo que hace que las relaciones sean interesantes. Sin embargo, como las diferencias son muchas, es poco probable que usted y él estén en perfecto acuerdo respecto de qué cosa es o no es una mentira y cuándo es lícito ocultar una verdad. Por eso, si conocer los hechos es importante para usted, no suponga que esto va a ocurrir mágicamente.

Ambos deben fijar estándares como parte de las cosas importantes de la relación, y ambos deben hacer concesiones. Luego los dos deben decidir cómo llevar adelante esos principios de sinceridad.

Los siguientes ocho principios de defensa la ayudarán a defenderse:

- Principio 1: Hasta los mentirosos muestran lo que son.
- Principio 2: Es más fácil mentirles a "ellos" que a "nosotros".
- Principio 3: Algunos hombres mienten para obtener una victoria a corto plazo.
- Principio 4: Mantenga su escepticismo por un tiempo.
- Principio 5: Los hombres le dicen lo que usted desea escuchar.
- Principio 6: Lo verás cuando lo creas.
- Principio 7: El que se miente a sí mismo es el más difícil de detectar.
- Principio 8: Siempre es mejor la realidad.

Principio 1: Hasta los mentirosos muestran lo que son

El le miente. Luego, ese demonio logra escapar a su enojo y evitar que usted descubra sus mentiras. Lamentablemente, a lo único que no puede escapar es a ser quien realmente es. Aunque usted al comienzo haya creído que el sapo era un príncipe, que el mentiroso era sincero, es seguro que en algún momento los hechos van a mostrarle quién es él en realidad, no porque él desee que así sea sino porque no podrá evitarlo. Todo lo que usted tendrá que hacer es permanecer ahí durante el tiempo suficiente. En algún momento, la máscara va a quebrarse, sus evasiones se harán evidentes, y en algún momento imprevisto él le mostrará sus colores verdaderos, aunque no precisamente agradables.

¿Por qué? Porque nuestro comportamiento suele ser consistente a través de las distintas situaciones y único, como nuestras huellas digitales. Es más económico ser como somos todos los días que estar permanentemente ocultándonos. Un mentiroso experto puede sostener un engaño durante largos períodos de tiempo, pero eso demanda mucha energía. Es posible que un mentiroso ordinario en algún momento no tenga fuerzas para seguir sosteniendo el engaño, a menos que haya mucho en juego.

Por eso, si espera el tiempo suficiente, él le mostrará quién es en realidad. Así como la cebolla se va pelando y muestra todas sus capas, si la mentira es parte del maquillaje de él, gradualmente se irá mostrando. Sin embargo, si usted está demasiado ocupada suponiendo o dormitando, no lo percibirá. Además, si usted está tratando de modificar la imagen de él para acomodarla a sus ideales, habrá perdido su capacidad para detectar lo obvio. No importa. El se dará a conocer de todos modos, pero esperar pasivamente a que se produzca la revelación puede llevarle años.

No importa cómo se presente él inicialmente, lo más probable es que en algún momento vuelva a su forma original, porque siempre está vigente la regla de que él va a mostrarse finalmente tal cual es. Los anzuelos ya no son necesarios: ya obtuvo lo que quería. Mantener las máscaras en su lugar demanda mucho esfuerzo, por eso en algún momento caen. Sus características evasiones no quedarán congeladas para siempre. Su verdadera ética y su moral ya estaban determinadas mucho antes de que la conoció... Años después, usted se dará cuenta de que los síntomas estaban allí desde el comienzo. Y si usted hubiese tenido la cabeza lo suficientemente fría como para detectarlos, los habría detectado en ese preciso instante.

Táctica 1. Tome una instantánea del comportamiento

Las mentiras tienen patas cortas.
—Dicho alemán.

Hace quince años di con un truco valioso al que llamé "instantánea del comportamiento". Me propuse que, en mi primer encuentro con alguien, observaría y recordaría todos los detalles que pudiese del comportamiento, las expresiones personales, los gustos y las afirmaciones del sujeto en cuestión, y registraría el modo cómo yo me sentía cuando esa persona hacía o decía ciertas cosas. En esa situación estoy absolutamente atenta, trato de no perderme nada. Luego, almaceno todo esto en mi mente. A veces, si se trata de un cliente o de una persona con la cual deberé tratar en el futuro, tomo algunas notas para ayudar a mi memoria. Luego archivo todo.

Más tarde, retomo esa instantánea que está en algún casillero de mi memoria y recupero lo que vi en el primer encuentro. Sorprendentemente, está llena de información útil que más tarde soy capaz de comprender. A veces converso con la persona acerca de ese primer encuentro y lo que observé en ese momento.

La instantánea del comportamiento tiene tres ventajas. En primer término, hace que nos concentremos en observar y desarrollar una línea de base respecto de esta persona. Uno nunca va a volver a ser tan objetivo, de modo que lo que vea en ese momento se hará muy revelador con el tiempo. En segundo término, está persona dará a conocer muchas cosas en ese primer encuentro: pasivo o activo, encantador o retraído, cambiante o constante, discutidor o complaciente, centrado en sí mismo o en el otro. En tercer término, si por casualidad se trata de un mentiroso, está persona revelará muchos de los marcadores, síntomas y signos de la mentira.

Inténtelo. También puede escarbar en el pasado y tratar de recordar su primera cita con un hombre que le mintió. Rememore todos los detalles. Aun involuntariamente, es asombroso todo lo que retenemos. ¿Ya aparecían signos de lo que iba a suceder? ¿Ahora que lo mira con una visión perfecta, qué puede ver?

Sus instantáneas comportamentales son una evidencia convincente de que el comportamiento es consistente y de que las pistas que necesitamos para protegernos están muchas veces menos ocultas de lo que creíamos. Aun cuando él logre ocultarle con éxito quién es durante las primeras etapas, finalmente él, al igual que usted, acabará siendo quien es. Si es un mentiroso, usted estará mucho mejor lejos de él.

Principio 2. Es más fácil mentirles a "ellos" que a "nosotros"

Hace algunos años estaba volando hacia otro lugar del país y me senté junto al hijo de un legislador sureño. Estábamos conversando acerca de las mentiras que las mujeres dicen a los hombres, cuando él me contó una historia. "Cuando era un niño y mi papá me sentaba sobre sus rodillas, él me dijo: 'Hijo, hay dos clases de personas en el mundo. Están los *ellos* y están los *nosotros*. A los *ellos* puedes decirles cualquier cosa, pero jamás les mientas a los *nosotros*'."

La apreciación de su padre era importante. Todos los grupos clasifican constantemente a las personas en miembros y no miembros, los de adentro y los de afuera. La lealtad es para los de adentro, los "nosotros". Estos reciben confianza y valoración. Los "ellos" no tienen esa suerte. Son ciudadanos de segunda clase. Hasta en una banda de ladrones hay un código de honor. No importa si se trata de una pandilla de Chicago, del Congreso de los Estados Unidos o de los agentes de bolsa de Wall Street. El código de honor se aplica estrictamente en casa. Los de afuera no son valorados del mismo modo. Eso hace que puedan transformarse en potenciales presas de un juego, a menos que lo sepan.

¿Cómo se relaciona todo esto con las mentiras que los hombres dicen a las mujeres? Pues, bastante. Muchos hombres ven a los demás hombres como "nosotros" y a las mujeres como "ellas". Eso no sucedió de un día para el otro, así es que tampoco podemos esperar que desaparezca de un día para otro solamente porque han estado durmiendo juntos, viviendo juntos o teniendo hijos.

Después de todo, los niños juegan en grupos de su mismo sexo hasta el comienzo de la adolescencia. Eso promueve la separación entre los sexos: los niños contra las niñas. Cuando llegan a la preadolescencia, las niñas son despersonalizadas y se transforman en objetos que hay que ganar. ¿El objetivo? Llegar "a la primera base". Los niños constituyen el club que lleva adelante las definiciones. Los varones, los "nosotros", comparten historias de guerra, están unidos y se prometen absoluta sinceridad. ¿Y las niñas? En medio de esta escena, las niñas, al igual que los padres, forman parte de los "ellos". Son esos mismos "ellos" a quienes se les puede decir cualquier cosa sin perder el honor, en tanto recuerden no mentir nunca a los "nosotros". Un hombre soltero, de poco más de veinte años, me dijo que era un gran mentiroso pero que jamás les mentía a sus amigos. ¿Quiénes eran estos amigos? La mujer que está junto a él hace dos años no forma parte de ese grupo. Sí pertenecen a él los amigotes con quienes se reúne a beber y los compañeros de la escuela secundaria.

Los hombres suelen mantener esta distinción nosotros/ellas, entre hombres y mujeres en el trabajo, los juegos y la familia. Observen cualquier reunión de ejecutivos en la que estén presentes hombres y mujeres. Descubrirá rápidamente que la distinción nosotros/ellos puede estar dado por los sexos o por cualquier otra sucia diferencia, como la raza o la edad. Observe con cuánta frecuencia los hombres se miran más entre sí y se dirigen entre ellos por sus nombres. Los hombres suelen incluirse los unos a los otros. Las mujeres suelen, en cambio, ser tratadas como extras de películas contratadas sólo por un día, como extrañas, como "ellas".

Si los mayores compromisos y códigos de honor de los hombres son para con otros hombres, es sencillo despersonalizar y descalificar a las mujeres, y lograr la suficiente distancia como para dañar la empatía. Por eso, una vez que comienza a mentirle, ese patrón de mentiras lo irá distanciando e irá dañando la capacidad de unión.

Táctica 2. Niéguese a ser descalificada por esa distinción nosotros / ellas

Sea consciente de la distinción nosotros / ellas. Fíjese si él está mucho más cómodo hablando con sus amigos que con usted. ¿Desaparece usted del panorama cuando están presentes dos o más de sus amigos hombres? ¿Usted pasa a ser una segunda prioridad cuando tiene que decidir cómo pasar su tiempo libre? ¿Elige él pasar gran parte de su tiempo libre en grupos masculinos postadolescentes en el bar, el gimnasio, el club, el campo de golf, es decir en actividades de las que usted está excluida?

Lo que es aún más importante, ¿acaso él crea y mantiene barreras masculino-femeninas cuando no tendría que hacerlo, usando estereotipos culturales para lograrlo? Por ejemplo, ¿supone él que usted no comprenderá la economía, las matemáticas o los grabados que a él le interesan, porque las mujeres no son buenas para esas cosas? Cuando él la elogia por algo que usted ha hecho, ¿agrega un comentario gratuito, como que está muy bien "para una mujer"? ¿Agrega siempre que puede su condición sexual a un comentario, como por ejemplo "Eres *una mujer* de éxitos" (rica, inteligente, trabajadora)? Si lo hace, independientemente de cuáles sean sus motivaciones, la está colocando en una caja con la etiqueta "diferente" y eso alienta la distinción nosotros / ellas y todos los juegos de poder que vienen con esa distinción.

¿Cómo puede usted salvar las distancias que esta distinción genera? Comience por enfatizar lo que tienen en común minimizando las diferencias. Cuéntele su punto de vista y ayúdelo a que la vea como una persona compleja, con toda una gama de sentimientos, intereses y habilidades. Sea amistosa con sus amigos. Deje que ellos la conozcan y la vean como una persona real, de modo que puede llegar a "pertenecer".

Si lo analizamos, finalmente la distinción nosotros / ellas no convierte a un hombre sincero en mentiroso. Simplemente, cuando la considera parte de "ellas" es más fácil mentirle. Además una vez que él comienza a mentirle, eso refuerza su carácter de "ellas" y le permite distanciarse. Si cree que puede soportar esta distinción entre "nosotros" y "ellas", acéptelo como parte de la realidad cultural. Si no, trate de salir de eso. Muchas mujeres han hecho un esfuerzo consciente y de éxito para liberarse de ese comportamiento. Al mismo tiempo, recuerde que no entrar en esa distinción no es una garantía de que no vaya a mentirle.

Principio 3. Algunos hombres mienten para obtener una victoria a corto plazo

Todo lo que él quiere es una victoria a corto plazo. En su mente, él es un general conduciendo una campaña militar para alcanzar un objetivo o evitar una derrota. Olvide la intimidad y el compromiso a largo plazo. Este hombre está pensando en alcanzar un objetivo con un esquema puramente táctico. Aplicando el principio 2 usted es una de "ellas", que debe ser vencida y ganada. Por ejemplo, debe ser engañada y llevada a creer algo que no es verdad (como que él está trabajando hasta tarde, cuando en realidad está con sus amigos o con otra mujer). En alguna parte, él debe haber aprendido que todo es lícito en el amor y en la guerra, y ha llegado a pensar que las dos cosas son iguales. La mentira es parte de su armamento, pero a veces no se sabe si la ve como un amor al cual conquistar, como un enemigo al cual trampear o como las dos cosas.

Tal vez no lo hace pensando en usted, sino que está tratando de que sus compinches y él mismo tengan una visión de él como un aventurero y un ganador. Su lenguaje amoroso se parece al de las maniobras militares y al de las películas de espionaje. En todo caso, si él actúa como si su manual amoroso fuese *El Arte de la Guerra* en lugar del *Kama Sutra*, querrá decir que es hora de levantar el campamento y partir.

Táctica 3. Individualice sus tácticas y tranquilice las cosas

En esto lo esencial es la velocidad. El problema no es una mentira aislada, sino toda una maniobra que reduce la relación entre ustedes a un juego de ganar o perder en el cual él justifica hacer cualquier cosa para ganar. Usted debe percibir lo que él está haciendo y tomar medidas al respecto. Si no lo hace, o bien su relación amorosa habrá terminado antes de que usted se haya dado cuenta de qué sucedió, o se verá envuelta en una relación que ha sido reducida a una serie de campañas tácticas y transacciones a corto plazo. Se sentirá como si hubiese cenado bizcochos dulces.

Si tiene dudas, afírmese. Si él está presionando para obtener una victoria, usted no tiene por qué hacérselo sencillo. Tómese su tiempo. Si se trata de una relación nueva, sugiera que pueden encontrarse a almorzar dentro de una semana. Pospóngalo. Si se trata de alguien con quien ya está comprometida, hable de cosas a largo plazo. Ayúdelo a superar esa visión de que usted es la siguiente colina que debe conquistar, diciéndole cómo la hace sentir eso. Vea a qué está dispuesto a comprometerse y vea si lo cumple. Reúna información. Fije un estándar de sinceridad como regla fundamental de la relación; obtenga el acuerdo de él y hágalo cumplir. Cada ejército tiene sus reglamentos. Vea si pueden encontrar un terreno común o una batalla que puedan pelear juntos, en la cual usted sea parte de su equipo y no un objetivo para conquistar o un enemigo para vencer.

Principio 4. Mantenga su escepticismo durante un tiempo

Este principio tiene más que ver con usted que con él. Lo ha escuchado durante todo este libro. Mujeres brillantes y perceptivas que deberían saber cuidarse comienzan una relación con alguien que les agrada y después de un breve período de intenso control, arrojan toda precaución por la ventana. ¿Por qué? Porque no encuentran ninguna razón para *no* confiar en él. Padecen un problema al que llamaré *suspensión prematura del escepticismo*. Como resultado, hacen precisamente lo que ninguna mujer debería hacer: confían en un mentiroso. A veces, aparte de un ego un poco lastimado, no hay consecuencias graves, pero otras veces pueden causar un serio daño a su vida, su salud o sus finanzas. Sólo recuerde que no debe dejar de lado su escepticismo sólo porque se ha acostado varias veces con una persona y ni siquiera porque se ha casado con él. Un escepticismo informado y amable es una virtud que incontables mujeres desearían haber tenido durante más tiempo y más consistentemente.

Hay abrumadora evidencia de que las mujeres son mucho más confiadas que los hombres en las relaciones personales y que tienen una mejor disposición para confiar en aquellas personas que les agradan. Confundir el agrado con la confianza no es un problema si hemos dado con alguien que merece esa confianza, pero en los primeros seis meses de una relación la confianza se basa puramente en la especulación.

Táctica 4. Controle su expectativas y aplique un amable escepticismo

Controle sus expectativas

Aunque usted quiera creer en todo lo que él le diga, permítase mantener la idea de que un hombre que le agrada puede mentirle. Tal vez, él esté ocultando alguna información acerca de relaciones no concluidas ("Estoy casado", "Estoy interesado en otra mujer", "Tengo una aventura con una compañera de trabajo", "Estoy planeando divorciarme en cuanto los chicos se gradúen"), o puede estar diciendo flagrantes mentiras. Construir la confianza o reconstruirla después de un engaño tomará tiempo y experiencias en común. Una parte de esperanza y dos partes de química no son una mezcla suficiente.

El control adecuado de las expectativas radica en saber y comunicar qué cosas está dispuesta a dejar pasar y qué cosas son para usted un límite. Decida cuáles son sus estándares y comuníqueselo. Así como él va a acabar siendo quien realmente es (principio 1), usted también. ¿Qué valores hacen que usted pierda la tranquilidad cuando son dejados de lado? Para algunos se trata de la confiabilidad, para otros se trata del compromiso afectivo. Hablen de las expectativas mutuas en cuestiones críticas para los valores de cada uno.

Controle sus expectativas. Para ganar su confianza él tendrá que mantener su palabra y atravesar algunas cuestiones importantes, y eso no significa simplemente llegar a tiempo a cenar. Fíjase como él maneja los grandes temas. Observe qué ocurre cuando él ha prometido algo y luego se ha topado con otras demandas contradictorias, opiniones encontradas o nuevas responsabilidades ¿Cómo la trata a usted y a las otras personas implicadas? ¿La trata como a uno de "nosotros" o de "ellas" (principio 2)? ¿La hace sentirse importante sólo si usted forma parte de su plan de victoria a corto plazo (principio 3)? Transfórmese en un disco rayado, recordándole una y otra vez que el agrado es como un acto reflejo que no pasa por la corteza cerebral, es una respuesta instantánea, y que la confianza, en cambio, debe ser ganada y toma tiempo. Mantener la diferencia entre gustar y confiar es un antídoto natural contra los que engañan.

Aplique un amable escepticismo

¿Por qué permitir que otro cree un modelo de realidad que puede o no ser bueno para usted? Ese modelo estará basado en las experiencias, necesidades y creencias de la otra persona, y también en una serie de intenciones ocultas. Al comienzo, poner en cuestión la percepción o la historia del otro puede parecer equivocado, especialmente si usted está acostumbrada a creer lo que los demás le dicen (recuerde que muchas mujeres dijeron que habían confiado en un mentiroso porque no habían encontrado ningún motivo para no creer en él). Sin embargo, en poco tiempo llegará a valorar esta actitud. Aplicar un amable escepticismo para cuestionar lo que otro le está diciendo es diferente de agredir o culpar. Se trata tan sólo de tomar su natural curiosidad y mezclarla con una parte de creatividad y otra de escepticismo, para poder formular algunas preguntas que comiencen: "¿Y si...?".

¿Hay otra manera de controlar lo que él dice o hace? Supongamos que usted fuese reportera de un periódico. Usted preguntaría quién, qué, por qué, dónde, cuándo y cómo a cada paso, no porque usted sea una persona complicada sino porque quiere que los datos de su historia sean correctos. Use estas preguntas para comprender quién es el hombre que está a su lado. Considérese curiosa, no ruda. Controle el número telefónico de él en el directorio. Averigüe acerca de su historia, sus motivaciones, su compromiso. Pídale conocer los lugares donde vive y donde trabaja. Conozca a su amigos y hable con ellos. Corrobore con la familia las historias que él le cuenta. Simplemente, estará poniendo en juego su saludable escepticismo en lugar de dejar de lado sus dudas irracionalmente. Si aparece una mentira de exclusividad y los encubrimientos que suelen acompañarla, pídale más información y controle los detalles.

Un mentiroso extraordinario a quien entrevisté me ofreció este consejo: "Preste atención a las incoherencias de las historias que él le cuenta. Fíjese si hay una enorme cantidad de detalles seguidos de una total vaguedad. Pregúntele si no estará tratando de decirle demasiadas cosas demasiado pronto".

Si usted averigua que él le está diciendo la verdad, a la larga no resultará lastimada. Si descubre las mentiras tempranamente, se sentirá decepcionada pero se evitará un gran dolor en el futuro.

Principio 5. Los hombres le dicen lo que usted desea escuchar

Para algunos hombres decir a las mujeres exactamente lo que ellas desean escuchar es una estrategia demostradamente eficaz. Seguro que hay días en que todas queremos escuchar esas cosas, pero cuando lo que usted desea escuchar no tiene ni el más remoto parecido con la realidad, se topará con problemas. Estará eligiendo desde el comienzo de esa relación sufrir por lo que nunca va a suceder o en el final de la relación, por lo que nunca fue. De todas maneras sufrirá, porque lo que él le dijo no era verdad y usted actuó como si lo fuera.

¿Recuerda el principio de sincronicidad del capítulo cuatro? Las reglas básicas son sencillas: El la "entrevista" para saber lo que usted desea, y luego le da alguna aproximación de eso o le promete que se lo dará, para obtener lo que *él* desea. El le promete y usted le cree. El toma su ganancia a corto plazo y desaparece. Usted se pregunta qué sucedió o qué hizo mal usted. El parecía tan agradable, tan prometedor. Sólo una parte es cierta: él prometía, pero no como usted esperaba.

Táctica 5. Detecte sus propios puntos débiles

Tome un papel y confeccione una lista con todo lo que usted desea que un hombre le diga y le prometa. Luego ordene los ítems según su importancia. Ese es el mapa de sus puntos vulnerables. Si nunca nadie ha cuidado de usted y él le ofrece masajearle la cabeza cuando le duele, ¿cómo podría dudar de él? Ese es el punto: dude. La prueba no estará lista hoy ni mañana, sino dentro de seis meses o de años.

Si él le ofrece todas las cosas que figuran en su lista de deseos, disfrútelo, pero sea precavida y deténgase a oler las rosas. Averigüe más acerca de él. No se sienta seducida por sus propias esperanzas, por sus propias palabras, que él le devuelve en forma de promesas. Espere a que cumpla con algunas de esas promesas antes de otorgarle el regalo de su confianza.

Principio 6. Lo verá cuando lo crea

Parecería que las mujeres están mucho más inclinadas a leer las pistas no verbales que los hombres. Por ejemplo, detectamos un sutil movimiento de alguien y extraemos de eso algún significado. Es más probable que un hombre lo deje pasar. Eso sugiere que las mujeres deberían ser más capaces de detectar las pistas que se filtran en los comportamientos no verbales, los sutiles signos y síntomas de la mentira. Es extraño, pero sucede algo particular con esta capacidad femenina cuando se trata de una mentira y cuando el que la dice es un hombre. A medida que las mentiras y los engaños aumentan, más mujeres pierden su capacidad para decodificar los mismos signos no verbales que tan bien reconocían cuando se trataba de verdades. ¿Qué ocurre?

Dos psicólogos australianos, Kerryn Hurd y Patricia Noller, descubrieron que las mujeres decodifican los engaños de los hombres a partir de lo obvio y no de las emociones encubiertas. Otros investigadores, como Bella De Paulo, hicieron hallazgos similares y concluyeron que las mujeres tienen una mayor tendencia que los hombres a ver el engaño de una manera tan educada que llegan a soslayar la verdad. Parecería que muchas mujeres aceptan deferentemente la mentira. Niegan lo que ven con sus propios ojos. Por ejemplo, prestan atención a las expresiones faciales más evidentes, tales como el contacto visual, en lugar de atender a las pistas más sutiles que ven tan bien cuando se les está diciendo la verdad. Además, esto no es tan sólo un hallazgo de laboratorio. Capítulo tras capítulo hemos visto historias de mujeres que han actuado así, en su propio perjuicio. Aceptaron educadamente las mentiras y pagaron un alto costo. Tal vez, usted haya hecho lo mismo. Claro está que resulta incómodo señalarle a alguien sus mentiras. Seguramente, su entrenamiento al respecto comenzó en su casa donde aprendió que no debe ver nada malo, oír nada malo o decir nada malo. Además, por sobre todo, es importante ser agradable. Pero, admitámoslo, ser engañada por un mentiroso no tiene nada de agradable, especialmente cuando usted tiene las condiciones suficientes como para detectar la mentira. Sea o no que las mujeres tengan una mayor tendencia a ser engañadas, usted no tiene por qué serlo.

Táctica 6. Lo *creerás* cuando lo *veas*

¿Las mujeres no ven los engaños o eligen ignorarlos? Demasiadas mujeres están atrapadas por el "poder del pensamiento positivo", especialmente el de ellas mismas, aun cuando la situación no sea positiva. ¡No lo permita! Póngase en contacto con las posibilidades negativas y con las positivas. Es posible que estemos socialmente condicionadas para mantener relaciones mirando sólo el lado bueno de las cosas. Como estamos tan socializadas que nos dibujamos una sonrisa y aceptamos educadamente las mentiras, vamos construyendo el camino de nuestra propia infelicidad. ¿Por qué limitar nuestro ángulo de realidad sólo porque los demás esperan que seamos agradables? ¿Por qué no permitirnos imaginar que alguien puede estar mintiendo para su propio beneficio y que usted tiene el derecho, el privilegio y la obligación de señalarlo cuando así lo ve? De esa manera, usted se protege y limita el daño desde el comienzo ¿Por qué quedarse para recibir más de lo mismo? El comportamiento se torna aburridamente consistente después de haber hecho una cosa cuatro o cinco docenas de veces.

Principio 7. El que se miente a sí mismo es el más difícil de detectar

A todos nos gusta considerarnos personas honorables. El mentiroso no es una excepción. Tal vez se trate de pensamiento ilusorio, tal vez de atención selectiva hacia los hechos que sostienen nuestro punto de vista. Tal vez sea simplemente una cuestión utilitaria. Sea lo que sea, los mentirosos que creen en sus propios engaños son los más difíciles de detectar. Ellos no van dejando una estela de pistas no verbales ni experimentan los síntomas más frecuentes, tales como el miedo que sienten los mentirosos comunes cuando saben que están mintiendo. Ellos construyen historias muy detalladas y las repiten tantas veces a tantas personas que se transforman en percepciones y recuerdos reales, tanto para ellos como para quienes los escuchan.

Cuando él cree realmente en su propia mentira, es difícil detectarlo y aún más difícil enfrentarlo. Su evidente sinceridad puede introducirla aún más en su mentira, su vergüenza y los problemas que subyacen a su autoengaño. Cuando lo enfrente, la negación estará a la orden del día.

Táctica 7. Consiga ayuda

Lo que es importante aquí no es convencerlo de que está mintiendo sino más bien evitar ser absorbida por el complejo y elaborado conjunto de defensas que él ha construido para mantener intactas su mentira o sus mentiras. Es justo suponer que él se está mintiendo abiertamente a sí mismo, si dice: "No tengo problemas con la bebida" mientras los tiene o "Sólo tomé prestado un poco de dinero" cuando estafó a su jefe. En esos casos usted puede suponer que hay una larga historia de subterfugios que él ha inventado para mantener en su lugar sus mentiras y la patología que subyace a ellas, y que hará falta alguien con mucha habilidad para enfrentarlo y romper sus defensas. Su trabajo es centrarse en usted y en sus propias necesidades, no en las de él. Usted les hace un favor a ambos si no pasa a formar parte de su sistema enfermo.

Si sus mentiras son exageraciones, embellecimientos de la realidad y mentirillas inocentes, y él las cree verdad, usted se puede sentir tentada a considerarlas sin importancia y a pasarlas por alto. Sin embargo, lo importante en este caso es el patrón, no las mentiras en sí mismas. Una de las mujeres entrevistadas, Millie, una directora creativa de treinta y cuatro años, sostenía que su esposo Les "mentía sobre cosas sin importancia, que no tenían ningún peso". Si él miente como rutina acerca de cosas sin importancia y usted no lo pone al descubierto o busca ayuda para los dos, él estará adquiriendo práctica para las mentiras grandes. Usted, además, le estará dando tres mensajes al mismo tiempo: 1) Mentir está bien; 2) Cuando él mienta, usted no lo notará o no lo enfrentará; 3) él no necesita ser sincero para construir un vínculo de confianza con usted.

En su respuesta a otra pregunta, Millie se dio cuenta de que ninguna de las mentiras de Les era la más perjudicial para la relación entre ellos. El problema era "toda esa serie de inocentes mentirillas" que dañaban la relación "erosionando la confianza". Millie, que ha dicho que está dispuesta a soslayar las mentirillas si las intenciones de Les son honorables, considera de todas maneras que el efecto acumulativo de las pequeñas mentiras es nocivo.

La moraleja de la historia: no racionalice. Tal vez usted pueda ayudarlo a cambiar su patrón de mentiras y tal vez no, pero necesitará ayuda para tomar esa decisión. Insista en que él reciba ayuda, y es posible que logre salvar la relación. Si se niega a hacerlo, usted busque ayuda para tomar una decisión apropiada acerca de qué hacer.

Principio 8. Siempre es mejor la realidad

En algún momento puede parecerle que no es así, pero la verdad siempre es mejor. Lo que no conoce es lo que va a lastimarla. Cuando alguien le dice una mentira ya ha decidido qué es lo que usted debe conocer y lo que no debe conocer. Eso hace que usted no pueda decidir y coloca su futuro en manos de otro. Tal vez en manos del mentiroso.

Algunos de los hombres entrevistados dijeron que ocultaban información a sus esposas o falseaban la información, porque no querían herir a sus esposas, amantes o amigas. Desde la perspectiva de ellos, tenían buenas intenciones. Muchos pensaban que sus esposas no iban a poder soportar las malas noticias. Por eso ellos se transformaban en los guardianes de los secretos. Suena como el proteccionismo de "Papá lo sabe todo", pero en general se trata de pura cobardía. Se protegen a sí mismos del enojo y el dolor de sus parejas. Además ella, en lugar de pensar en cómo cuidarse a sí misma, puede creer a partir de las falsas afirmaciones de él que todo está bien. Sin conocer la verdad, ella dispara en la oscuridad. No tiene idea de cómo tratar la situación real. Sin embargo, los hombres, uno tras otro, sostuvieron en sus entrevistas que sus mentiras eran exactamente lo que sus mujeres deseaban escuchar. ¿Cuál es la solución correcta?

Táctica 8. Sólo debe sentirse satisfecha con la verdad

Busque la información activa y agresivamente. Háblele. Dígale que no sólo se trata de que usted quiera conocer los hechos sino que además decírselos es lo correcto. Dígale lo importante que la sinceridad es para usted. Explíquele que estar en la oscuridad le impide cuidarse y planear las cosas de una manera inteligente. Hágale saber respecto de qué cosas usted se encuentra a ciegas: sus riesgos sexuales, sus finanzas, las adicciones de él, el trabajo de él o el futuro de los dos como pareja. Muéstrese tranquila, pero sea persistente. Descríbale cómo se siente y dígale lo que a usted le gustaría saber. Si él se niega a hablar o le dice cosas que le suenan como nuevas mentiras, válgase de otros recursos. Hable con su familia, sus compañeros y amigos. Revise las facturas, las comunicaciones telefónicas y cualquier otra cosa que sea legal y esté a su disposición. Recuérdele que la verdad siempre es mejor. Explíquele que la información disponible para uno y oculta para otro, daña y destruye. Acepte este consejo de Harry, un consultor de cuarenta y seis años: *"Investigue. No de nada por hecho. Los amigos lo conocen, así es que controle los hechos con quienes lo conocen. ¿Quién se lo presentó? Investigue lo que él dice, en qué lugares ha estado, las personas que él dice conocer. Preste atención a todo lo que huela mal. La gente ya no me miente mucho porque hago más preguntas, entonces se lo hago más difícil. Los interrogo y controlo".*

Harry también nos dejó un consejo de despedida que, aunque duro, resume un punto de vista que muchas mujeres se beneficiarán al conocer.

Mi principio comportamental es simple.
No trate con basuras, con personas que le mienten.

Un breviario de reglas de autodefensa

La primera regla es decidir qué va a tolerar y qué no. Aunque sea una frase hecha, usted es responsable de usted misma. El, de la misma manera, es responsable de él. Usted no es su cuidadora ni su Pigmalión. Una vez que tenga en claro esto, lo demás será sencillo. También es más sencillo elegir bien al comienzo que transformar a un mentiroso en un hombre sincero. Solamente él es capaz de transformarse a sí mismo. Cuando ambos valoran la sinceridad, es fácil hablar y señalar cómo una mentira afecta a la relación. Una vez que usted haya decidido sus estándares operativos, es más probable que superen hasta un enfrentamiento abierto. Los dos están en la misma sintonía.

Sin embargo, usted aún deberá escoger qué batallas librar. Hay mentiras triviales y mentiras destructivas. Algunas mentiras son gentiles ("No, no creo que estés demasiado gorda"). Usted deberá establecer las diferencias y enfrentar cualquier mentira que se interponga en algo que sea importante para usted. Sólo piense en cómo va a sentirse si no le dice cómo sus mentiras la afectan y qué le gustaría que hiciese. Si la sinceridad no es para él tan importante como para usted, ¿por qué no saberlo antes de dar otro paso?

En los altos y bajos que enfrenta una relación, usted puede olvidarse de defenderse. He aquí una lista de cosas para tener en cuenta y ayudar a su memoria. Haga una copia y téngala a mano.

1. Fije sus propios estándares y luego comuníqueselos a él.
2. Pídale que acepte la sinceridad como una prioridad entre ustedes.
3. Niéguese a dejar de lado su escepticismo.
4. Preste más atención a sus comportamientos que a sus palabras.
5. Escuche lo que él le dice, y luego verifíquelo investigando.
6. Guste de él, pero no le dé su confianza hasta que se la gane.
7. Acepte que no va a cambiarlo, rescatarlo ni transformarlo.
8. Niéguese a dejar de lado las evidencias.
9. No disculpe las mentiras o el mal comportamiento de él.
10. Preste mucha atención a su intuición, a lo que siente.
11. Póngalo en el contexto de su familia y sus amigos.
12. Enfrente las mentiras, aunque le resulte incómodo.
13. Reconozca los anzuelos, las máscaras y las evasiones.
14. Reconozca los síntomas de un mentiroso extraordinario.
15. Sepa cuándo poner en marcha el interruptor y cuándo debe buscar ayuda externa.

Ahora veremos algunos principios más que la ayudarán a enfrentar la mentira y al mentiroso.

Cómo enfrentar a un mentiroso:
Guía rápida

"Tomo las pequeñas mentiras como inseguridades. De esa manera, las disculpo. Las mentiras grandes, en cambio, tienen más importancia; pero para mí es un problema saber cómo enfrentarlas."
—Directora de escuela dominical, cuarenta y tres años, divorciada.

Los enfrentamientos son un problema para muchas mujeres. Una vez que ha detectado una mentira, ¿qué hacer? ¿Hay que enfrentar directamente a la mentira y al mentiroso? ¿Cómo? Es parecido a atrapar a un ratón. Ahora que ha caído en la trampa, ¿qué hacer con él? Usted quisiera sacarlo de su vista y ocuparse de eso, pero teme ensuciarse las manos. Hay una cosa segura: no va a desaparecer solo.

¿Mi mejor consejo? Adelante, enfréntelo; pero recuerde que hay muchas maneras de hacerlo. Recuerde esa vieja opción "verdad o consecuencia" y parafraséela como "verdad y consecuencias". No importa qué elija —la verdad o la mentira—, las consecuencias estarán a la orden del día; así que es preferible manejar el proceso que ser su víctima.

Es importante enfrentarse a partir de métodos y principios acordes con sus valores, pero debe aprender a ser mejor en los enfrentamientos. Si usted no lo enfrenta, le está dando permiso para que siga haciendo lo que está haciendo. Si está mintiendo, seguirá mintiendo. Si no enfrenta a un mentiroso y trata de complacerlo más cada vez, le hará más fácil seguir mintiendo y más difícil dejar de hacerlo. No hay incentivos. La mentira le permite conseguir lo que quiere y no tiene ninguna consecuencia negativa. Sólo debe asegurarse de que la consecuencia tenga relación con el crimen. No sobreactúe. Un comportamiento tiene consecuencias naturales. La idea es limpiar el aire y lograr sinceridad e intimidad. Elija sus batallas y calibre sus reacciones según la magnitud y el efecto de la mentira.

Hable de los resultados, no de las intenciones

Usted no sabe cuáles fueron sus intenciones al decirle una mentira. Sin embargo, fueran las que fueran, lo más probable es que él las transforme en algo mucho más altruista y más noble que los verdaderos motivos. La mayor parte de las personas buscamos nuestro propio interés y deseamos que nos vean desde la mejor óptica posible. ¿Por qué él habría de ser diferente?

Su mejor apuesta es no suponer nada acerca de sus intenciones y no culparlo por ellas. En lugar de eso, hable de los resultados de la mentira y del efecto que tuvieron sobre usted. Primero describa la situación. Sea concreta. No se queje ni se enoje (siempre puede hacerlo más tarde). Como los hombres tienden a interrumpir a las mujeres y es posible que él niegue o minimice todo el acontecimiento, pídale entonces que no la interrumpa hasta que termine. Específicamente, dígale que lo que está diciendo es importante para usted y que desea que la escuche con atención antes de contestarle. Cuéntele cómo se siente y sea clara y concreta acerca de lo que le gustaría que él hiciera. ¿Simplemente quiere que él sepa cómo se siente? ¿Quiere una disculpa? ¿Hay un problema evidenciado o exacerbado por la mentira que usted necesita que resuelvan juntos? ¿Quiere que se comprometa a hacer algo distinto? Cuando usted sabe lo que quiere, tiene muchas más oportunidades de conseguirlo.

Considere que la mentira persistente es grave

La mentira puede ser una conducta normal y adaptativa. Pero si él miente frecuentemente y de manera persistente y gratuita, aun cuando no tiene por qué hacerlo, usted acabará dudando de su propia salud mental. Recuerde que él sabe la verdad y usted no. ¿Por qué dejar que alguien juegue con su mente y afecte su bienestar?

Cuando esto sucede, es tiempo de buscar ayuda, no para él sino para usted. Tal vez él pueda recibir ayuda y tal vez no. Ese es su problema. ¿Pero por qué usted se queda a su lado? Si no está obteniendo lo que necesita de la relación, el problema ha pasado a ser suyo.

Enfrentado con sus propias mentiras

Al enfrentarlo con el efecto que han causado sus mentiras de una manera que sea adecuada para usted, estará sentando las bases para desarrollar una mayor unión fundada en más sinceridad y confianza. Pero allí no termina la cosa. Seguramente él va a reaccionar. No está acostumbrado a que lo enfrenten. Puede sentirse culpable, avergonzado, acusado o todas estas cosas juntas.

Basándome en las entrevistas y en mi trabajo con mis clientes, he aquí algunos de los modos como personas de ambos sexos dicen que los hombres responden cuando los enfrentan. Tenga en cuenta que los hombres y las mujeres reaccionan de una manera distinta cuando los descubren mintiendo. Las mujeres suelen ofrecer explicaciones mucho más complicadas. Los hombres tienden a cerrarse, negar, justificarse o culpar a quien los acusa.

Estar prevenido es como estar armado. El no va a reaccionar como usted lo haría. No se lo tome de una manera personal. Limítese a captar lo que él está haciendo. Por ejemplo, él dice que nunca sucedió, minimiza la mentira, se niega a hablar de eso o la culpa a usted. Captar lo que él está haciendo no significa estar de acuerdo o dejarlo pasar. Sin embargo, sirve para crear un espacio para el diálogo. Háblele concretamente de cómo la afecta lo que sucedió. Tenga cuidado de no culparlo ni avergonzarlo. Déjele ver que las acciones de él han tenido consecuencias sobre su vida. Niéguese a discutir sobre eso. Dígale simplemente lo que quiera que él escuche. Lo que haga a continuación le dirá mucho acerca de quién es. A un hombre que conozco le gusta hablar de la "ley de las consecuencias no buscadas". Esta es su manera de decir que él es una persona honorable que a veces miente y toma decisiones que hieren a personas que no quería dañar. Sin embargo, él sigue sin asumir la responsabilidad por el dolor que causa.

La lista que sigue identifica las probables respuestas de un hombre cuando se lo enfrenta. Esté preparada para defender su terreno, hablar del tema y buscar ayuda si es necesario.

Cómo responden los hombres cuando los enfrentan respecto de sus mentiras

1. Negando.
2. Minimizando la importancia de la mentira.
3. Argumentando que esta mentira es una excepción.
4. Buscando excusas.
5. Justificando la mentira.
6. Culpándola a usted.
7. Desacreditando su capacidad para distinguir lo verdadero de lo falso.
8. Acusándola de irracional.
9. Enfatizando sus intenciones honorables.
10. Considerando su mentira como algo puramente pragmático o como una verdad a medias.
11. Insistiendo en que sus sentimientos eran reales.
12. Excusándose con: "Todos cometemos errores" o "Fue un desliz".

La mentira entra dentro del territorio de las relaciones personales. No es ni una aberración ni una excepción, sino más bien parte de la vida cotidiana. Defenderse contra las dolorosas consecuencias de las mentiras no es un ejercicio fácil. Requiere de toda su disposición para identificarla, enfrentarla y tomar decisiones que protejan sus intereses, no los del mentiroso.

¿Cada mujer un detective?

Todos hemos leído historias de detectives y visto películas en las cuales hemos tratado de resolver un asesinato antes de que la verdad se hiciese evidente. Ya sea que sus preferidas sean las historias británicas de misterio o las películas americanas en las cuales un detective privado derrota al rey del narcotráfico, o las nuevas series de mujeres detectives, en todos los casos hay dos puntos importantes:

La evidencia y el misterio.

Esas mismas cosas son importantes en la autodefensa. La diferencia es que si usted aplica estos dos conceptos tempranamente, no hay víctima.

En este capítulo y a través de todo el libro hemos visto cómo puede usted penetrar en la mentira para protegerse y mantenerse alerta para descubrir las evidencias que la ayuden a detectar el engaño. Usted ya ha visto cómo puede aguzar sus habilidades para detectar pistas verbales y no verbales, distinguiéndolas de los falsos indicios que la apartan de la verdad. Usted puede ser cada vez mejor en el trabajo detectivesco, recordando lo que debe hacer y no dejando pasar las oportunidades de poner en práctica sus habilidades. Como en el caso de cualquier detective, su trabajo consiste en colocar todas las pistas en el contexto de la persona y de la situación, y en resistirse a sacar conclusiones apresuradas.

Todos los fanáticos de las novelas policiales saben, sin embargo, que los hechos no son suficientes para descubrir un caso. Los grandes detectives parecen tener una sensibilidad especial, un olfato para descubrir las cosas. Usted puede desarrollar este tipo de intuición respecto de los mentirosos. ¿Cómo? De la misma manera que lo adquieren los detectives y los periodistas. Ellos no nacieron con esa aptitud y usted tampoco. En primer lugar, usted debe identificar el problema y centrarse en él. Luego, debe poner dedicación y tiempo. Hacer experiencias de ensayo y error, escuchar indicios y estar abierta al aprendizaje la ayudará a mejorar su capacidad y a tener éxito, si usted lo permite.

Los ocho principios expuestos en este capítulo pueden ayudarla a distinguir mejor el comportamiento del mentiroso. Seguir los principios y reglas aquí enumerados no va a garantizarle el éxito permanente, pero la ayudará a ir en la dirección correcta. Use estos principios y reglas como chaleco salvavidas. Luego, una vez que se sienta satisfecha de no estar lidiando con un mentiroso contumaz y que su confianza esté justificada, guarde el chaleco en una gaveta y téngalo a mano por si vuelve a necesitarlo.

En nuestro interior, todos buscamos la verdad. Su intuición es una prueba permanente de eso. Por eso, preste atención a su intuición, a lo que siente que anda bien o anda mal, y déle a su sexto sentido el crédito que merece. Para defenderse contra las mentiras y los mentirosos o contra cualquier amenaza contra su bienestar, no es necesario que se transforme en una paranoica o en una descreída respecto de la bondad de la humanidad. Será suficiente con reunir un poco de observación, atención y saludable escepticismo, y mezclarlos con la curiosidad natural que tiene desde siempre.

Siga su olfato buscando la verdad y respete sus instintos. Así cuidará de usted misma, no del mentiroso.

Conclusión

Para decir la verdad

No deseo la confrontación que trae consigo decir la verdad.
—Gerente, casado, cuarenta y seis años.

Nunca pensé que mentía. Como todas mis mentiras, digo que es mi modo de manejar una situación.
—Analista financiero, treinta y cinco años, soltero.

Me parece que, simplemente, sucede. La mentira es la actitud natural para que las cosas se mantengan vivas.
—Gerente contador, veinticinco años, soltero.

La verdad duele, pero menos que una mentira. Al menos uno enfrenta algo real. Si dos personas estuviesen en una isla desierta, ¿cómo harían para mentirse? Después tendrían que afrontar las consecuencias.
—Administrador, treinta y dos años, soltero.

No tolero las mentiras. No me importan las razones. Quiero la verdad. No se puede estar cerca de alguien que miente.
—Maestra, cuarenta y un años, divorciada.

De modo que, al parecer, los hombres mienten. No sólo en el ámbito público de los negocios, la política y el deporte, sino también en la vida privada. Lo hemos oído de boca de los propios mentirosos y de sus víctimas. Pero si usted es como la mayoría de las personas, no piensa que creerá la mentira, confiará en el mentiroso, ni que se hará trizas la confianza en la integridad y sinceridad de alguien que quiere. Eso le sucede a otros... a personas acerca de las cuales se entera por libros como este.

Aunque un padre o un esposo nos hayan mentido, o simplemente un hombre que acabamos de conocer, es fácil considerarlo una excepción, o encontrar excusas para aquel que violó nuestro sentido del juego limpio y nuestra fe en la bondad de la gente. No vemos ni el hábito de mentir ni nuestras propias reacciones.

Sin embargo, en cierto nivel, sea consciente o no, sintonizamos con eso. Las mujeres me hacen siempre la misma pregunta: "¿Con cuánta frecuencia se miente en las relaciones íntimas?". Sospecho que la pregunta implícita es: "¿Acaso algo tan devastador como la mentira podría sucederle a una persona tan común como yo?".

Si bien no puedo responder a esa pregunta, le contaré mis experiencias en el término de una semana, cuando terminé de escribir este libro. Como las urgencias de publicación y de los clientes me tuvieron muy atareada, descuidé cosas tan elementales como hacerme revisar los ojos, cortarme el cabello, comprar maletas nuevas, etcétera. Entonces, un soleado día, en Washington D.C., limpié mi calendario y salí.

Hacía años que conocía a la enfermera del oftalmólogo, y aunque hacía tiempo que no la veía, ella recordaba que yo estaba escribiendo un libro. Me preguntó de qué trataba, y cuando le dije el título estalló en lágrimas. Resultó que, el que era su esposo hacía veintitrés años, vivía una aventura desde hacía cinco con otra mujer a la que estafaba por deudas de juego de una magnitud que Marnie ni siquiera sospechaba. Para empeorar la situación, había usado los ingresos conyugales, incluso los ahorros para pagar esa deuda creciente. Me dijo entre lágrimas: *"Dory, esto le sucede a otros. A los personajes de los libros. No a mí"*. Y esta es la cuestión. Si esperásemos que nos ocurriera algo semejante, ¿no nos resguardaríamos?

Luego, fui a cortarme el cabello. Hacía un par de años que Suzanne me cortaba el pelo, y me dijo: "Dory, ¿podría hablar con mi socia?" ¿Por qué? La socia había perdido la sortija de casamiento y no podía encontrarla. El esposo de la socia había dicho que la buscaría y le diría si la encontraba. Después, ella fue con el hijo a una galería de vídeo. Mientras hacía la fila, vio al esposo de la mano con otra mujer. Corrió a través de la galería y lo enfrentó. Vio, horrorizada, la sortija en la mano de la otra. ¿Qué pasaba? ¡El hombre con quien estaba casada hacía dos años se había casado con otra! "Un bígamo", exclamé: "¿Cuándo pasó esto? ¿Dónde está su socia?". Suzanne dijo en voz queda: "Hace dos semanas", señalando a la joven que cortaba el pelo en el gabinete vecino. Yo conocía a esa mujer desde hacía años, e incluso sabía quién era el esposo. Y mientras las tres conversábamos, Bobette dijo: *"No puedo creer que esté sucediéndome esto. Es la clase de cosas sobre las que uno lee en los periódicos, las que le pasan a otros"*. Correcto. Pero en el fondo todos sabemos que un mentiroso que parezca cercano a nosotros, que nos conozca como a la palma de su mano, y sin embargo se comporte como el extraño que lee las noticias de las seis de la tarde, es capaz de destruir la buena fe que nos hace dejar de lado el escepticismo y confiar en otro ser humano. Como nos esforzamos tanto por justificarlo, por explicar su mala conducta, por ignorar las desagradables novedades y fingir que es lo mismo de siempre, no lo vemos.

Es un punto apremiante. Necesitamos *defendernos nosotras mismas, no al mentiroso.*

Es hora de ponerse firme, rechazar el temor de enfrentar las mentiras, y dejar de perpetuar los necios argumentos que permiten a los hombres mentir y a las mujeres negarlo. Es hora de comprender que esas mentiras públicas abundantes no cesan cuando cierra la puerta tras él y dice: "Querida, ya llegué a casa". Es tiempo de entender que si no nos ponemos firmes contribuimos a crear la situación que permite que la mentira tenga éxito. ¿Cómo? Al negar nuestra intuición, al no enfrentarlos, retrocediendo ante los desafíos, buscando excusas y esperando que lo mejor supere a lo peor.

Más adelante en el transcurso de esa semana, compré unas maletas. No encontré las del tipo que había comprado en la tienda unos meses antes. Pregunté cuándo las recibirían, el vendedor me dijo que *nunca* habían tenido de esa clase. Pero yo *sabía* que no era así. Y él también, pues se las compré *a él*. Cuando lo enfrenté, se mantuvo en sus trece. Discutí. Lo negó, se enfadó. Fue tan convincente que pude comprender lo fácil que hubiese sido creerle, creer *en él más que en mi propia experiencia y en los hechos innegables.* Entonces, recordando 101 Mentiras, pensé: "Helo aquí:

los hombres, en efecto, mienten". Le conté el incidente a una amiga, y comentó: "Bueno, tal vez haya tenido un mal día". ¡*El* tenía un mal día!

La conducta es difícil de eludir después que se descubre. El miente. Ella lo justifica. Ella lo enfrenta. El niega. Duda de sí misma, no de él. El se enfada y acusa. Ella retrocede. Reconsidera las actitudes de él bajo la luz más favorable que puede, aunque para sí sigue tratando de encontrarle sentido a lo que sospecha que no lo tiene, y que no puede ser real. Los amigos y la familia contribuyen a que dudemos de nosotras y creamos la mentira. La danza continúa. Las mentiras y las heridas continúan. Hablamos de usted, de mí, y de los hombres que usted anhela amar y en los que quiere confiar.

¿Cuál es la solución? Autodefensa. La verdad. Negarse a caer en la trampa del pensamiento positivo, cuando la intuición le grita que en eso no hay nada de positivo.

Pero no nos confundamos. Los hombres no son el enemigo, como tampoco lo son las mujeres. Una parte del problema es la prolongada y rigurosa socialización sexual que lleva a los hombres a considerar a las mujeres como objetos, antes que nada, y, llegado el caso, como autoridades a las que hay que eludir para acceder a la libertad. Ese proceso de socialización también lleva a los hombres a encerrar dentro de sí los sentimientos y las dudas. También las mujeres sufrimos las consecuencias de la socialización sexualizada. Aprendemos a adaptarnos, a suavizar los conflictos, a ahogar la independencia de los varones y a sentirnos inadecuadas en lugar de fuertes ante un hombre. Cuando nos acercamos, estos argumentos de género crean las condiciones que provocan distancia, fracaso de la empatía... incluso antes de que la mentira comience a ejercer su magia dañina.

Que los hombres mientan no significa que deseen la intimidad menos que las mujeres. Claro que serán más ambivalentes mientras luchan contra la cercanía. Pero, al igual que las mujeres, valorizan las relaciones cercanas, cálidas y seguras. De todos modos, pese a la facilidad y el gran provecho que les proporciona la mentira para obtener lo que desean, crea un dilema que perdura. Mienten para protegerse, para evitar la humillación y el castigo, y para lograr sus metas inmediatas. En tanto mientan, desviarán la atención de la tarea de construir la relación y se dedicarán a cubrir sus huellas para no ser descubiertos. Y si se los enfrenta, aceptarán el desafío de convencer a su oponente de que sufrió una pérdida temporal pero innegable de la cordura. No es un buen clima para que florezca la intimidad.

Piense en las ocasiones en que usted mintió en una relación de confianza. Cuando lo hace, se distancia de las personas a las que miente, convirtiéndolas en objetos impersonales. Los separa de usted. Eso hace que mentir y cubrir las mentiras sea más fácil. Se protege a sí misma de la empatía, por miedo a sufrir.

La mentira prospera en las relaciones en donde la orden del día son las diferencias y no las similitudes. Pero, además, exacerba cualquier diferencia existente al crear una nueva barrera invisible. Cuando el engaño se instala en medio, usted puede seguir viendo a la otra persona, pero no puede tocar su corazón, y ella no puede tocar el de usted.

Entonces, ¿qué podemos hacer para cambiar esta dinámica, y terminar con el juego de las mentiras? ¿Deberíamos buscar al hombre de sinceridad perfecta? ¿O tendríamos que aceptar a un hombre que mienta, en ocasiones? Y si nos relacionamos con un hombre bueno, pero que nos miente (y miente a los demás), ¿podemos ayudarlo a cambiar para que sea más sincero?

En busca del hombre sincero

Existen hombres sinceros, y por lo tanto si se decide a buscar uno, no "abandone la esperanza aquel que entre". Sin embargo, el hombre *perfectamente* sincero, el que *siempre* dice la verdad, puede plantear otros problemas. Los hombres (y las mujeres) que nunca mienten tal vez estén mal equipados para adaptarse y sobrevivir en el terreno escarpado del trabajo, la política y el amor. Cuando insisten en decir sólo los hechos con doloroso detalle, *sin importar* si el otro quiere oírlos, estamos en el polo opuesto al del mentiroso que dice lo que cree que el otro quiere oír, sean cuales fueren los hechos. El veraz implacable es un extremista que daña por estar encerrado dentro de su propio sistema rígido, y que se expone a un fracaso tan terminante de la empatía como el mentiroso extremo.

Tal vez los individuos así digan toda la verdad, y eso es digno de elogio, pero esa ostentación de su "búsqueda de la verdad" casi fanática puede convertirlos en compañeros difíciles e incómodos.

¿Cuáles serían las alternativas? ¿Qué podríamos decir del hombre sincero *imperfecto*? ¿Del que miente a veces, pero no siempre? ¿El que miente, pero está de acuerdo en que en la relación personal con usted se atendrá a ciertas normas que ambos se comprometerán a consolidar? Me alegra decirle que la naturaleza creó hombres así en abundancia. Por lo tanto, si podemos mantenernos firmes, e insistir en una relación definida explícitamente como sincera, tal vez logremos lo que deseamos. Los hombres y mujeres que establecieron relaciones sinceras hablan de ellas con reverencia, aunque no sean permanentes, e incluso aunque no sean románticas. ¿Por qué? En semejante relación, existe una aceptación de quién es el otro en lugar de una idealización superficial. Hay un compromiso genuino hacia la relación, más allá de lo inmediato. Cada uno actúa como si estuviese en una sociedad destinada a perdurar. Agréguele romance y amor, y obtendrá lo que mucha gente dice desear de la vida.

Pero si estamos acostumbradas a las mentiras, ¿cómo empezamos a decir la verdad?

Para decir la verdad

¿Es posible que alguien sea cien por ciento sincero todo el tiempo, en las relaciones personales? Tal vez, si las personas fuesen siempre sinceras se odiarían mutuamente. Mi madre es una mentirosa como los políticos, de dos caras. Me confunde. Todos estamos habituados a las mentiras.
—Oficinista, treinta y seis años, soltera.

¿Es más fácil mentir que decir la verdad? Quizás. A fin de cuentas, a menudo la mentira es una elección rápida y sucia. Nos lleva de aquí hasta allá, nos permite ganar y avanzar. La mentira como sistema de vida da resultados, y por eso tanto los hombres como las mujeres tienen numerosas oportunidades de adquirir práctica, e incluso gran habilidad para decir mentiras en un mundo que valora y recompensa la victoria a corto plazo más que los compromisos de largo plazo.

Desde semejante perspectiva, los que pierden son la verdad y la intimidad, la estrechez del vínculo y el cariño. Cuando la mentira se transforma en nuestro modo favorito de comunicación, no tenemos escrúpulos en enturbiar la verdad y decir la mentira para lograr nuestros objetivos. Decir la verdad está convirtiéndose en un arte moribundo. Llegamos a conocer muchas formas de mentir pero pocas de ser veraces.

Precisamente, ese es nuestro desafío: convertirnos en veraces diestros. Para la mayoría de los hombres y para algunas mujeres, este es un terreno no hollado. Del mismo modo que no todas las mentiras son odiosas, no todas las verdades son brutales. La verdad es brutal cuando no tenemos una habilidad para decirla de manera cuidadosa, que la otra persona pueda oír, cuando no podemos ponernos en los zapatos del otro para entender su punto de vista. La verdad es brutal cuando esperamos demasiado para decirla, y la utilizamos para romper esa relación más que para fortalecerla. Es brutal cuando se emplea como última instancia de la táctica de "golpear y huir", como por ejemplo: "No te amo, y nunca te amé", antes de desaparecer en la noche.

Si dedicásemos, al modo de hacer aceptable la verdad para el otro, las mismas energías que a la mentira, descubriríamos que hay muchas maneras de decir una verdad difícil. Podríamos describir los hechos de una situación sin comentarios y dejar que el otro vea los hechos como nosotros. Podríamos presentar la situación como un tema espinoso que necesitamos hablar entre los dos, con buena voluntad, aclarando que, pase lo que pase, apreciamos al otro. Cuando hablamos con franqueza de nuestras contradicciones inherentes, de nuestras necesidades de estar vinculados pero separados, de sentirnos seguros pero libres, estamos forjando una relación auténtica. Al comunicar nuestro temor e inquietud de ser sinceros, por paradójico que parezca encontramos nueva fortaleza donde antes sentíamos debilidad, y alianzas más profundas donde esperábamos brechas. La sinceridad fortalece los lazos, ya sea que nos refiramos a un romance flamante o a terminar alguna etapa de una relación importante. No es casual que las personas que han establecido relaciones sinceras, incluso con antiguos amantes o esposos, las consideren fundamentales para su bienestar.

Pero a pesar de los beneficios de la sinceridad, la mentira sigue ganando terreno. Es un desafío sentirse tan cómodo con la verdad como con la mentira, tanto en la vida privada como pública. Pero vale la pena. La verdad no suele ser tan atrayente o tentadora como una mentira bien contada. Sin embargo, cuando somos capaces de aceptarnos a nosotros y a nuestras verdades, estamos mejor dispuestos a aceptar las de otros. Y en esos momentos en que nosotros y otro ser humano abrimos nuestros corazones, también nos abrimos a algo de inmenso valor. En ese vínculo, desaparece el nosotros y ellos. Empezamos a despojar de la "ganancia" a ese egoísmo que domina el juego de las mentiras. Ganar se enmarca en otro contexto de relación, en el que dos personas buscan una verdad duradera. Ganar se transforma en la habilidad para abrir y mantener abiertos canales de comunicación veraz, incluso cuando uno u otro de los socios tenga un desliz. *Ganar se define como decir que no a la mentira y al juego de mentir.*

He aquí tres principios simples pero sólidos que lo ayudarán a avanzar en esa dirección:

- *Respeto*: Verse a uno mismo y a la propia historia personal como fuentes de sabiduría; valorar los sentimientos propios como una fuente de empatía.
- *Intuición*: Hacer caso de la intuición como un manantial de revelaciones que pocas veces lo harán equivocarse.
- *Límites*: Establecer límites bien definidos en torno de los niveles de verdad y falsedad que está dispuesto a tolerar en una relación.

Hace muchos años, mi padre me advirtió: "Nunca confíes en un mentiroso" Y aunque se me escapó el sentido de lo que decía, no lo olvidé. Pero había algo que no me parecía bien. Faltaba una pieza del rompecabezas. Igual que usted, tuve que descubrirla sola. Mientras avanza en la búsqueda de cercanía e intimidad con los hombres de su vida, le ofrezco el consejo de mi padre, corregido por mi propio descubrimiento. Con la experiencia colectiva y la sabiduría de los hombres y mujeres que llegamos a conocer tan bien a través de este libro, ahora el rompecabezas incluye la pieza que faltaba:

Nunca confíe en un mentiroso. *Confíe en usted misma.*

Apéndice

101 Mentiras

1. Te llamaré.
2. Te amo.
3. Eres la única.
4. Nunca me sentí así con nadie.
5. Esta noche, debo quedarme en la oficina trabajando hasta tarde.
6. Nunca tuve mejor sexo.
7. Tienes los ojos más hermosos que he visto.
8. No, no estoy casado.
9. Lo siento. Debo de haber dejado la billetera y las tarjetas de crédito en casa.
10. Cuando te digo que no hay ningún problema, tienes que creerme.
11. Estoy dispuesto a contraer un compromiso.
12. Nunca bebo más que una o dos cervezas.
13. Hace años que mi esposa y yo no hacemos el amor.
14. Nos casaremos *en cuanto yo*...
15. Estaré en casa en veinte minutos.
16. No es que no me importes... es que tengo que pasar más tiempo con mis hijos.
17. En toda mi vida sólo me acosté con unas diez mujeres.
18. Desde que rompimos, practiqué el celibato.
19. Jamás podría mentirte.
20. Podría estar así toda la noche.
21. Siempre uso preservativo.

22. Puedo ayudarte a conseguir un excelente puesto en mi compañía (en mi rama de actividad).
23. No la he visto desde que ella y yo rompimos.
24. Mi prueba de HIV dio negativo.
25. No consumí drogas (fumé marihuana) desde el colegio.
26. Mis únicas fantasías sexuales son contigo.
27. No, tus muslos (estómago, pechos, caderas, etcétera) no me parecen demasiado grandes.
28. Estoy muy cansado.
29. ¿Cómo puedes pensar que ella me interesa? Es tu mejor amiga.
30. En lo que se refiere al sexo oral, soy el mejor.
31. Hasta ahora, nunca tuve problemas en mantener la erección.
32. Tú y yo solos, mi amor... haremos el amor en toda Europa.
33. Nunca haría algo que te hiriese.
34. Quiero envejecer contigo.
35. Créeme que mi esposa y yo hacemos vidas separadas.
36. Nada cambiará entre nosotros por haber hecho el amor.
37. No te preocupes, me hicieron una vasectomía.
38. Dejaré a mi esposa.
39. No te pareces en nada a mi madre.
40. No me importa que profeses otra religión.
41. No me molesta que ganes más dinero que yo.
42. Aunque no tengamos relaciones sexuales, podemos ser amigos.
43. Las mujeres mayores me parecen más excitantes.
44. Estoy considerado como una de las personas más importantes (en mi campo de actividad, en mi compañía).
45. Lo que me atrae de ti es tu inteligencia.
46. Repartiremos por la mitad el cuidado de los niños y las tareas domésticas.
47. Claro que no me molesta que no hayas venido.
48. Hasta ahora, nunca tuve un *affaire*.
49. Eres la única que me entiende.
50. Nunca hice terapia.
51. Eres lo mejor que me sucedió.
52. No, no salgo con nadie más.
53. Hace años que no pienso en ella (una antigua novia).
54. ¿Cuántas veces tengo que decirte que no estoy viviendo una aventura?
55. Tu carrera es tan importante como la mía.

56. Te prometo que cambiaré.
57. Quiero que siempre seamos amigos íntimos.
58. Mi esposa y yo llegamos a un acuerdo.
59. Eres maravillosa; mereces a alguien mejor que yo.
60. No me masturbo.
61. Primero, seamos amigos.
62. Cuando entraste por esa puerta, supe que eras mi verdad.
63. Me gustarías aunque fueses hombre.
64. Claro, está bien ser hermosa, pero eso no me importa demasiado.
65. Las diferencias que hay entre nosotros nos acercarán aún más.
66. Gasto todo lo que gano en ti y en los niños.
67. No, nunca dije eso.
68. Me haces sentir otra vez como un muchacho.
69. Saldré con los muchachos (del gimnasio, de la oficina).
70. Me mudaré a donde tú quieras.
71. Por supuesto que no me aburres.
72. En cuanto termine este proyecto (obtenga una promoción, un aumento, consiga un socio), haremos...
73. En un dedo de tu pie hay más atractivo sexual que en todo el cuerpo de mi esposa.
74. Si usara uno de esos, ya no seríamos sólo tú y yo.
75. Unamos nuestros ingresos: lo que es mío es tuyo.
76. Me pareces tan atractiva como el día que te conocí.
77. Nada más alejado de mi mente que el divorcio.
78. Sí, cuidaré a los niños.
79. No es el sexo lo que me importa, sino estar cerca de ti.
80. Cuando me retire, pasaremos más tiempo juntos.
81. Eres el único motivo que tengo para trabajar tanto.
82. Sabes que si no tuviese tanto trabajo iría contigo y con los niños a lo de tu madre.
83. Nadie me revolucionó tanto como tú.
84. Mi jefe dice que no hay de qué preocuparse.
85. Nunca diré...
86. Cálmate, no es más que una amiga.
87. Es sólo una separación temporaria, para que reflexionemos.
88. Tu cabello (vestido, maquillaje) está hermoso.
89. No fue más que sexo... no significó nada.
90. Claro que estoy escuchándote.
91. Ven, que sólo quiero que nos hagamos unos mimos.
92. No, no me pareces gorda.

93. Tú eres la mujer con la que debería haberme casado.
94. Ahora me concentraré en el trabajo por un tiempo.
95. Te aseguro que yo no soy el padre.
96. No tiene nada que ver que tengas hijos; no es por eso que no quiero casarme.
97. No me avergüenza tu modo de hablar (tu apariencia, etcétera).
98. No es nada personal; lo que sucede es que no quiero compartir mi vivienda con nadie.
99. Esta vez, lo digo en serio.
100. En serio, mi amor, es por los muchachos... ninguna de las esposas va a la conferencia.
101. Siempre me ocuparé de ti.